4E ÉDITION

Guide du plein air au Québec

400 destinations | 4 saisons

KAYAK DE MER | RAQUETTES | RANDONNÉE | VÉLO | SKI | REFUGES | CAMPINGS

4 saisons | **400** destinations | centaines de conseils

Le guide de référence indispensable pour la pratique du plein air au Québec

Sommaire

EXPRESS-0$_2$

Des destinations éclair à moins d'une heure de Montréal ou de Québec! 7

LE QUÉBEC DE A À Z

Région par région, un panorama complet de l'offre de plein air 62

OSER UN AUTRE PLEIN AIR

TONUS

MINI-GUIDES

BOTTIN

Votre chien aime le plein air? Recherchez l'icône ci-contre. Au fil des pages, découvrez ainsi une multitude de lieux où le meilleur ami de l'homme est le bienvenu (restrictions à vérifier).

Éditeur : Stéphane Corbeil

Coordonnateur du contenu : Mathieu Lamarre

Collaborateurs de la quatrième édition : Florence Bourg, Catherine Cardinal, Émilie Corriveau, Marie-Soleil Desautels, Josée Descôteaux, Isabelle Dubois, Serge Ferrand, Marie-Hélène Hachey, Frédéric Laporte, Denis Lord, Yvan Martineau, Catherine Massicotte, Jean-Sébastien Massicotte, Catherine Naulleau, Gwennaëlle Reyt, Guillaume Roy, Frédérique Sauvée, Mélissa Vaillancourt.

Collaborateurs de la troisième édition : Ian Bergeron Guillaume Brodeur, Mélanie Carrier, Nathalie Cooke, Nicolas Derym, Isabelle Dubois, Christine Nadon, Michel Nepveu, Mélanie Pageau, Louis St-Jean, Geneviève Simard-Tozzi, Marianne Théorêt-Poupart, Karine Wolter.

Collaborateurs de la deuxième édition : Nicolas Bertrand, Anne-Marie Charest, Mario Demers, Isabelle Dubois, Stéphane Dufrène, Marie-Hélène Hachey, Frédéric Laporte, Mélanie Pageau, Louis St-Jean, Gil Thériault, Valérie Vézina, Zanie Roy.

Collaborateurs à la première édition : Nicolas Bérubé, Isabelle Dubois, Daniel Gauvreau, Lucie Garneau, Maxime Gélinas, Jacques Sennéchael, Paul Villecourt, Zanie Roy.

Correction orthographique et syntaxique : Lise Lortie et Mathieu Lamarre.

Design et graphisme : Sève création - Stéphanie Forest

Photographie de la page couverture : iStock (en haut) et Auberge de montagne des Chic-Chocs,Steve Deschênes, Sépaq (en bas)

Au moment d'aller sous presse, toutes les informations contenues dans ce guide ont été soigneusement vérifiées. Pour nous faire part de vos commentaires, ajouts ou modifications, svp, nous faire parvenir un courriel à : scorbeil@espaces.ca. Vous pouvez aussi nous écrire à l'adresse ci-dessous.

Certaines activités présentées dans ce livre comportent des risques de blessures. Les auteurs et l'éditeur ne recommandent pas la pratique de ces activités aux personnes qui n'en maîtrisent pas les techniques et habiletés requises.

Quatrième édition revue et augmentée : Deuxième trimestre 2010.

Bibliothèque nationale du Québec
Dépôt légal – Deuxième trimestre 2010 ISBN 9782922728071
(4e édition, 2010)

La collection ESPACES est publiée par Groupe Espaces inc.
911, rue Jean-Talon Est, bureau 205
Montréal (Québec) Canada H2R 1V5
514.277.3477
www.espaces.ca

Sommaire

Index par lieux

Note : Les numéros en gras font référence à la page principale de la thématique concernée.

Index

Index par lieux (suite)

Index par activités et sujets

Note : Les numéros en gras font référence à la page principale de la thématique concernée.

Express-O_2

Nos deux grandes métropoles n'ont rien à envier aux régions plus « sauvages » de la province au niveau des opportunités de plein air. Voici plus de 100 destinations multi-activités qui permettent de s'évader près de chez soi, à moins d'une heure de voiture de Montréal ou de Québec.

17 grands parcs urbains à explorer

Métro, boulot, plein air

©Ville de Montréal

À Montréal, une quantité impressionnante de parcs représente autant d'endroits où l'on prend plaisir à s'évader lors d'un après-midi de congé… ou lors d'un de ces week-ends où l'on n'a pas envie de faire des centaines de kilomètres avant d'arriver au sentier. Été comme hiver, **17 grands parcs montréalais** offrent un large éventail d'activités accessibles à tous, même à Fido!

Parfaits pour un entraînement vite fait, bien fait en **course à pied ou en ski de fond**, ces parcs sont des endroits idéaux pour pratiquer des **activités à caractère familial**: la randonnée à pied ou à vélo et le pique-nique durant l'été; le ski de fond, la raquette et le patin durant l'hiver. Bien qu'offrant un défi sportif limité, les grands parcs permettent de passer d'un milieu urbain à un milieu naturel en quelques minutes, pour le prix d'un billet de métro. Qui dit mieux?

Repères

Plusieurs partenaires sont associés au réseau des grands parcs de Montréal pour proposer différentes activités encadrées. C'est notamment le cas du Groupe uni des éducateurs-naturalistes et professionnels en environnement (www.guepe.qc.ca), qui offre des séances d'interprétation de la nature pour tous les publics, de jour et parfois même de nuit!

*L'**accès** à tous ces parcs est **gratuit** (sauf pour l'Arboretum Morgan); pour les parcs-nature, le stationnement est payant (5 $ / jour ou carte annuelle).*

Vous trouverez une mine d'informations (activités, cartes) sur le site Internet ou en téléphonant.

www.ville.montreal.qc.ca/grandsparcs

Repères 

Parc-nature de la Pointe-aux-Prairies

Ce vaste parc de 261 hectares est situé à la pointe est de l'île de Montréal. On y trouve de la forêt, des champs et des marais. Au total, quatorze kilomètres de pistes cyclables sillonnent le parc. Le parc-nature de la Pointe-aux-Prairies est aussi un endroit magnifique pour la ***randonnée****: quinze kilomètres de sentiers (de niveau facile) permettent aux randonneurs de parcourir les seuls boisés matures à se trouver à l'est du mont Royal. On peut y observer le grand duc d'Amérique ainsi que 183 autres espèces d'oiseaux. L'hiver, 24 kilomètres de pistes sont tracés pour le ski de fond et il est possible de louer sur place des skis; on peut aussi faire la location de raquettes et en profiter sur 4,7 kilomètres. Tous les sentiers sont de niveau facile. On peut également s'amuser sur la butte de glissade, pour le plaisir des petits, comme des plus grands.*

Chalet Héritage • (514) 280-6691
14905, rue Sherbrooke Est

Parc-nature de l'Île-de-la-Visitation

Ce petit parc de 34 hectares est situé dans le secteur Sault-au-Récollet, près de l'angle que forment les boulevards Saint-Michel et Gouin, au cœur du quartier Ahuntsic. Huit kilomètres de sentiers sont dédiés à la ***randonnée pédestre*** *durant l'été, et neuf sont accessibles pendant la saison hivernale. La piste cyclable qui longe la rivière des Prairies traverse le parc sur une distance de trois kilomètres. Il est également possible d'y faire du patin à roues alignées. L'hiver, huit kilomètres sont tracés pour le* ***ski de fond****; on peut louer des skis sur place. Il est également possible de faire la visite des maisons du Pressoir et du Meunier, deux bâtiments historiques situés dans le parc.*

Chalet d'accueil • (514) 280-6733
2425, boulevard Gouin Est

Parc-nature du Bois-de-Liesse

Situé sur le boulevard Gouin, à proximité de l'autoroute 13, le parc-nature du Bois-de-Liesse est une large enclave de 159 hectares de verdure au milieu de la ville. Durant l'été, dix kilomètres de sentiers de ***randonnée pédestre*** *de niveau facile sont dédiés aux randonneurs. Dix kilomètres de* ***pistes cyclables*** *en poussière de pierre sont aussi accessibles. L'hiver, 4,5 kilomètres sont réservés à la marche, 17 autres au ski de fond et quatre à la* ***raquette****.*

Il est possible de louer des vélos, des skis et des raquettes sur place. Près de l'accueil des Champs, on trouve aussi deux buttes sur lesquelles les enfants peuvent glisser.

Depuis septembre 2009, le sentier des Attraits, un sentier d'interprétation nouveau genre, vous propose de découvrir la forêt des Bois-Francs sous un regard différent à l'aide de modules sonores et tactiles installés au cœur du boisé. Une expérience unique qui ravira tous les sens, été comme hiver!

Maison Pitfield, accueil au public
(514) 280-6729
9432, boulevard Gouin Ouest

Parc-nature du Bois-de-l'Île-Bizard

Situé sur l'île Bizard, au nord-ouest de l'île de Montréal, le parc-nature du Bois-de-l'Île-Bizard regorge d'attraits exceptionnels comme une immense passerelle, longue de 406 mètres, que l'on emprunte pour franchir un marais, au départ des sentiers. Ce parc de 201 hectares est divisé en deux zones distinctes. Adjacent au lac des Deux Montagnes, le secteur de la Pointe-aux-Carrières représente le point d'accueil du parc; on y trouve notamment une plage de sable naturel et la tête de tous les sentiers. Dans la partie sud du parc, on découvre un secteur plus boisé où les marécages abondent. Dix kilomètres de sentiers sont praticables pour la ***randonnée*** *et le* ***vélo****. L'hiver, trois kilomètres sont réservés pour la marche, alors qu'il y en a vingt de tracés pour le* ***ski de fond*** *et 9,6 pour la* ***raquette*** *(location de skis et de raquettes sur place).*

Chalet d'accueil • (514) 280-8517
2115, chemin du Bord-du-Lac
(île Bizard)

Parc-nature du Cap-Saint-Jacques

Avec ses 288 hectares, le parc-nature du Cap-Saint-Jacques est le plus grand des parcs du réseau de la ville de Montréal. Situé dans le nord-ouest de l'île, il est moins connu que les autres parcs montréalais se trouvant plus près du centre-ville. Mais ceux qui s'aventureront jusque dans cette presqu'île isolée ne seront pas déçus: seize kilomètres de ***sentiers*** *de randonnée sillonnent le décor boisé du parc, situé à la rencontre du lac des Deux-Montagnes et de la rivière des Prairies. On y trouve une belle* ***plage*** *de sable naturel et il est possible de louer canots,* ***kayaks*** *ou embarcations à pédales pour aller voir de plus près l'environnement aquatique du parc. L'hiver, le réseau des pistes de* ***ski de fond*** *s'étend sur 32 kilomètres et le parc offre la location de skis. La piste la plus longue (10,5 kilomètres) fait le tour du parc en longeant les berges du lac des Deux Montagnes et de la rivière des Prairies. Avis aux intéressés: le territoire du parc compte même une cabane à sucre et une ferme écologique!*

Chalet d'accueil • (514) 280-6871
20099, boulevard Gouin Ouest
(Pierrefonds)

Repères

Parc-nature de l'Anse-à-l'Orme

Ce parc de 88 hectares, tout en longueur, situé à l'extrémité ouest de l'île de Montréal fait face au lac des Deux Montagnes. Les amoureux des sports nautiques pourront y pratiquer la planche à voile et le dériveur et le pour ainsi profiter des vents dominants d'ouest. Une aire de pique-nique, des douches extérieures et deux rampes de mise à l'eau sont mises à votre disposition.

Bureau administratif (514) 280-6871
Le parc est situé au 21335, boulevard Gouin Ouest (Pierrefonds)

Parc-nature du Ruisseau-De Montigny

Le petit dernier des parcs-nature est un vaste espace vert situé tout près du cégep Marie-Victorin, le long du ruisseau De Montigny. Il représente un écosystème d'une grande valeur écologique. Avec les cascades qu'on entend de loin, tous peuvent se laisser bercer par le son de l'eau qui coule. La voie multifonctionnelle longue de 3,3 kilomètres saura plaire aux amateurs de nature et de vélo.

Plusieurs points de départ possibles.
(514) 280-6691

Parc du Mont-Royal

Si les Montréalais disent «montagne», c'est bien parce qu'avec ses 233 mètres, leur mont Royal n'a pas beaucoup de compétition sur l'île. Jalousement préservé depuis 1876 des projets de construction qui auraient tôt fait de le défigurer, le parc du Mont-Royal, grand de 220 hectares, permet aux Montréalais de prendre la clé des champs et de goûter aux joies du plein air à quelques coins de rue de chez eux.

Une quarantaine de kilomètres de sentiers s'offrent aux randonneurs. Des escaliers en bois ont été construits aux passages les plus abrupts, ce qui facilite grandement la randonnée. Il ne faut surtout pas manquer le belvédère, cette immense terrasse située au sommet, qui offre un point de vue unique sur l'architecture du centre-ville. Pour s'y rendre, on emprunte le chemin Olmsted (6,5 kilomètres), une route en poussière de roche qui serpente jusqu'au sommet. Chemin faisant, il est possible d'emprunter de petits sentiers escarpés qui s'enfoncent directement dans le bois, vers le sommet.

Le chemin Olmsted est également praticable en vélo (huit kilomètres) — c'est d'ailleurs l'unique endroit du parc où les vélos sont tolérés. L'hiver, 22 kilomètres de pistes sont tracés pour le ski de fond. Pour se rendre au sommet, le sentier le plus facile est celui qui longe le chemin Olmsted, tandis que les autres, comme le sentier du Piedmont, pénètrent dans le bois et sont plus accidentés. La maison Smith, bâtiment centenaire auquel on peut accéder par la voie Camillien-Houde, est l'un des pôles d'accueil des visiteurs du parc, et le point de départ des randonnées autoguidées pour découvrir la montagne sous ses différents aspects. Ces sorties sont organisées par Les Amis de la montagne.

Les amateurs du pas de patin pourront se pratiquer sur la piste qui fait le tour du lac aux Castors ainsi que sur celle près du monument à Sir George-Étienne Cartier. Il est possible de patiner sur le lac aux Castors ou sur la patinoire réfrigérée. La location d'équipement tel que skis de fond, raquettes et patins est disponible au pavillon situé sur ses berges.

Depuis peu, l'entrée de la rue Peel a été complètement réaménagée et propose une nouvelle perspective sur l'endroit. À voir absolument!

L'accès est gratuit dans tout le parc.
www.ville.montreal.qc.ca/grandsparcs
Les Amis de la montagne
(514) 843-8240
www.lemontroyal.qc.ca

Parc Jean-Drapeau

Situé au milieu du fleuve Saint-Laurent, le territoire du parc Jean-Drapeau s'étend sur les îles Notre-Dame et Sainte-Hélène. Une multitude de sentiers plus ou moins définis les sillonnent: on n'a qu'à se laisser guider par ses pas! Le vélo et le patin à roues alignées sont également très populaires: quinze kilomètres de pistes cyclables, dont le circuit Gilles-Villeneuve, parcourent les deux îles. Au cours de la saison chaude, la plage Notre-Dame est un incontournable: on s'y baigne dans l'eau du fleuve, filtrée par une série de plantes aquatiques. Il est également possible de faire de l'aviron et du canoë-kayak au Bassin olympique, de se promener dans les Jardins des Floralies et de visiter le nouveau Complexe aquatique de l'île Sainte-Hélène. Cette aire offre trois bassins de niveau olympique pour la baignade en famille, pour des clubs d'entraînement en natation et en plongeon et pour des compétitions de divers calibres.

Location d'embarcations au lac de l'Île Notre-Dame et de vélos (métro, plage et bassin olympique)

Facile d'accès à vélo, en métro et en bateau par la navette fluviale.

www.parcjeandrapeau.com
Accueil du parc : (514) 872-6120

Parc Maisonneuve

À deux pas du Stade olympique, dans l'est de Montréal, le parc Maisonneuve est une vaste étendue parsemée de quelques coins boisés. Il est traversé par un réseau pédestre de 18 kilomètres de long. L'été, on peut y faire du vélo et de la marche; l'hiver, du ski de fond et du patin. On peut également en profiter pour visiter le Jardin botanique et ses expositions qui varient au gré des saisons (www2.ville.montreal.qc.ca/jardin), situé juste à côté du parc.

 *(514) 872-6555*

Parc Angrignon

Avec ses 97 hectares, le parc Angrignon est aussi vaste que le Vatican! Mais, n'ayez crainte, il est beaucoup moins fréquenté. Situé près de l'ancienne ville de LaSalle, dans le sud-ouest de Montréal, le parc Angrignon comprend environ dix kilomètres de sentiers de randonnée pédestre. Le relief y est plat, mais la végétation est dense. L'hiver, les pistes sont aménagées pour la pratique du ski de fond. Attenante au parc, la ferme Angrignon offre une variété d'activités pour les enfants durant la saison estivale.

 *(514) 872-3066*

Arboretum Morgan

Avec ses 245 hectares, l'arboretum Morgan est le plus grand du Canada. Situé à Sainte-Anne-de-Bellevue, sur la pointe ouest de l'île de Montréal, il appartient depuis 1945 à l'Université McGill qui étudie la richesse de sa faune et de sa flore. Il a été cédé à l'Université par la famille Morgan qui était à l'origine des célèbres magasins du même nom. L'Arboretum renferme des boisés, vestiges d'écosystèmes forestiers pratiquement disparus, et des collections d'arbres indigènes et exotiques (bouleaux, épinettes, sapins, tilleuls, etc.) qui abritent plus de 170 espèces d'oiseaux, tant sédentaires que migrateurs. Si vous prévoyez une visite de groupe, pourquoi ne pas réserver les services d'un des naturalistes pour démystifier l'endroit? On peut également se diriger soi-même à travers les onze kilomètres de sentiers offerts pour la randonnée pédestre et y trouver les seize panneaux d'interprétation. L'hiver, on peut faire du ski de fond (onze kilomètres) ou de la raquette (quatre kilomètres), sans compter que plusieurs activités sont organisées pour faire découvrir le parc à toute la famille (orientation en forêt, interprétation de la nature, astronomie, etc.).

 *150, chemin des Pins (Sainte-Anne-de-Bellevue) www.arboretummorgan.org • (514) 398-7811*

Bijou urbain

© Parc national des Îles-de-Boucherville, Mathieu Dupuis, Sépaq

Partir en plein air à moins de 10 kilomètres des tours de bureaux du centre-ville? C'est ce que propose le parc national des Îles-de-Boucherville. Situé au milieu du fleuve Saint-Laurent, il offre un paysage varié allant des grèves rocailleuses aux champs étendus, des zones boisées aux aires aménagées pour le pique-nique et la détente.

Le parc comprend cinq îles (l'île Sainte-Marguerite, l'île à Pinard, l'île de la Commune, l'île Saint-Jean et l'île Grobois), reliées les unes aux autres par des ponts en bois et un traversier à câbles. Forêts, champs fleuris et marécages se succèdent sur huit kilomètres carrés de part et d'autre du parc, lequel est un endroit privilégié pour le **vélo, le canot et le kayak**. En tout, 24 kilomètres de sentiers permettent aux cyclistes et aux marcheurs de visiter trois des cinq îles du parc.

À l'abri du vent et des courants du fleuve, sur un trajet de huit kilomètres, l'endroit est tout désigné pour s'initier au kayak de mer. On jurerait d'ailleurs être à des lieues de toute civilisation, surtout lorsqu'on circule d'un chenal à l'autre, parmi les herbes hautes des marais.

Aux îles de Boucherville, l'auto-interprétation est à l'honneur. Le long de la piste cyclable, 14 panneaux d'interprétation permettent aux visiteurs de se familiariser avec la faune et la flore environnantes. L'exposition *Un chapelet d'îles au cœur du grand fleuve*, située au centre de découverte et de services, donne une vue d'ensemble des richesses et des particularités touchant le territoire du parc.

Dès la fin avril et jusqu'à la mi-octobre, les gardes-parcs offrent la possibilité de participer à des randonnées animées sur différents thèmes.

L'hiver, il est possible de pratiquer de façon autonome les activités de plein air suivantes : randonnée pédestre sur neige, **raquette et ski nordique**. Mais attention aux bourrasques, on les dit redoutables. Après tout, on est au milieu du fleuve!

Focus

Famille : *Des modules de jeux sont situés près des tables à pique-nique, à proximité du stationnement.*

Expert : *N'apprivoise pas qui veut le fleuve et ses courants parfois malins... Même si l'activité ne fait pas partie de l'offre du parc, il est possible de sortir de l'abri fourni par les îles et d'effectuer le tour complet des îles, en passant au nord des grandes battures.*

Repères

Kayak : *des cours d'initiation sont offerts (info au centre de découverte et de services) et une rampe de mise à l'eau est à la disposition des kayakistes et des canoteurs possédant leur propre embarcation.*

Location : *vélo, remorque pour bébé, canot, chaloupe, kayak de mer et rabaska, raquettes.*

Parcours autoguidés *en kayak, à pied ou en vélo. Demandez les brochures à l'accueil.*

Exposition *sur l'histoire des îles et le marais à l'accueil.*

Saison : *toute l'année, de 8 h au coucher du soleil.*

S'y rendre : en voiture : *autoroute 25 sud, sortie 1, juste après le tunnel Louis-Hippolyte-Lafontaine. À vélo ou à pied : par les bateaux-passeurs Navark, depuis Longueuil.*

www.journaldebord.ca et (514) 871-VELO.

Des navettes sont également disponibles depuis Montréal et Boucherville.

Parc de la Rivière-des-Mille-Îles

La belle inconnue

De Montréal, chrono en main, on met à peine 30 minutes pour se rendre dans le parc de la Rivière-des-Mille-Îles, situé sur les berges de la rivière du même nom. Rapidement, le canot est à l'eau et les premiers coups de pagaie font fuir un grand héron. Nous sommes au milieu de la rivière, entre deux îles. Seul un bruit de fond de circulation nous rappelle la présence de la ville toute proche.

D'une longueur de 42 kilomètres, la rivière des Mille Îles sert de frontière nord à la région de Laval. Étonnamment, 231 espèces d'oiseaux, 67 espèces de poissons, 42 espèces de mammifères et 28 espèces d'amphibiens et de reptiles y ont élu domicile. Avec ses érablières argentées, ses herbiers et ses marais, certaines zones rappellent les bayous de la Louisiane. Différents **écosystèmes** ont fait leur nid dans les méandres de la rivière et sur la centaine d'îles qui la parsèment.

À tribord, le pont Marius-Dufresne et la route 117; à bâbord, le pont Gédéon-Ouimet, qui traverse l'autoroute des Laurentides. Entre les deux, en dessous et débordant même vers l'est et l'ouest, le parc de la Rivière-des-Mille-Îles porte avec fierté le statut particulier d'îlot de nature au cœur de la ville. L'Indiana Jones urbain découvre la rivière en **rabaska** s'il a une famille nombreuse (jusqu'à 12 personnes), tandis que les couples et les célibataires partent en canot ou en **kayak**. Il y aussi le pédalo pour les amateurs de stabilité (location sur place). Il est aussi possible pour les groupes de partir en croisière sur les îles à bord d'un ponton de 48 passagers. Le Héron Bleu. Par ailleurs, pour faciliter la découverte des différents écosystèmes de la rivière, le parc a concocté des circuits guidés. Ceux-ci peuvent se parcourir en compagnie d'un naturaliste ou en solitaire à l'aide d'un plan détaillé. La toute nouvelle randonnée de soirée sur la biodiversité offre la chance aux participants de découvrir la spectaculaire diversité écologique, plus facilement observable au soleil couchant dans son habitat.

Quand on donne ses premiers coups de pagaie, à une centaine de mètres du boulevard Sainte-Rose où se trouve l'entrée du parc, la rivière semble étroite, car l'île Gagnon cache la berge opposée. Cette dernière fait simplement partie de la vingtaine d'îles qui parsèment le parc, dont une dizaine possèdent depuis 1998 le statut de refuge faunique, lequel protège et met en valeur ces habitats exceptionnels. Quand le niveau de l'eau est élevé, il n'est pas rare de pagayer entre les érables, et la rivière prend alors des allures de bayou. En cherchant bien, on verra peut-être la lézardelle penchée, une plante rare d'allure tropicale. Installée dans cette partie de la rivière, ses feuilles sont en forme de cœur et sa tige rappelle celle du bambou.

Plus à l'ouest, on peut accoster sur une **plate-forme flottante** au milieu d'un marais. En regardant d'un peu plus près, on est surpris de la vie qui anime ces eaux calmes, une manière de ne pas oublier que les marais agissent comme de véritables filtres. Si un héron qui y pêche jette un regard sur le visiteur, ce dernier pourra laisser son canot dériver vers lui ; le héron ne s'envolera qu'au dernier moment.

L'hiver, la rivière gelée permet de faire du **ski de fond** d'une île à l'autre. On peut également pratiquer la **marche**, la **raquette** et le pas de patin sur un circuit plat et damé de sept kilomètres. Une patinoire de un kilomètre est aménagée en rive à la berge des Baigneurs. On retrouve aussi un relais chauffé et des toilettes. Le Parc offre aussi des activités de pêche blanche et des camps de jour en écologie hivernale.

Focus

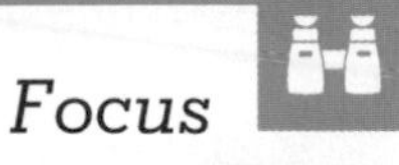

Famille et débutant : *Activité guidée.*
Il est facile de passer la journée sur la rivière en emportant son pique-nique : sortie familiale par excellence.

Expert : DU NOUVEAU ! La Route bleue des voyageurs.
Les pagayeurs aguerris pourront découvrir la Route bleue des voyageurs, un parcours de 155 kilomètres réparti en sections d'une vingtaine de kilomètres. Elle commence au pied du barrage de Carillon, sur la rivière des Outaouais, traverse le lac des Deux-Montagnes jusqu'à la rivière des Mille-Îles ou la rivière des Prairies et se termine sur le fleuve St-Laurent, à St-Sulpice dans la région de Lanaudière. On peut découvrir les huit circuits de la Route bleue des voyageurs de façon autonome en téléchargeant les cartes qui indiquent le réseau de mise à l'eau, d'arrêts d'urgence, d'aire de repos, de service d'hébergement et de restauration. On peut également se laisser guider par un naturaliste interprète à bord d'un rabaska, grâce à un forfait clé en main qui inclus le lunch, la location d'embarcation et toute la logistique du point de départ au point d'arrivée.

Repères

Parc de la Rivière-des-Mille-Îles

www.parc-mille-iles.qc.ca • (450) 622-1020

Adresse : *345, boulevard Sainte-Rose, Laval*

Le Parc est accessible de Montréal par l'autoroute 15, sortie 16, ou en transport en commun :
- métro Cartier, autobus 73 ;
- métro Montmorency, autobus 65 ;
- métro Côte-Vertu, autobus 151

Dans la cour arrière

© Parc national d'Oka, Jean-Pierre Huard, Sépaq

Le parc national d'Oka est l'un des parcs les plus fréquentés au Québec. Sa proximité des centres urbains et sa longue plage en bordure du lac des Deux Montagnes expliquent, entre autres, sa popularité auprès de la clientèle estivale. Mais au delà de ces attraits, le parc est aussi une aire de conservation qui se dévoile aux visiteurs toute l'année par le biais d'une panoplie d'activités de découverte et de plein air. D'une superficie de 23,7 km^2, le parc national d'Oka possède une variété de milieux, notamment la rivière aux Serpents et le marais de la Grande Baie, qui offrent des habitats protégés et favorables à une faune et une flore diversifiées.

Sur le plan du patrimoine culturel, le parc abrite une infrastructure historique unique en Amérique. Le Calvaire d'Oka, érigé entre 1740 et 1742, est composé de quatre oratoires et de trois chapelles.

Quel que soit l'intérêt que l'on porte à l'histoire, la présence des oratoires le long du parcours ainsi que les chapelles perchées sur la colline confèrent au sentier du Calvaire d'Oka une ambiance particulière couronnée par une vue imprenable sur les Adirondacks depuis le sommet.

Situé à 45 minutes de Montréal, le parc se découvre de bien des façons en période estivale. De la détente agréable au bord du lac des Deux-Montagnes, à la l'effort des cyclistes sur la colline, tant les familles que les sportifs aguerris y trouvent leur compte. **Observation et découverte de la nature, randonnée à bicyclette ou à pied, promenade en kayak**, là encore, tout est question de style et d'intérêts.

« Valonneux » qualifie bien l'ensemble du **parcours cyclable** du parc national d'Oka, si l'on fait exception du sentier de 7,5 kilomètres dédié au **vélo de montagne** qui est plutôt accidenté. Pour sa part, la piste La Vagabonde slalome sur une quarantaine de kilomètres entre pinèdes et forêts mixtes, et relie le parc aux municipalités environnantes.

À pied, le parc propose surtout de la **courte randonnée**. Le sentier de la Grande Baie mène en peu de temps au grand marais (3,5 kilomètres aller-retour), où **une passerelle flottante et une tour d'observation** permettent d'approcher respectueusement la sauvagine (famille de canards) ou encore le grand héron. Ici, nombreux sont les ornithologues qui restent accrochés à leurs lunettes. Plus pentu et plus long (4,5 kilomètres), le sentier du Calvaire d'Oka nous plonge dans l'atmosphère particulière d'un chemin de croix en milieu forestier. Le parc propose aussi le sentier de La Sauvagine et celui de L'Érablière. Des rallyes sont disponibles au centre de découverte et de services.

Sur le lac, en **canot** ou en **kayak**, il est possible de longer la rive du lac et de se rendre en trente minutes à l'embouchure de la rivière aux Serpents pour apercevoir les chapelles dans la montagne et le clocher d'Oka.

L'hiver, un réseau de plus de **46 kilomètres** de sentiers entretenus est offert aux adeptes **de ski de fond** classique et de pas de patin. La qualité de l'entretien fait la fierté du parc. Une courte et plane section, entre la pinède et le lac, recèle un cachet tout à fait particulier. Le sentier de la Colline est aussi recherché par les bons skieurs pour son niveau de difficulté. Quant aux noctambules, ils peuvent profiter d'un **sentier illuminé**, long de quatre kilomètres et ouvert aux patineurs comme aux skieurs classiques. Pour ceux qui souhaitent perfectionner leur technique, le parc offre des cours sur mesure ou en groupe, qu'il s'agisse de ski classique ou de **pas de patin**. Il existe aussi un cours pour les enfants de 4 à 13 ans; une formule gagnante pour accroître la passion et la joie de skier chez les jeunes!

La **raquette** et la **randonnée pédestre sur neige** sont aussi à l'honneur avec plusieurs sentiers, dont le plus long fait **11 kilomètres**. Hormis le sentier de raquette qui grimpe au sommet de la colline, tous sont de niveau facile et adaptés aux balades familiales.

© Parc national d'Oka, Jean-Pierre Huard, Sépaq

Focus

Famille: *En été, le sentier de la Grande Baie (3,5 km) est recommandé pour l'observation des oiseaux du marais depuis la tour et la passerelle. En hiver, le sentier de ski de fond illuminé (4 km) et les sentiers damés de randonnée pédestre sur neige plairont aux enfants comme aux parents. À la relâche scolaire, le camp Oxygène permet aux jeunes de 5 à 13 ans de découvrir la colline, les forêts, le lac et son littoral tout en s'initiant à des activités de plein air.*

Expert: *En vélo de montagne, en ski de fond ou en raquette, les adeptes de plein air se tourneront naturellement vers la colline du Calvaire: ses 150 m de dénivelé sauront les rendre enthousiastes! Quant aux cyclistes, ils pourront prolonger leur plaisir en parcourant les 90 kilomètres de la route des vins qui démarre du parc.*

Repères

www.parcsquebec.com • (450) 479-8365

Hébergement: *891 emplacements de camping (1 et 3 services) ou sans services. Prêt-à-camper été comme hiver. Le «Gîte sous les pins», auberge de type rustique, accueille différentes clientèles: familles, groupes ou écoles.*

Autres activités: *planche à voile, glissade.*

Location: *pédalo, kayak simple et double, canot, planche à voile, tripod (tricycle), vélo hybride et vélo pour enfant remorque pour enfant, équipement de ski de fond (pas classique et pas de patin), raquette, traîneau pour enfant (sur réservation) et casiers.*

Autres services: *Boutique Nature, boutique de ski, restaurant ainsi qu'une terrasse située face au lac, salle de fartage, salle de groupes, services de premiers soins. Place communautaire: magasin général et buanderie. La salle principale offre des activités de découverte avec capsules théâtrales.*

Accès depuis Montréal:

En auto, prendre l'autoroute 13 ou 15 Nord jusqu'à l'autoroute 640 Ouest et ensuite, prendre la route 344 Ouest sur 5 km.

Centre de la nature du mont Saint-Hilaire

Écrin de tranquillité

Situé à seulement 35 kilomètres de Montréal, le mont Saint-Hilaire est un véritable centre de conservation de la nature. Légué en 1958 à l'Université McGill, le site couvre onze kilomètres carrés et comprend quatre sommets accessibles au public, pour un total de onze sommets. En 1978, l'Unesco faisait de ce territoire la première des réserves de la biosphère au Canada.

Repères

www.centrenature.qc.ca • (450) 467-1755
422, chemin des Moulins (Mont-Saint-Hilaire)

Les vélos et les chiens sont interdits.

Location: *ski de fond, raquette, porte-bébé, semelles à crampons, bâtons de marche.*

Heures d'ouverture: *tous les jours de 8 h jusqu'à une heure avant le coucher du soleil.*

Accès: *de Mont-Saint-Hilaire, dirigez-vous vers la montagne par les rues Fortier et Ozias-Leduc. De l'autoroute 20, suivez les indications pour la Réserve naturelle Gault (pancartes provinciales bleues).*

Focus

Famille: *Le Centre de la nature du mont Saint-Hilaire est un endroit idéal pour les familles. On peut y choisir un itinéraire en fonction de l'endurance du groupe.*

Expert: *Une sortie de course en montagne vous démange? Les sentiers de randonnée du mont Saint-Hilaire sauront vous combler, à condition d'avoir la forme! Commencez par le sommet Dieppe, qui est celui offrant la plus grande constance dans la montée. Pour les adeptes de cardio, choisissez le sentier bleu qui mène au sommet Rocky. C'est le plus difficile avec ses montées et ses descentes abruptes.*

La moitié de son territoire est une zone de préservation non accessible, composée d'une forêt qui n'a jamais été touchée par les activités de déboisement depuis les débuts de la colonisation. À proximité du point de départ, vous pourrez apercevoir quelques spécimens d'arbres qui ont plus de 400 ans.

Dans la partie ouverte au public, le réseau de **sentiers pédestres** comprend un total de **24 kilomètres** et **quatre sommets** avec point de vue. À partir du centre d'accueil, Burned Hill se trouve à 1,3 kilomètre; le Pain de Sucre (le plus haut sommet – 413 mètres), à 2,6 kilomètres; Dieppe, à 3,7 kilomètres; et Rocky, à 4,8 kilomètres. Les dénivelés varient entre 125 et 250 mètres. Le Pain de Sucre offre un point de vue intéressant sur la vallée du Richelieu et, par temps clair, permet d'apercevoir la tour inclinée du Stade olympique de Montréal.

Les sentiers sont très adéquats pour la balade familiale: ce sont des chemins balisés et entretenus, dont la difficulté va de facile à intermédiaire. Le plus long d'entre eux, qui va vers le sommet Rocky, est le plus sauvage, vu ses parties boueuses et les arbres qui le traversent. Au printemps, le sentier mauve, soit le moins fréquenté, est couvert de plantes printanières aux joyeux coloris. Au lac Hertel, on trouve des tables à pique-nique très appréciées pour reprendre son souffle avant de retourner à la voiture. Au centre d'accueil, une exposition présente des photographies des paysages de la région. On peut combiner plusieurs sentiers et en découvrir les différents attraits: ruisseaux, étangs, prés, de même qu'un trottoir de bois au-dessus d'un tapis de fougères.

L'hiver, il est possible d'y faire du **ski de fond**: **dix kilomètres** de sentiers ont été tracés pour les skieurs de tout calibre. Vingt autres sont praticables en **raquette** et à la **marche**. Sur place, on peut louer des skis de fond et des raquettes, et une carte des sentiers est disponible à l'accueil de même que sur le site Internet.

Parc national du Mont–Saint–Bruno

Promenade zen

Situé à 15 minutes au sud-est de Montréal, le mont Saint-Bruno représente une destination de choix pour passer une journée à se balader en forêt. Accessibles été comme hiver, près de **30 kilomètres de sentiers**, de niveaux facile à intermédiaire, serpentent dans les bois et contournent les cinq lacs du parc. Cinq circuits différents permettent de découvrir la faune, la flore ou l'histoire de ce petit territoire. Plus de 200 espèces d'oiseaux, 40 espèces de mammifères et 600 espèces de végétaux ont été recensées dans le parc, une richesse qui donne lieu à des activités de découvertes animées par des naturalistes.

La particularité de ce parc vient du fait qu'on y trouve également des centaines de pommiers de plusieurs variétés, cultivés dans un verger expérimental. Au printemps, lors de la floraison, c'est un bonheur pour les yeux et le nez. À l'automne, au moment de la récolte, c'est un plaisir pour la bouche puisqu'on peut faire de l'autocueillette.

L'**hiver**, un réseau de **35 kilomètres de sentiers** est à la portée de tous les adeptes de **ski de fond**. Il y en a pour tous les goûts: trois faciles, quatre intermédiaires et un expert. Le dénivelé étant assez doux, les sentiers sont accessibles à tous, mais attention, il ne faudrait pas oublier que nous sommes en montagne! Les montées ne sont jamais loin... Une école de ski donne des cours aux skieurs débutants comme aux plus avancés: on y enseigne autant le pas alternatif que le pas de patin. De plus, un atelier d'entretien est en mesure d'effectuer des réparations sur place et il est possible de louer un équipement de ski. Enfin, la **randonnée pédestre hivernale** est aussi offerte sur les **7 kilomètres** du chemin de service qui contourne le lac Seigneurial et sur les 3,5 kilomètres du sentier du Grand-Duc.

Focus

Famille: *Le parc national du Mont-Saint-Bruno est tout désigné pour les familles, plusieurs des sentiers étant cotés faciles.*

Expert: *Le sentier n° 6, une boucle de huit kilomètres, offre un dénivelé de 100 mètres dont les pentes et les courbes font voir les arbres de près aux adeptes de ski qui s'y aventurent! Très bien en course à pied aussi...*

Repères

www.parcsquebec.com • (450) 653-7544
330, rang des Vingt Cinq Est,
Saint-Bruno-de-Montarville.

Patrimoine: *Il est possible de visiter un ancien moulin à farine construit en 1761 et de parcourir le sentier Saint-Gabriel, témoin des vestiges et des aménagements qui proviennent de l'occupation du territoire par la congrégation religieuse des Frères de Saint-Gabriel.*

Dix autres lieux extras !

Toujours à moins de 45 minutes en voiture de Montréal, voici dix autres idées de sorties pour du plein air vite fait, bien fait!

LAVAL

Bois Papineau

Vous pouvez emprunter le parcours écologique pour apprécier l'intimité du bois et découvrir une hêtraie bicentenaire qui a fait sa réputation. Parcourez à pied, en raquettes ou en skis de fond ses sept kilomètres de sentiers.

www.ville.laval.qc.ca • (450) 662-4901
3235, boulevard Saint-Martin Est, Laval

Parc des Prairies

Site naturel de 30 hectares, ce parc possède plusieurs attraits: étang naturel, sentier écologique, piste cyclable et aires de repos. Une piste d'hébertisme saura plaire aux adolescents friands d'aventures tumultueuses.

Autres activités: marche, vélo, patin, glissade, ski de fond, raquette
Services: restaurant, prêt d'équipement sportif (à venir)
www.ville.laval.qc.ca • (450) 662-4902
230, boulevard des Prairies, Laval

Centre de la nature de Laval

Ce parc récréatif de 50 hectares est né de la revalorisation d'une ancienne carrière. Vous pourrez randonner sur de courts sentiers, aller visiter la ferme, le parc des chevreuils, la serre d'exposition, et même naviguer sur un lac!

Accès gratuit.
Service: location d'embarcations
www.ville.laval.qc.ca • (450) 662-4942
901, avenue du Parc, Laval

LANAUDIÈRE

Sentiers de la Presqu'île

Parc multidisciplinaire de 150 kilomètres carrés, les Sentiers de la Presqu'île offrent aux citadins en quête d'air pur 15 kilomètres de sentiers de **randonnée pédestre**, **48 kilomètres de pistes de ski de fond**, six kilomètres de sentiers de **raquette**, deux sentiers de randonnée pédestre d'hiver, deux sentiers de vélo (sept kilomètres de ville et onze kilomètres de montagne) avec certains secteurs où Fido est le bienvenu! Le tout à vingt minutes de Montréal.

Autre activité: randonnée nocturne les samedis précédant la pleine lune, de décembre à mars, soit durant la saison de ski de fond.
Services: location d'équipement, salle de fartage et casse-croûte
Tarifs: 5$ adulte, 3$ étudiants de moins de 16 ans, 1,50$ pour Fido et gratuit pour les enfants de cinq ans ou moins (même l'équipement)
S'y rendre: autoroute 40, sortie 97; autoroute 640, sortie Charlemagne; autoroute 25, sortie Repentigny, puis suivez les panneaux bleus «Sentiers de la Presqu'île».

www.lessentiers.net
(450) 585-0121 • (450) 581-6877
2001, rue Jean-Pierre, Le Gardeur

LAURENTIDES

Parc régional de la Rivière-du-Nord

Le parc régional de la Rivière-du-Nord, situé à 40 minutes de Montréal, est le gage d'une sortie dépaysante et vivifiante. À travers bouleaux et grands pins, suivant constamment le tumulte de la rivière du Nord jusqu'aux chutes Wilson, 34 kilomètres de sentiers peuvent être empruntés en **raquette ou à pied**. Le Parc présente un dénivelé doux et accessible à toute la famille. Au cœur de la forêt, les sous-bois cachent aussi 27 kilomètres de **pistes de ski de fond** et deux circuits de onze kilomètres et de vingt kilomètres dédiés au **vélo**. Les amateurs d'ornithologie pourront observer plus de 100 espèces d'oiseaux. L'ensemencement annuel de 6000 truites arc-en-ciel et la présence de plusieurs espèces de poissons, dont l'achigan et le doré, feront la joie des pêcheurs. L'été venu, l'eau calme de la rivière du Nord permet de remonter son cours.

Autres activités: raquette hors piste, canot, kayak, camping d'été et d'hiver, *géocaching*
Location: ski, raquette, canot, kayak, vélo, canne à pêche, poussette et brouette
Hébergement: camping sauvage et igloo (4$ par nuit par adulte)
Tarifs: résidants de la MRC Rivière-du-Nord: 2$; gens de l'extérieur: 7$ l'hiver, 5$ l'été; gratuit pour les 17 ans et moins. Cartes d'abonnement saisonnier et annuel disponibles
S'y rendre: autoroute 15, sortie 45 pour le boulevard de La Salette Ouest, tournez ensuite sur le chemin de la Rivière-du-Nord. C'est fléché!
www.parc-riviere-du-nord.com • (450) 431-1676
750, chemin de la Rivière-du-Nord, Saint-Jérôme

Parc régional du Bois-de-Belle-Rivière

Avec ses grands jardins, ce petit parc régional de 176 hectares est la destination idéale pour la promenade dominicale. Il offre dix kilomètres de sentiers pédestres et 7,5 kilomètres dédiés au ski de fond. On y trouve des aires de pique-nique et des refuges à louer.

Autres activités: raquette, glissade, équitation, pêche
Location: canne à pêche
Hébergement: cinq refuges
Tarifs: 4$ adulte, 1$ enfant de 6 à 16 ans, 1$ chien
www.boisdebelleriviere.com • (450) 258-4924
9009, rue Arthur-Sauvé, Mirabel

Parc du Domaine-Vert

Parc forestier de 650 hectares situé en milieu urbain offrant une panoplie d'activités: six kilomètres pour la marche; 34 kilomètres pour le ski de fond; 7,2 kilomètres pour la raquette, pistes pour le vélo hybride et de montagne.

Autres activités: hébertisme d'arbre en arbre, glissade, patinoire, escalade, randonnées pédestre et à vélo, baignade en piscine. Animation groupes scolaires et corporatifs
Location: ski de fond, raquette, tube et tapis de glisse
Services: restaurant, salle de fartage, boutique
Hébergement: pour groupes de 24 personnes
Tarifs: variables selon la saison.
www.domainevert.com • (450) 435-6510
10423, montée Sainte-Marianne, Mirabel

MONTÉRÉGIE

Parc régional de Longueuil

Un trésor bien caché! On trouve là une douzaine de kilomètres de pistes de ski de fond exceptionnellement bien entretenues, incluant un corridor de 1,3 kilomètre pour le pas de patin. La moitié des pistes sont éclairées. Aussi, le Parc offre une quinzaine de kilomètres de sentiers pédestres, dont sept kilomètres sont accessibles aux cyclistes. L'observation de la faune et de la flore n'est pas à négliger, avec un marais et une centaine d'espèces d'oiseaux y virevoltant. Programme d'animation pour toute la famille.

Accès gratuit et un chalet est à la disposition des skieurs.
www.sogep.ca
hiver: (450) 468-7617 • été: (450) 468-7619
À l'angle des rues Adoncour et Curé-Poirier Est, Longueuil

Sanctuaire Notre-Dame-de-Lourdes, à Rigaud

Les «athées» du plein air seront convertis par le divin chemin vers la croix de Rigaud. En famille, c'est en randonnée que l'on découvre l'endroit, alors que les plus sportifs opteront pour le pas de course. La neige venue, raquettes ou skis de fond sont de mise. Un promontoire et une croix imposante saluent les pèlerins en mal de panoramas.

Niveau: facile
S'y rendre: autoroute 40 en direction d'Ottawa, sortie 12. Tournez à gauche à l'arrêt, puis suivez les indications pour le collège Bourget ou le Sanctuaire Notre-Dame-de-Lourdes. Stationnement au sanctuaire. Le départ du sentier se fait à droite du «champ de patate» et on peut revenir en le cerclant.

Mont Rigaud
L'Escapade, les sentiers du Mont-Rigaud

À 45 minutes en voiture de Montréal, les sentiers du Mont-Rigaud se déroulent sur près d'une trentaine de kilomètres autour de la montagne. Grimpant jusqu'à un maximum de 220 mètres, les tracés se divisent en six pistes balisées. Randonnées équestre et pédestre sous le soleil, ski balisé tracé et raquettes sur la neige! Location de raquettes en saison et service d'interprétation de la nature disponible pour les groupes.

Niveaux: facile et intermédiaire
S'y rendre: autoroute 40 en direction d'Ottawa, sortie 12. Tournez à gauche sous le viaduc. Première lumière, à gauche sur la rue Saint-Viateur, puis sur la troisième rue à gauche vers le Chalet de L'escapade (rue Boisé-des-Franciscaines). D'autres accès populaires à proximité (Sucrerie de la Montagne, autres stationnements).
Accès gratuit. Cartes et règlements disponibles.
www.ville.rigaud.qc.ca,
onglets Attraits et événements » L'Escapade
(450) 451-0869 poste 228

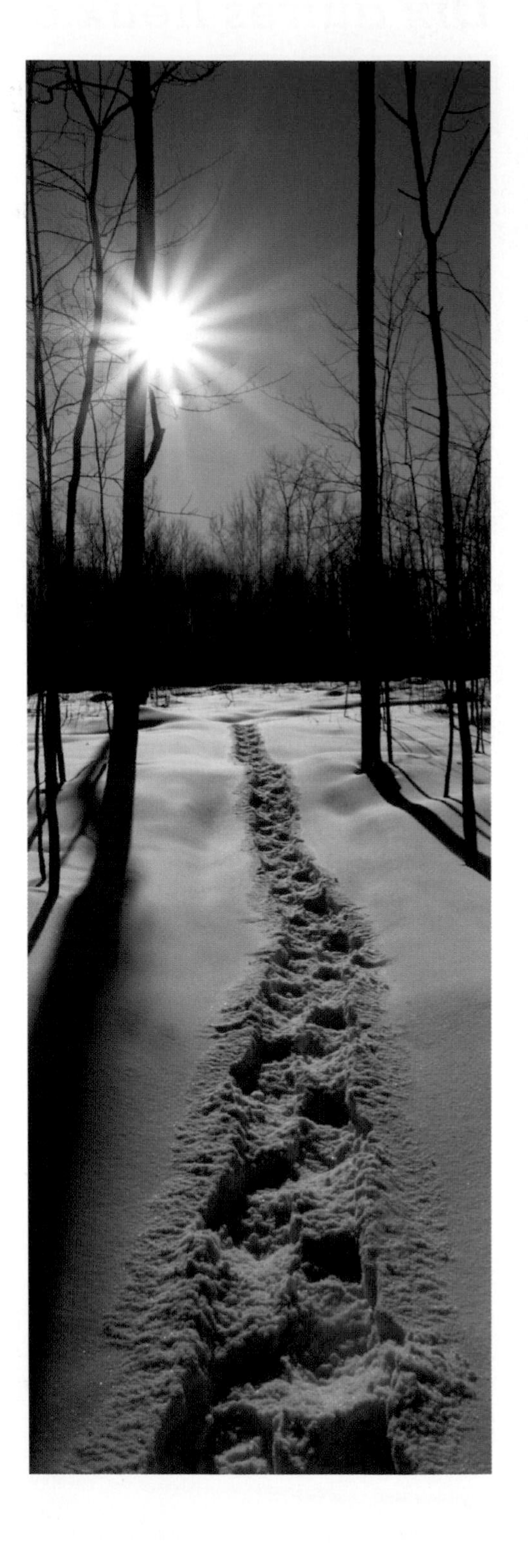

Circuits vélo

Roulez jeunesse !

LES PISTES DE MONTRÉAL

Suivre sa voie

Il n'est pas nécessaire d'aller bien loin de Montréal pour pédaler. Si l'on s'en tient à de la balade urbaine, on peut même profiter «sur place» du réseau de quelque **350 kilomètres de pistes et voies cyclables** qui sillonnent l'île.

Pour rouler un peu plus loin — et peut-être aussi un peu plus vite —, deux pistes s'imposent: **Gouin** et le **Canal-de-Lachine**. La première se trouve en marge du boulevard éponyme, au nord de l'île. On peut y faire des allers-retours (à l'est ou à l'ouest) ou intégrer la piste à divers endroits du circuit.

L'autre option, au sud cette fois, est la piste du Canal-de-Lachine. Bien entretenue, longeant joliment le canal, elle mène cyclistes et patineurs du Vieux-Montréal à Lachine (environ onze kilomètres) sur une piste complètement séparée du réseau routier. En plein été, l'endroit a son charme. Les sportifs auront cependant avantage à l'éviter les fins de semaine, alors que la densité du trafic est fort élevée.

On peut se procurer des cartes (papier) du réseau cyclable dans plusieurs boutiques de vélo, de même qu'à la Maison des cyclistes. ***www.velo.qc.ca***

VOIE MARITIME

Rouler sur le fleuve

La « voie du fleuve » longe le canal maritime, du pont Victoria jusqu'à Sainte-Catherine. C'est un chemin de rêve pour les cyclistes. Large, asphalté, en très bon état, il file sur le fleuve entre deux belles rangées d'arbres. **Pas de bruit, pas de voiture**, pas d'arrêt! **Quatorze kilomètres** à filer sur les eaux! Les cyclistes y sont heureux, les patineurs (éprouvés par les rues montréalaises) y jubilent.

On y accède soit par le pont Victoria (Vieux-Montréal, Habitat 67, pont de la Concorde, île Notre-Dame), soit par l'estacade (piste du Canal-de-Lachine, sortie au marché Atwater, Verdun, Île-des-Soeurs), tout cela en suivant la piste.

Tout au bout, sur les rives du fleuve, on trouve à Sainte-Catherine une curieuse petite plage, de même qu'un parc propice à un pique-nique.

L'option la plus simple est l'aller-retour — on revient généralement vent de dos! Il y a également l'option de passer par la Riveraine, qui sera incorporée à la Route verte prochainement. ⇨

LE TOUR DE LA POINTE OUEST
Au fil de l'eau

Pour les Montréalais, voici une sortie express d'approximativement **50 à 60 kilomètres**, ce qui représente environ 2 heures 30 minutes à rythme très moyen. Il faut d'abord atteindre le boulevard Gouin (via le boulevard Saint-Laurent, la rue Saint-Denis, l'avenue Christophe-Colomb, etc.). On prend alors à gauche, vers l'ouest. Le circuit est simple: on longe la rivière des Prairies jusqu'au boulevard des Sources.

On recommence à respirer de l'autre côté, où le lac Saint-Louis surgit judicieusement de la banlieue qui le précède, à la limite de Pointe-Claire et de Dorval. Le retour n'est pas plus compliqué: on longe le fleuve à Dorval et à Lachine, puis on enfile les derniers kilomètres sur la piste du Canal-de-Lachine pour aboutir dans le Vieux-Montréal. À partir de là, vous connaissez le chemin!

SE PERDRE À WESTMOUNT
Rêveries vélocipédiques

Peu de temps, pas de fond, envie de faire de la côte quand même? Hop! En visite à Westmount cette fois-ci, pour une petite improvisation. Traversez le campus de l'Université de Montréal, via le boulevard Édouard-Montpetit, par exemple. Rendez-vous à l'intersection des chemins Queen Mary et Côte-Sainte-Catherine. À partir de là (on peut emprunter la rue Roslyn pour commencer, par le chemin Queen Mary), vous disposez d'un secteur de rêve pour déambuler doucement, au hasard des courbes, des montées et des descentes. Vous pourrez vous perdre dans ce quartier délimité par les rues Victoria à l'ouest, Sherbrooke au sud et Côte-des-Neiges à l'est. Voilà une autre façon de faire du vélo — et de la côte — en rêvassant, en admirant et en enviant peut-être les millionnaires qui ont élu domicile sur ce beau versant du mont Royal.

LE SUD-OUEST DE L'ÎLE
Un dépaysement de proximité

Le cycliste en provenance de Montréal a souvent l'instinct regrettable de s'arrêter à Lachine, aux confins du monde francophone. Dommage, car plus loin, **Dorval, Pointe-Claire, Baie-d'Urfé et Sainte-Anne-de-Bellevue** bordent les largeurs du fleuve avec des airs de villégiature. Tout au bout, du côté de la rivière des Mille Îles, une campagne s'entête et nous plonge dans le passé rural de l'île.

Au centre de Pointe-claire, l'avenue Sainte-Anne mène vers le fleuve. Le site — église, couvent et moulin donnant sur la baie — est remarquable!

Prenez à gauche (vers l'ouest) sur la rue principale... et suivez le fleuve! La route est belle et les automobilistes, habitués à la présence des cyclistes, sont bien disposés à leur égard.

Au campus McDonald, prenez à droite. Passez par-dessus l'autoroute 20 et filez à travers champs, jusqu'au chemin Sainte-Marie, où vous tournerez à droite. Au chemin de l'Anse (première intersection, après quelques kilomètres), tournez à gauche. Au chemin Senneville, prenez à gauche, vous roulerez sur l'un des plus beaux parcours de l'île.

Profitez de la jolie promenade à Sainte-Anne-de-Bellevue pour prendre une petite bouchée. Le fil de l'eau vous reconduira à Pointe-Claire. Environ 45 kilomètres.

Accès de Montréal: autoroute Ville-Marie vers l'ouest, sortie boulevard Saint-Jean, à Pointe-Claire, direction sud; rue Lakeshore jusqu'à la rue Sainte-Anne.

VAUDREUIL-RIGAUD
Les Cantons-de-l'Ouest

À 45 minutes de Montréal, les cyclistes trouvent aux abords du lac des Deux-Montagnes un parcours relativement plat et panoramique à souhait. Reliant Vaudreuil à Rigaud, le chemin de l'Anse est bordé de majestueux érables. Il mène au beau village d'Hudson.

Quelque vingt kilomètres plus loin, on atteint la ville de Rigaud, dominée par son clocher et son imposant collège. Les alentours du centre de ski comptent de bonnes petites côtes.

Le chemin Saint-Georges, en plein cœur des collines de la région, traverse de jolies érablières. En revenant de Rigaud, on a un léger répit, car tout ce qui monte doit redescendre!

Repères

Stationner au chemin de l'Anse, à Vaudreuil. Emprunter cette route jusqu'à Rigaud; suivre les indications pour le centre de ski. Passer ce dernier, tourner à gauche et gravir la côte, jusqu'au chemin Saint-Georges. À la fin de ce chemin, emprunter la route 201 sud, jusqu'au chemin de l'Anse. Compter 65 kilomètres pour compléter la boucle.

Pour plus d'information: www.increvables.com

Montréal et ses environs

Bien que plutôt urbains et assez fréquentés, les 350 kilomètres de voies cyclables de la métropole ne sont pas strictement confinés au cœur de la ville et mènent à des endroits très intéressants. Les **circuits de l'île Bizard et de l'île Perrot**, par exemple, sont relativement près du centre-ville, nous éloignant tout de même des plantations de béton.

Les cyclistes peuvent rouler sur deux boucles à l'île Bizard. La première fait le tourde l'île et partage la route Cherrier avec les automobilistes, alors que la seconde, beaucoup plus petite, parcourt un parc naturel de 178 hectares situé à l'intérieur de la première boucle.

Composé d'érablières, de cédrières et de marais, ce parc permet aux visiteurs d'épier tortues, canards, castors et hérons.

Après avoir achevé la tournée de l'île Bizard, le tracé longe le lac des Deux Montagnes sur la pointe ouest de l'île de Montréal. On passe alors devant le cap Saint-Jacques et l'anse à l'Orme. Vient ensuite l'île Perrot, dont le circuit mène à la pointe du Moulin par le boulevard Gouin, côtoyant toujours la rive en compagnie des véhicules. Au printemps, cet endroit est très prisé par les oies, les canards et les huards. On peut également y visiter des bâtiments historiques.

Ces circuits font plus de 75 kilomètres. Il faudra donc se lever tôt, ou encore ne pas trop s'arrêter!

Repères

En plus de vous donner tous les moyens de faire de vous un cycliste urbain, le site Voyagez futé *vous propose le plan des pistes cyclables de Montréal!*

www.voyagezfute.ca • (514) 843-9122

Laval

La **Route verte** traverse maintenant l'île Jésus par l'axe nord-sud et est-ouest. Au total, 150 kilomètres de pistes sont disponibles, dont 36 kilomètres appartenant à la Route verte. Le **réseau lavallois** longe plusieurs berges, des boisés, tels que le boisé Papineau, et des parcs, dont le Centre de la nature. Les passages piétonniers du pont du Canadien Pacifique, dans le quartier Laval-des-Rapides, et du pont Viau donnent accès à l'île de Montréal. Au nord, les cyclistes peuvent emprunter les ponts Marius-Dufresne ou Athanase-David pour se diriger vers les Laurentides et ainsi accéder au P'tit train du Nord, un circuit de la Route verte, à Bois-des-Filion. Plus à l'ouest, dans le quartier Laval-sur-le-Lac, le barrage des Moulins permet aux cyclistes de se rendre à Deux-Montagnes pour accéder à la piste La Vagabonde et ainsi poursuivre sur la Route verte; un traversier peut aussi les déposer sur l'île Bizard, un endroit des plus enchanteurs.

Repères

www.tourismelaval.com • 1 877 465-2825

Montréal est une île, n'est-ce pas?

Les Montréalais l'oublient peut-être parfois, mais ils vivent bel et bien sur une île, dont l'accès à l'eau n'est curieusement pas si simple! Voici quelques destinations facilement accessibles qui vous permettront de vous la couler douce…

OUEST DE MONTRÉAL
Kayak à Vaudreuil

Apprendre n'aura jamais été si plaisant! De multiples formations en kayak de mer se présentent à vous à l'ouest de l'île de Montréal, dans la région de Vaudreuil. Reconnues par la Fédération québécoise du canot et du kayak (FQCK), ces formations vous sont offertes en trois niveaux et sous la forme d'un cours préparatoire pour le niveau 3 et d'un cours de navigation.

Sylvain Bédard: (450) 424-0447
www.kayaksylvainbedard.com

MONTÉRÉGIE
Promenade vers le Saint-Laurent

Une véritable « cure de beauté », ou « mise en valeur » dans le jargon du développement, voilà ce dont a bénéficié la vallée de la **rivière Châteauguay** au cours des dernières années. Résultat: une belle brochette d'attraits et pas encore de foules pour en profiter, le tout à proximité de Montréal et accessible en transport en commun. La rivière est divisée en plusieurs tronçons, permettant aux pagayeurs de tous les niveaux d'y trouver leur compte. La tranquillité des eaux de la section la plus rapprochée de Montréal vous laissera apprécier la beauté de la vallée, alors que les plus téméraires apprécieront les rapides de niveau RI à RIII qui parsèment les tronçons en amont. Un événement annuel a également été créé: Rivière Châteauguay en fête, qui vous offre la chance de vous inscrire à trois forfaits kayak-vélo qui se dérouleront à des dates différentes, ainsi qu'une programmation complète d'activités de tous genres.

www.rivierechateauguay.qc.ca • 1 800 378-7648
www.rivchateauguayenfete.ca

Kayak Safari (location et service de guides)
www.kayaksafari.ca • 1 866 664-0111

ÎLE NOTRE-DAME
Le grand air au parc Jean-Drapeau

Situé à quelques minutes de marche de la station de métro Jean-Drapeau, le centre offre la location de **kayaks et pédalos**. Pagayer au centre-ville n'aura jamais été aussi facile!

www.parcjeandrapeau.com
Réservations sportives: (514) 872-2323
Plage: (514) 872-0199

MONTÉRÉGIE
Pour les amoureux de la nature

Vous rêvez d'un peu de tranquillité au cœur d'une nature sauvage et abondante? **La Réserve mondiale de la biosphère du lac Saint-Pierre** a ce qu'il faut pour vous combler. Cette zone constitue le plus important archipel du Saint-Laurent avec ses 103 îles. En **canot** ou en **kayak de mer**, il est possible d'y effectuer deux expéditions: l'une qui vous mène vers les îles de Sorel, et l'autre qui vous conduit sur le chenal Lavallière. Ce dernier circuit vous amène au cœur des marais bordés de nénuphars, de fleurs sauvages et de plantes rares qui donnent parfois l'impression de pagayer sur une rivière de l'Amazonie. Un véritable havre de paix au cœur de la nature de la Montérégie!

www.biospherelac-st-pierre.qc.ca • (450) 783-6466

SUD DE MONTRÉAL
Déferlantes, rouleaux et compagnie

Montréal est une destination de choix pour les **kayakistes d'eau vive**: plusieurs vagues sont accessibles tout près de la ville. Les **rapides de Lachine** sont sans doute les plus connus, offrant une variété de vagues pour les pagayeurs de tous les niveaux. Faites connaissance avec Big John, Gaëtan ou la vague à Guy, tous des rapides qui auront tôt fait de vous rendre accros à leurs bouillons. L'équipe de Kayak sans frontières tient un centre de formation et de location à quelques pas du site, ce qui permettra même aux néophytes d'apprécier les joies du sport en toute sécurité!

Kayak sans Frontières
www.ksf.ca • (514) 595-SURF

SUD DE MONTRÉAL

La vague parfaite?

Une autre destination d'**eau vive** populaire se trouve derrière les condominiums de **l'Habitat 67**, symbole par excellence de la belle époque de l'Expo. La vague principale, connue sous le nom d'Habitat, est située à une cinquantaine de mètres du rivage et trouve aussi preneur chez les surfeurs de rivière depuis quelques années. Notez cependant qu'une étude parue en 2002 révélait que le site est hautement pollué et que la baignade en ces lieux pouvait comporter des risques à court et à long terme pour la santé.

MONTÉRÉGIE

Les soubresauts de la Richelieu

Facilement accessibles, les **rapides de Chambly**, situés tout près de Montréal sur la rivière Richelieu, offrent également leur part de sensations fortes aux **pagayeurs d'eau vive**. Proposant une descente de difficulté modérée sur environ 1,7 kilomètres, leur entrée à l'eau se fait à partir du parc des Rapides.

www.aquafete.com

Kayak de mer sous les feux

Chaque année, l'International des Feux Loto-Québec (d'artifices) se déroule généralement de la mi-juin à la mi-août. C'est l'occasion de pagayer sous les étoiles… et sous les feux tirés du pont Jacques-Cartier. Le départ est à 19 heures, à **l'île Charron**, à l'extrémité nord-est de la ville de Longueuil. Un petit cours d'initiation au kayak, et c'est parti pour la balade! Avec un peu de chance, vous croiserez peut-être quelques castors, et autres animaux qui sortent à la tombée de la nuit. Toutefois, il vaut mieux réserver longtemps à l'avance pour espérer avoir une place, surtout pour la soirée de clôture. Plusieurs autres activités sont également offertes.

www.detournature.com • (514) 271-6046

L'ÎLE BIZARD

À l'ouest de Montréal, l'île Bizard est une destination méconnue dont la beauté est inattendue. Elle attire les ornithologues et les familles en quête de dépaysement. Les kayakistes autonomes pourront entamer cette balade d'une petite journée à partir du débarcadère du cap Saint-Jacques.

À l'embouchure du lac des Deux Montagnes, l'ambiance est tout de suite « grand large » et les rives boisées nous font décrocher du quotidien. Le vent dans le dos, on atteint l'île Bizard en une vingtaine de minutes. L'endroit est tranquille et parsemé de petits chalets. Les hérons nous accompagnent en rasant les grandes herbes. L'ambiance est alors à l'exploration. En s'arrêtant sur la plage, il est bon d'aller se dégourdir les jambes dans le parc-nature du Bois-de-l'Île-Bizard. En reprenant la pagaie, on rejoint le pont Bizard qui nous mène à des points de vue uniques sur quelques-unes des plus belles maisons de la région. On pourra continuer la balade autour de l'île ou poursuivre encore pendant une heure jusqu'au bois de Liesse, mélange de verdure, d'oiseaux et de maisons de prestige.

Parc-nature du Bois-de-l'Île-Bizard
www.ville.montreal.qc.ca • (514) 280-8517
Cap Saint-Jacques
(514) 280-6871

MONTÉRÉGIE

Réserve nationale de faune du Lac-Saint-François

Des activités des plus diversifiées sont offertes de juin à la fin septembre à la Réserve nationale de faune. Une nouveauté depuis l'été 2009: le kayak de mer. En famille ou entre amis, vous pourrez apprendre les secrets du kayak de mer au courant d'une excursion d'une demi-journée ou même de plusieurs jours. Une formation accréditée par la FQCK est également offerte aux initiés. Pour les aventuriers, la formule de séjours *en Terre autochtone*, qui a lieu dans la réserve amérindienne d'Akwesasne, est abordable, dépaysante et culturellement enrichissante.

Sentiers: dix kilomètres pour la randonnée pédestre

Autres activités et services: randonnée guidée d'une demi-journée dans les marais de la réserve en canot-rabaska, site de mise à l'eau pour les personnes autonomes (canot, kayak), salle polyvalente pour les groupes et événements, caches d'observation, terrasse et tables à pique-nique, tour d'observation, petit musée.

Accès: gratuit pour l'accès aux sentiers et tarifs variés dépendamment de l'activité.

www.amisrnflacstfrancois.com
(450) 264-5908 ou boîte vocale (450) 370-6954
7600, chemin de la Pointe-Fraser, Dundee (Québec)

Ski de fond et raquette

Découvrez des sentiers cachés... en ville !

En plus des parcs de la ville de Montréal, il existe de nombreuses pistes hivernales à suivre pour profiter du grand air. Sous les arbres ou au milieu des champs, pas besoin de rouler loin pour se faire plaisir !

PARC RÉGIONAL DE BEAUHARNOIS-SALABERRY
Du gazouillement aux écluses

Le parc régional de Beauharnois-Salaberry compte au total 65 kilomètres de sentiers polyvalents. L'axe riverain, totalisant près de 50 kilomètres de pistes, longe les rives nord et sud du canal de Beauharnois et relie les pôles urbains de Salaberry-de-Valleyfield, en bordure du lac Saint-François, et de Beauharnois, à l'embouchure du lac Saint-Louis. L'axe rural, totalisant près de seize kilomètres de pistes, relie les agglomérations de Beauharnois et de Sainte-Martine. Le Parc s'adresse à une multitude de clientèles, qu'elles soient ferventes de vélo, de patins à roues alignées, de marche, de nautisme, d'observation faunique ou encore d'interprétation de la nature.

Réseau : 65 kilomètres de sentiers polyvalents

Autres activités : nautisme, interprétation

www.mrc-beauharnois-salaberry

BOISÉ DUVERNAY (LAVAL)
À chacun sa distance... et son style

Située dans le secteur Duvernay-Nord de Laval, cette forêt de conifères méconnue abrite près de 25 kilomètres de sentiers en terrain plat, où l'on peut pratiquer au choix **ski de fond ou raquette**, sur six parcours variant de 4,7 à 17 kilomètres, dont un de **huit kilomètres réservés aux fondeurs adeptes du pas de patin**. Les pistes sont accessibles depuis le centre communautaire Philémon-Gascon.

Sentiers : six sentiers, pour un total de 25 kilomètres (facile et intermédiaire)

Services : refuge chauffé au centre du réseau et salle de fartage

Frais d'accès : 30 $ pour la carte d'abonnement saisonnière (25 $ pour les 65 ans et plus), 7 $ pour la journée. Gratuit pour les moins de 18 ans.

http://pages.total.net/mbourass • (450) 661-1766
2830, boulevard Saint-Elzéard Est, Laval

PARC RÉGIONAL DES ÎLES-DE-SAINT-THIMOTHÉE (SALABERRY-DE-VALLEYFIELD)
Quiétude hivernale

Entre la rivière Saint-Charles et le fleuve Saint-Laurent, ce parc s'étend sur une zone boisée majoritairement de conifères. Officiellement ouvert pendant la période estivale, le Parc propose à ses visiteurs plusieurs activités, telles que la plongée sous-marine, le canot, le kayak, le pédalo et la baignade. Toutefois, les sentiers demeurent accessibles au public **à skis comme en raquettes** tout au long de l'hiver. On y trouve huit **panneaux d'interprétation** décrivant les différents écosystèmes du site. Le faible achalandage du site pendant la période hors-saison confère aux lieux une tranquillité appréciable.

Sentier : 17 kilomètres de sentiers (facile et intermédiaire) et hors piste

Autres activités et services : interprétation, aires de pique-nique

Accès : gratuit l'hiver

www.ville.valleyfield.qc.ca • (450) 377-1117
240, rue Saint-Laurent, secteur Saint-Thimothée, Salaberry-de-Valleyfield

CENTRE DE SKI DE FOND GAI-LURON (SAINT-JÉRÔME)

Pour débutants, intermédiaires et experts

Ce centre, situé à 45 minutes au nord de Montréal, dispose d'un vaste réseau aménagé de sentiers en forêt de conifères, dans une zone vallonnée. De nombreux services y sont proposés. Les sentiers de **ski** (32 kilomètres) et de **raquette** (six kilomètres) y sont distincts et sont entretenus mécaniquement. Même les experts y trouveront sur certains parcours des difficultés à leur mesure.

Sentiers: nombreux sentiers de ski (32 kilomètres) et de raquette (six kilomètres), pour tous les niveaux

Services: location de skis, raquettes et traîneaux, relais chauffés, salle de fartage, restaurant (les fins de semaine)

Frais d'accès: payant. Nombreux forfaits disponibles et passe de saison offerte.

S'y rendre: Autoroute 15 Nord, sortie 45 Ouest, boulevard de La Salette, sortie 55.

www.centredeskidefondgai-luron.com • (450) 224-5302
2155, montée Sainte-Thérèse, Saint-Jérôme

PARC DU DOMAINE-VERT (MIRABEL)

Ski de fond en famille

Enclave de nature boisée à cinq minutes de l'autoroute 15 Nord, le parc du Domaine-Vert est idéal pour profiter des pistes en toute tranquillité, puisqu'il est interdit aux engins motorisés. Ses sentiers en terrain plat, idéaux pour des sorties familiales, sont surtout dédiés au ski de fond (34 kilomètres dont cinq pour le pas de patin, contre 7,2 kilomètres pour la raquette).

Sentiers: nombreux sentiers de ski (34 kilomètres) et de raquette (7,2 kilomètres), niveaux facile et intermédiaire

Activités et services: anneau de glace d'un kilomètre, location de matériel et de chalets, cafétéria, salle de fartage

Frais d'accès: payant. De nombreux forfaits disponibles. Stationnement: 7$ la fin de semaine et en basse saison. Haute saison: 5,50$/personne, stationnement inclus.

www.domainevert.com • (450) 435-6510
10423, montée Sainte-Marianne, Mirabel

BOIS DE L'ÉQUERRE (LAVAL)

Parcours à la carte

Milieu naturel protégé situé dans le quartier Sainte-Rose à Laval, le bois de l'Équerre offre **trois pistes** totalisant 7,8 kilomètres, accessibles à **skis** et en **raquettes**. Non tracées mécaniquement, elles sont reliées entre elles par des plus petites, ce qui permet de composer à volonté son parcours, grâce au plan disponible à l'entrée. Au milieu des arbres et des champs, on pourra s'y arrêter pour observer les oiseaux, grâce aux **panneaux d'interprétation** installés sur le parcours.

Sentiers: trois sentiers pour un total de 7,8 kilomètres (facile)

Services: plan des sentiers à l'entrée du bois, panneaux d'interprétation (oiseaux) sur les parcours

Accès: gratuit

www.boisdelequerre.org • Rang de l'Équerre, Laval

BASE DE PLEIN AIR DES CÈDRES (MONTÉRÉGIE)

Ski pour tous

À 50 kilomètres à l'ouest de Montréal, dans la région du Suroît, la base de plein air des Cèdres est située dans un boisé de bouleaux, à proximité d'une forêt de pins. Ses nombreux sentiers sont presque tous réservés aux skieurs (50 kilomètres, dont un éclairé pour le pas de patin), les amateurs de raquette devant se contenter d'une unique et courte piste d'un kilomètre. Certains parcours de niveau intermédiaire comportent des passages difficiles qui contenteront les plus résistants.

Activités et services: glissade, patinoire, location de matériel, restaurant

Accès: Frais d'accès; consultez le site Web ou téléphonez.

www.basedepleinairdescedres.com • (450) 452-4736
1677, chemin Saint-Dominique, Les Cèdres

RÉSEAU DE LA VILLE DE SAINT-EUSTACHE

À deux pas de Montréal

Le réseau de la ville de Saint-Eustache comporte trois sentiers, hivernaux seulement, au cœur des boisés et des champs. Entretenus par la ville, ils s'offrent aux habitants de Montréal et de sa banlieue, pratiquement à deux pas de chez eux. Accessibles à **skis (en pas classique)** ou en **raquettes**, les trois parcours se font en sens unique et sont de difficulté moyenne.

Sentiers: trois sentiers d'un total de 15,2 kilomètres (intermédiaire)

Accès: gratuit

www.ville.saint-eustache.qc.ca • (450) 974-5111
753, boulevard Arthur-Sauvé, Saint-Eustache
(à l'arrière du 767, boulevard Arthur-Sauvé)

Liberté sans gravité

À proximité de Montréal, les belles falaises d'escalade sont rares, et nombreux sont les grimpeurs qui préfèrent conduire plus d'une heure pour gravir des rochers plus hauts et plus larges. Cela dit, il existe, à moins de 45 minutes de voiture de la métropole, quelques destinations permettant de toucher le roc sans s'épuiser à rouler.

ÉTÉ

Une p'tite vite!

Sur la petite montagne de ski du **mont Rigaud** se trouvent quelques voies d'escalade de niveaux débutant à intermédiaire. À proximité de Montréal, le site est parfait pour celui ou celle qui désire s'initier à ce sport. Visibles du stationnement, les parois font face au soleil et les voies sont courtes et tout équipées.

HIVER

Cité givrée

En plein cœur de Montréal, le **réservoir McTavish** réjouit les grimpeurs de glace de tous les niveaux, de jour comme de nuit. Le site, accessible en métro, est idéal pour les néophytes qui désirent s'initier. Malgré la hauteur modeste de la falaise — d'une dizaine de mètres environ —, l'endroit permet d'exécuter quelques mouvements de grimpe et de peaufiner sa technique. Selon la qualité des saisons de glace, on peut y dénicher six à huit itinéraires de grimpe.

S'y rendre: le site se trouve au coin de l'avenue du Docteur-Penfield et de la rue McTavish. Pour ceux qui prennent le métro, la station Peel se trouve à moins de 10 minutes de marche.

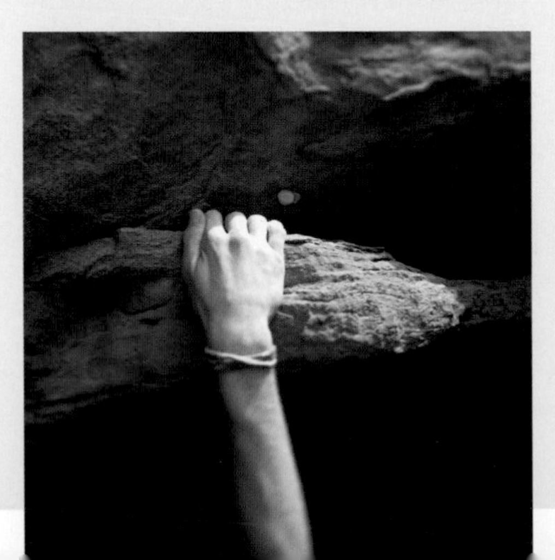

Pour tous les goûts

Bien connues des grimpeurs, les cascades de **Prévost**, dans les Laurentides, offrent de tout. Le lieu est cependant fort achalandé du fait de sa proximité avec Montréal. On y trouve des parois d'une hauteur de 15 à 45 mètres. Niveaux : 3 à 5.

Comme une patinoire

À seulement 30 minutes de Montréal, le parc Les Salines de **Saint-Hyacinthe**, en Montérégie, offre une structure artificielle d'escalade de glace. Plusieurs sessions d'initiation sont proposées au cours de l'hiver et il est possible de louer du matériel sur place.

www.ville.st-hyacinthe.qc.ca (section loisirs et culture)
(450) 768-5082

À la hauteur de sa réputation

Shawbrige, dans les Laurentides, est certainement l'un des sites d'escalade de glace les plus fréquentés à proximité de Montréal. Ses conditions stables et sa grande variété de voies attirent des grimpeurs de tous les niveaux. Pendant que les débutants s'attaqueront au mur d'initiation composé de plusieurs cascades en série, les plus expérimentés défieront Les Diablerets.

Repères

Topos (roche et glace)
www.drtopo.com/quebec

Conditions de glace, photos des sites d'escalade, vidéos
www.escaladequebec.com

Conditions de glace observées par des grimpeurs
www.campdebase.com

Club de montagne et d'escalade de Québec
www.cmeq.net

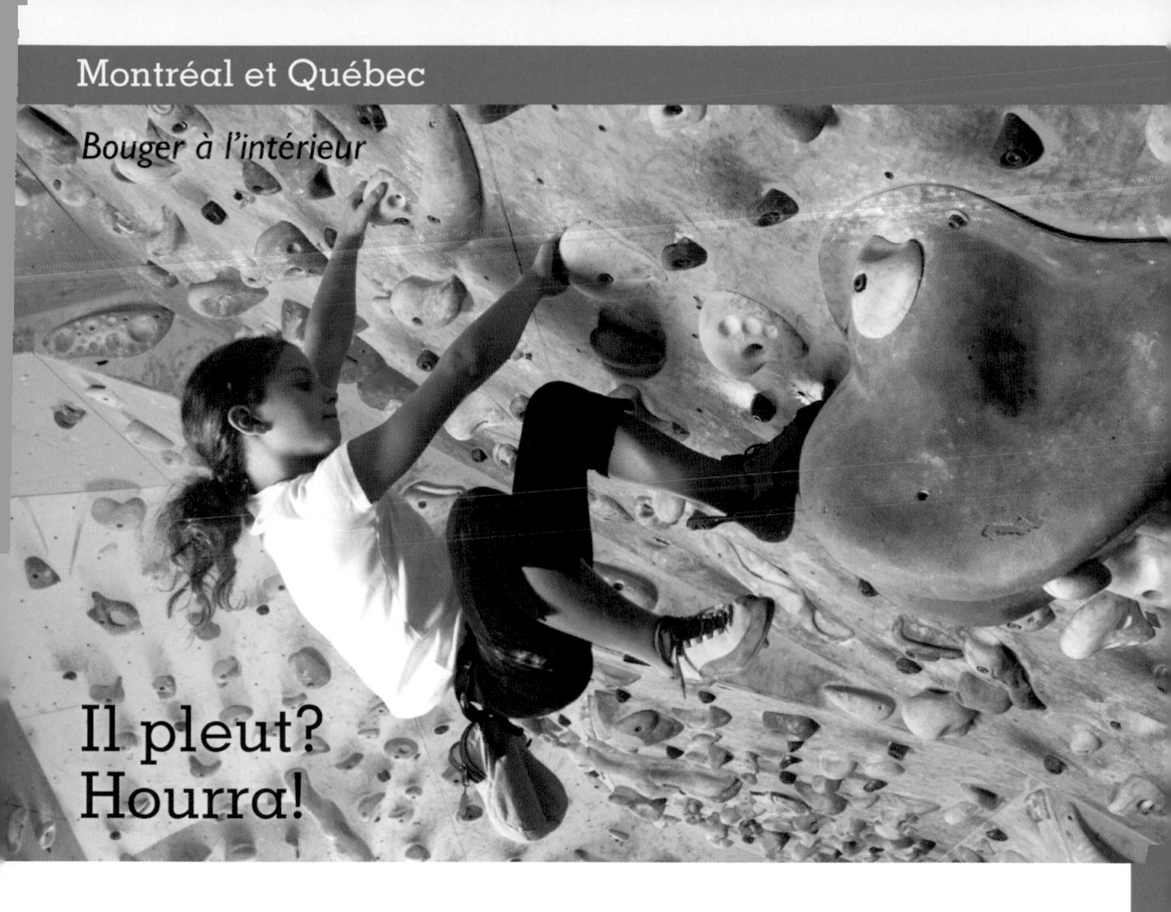

Bouger à l'intérieur

Il pleut? Hourra!

Vous ne rêvez qu'à l'été pour vous remettre au vélo? Vous n'en pouvez plus d'attendre les premières neiges pour commencer la saison de ski? Plutôt que de languir et de ramollir dans votre salon, activez-vous... en dedans! Profitez des soirs et des jours de grisaille pour vous mettre en forme et parfaire votre technique! À proximité de Montréal ou de Québec, bougez!

Sortez vos griffes et attaquez la paroi

Contrairement à celles situées au grand air, les parois d'escalade intérieures vous offrent toujours des conditions optimales. Une multitude de cours et d'ateliers de perfectionnement sont présentés en toutes saisons dans les salles d'escalade du Québec, de l'initiation aux techniques de grimpe avancées, en passant par l'amélioration de votre gestuelle.

Maintenant très populaire, l'escalade de bloc est une excellente activité pour améliorer ses techniques et augmenter l'intensité de ses mouvements. À pratiquer seul ou entre amis, cette version épurée de l'escalade ne nécessitant ni corde, ni harnais constitue un entraînement préparatoire à la saison estivale. Avant de passer à l'action à l'extérieur, mieux vaut suivre un cours de transition pour apprendre à grimper sur des parois naturelles.

MONTRÉAL ET ENVIRONS

Allez Up • www.allezup.com • (514) 989-9656
Horizon Roc • www.horizonroc.com • (514) 899-5000

Centre Vertical Cégep André-Laurendeau
www.claurendeau.qc.ca • (514) 364-3320 poste 6249

CEPSUM de l'Université de Montréal • www.cepsum.umontreal.ca • (514) 343-6150

Centre sportif de l'UQAM
www.sports.uqam.ca • (514) 987-7678

Amusement Action Directe (Laval)
www.amusementactiondirecte.com• (450) 688-0515

QUÉBEC ET ENVIRONS

RocGyms • www.rocgyms.com
(418) 647-4422 • 1 800 762-4967

PEPS (Université Laval)
www.peps.ulaval.ca • (418) 656-7377

Centre d'escalade Délire • www.delirescalade.com
(418) 658-8016

Faites des bulles à la piscine

Besoin qu'on vous rappelle les bienfaits de la natation? La plupart des piscines municipales de même que celles des établissements d'enseignement offrent une variété de programmes de natation, des clubs de nage aux cours de perfectionnement; ⟹

de l'aquaforme aux certifications de premiers soins en milieu aquatique. Si vous recherchez des options différentes à la nage traditionnelle, essayez le monopalme, le hockey sous-marin ou la plongée en apnée. Pour découvrir un tout autre monde, songez aux cours d'initiation à la plongée sous-marine. Vous apprendrez les rudiments du sport dans le confort et la sécurité d'une piscine intérieure. Les cours mènent généralement à l'obtention du brevet niveau 1, qui couvre les techniques de base de la plongée avec bouteille.

Fédération québécoise des activités subaquatiques
www.fqas.qc.ca • 1 866 391-8835 • (514) 252-3009

MONTRÉAL ET ENVIRONS
Ville de Montréal (piscines de quartier) • www.ville.montreal.qc.ca

Centre sportif de l'UQAM • www.sports.uqam.ca
(514) 987-7678

CEPSUM de l'Université de Montréal • www.cepsum.umontreal.ca • (514) 343-6150

QUÉBEC ET ENVIRONS
Ville de Québec (piscines de quartier)
www.ville.quebec.qc.ca • (418) 641-6224

PEPS (Université Laval)
www.peps.ulaval.ca • (418) 656-7377

Esquimautez en piscine

Quoi de mieux que la chaleur et l'eau calme d'une piscine intérieure pour apprendre les rudiments du kayak! Soyez fins prêts pour la saison printanière en apprenant les coups de pagaie et la technique d'esquimautage, essentielle pour les manœuvres en eau vive. Des cours d'introduction et de niveau intermédiaire sont offerts, tant pour le kayak de mer que pour le kayak de rivière. La pratique des techniques de récupération et de sauvetage vous assurera des sorties en toute sécurité pour la saison estivale.

Fédération québécoise de canoë-kayak d'eau vive
www.kayak.qc.ca • (514) 252-3099

MONTRÉAL ET ENVIRONS
Centre sportif de l'UQAM
www.sports.uqam.ca • (514) 987-7678

Kayak sans Frontières
www.ksf.ca • (514) 595-7873

Aventures H2O
www.aventuresh2o.com • (514) 842-1306

QUÉBEC ET ENVIRONS
PEPS (Université Laval)
www.peps.ulaval.ca • (418) 656-7377

Collège François-Xavier-Garneau
www.cegep-fxg.qc.ca • (418) 688-8310

Spinnez!

Routes humides, sentiers détrempés... En attendant les beaux jours, préparez vos mollets pour la saison de vélo : essayez le spinning! Tout y est : le vélo (stationnaire), les cale-pieds ou les clips, le souffle court... et les courbatures! Avec un peu d'imagination, vous pouvez même visualiser votre parcours (montée, descente) au son d'une musique dynamique. Chacun y va à son rythme, selon sa condition physique et sa motivation. Les entraîneurs savent comment faire travailler chacun de vos muscles : assis, debout, en petit bonhomme, avec deux doigts, sans les mains! Oubliez la neige, pensez à l'été qui s'en vient... et pédalez!

MONTRÉAL ET ENVIRONS

United Gym
www.unitedgym.com • (514) 253-6763

YMCA Ouest-de-l'île
www.ymcaquebec.org • (514) 630-9622

Centre sportif de l'UQAM
www.sports.uqam.ca • (514) 987-7678

CEPSUM de l'Université de Montréal
www.cepsum.umontreal.ca • (514) 343-6150

QUÉBEC ET ENVIRONS

PEPS (Université Laval)
www.peps.ulaval.ca • (418) 656-7377

Club Avantage Multi-Sports
www.spynergie.ca • (418) 627-3343

Club Entrain
www.clubentrain.com • (418) 658-7771
(Place de la Cité)

Nautilus Plus
www.nautilusplus.com

Énergie Cardio
www.energiecardio.com

Jouer dans sa cour

© Mathieu Dupuis

Si certains amateurs de plein air ont choisi de s'établir à Québec, c'est pour jouir d'un privilège fort appréciable : ne pas avoir deux heures de route à faire pour aller jouer dehors. Bordée par le fleuve Saint-Laurent, à l'ombre des Laurentides, regorgeant de lacs et de rivières, la région permet la pratique d'activités variées, au rythme des saisons et dans un petit rayon (moins de 45 minutes du centre-ville). Ski de fond, ski alpin, paraski, raquette, traîneaux à chiens, canot, kayak, parapente, cerf-volant, escalade, canyoning, vélo de montagne, randonnée pédestre… tout y est !

À QUÉBEC
Plaines d'Abraham

En plein cœur de la Capitale, les plaines d'Abraham (ou parc des Champs-de-Bataille) servent de terrain de jeux aux citadins. On imagine difficilement l'affrontement entre les empires britannique et français dont ce lieu fut le théâtre autrefois, tant il respire la paix aujourd'hui. Sur ses 108 hectares, été comme hiver, on pratique des activités sportives tout en contemplant un magnifique décor historique : les murs de la Citadelle, les tours Martello et le fleuve Saint-Laurent qui coule tranquillement...

Si la partie du parc la plus fréquentée est **l'anneau multisports** en face du Musée national des beaux-arts du Québec (patin à roues alignées, course à pied, soccer, football, frisbee, cerf-volant, etc.), le plus intéressant se trouve un peu plus à l'abri des yeux. Le sentier aménagé dans le boisé sur le bord du cap, de la côte Gilmour jusqu'à la Citadelle, permet un agréable contact avec la nature, loin des foules. On y **marche** ou l'on y **court**. Pour une mini randonnée des plus authentique, délaissez le chemin de pierres concassées pour emprunter la multitude de petits sentiers qui serpentent entre les arbres.

L'hiver (de mi-décembre à mi-mars), les **fondeurs** ont gratuitement accès à huit pistes totalisant 12,6 kilomètres, aménagées de niveau facile et intermédiaire, dont trois kilomètres pour le pas de patin. Une salle de fartage et deux relais chauffés (Maison de la Découverte et Pavillon de services) sont également mis à leur disposition. On peut y louer de l'équipement et y suivre des cours. Les amateurs de **raquette** peuvent aussi pratiquer leur sport, sur une piste balisée de 3,8 kilomètres (aller-retour), à moins que l'on préfère emprunter les **sentiers de marche** aménagés sur 5,6 kilomètres. Et les enfants s'en donnent à cœur joie en dévalant les vallons avec toutes sortes d'engins de **glisse**! Sans parler de toutes les activités qui y sont offertes durant le Carnaval, au début du mois de février

Parc des Champs-de-bataille
www.ccbn-nbc.gc.ca • (418) 648-4071

Maison de la découverte
835, avenue Wilfrid-Laurier (à côté du Manège militaire)

État des pistes de ski de fond
(418) 648-4212

Location de skis de fond et raquettes (avant 14 h)
(418) 648-2586

Cours de ski de fond — cours de ski de styles classique et libre les dimanches
(418) 649-6476

Escaliers à gravir!

Toujours sur les plaines d'Abraham, les adeptes d'entraînement intense fréquentent l'escalier du Cap-Blanc, qui relie les plaines au boulevard Champlain. Comme le firent jadis les soldats de Wolfe au 18e siècle, les sportifs des années 2000 gravissent **à la course** le Cap-aux-Diamants, du fleuve au champ de bataille. Heureusement, un escalier de bois a été construit depuis. Très pentu, surtout dans la partie inférieure, l'escalier compte 396 marches, réparties sur une vingtaine de paliers. Des bancs permettent même le repos. Le panorama est tout sauf urbain: entouré d'arbres, l'escalier offre une vue sur le fleuve Saint-Laurent. Québec possède aussi plusieurs autres escaliers reliant la haute-ville et la basse-ville. La plupart sont éclairés et déneigés, permettant ainsi les entraînements après le bureau.

S'y rendre

Par en haut: sur les plaines d'Abraham, en face du Manège militaire. Par en bas: boulevard Champlain, rue Champlain.

Domaine Maizerets

Difficile de croire qu'une telle oasis de verdure se trouve dans le quartier Limoilou. Sis au milieu du quadrilatère formé de l'autoroute Dufferin, du boulevard Sainte-Anne, de l'avenue d'Estimauville et du boulevard Henri-Bourassa, le domaine Maizerets surprend agréablement. Ses 27 hectares renferment des marécages, un anneau d'eau d'où émerge une île, un arboretum, une volière à papillons, des boisés et des jardins.

Des sentiers (niveau facile) permettent de découvrir les milieux naturels sauvages et aménagés. On peut s'y balader **à pied** (quinze kilomètres de sentiers), en **raquette** (deux pistes de 2,5 et 4,5 kilomètres) ou en **ski de fond** (cinq pistes de 0,6 à quatre kilomètres). L'hiver, le plan d'eau se transforme en patinoire (1 200 m²) et un monticule de neige permet la glissade pour les tout-petits. La location de patins, de skis de fond, de raquettes et de traîneaux pour enfants est offerte sur le site. L'été, on peut se rendre au Domaine en **vélo** ou en **patin à roues alignées** par la **piste cyclable le Corridor du littoral**, qui longe le site. Ce décor champêtre se prête aussi à un simple pique-nique, à une chasse à l'homme dans le **labyrinthe nature** ou encore à la rêverie dans la **Volière à papillon**.

Les amateurs de flore trouveront aux **Jardins de l'arboretum** plus de 15 000 arbres, arbustes et plantes vivaces, une zone d'enrochement unique et une ormaie naturelle. Ces peuplements d'arbres atténuent d'ailleurs les bruits de l'autoroute qui passe juste à côté.

Bref, pas de grand défi sportif au Domaine Maizerets, mais un cadre idéal pour une journée de plein air en famille.

Domaine Maizerets
2000, boulevard Montmorency, Québec
www.domainemaizerets.com • (418) 641-6335

Arboretum: (418) 641-6346

Location de patins et de vélo, de tandem, de remorque pour vélo, de casiers.

Rallye historique, visite guidée portant sur l'histoire du Domaine de Maizerets et sur les jardins de l'arboretum, en collaboration avec les Services historiques Six-associés (sur réservation): (418) 641-6601 poste 3647.

Base de plein air de Sainte-Foy

Juste à côté du «méga centre commercial» au bout de l'autoroute Duplessis, au coin de l'autoroute Charest (40), se trouve étonnamment l'un des plus grands parcs naturels de la Ville de Québec. Ses 135 hectares abritent notamment deux lacs et la seule tourbière en milieu urbanisé de Québec. L'été, on y pratique des **activités nautiques** (kayak, canot, baignade) et la **randonnée pédestre**. L'hiver venu, le **ski de fond**, la **raquette** et la **glissade** prennent la relève. Les fondeurs bénéficient de sept kilomètres de sentiers qui traversent les bois. Les raquetteurs s'en donnent à cœur joie dans les sous-bois. On loue sur place tout l'équipement. En toute saison, **l'observation ornithologique** y est aussi fort pratiquée.

Base de plein air de Sainte-Foy
3180, rue Laberge, Québec • (418) 641-6282

À MOINS DE 20 MINUTES

Parc de la Chute-Montmorency

La **piste cyclable** du Littoral aboutit au parc de la Chute-Montmorency. On peut rejoindre le haut de la chute (où passe une autre piste cyclable) avec le téléphérique ou en gravissant un long escalier panoramique. Les plus sportifs l'utilisent d'ailleurs comme lieu entraînement! Lieu très prisé des touristes en saison estivale, le parc offre des sentiers pour de très **courtes randonnées** de 0,5 à trois kilomètres au nord-est de la chute, qui sont aussi praticables l'hiver à pied ou en **raquette**. Mais les gens de plein air connaissent surtout l'endroit pour **l'escalade de glace** qui se pratique sur la falaise gelée par l'embrun de part et d'autre de la chute, haute de 83 mètres.

Réputé comme l'un des plus beaux sites d'escalade de glace au monde, le parc offre des parois de 40 à 150 mètres de haut (niveaux un à cinq), de 50 à 90 degrés d'inclinaison. On y pratique surtout le premier de cordée et un peu la moulinette. Les grimpeurs autonomes peuvent y accéder moyennant les frais d'entrée dans le parc. Quant aux novices, ils ont la possibilité de suivre une formation d'initiation ou de perfectionnement avec l'école d'escalade L'Ascensation.

L'Ascensation offre aussi une **via ferrata des glaces** sur le site, de janvier à mars. Elle permet de vivre une aventure hivernale sans escalade technique. Le parcours sécurisé sur un câble d'acier fait découvrir pendant trois heures les différentes formations de glace et de neige aux abords de la chute, au pied de laquelle se dresse son renommé «pain de sucre». Ce dernier, formé par l'accumulation d'embruns, est aussi pris d'assaut par les glisseurs petits et grands.

Parc de la Chute-Montmorency
www.sepaq.com/chutemontmorency • (418) 663-3330

Sépaq
(418) 686-4875 • 1 800 665-6527

L'Ascensation
www.lascensation.com
(418) 647-4422 • 1 800 762-4467

Centre d'aventures Le Relais

Suivant la tendance observée dans la plupart des stations de ski, le Relais du Lac-Beauport exploite ses 173 acres comme centre de loisirs quatre saisons. Depuis 2002, il abrite six **parcours d'aventure dans les arbres** (de mai à octobre). On y retrouve des classiques de l'hébertisme tels que ponts de singes, ponts népalais, étriers volants et tyroliennes, dont une géante de 180 mètres. Le Centre national acrobatique Yves Laroche y a aussi élu domicile pour offrir des camps d'entraînement estivaux. En plus d'accueillir les skieurs acrobatiques professionnels, il offre des forfaits d'initiation aux rampes pour tous les intéressés. On a ainsi la possibilité de faire des sauts à ski ou en surf des neiges (veste de sauvetage et casque obligatoires), sous la supervision d'entraîneurs certifiés. Tout l'équipement se loue sur place.

Les **randonneurs** peuvent, quant à eux, marcher sous les parcours Aventure, faire le tour de la montagne (cinq kilomètres) et aller apprécier la magnifique vue sur le lac Beauport et les Laurentides du haut de la tour d'observation. Ils ont aussi accès au **Sentier national** par le sommet, à 429 mètres.

Notez toutefois que le vélo de montagne n'est plus autorisé au Relais. Dommage, car les sentiers représentaient tout un défi!

L'hiver, en plus du **ski alpin** (29 pistes), on y pratique la raquette. Trois sentiers (pour un total d'environ dix kilomètres) sont accessibles par la remontée mécanique: un facile (de 45 minutes à 1 h 30), un intermédiaire (de 1 h 30 à 2 h 30) et un difficile (2 h 30 et plus). Le centre fait également la location de bottes et de raquettes.

Centre d'aventures Le Relais
www.skirelais.com
(418) 849-1851 • 1 866 373-5247

Les Marais du Nord

Ouverts toute l'année, les Marais du Nord plairont aux amateurs d'**ornithologie**, et plus particulièrement aux amants de la nature.

Les huit kilomètres de **sentiers pédestres** en milieu humide, parsemés de passerelles et de points d'observation, permettent d'apercevoir une grande variété de plantes aquatiques et quelque 159 espèces d'oiseaux, dont 40 espèces aquatiques. Parmi les plus fréquemment observées, mention-

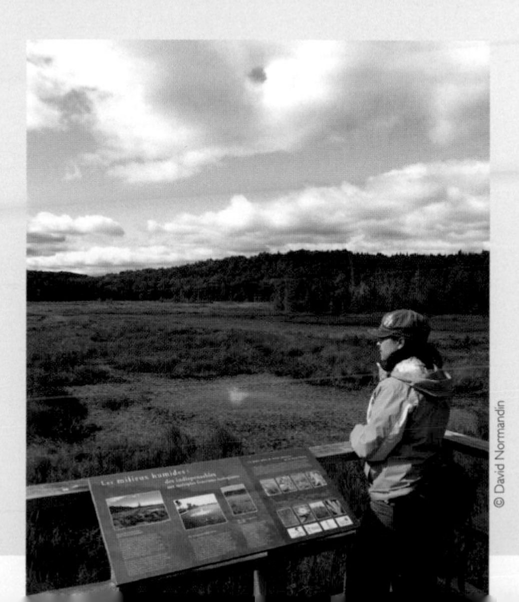
© David Normandin

nons: le canard colvert, le grand héron, le balbuzard pêcheur, le plongeon huard, le martin-pêcheur d'Amérique et le carouge à épaulettes. Le sentier de la Roche-Plate, en bordure de la rivière des Hurons, fait 530 mètres linéaires, tandis que le plus long d'entre eux offre une randonnée de 45 minutes (boucle de 2,2 kilomètres).

L'Association pour la protection de l'environnement du lac Saint-Charles (APEL) y offre des randonnées pédestres guidées, des fins de semaine thématiques et des excursions guidées de 90 minutes en canot rabaska sur la rivière des Hurons et sur le lac Saint-Charles.

Les Marais du Nord
1100, chemin de la Grande-Ligne Stoneham (Québec)

Accès: 5 $ pour les adultes

http://apel.ccapcable.com/marais-du-nord
(418) 841-4629

Sentier Le Hibou

Le **Sentier national** de marche, qui sillonne la province, a ouvert plusieurs tronçons dans la région de Québec, dont Le Hibou. Ce sentier linéaire de 26 kilomètres relie le Lac-Delage au parc de la Jacques-Cartier, en passant par la station touristique Stoneham. On peut aller y marcher pour une journée ou pour plusieurs jours.

Un camping a été aménagé près du départ de Lac-Delage et un autre sur le parcours, à environ deux kilomètres au nord de Stoneham. On peut aussi aller y faire de la **raquette** l'hiver.

De niveau intermédiaire, ce sentier en est plutôt un d'ambiance. On n'y rencontre pas vraiment de points de vue à couper le souffle, mais c'est un havre de paix qui vaut le déplacement. Les randonneurs qui ne veulent pas parcourir le réseau en entier peuvent se rendre à la station touristique Stoneham et choisir d'aller vers le sud ou vers le nord pour revenir sur leurs pas, ou encore effectuer la boucle de huit kilomètres qui monte dans la montagne, via les sentiers de la Chute et des Cascades, et faire le tour de la station. La boutique Sports Alpins à Stoneham loue des raquettes.

Au départ de Stoneham, Le Hibou Nord longe d'abord pendant deux kilomètres la rivière du même nom, qui coule en cascade sous le couvert des feuillus, l'enjambant parfois grâce à de petits ponts en bois. Progressivement, le sentier se fraye un chemin dans les montagnes en longeant les courbes de niveau, ce qui évite les montées ou les descentes trop abruptes. Les feuillus cèdent graduellement leur place aux conifères, la rivière aux lacs. Il faut compter entre cinq et six heures pour rejoindre le parc de la Jacques-Cartier (treize kilomètres). Le Hibou Sud, entre Lac-Delage et Stoneham, fait lui aussi treize kilomètres.

Pour la randonnée linéaire d'un jour, mieux vaut garer une voiture au départ et une autre à l'arrivée. On peut prendre aussi des arrangements avec Taxi Stoneham.

Sentiers de la Capitale
www.sentierscapitale.com • (418) 840-1221

Station touristique Stoneham
www.stoneham.ca • (418) 848-2415

Taxi Stoneham
(418) 848-6666

À MOINS D'UNE HEURE

Sentier Mestashibo

Bien caché dans le **canyon de la Sainte-Anne-du-Nord**, le sentier Mestashibo porte bien son nom en langue huronne: *rivière qui coule*. La moitié des 12,5 kilomètres de ce tronçon du sentier transcanadien longe ce cours d'eau. Il le traverse même, vers la mi-parcours, sur deux **passerelles** suspendues, longues de 70 mètres. Des belvédères offrent aussi une vue en plongée sur la rivière, tantôt calme, tantôt tumultueuse.

Le randonneur ne voit pas le temps défiler sur ce sentier au paysage très varié. En plus du dénivelé (260 mètres) sur le bord du **canyon**, il marche pendant un kilomètre dans un charmant quartier résidentiel (carte conseillée!), traverse des champs dans la portion près du Mont-Sainte-Anne, avec la station en toile de fond, puis des forêts de conifères et de feuillus. À l'extrémité de la montagne, le marcheur peut en prime faire la **boucle des chutes Jean-Larose** pour admirer les trois cascades (de douze, 19 et 41 mètres) et s'offrir les quelque 400 marches de montée ou descente, au choix. Les randonneurs aguerris, partis tôt le matin, prendront l'embranchement de la **boucle des Cathédrales** (3,5 kilomètres, deux heures), plus abrupte et sportive que la «voie normale».

Le sentier peut se faire dans un sens ou dans l'autre, avec le Mont-Sainte-Anne en aval et Saint-Ferréol-les-Neiges en amont. L'aller prend **entre trois et cinq heures**. On peut utiliser deux voitures ou laisser son vélo au point d'arrivée, ou encore rentrer en taxi. Les plus motivés choisiront de faire l'aller-retour! Le sentier est accessible durant les quatre saisons. L'hiver, des raquettes ou crampons et bâtons s'avèrent très utiles pour les parties glacées, les crampons étant indispensables pour gravir les escaliers des marches de la chute Jean-Larose.

Corporation des sentiers récréotouristiques
de la Côte de Beaupré
www.mestashibo.com • (418) 824-3444

Sentier transcanadien
www.tctrail.ca

Taxi Mont-Sainte-Anne
(418) 827-5521

Accès: Gratuit. De Québec, route 138 Est jusqu'à la sortie pour le Mont-Sainte-Anne et Saint-Ferréol-les-Neiges (route 360), à droite. On peut stationner à la station ou à l'église de Saint-Ferréol (à cinq kilomètres de là). Balisage rouge et blanc. Carte offerte à l'épicerie située au départ du village de Saint-Ferréol-les-Neiges, 2 $. Durée: de trois à cinq heures, niveau intermédiaire/avancé.

Réserve nationale de faune du cap Tourmente

Les **Grandes Oies des neiges** y font halte par milliers au printemps et à l'automne (jusqu'à 75 000). Et elles ne sont pas les seules: 300 espèces d'oiseaux (dont la chouette lapone, le faucon pèlerin et le colibri à gorge rubis) ont été recensées au Cap-Tourmente, **site ornithologique** reconnu au Canada. En plus du majestueux ballet des oies, cette réserve offre un paysage remarquable où se côtoient le fleuve Saint-Laurent, de grands marais côtiers, la plaine et la montagne. **Vingt kilomètres de sentiers pédestres** de niveaux de difficulté variés sillonnent ce territoire. Les marcheurs y trouvent de belles possibilités de randonnée et peuvent même gravir la falaise en saison estivale pour rejoindre le **Sentier des caps de Charlevoix.** Le printemps, l'été et l'automne, les naturalistes de la réserve nationale de la faune organisent également des **activités d'interprétation. L'hiver** venu, un **réseau de mangeoires** de six kilomètres accueille les **randonneurs**, qui se délecteront lors d'une petite pause d'un breuvage chaud offert gracieusement dans l'un des deux relais chauffés (la fin de semaine).

Réserve nationale de faune du cap Tourmente
www.captourmente.com • (418) 827-4591
570, chemin du Cap-Tourmente, Saint-Joachim

Ouverture: de mi-avril à fin octobre l'été et de la mi-janvier à la mi-mars l'hiver.

Accès: adulte: 6,00 $, gratuit pour les enfants de moins de douze ans. Hiver: 4,00 $. Laissez-passer annuel.

Association des amis du cap Tourmente
www.amiscaptourmente.org • (418) 827-5527

Réserve faunique de Portneuf (région de Québec)

À une heure de voiture au nord-ouest de Québec, la **Réserve faunique de Portneuf** compte 375 lacs et onze rivières qui éblouissent en toute saison les curieux qui s'y présentent, prêts à découvrir ce territoire sauvage de 775 kilomètres carrés.

En été, les amateurs de **canot-camping** évoluent sur les différents circuits totalisant 65 kilomètres. Les plus expérimentés tenteront l'expérience des rivières Batiscan et Jeannotte. Pour ceux qui sont davantage des êtres de terre que d'eau, quatre courtes **randonnées** vous permettront peut-être d'observer la faune locale, incluant l'orignal et l'ours. On y pratique aussi la **pêche** et la **chasse**, la réserve faunique de Portneuf comprenant 21 secteurs de chasse.

Les adeptes de **vélo de montagne** découvriront leur voie royale sur les 400 kilomètres d'anciens chemins forestiers, peu fréquentés, qui sillonnent la réserve faunique. Il est aussi possible, pour le grimpeur autonome, de faire de l'**escalade** au lac Bellevue où se situe un camping de 50 emplacements. Quelque 45 chalets sont également offerts aux noctambules.

En saison hivernale, c'est le moment d'enfiler ses bottes et de partir à l'aventure sur les 58 kilomètres de sentiers entretenus dans le secteur du lac Travers, qui offre quinze chalets reliés entre eux pour la pratique du **ski de fond** ou de la **raquette**. Une **patinoire**, ainsi que des **glissades** sur chambre à air, situées à proximité des chalets, offriront un moment de détente à toute la famille. De la mi-décembre à la mi-mars, on peut aussi s'adonner à la **pêche blanche** sur l'un des deux plans d'eau accessibles aux personnes en séjour, les lacs Stein et Lindsay.

1 800 665-6527 • (418) 323-2021
www.sepaq.com

Petite vallée devenue grande

© Mathieu Lamarre

Dans le comté de Portneuf, non loin de Saint-Raymond, se trouve une oasis de plein air qui mérite d'être « sur la carte ». La Vallée Bras-du-Nord est devenue grande, mais elle conserve le charme de ses débuts, en élargissant constamment son offre d'activités. Raquette, randonnée pédestre, vélo de montagne et canot-camping en constituent les piliers. Le canyoning (descente de cours d'eau en rappel) y est aussi pratiqué. Très dynamique, la coopérative de solidarité développe également son réseau de yourtes et de refuges au charme traditionnel.

Plusieurs **sentiers** (dont certains liés au Sentier national) sillonnent la vallée, de part et d'autre de la rivière Bras-du-Nord. On ne se lasse pas d'y retourner, encore et encore. Le sentier du *Montagne Art* constitue une excellente introduction, via une boucle de 6,5 kilomètres qui grimpe dans la montagne et offre plusieurs points de vue sur la vallée et la rivière. Une marche sur un sentier escarpé du côté est, *Le Sentier des Falaises*, nous fait profiter de points de vue à 450 mètres de hauteur, bien mérités après une montée soutenue. L'aller-retour de 16,4 kilomètres jusqu'au mont Gibraltar se fait en une journée. D'autres sentiers linéaires (9 à 26 kilomètres) s'offrent aux randonneurs, qui pourront passer la nuit en refuge.

Un combo **rando-canot** permet de faire l'aller à pied du côté ouest de la vallée sur le sentier Bras-du-Nord et le retour en canot. Sur le sentier, l'*écotente* La Yourte constitue un refuge original. On y prend le thé devant un décor de carte postale sur son belvédère construit en bordure de la falaise. Au matin, on descend le long de la chute Delaney, majestueuse cascade de 150 mètres coiffée par des tonnes d'eau tumultueuse, et on traverse la rivière sur la passerelle suspendue de 80 mètres de long pour rejoindre l'accueil Shannahan. C'est parti pour l'excursion en canot! Une douce descente de 17 kilomètres serpente dans la vallée, avec deux courts rapides de niveau I. Des plages de sable invitent aux pauses *lézardesques*. En quelques heures, nous voici revenus au point de départ. Pour étirer la *dolce vita*, profitez donc de la rivière, et passez deux jours à faire du canot-camping.

Pour les amateurs de **cyclotourisme**, une boucle qui part du centre-ville pour se glisser dans la vallée champêtre emprunte des rangs de campagne sur l'asphalte, mis à part cinq kilomètres qui se font sur un chemin de gravier. Cyclistes pressés s'abstenir: cette belle randonnée incite aux arrêts gourmands fréquents, que ce soit à la Fromagerie Cayer, à la ferme Tourili ou à la Caserne du lin...

Un réseau de **vélo de montagne** a vu le jour en 2008 et offre à présent dix sentiers couvrant 45 kilomètres, serpentant entre les érables à bouleau jaune (quatre érablières jalonnent ces circuits). Les passionnés de vélo tout terrain qui ont dessiné les pistes de la vallée Bras-du Nord se sont inspirés de sites reconnus pour leurs *single tracks*, comme les Kingdom Trails au Vermont. Enchaînement de virages inclinés, petites montées techniques, chemins forestiers raviront les vététistes débutants à experts. La coopérative de solidarité qui gère ce réseau ne s'assied pas sur ses lauriers, et le développement de sentiers se poursuit sans relâche avec l'ajout d'une quinzaine de nouveaux kilomètres par an.

La vallée Bras-du-Nord recèle aussi de deux sites grandioses de **canyoning**. On peut en effet descendre en rappel, accompagné de guides, la **Chute du lac Hauteur** ou encore les Cascades des Falaises. Dans la fraîcheur des cascades, on se laisse descendre sur corde sur des voies tantôt ludiques, tantôt techniques, le long de parois offrant de magnifiques dégradés de couleur ocre. La forêt dense comme la vue sur la profonde vallée sont toujours présentes et s'observent depuis la paroi à un angle de vision panoramique de 180°. Les **Cascades des Falaises** offrent le parcours de plus grande dénivelée en canyoning au Québec (400 mètres). La descente, de huit à dix rappels, très verticale et modérément arrosée, s'adresse à des canyonistes avertis. Des excursions avec nuitée en refuge sont organisées par Canyoning-Québec.

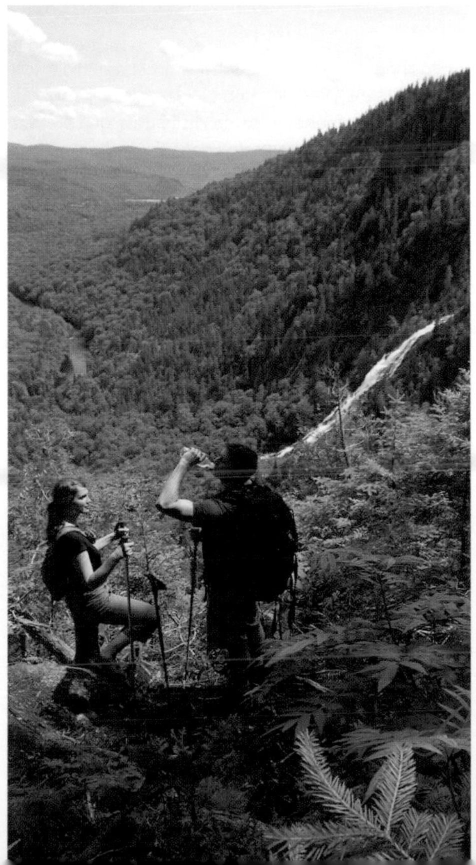
© Mathieu Lamarre

Focus

Famille: *Le sentier Bras-du-Nord à partir de l'accueil Shannahan (trois kilomètres aller) se prête bien à une balade familiale jusqu'à la chute Delaney. Un camping rustique d'une cinquantaine de sites donne sur une plage de sable. Un village de yourtes est aussi très prisé par les familles qui peuvent combiner hébergement en tente de luxe et descente en canot ou randonnée.*

Expert: *La section sportive de la rivière Bras-du-Nord débute après le débarcadère de canot de la section facile. On y trouve un canyon et plusieurs rapides de classe I à IV. Cette section n'est pas commercialisée par la coop.*

Repères

www.valleebrasdunord.com • 1 800 321-4992
(information et réservation hébergement, location de canot et raquette)

Bureau d'accueil touristique de Saint-Raymond
(418) 337-2900 • 1 800 321-4992

Canyoning-Québec
www.canyoning-quebec.com • (418) 827-8110

Piste cyclable Jacques-Cartier-Portneuf
www.velopistejcp.com

Navette: Taxi Yvan Bédard
(418) 337-3377

Les Sentiers du Moulin

Repos actif!

À seulement vingt minutes de la capitale, à Lac-Beauport, les Sentiers du Moulin se révèlent un véritable terrain de jeu au cœur de la forêt laurentienne. D'abord très populaire auprès des fondeurs, ce centre de plein air s'est vite taillé une réputation favorable auprès des sportifs de tous azimuts.

Pour les amateurs de **ski de fond,** les montées, les descentes et les longues distances garantissent une bonne dépense d'énergie. Il existe actuellement 38 kilomètres de sentiers linéaires, dont 95 % sont tracés en double. Répartis en une quinzaine de pistes, ils font le plaisir des débutants comme des experts. Une boucle de dix kilomètres est aussi damée pour le ski en pas de patin.

Les amateurs de **raquette** peuvent explorer les lieux en hors-piste, ou suivre l'un des sentiers qui leur sont consacrés. Au total, plus de 20 kilomètres linéaires de sentiers balisés mènent à **quatre refuges**. Dans le **secteur Tourbillon**, la boucle de 4,3 kilomètres mène à un refuge offrant une vue magnifique sur une partie du lac Beauport et sur la ville de Québec.

Enfin, si vous souhaitez profiter de l'été pour découvrir ce joli coin de nature, vous aurez droit à 20 kilomètres de sentiers pour le **vélo de montagne**. Les amateurs de relief trouveront largement de quoi s'échauffer les mollets. On roule à travers la forêt boréale dans un territoire peuplé de gibiers. Côté **randonnée pédestre**, le centre a aménagé trois sentiers totalisant 19, 6 kilomètres. Un sentier familial de 6,5 kilomètres mène au **camp du Marais**, où l'on peut passer la nuit. Le **sentier du mont Tourbillon** est une randonnée de 3,3 kilomètres, qui offre de très beaux points de vue. Les randonneurs qui le désirent accéderont également à un tronçon du **Sentier national** (Trans-Québec), qui se rend jusqu'à Sainte-Brigitte-de-Laval (vingt kilomètres aller-retour) vers l'est et au **centre Le Saisonnier** (dix kilomètres) vers l'ouest.

Et, pour tous les amoureux de plein air, en plus des refuges et tentes prospecteurs, **40 sites de camping** (rustique ou sauvage) sont dispersés sur le territoire, en forêt ou près d'un lac. Le camping est gratuit pour les enfants. Un endroit à découvrir!

Focus

Famille: La majorité des pistes sont des boucles imbriquées les unes dans les autres. On a donc souvent le choix de revenir vers le chalet si le «p'tit dernier» traîne de la patte, ou alors de continuer encore un peu si tout le monde est en forme.

Expert: C'est le paradis des experts! Les pistes 15 et 30 offrent un bon défi avec des distances respectables (18 et 30 kilomètres), ainsi que de longues montées et descentes. Les plus expérimentés peuvent emprunter la piste Intercentre, qui se rend jusqu'au centre de plein air Le Refuge de Saint Adolphe. Un aller retour de 48 kilomètres!

Repères

www.sentiersdumoulin.com
(418) 849 9652

Association régionale de vélo de montagne Québec-Chaudière-Appalaches
www.vmqca.qc.ca

Autres activités: traîneau à chien, pêche sur glace et en lac, cours de ski, club de ski de fond Jack Rabbit, soirée aux flambeaux, baignade, plage de sable.

Autres services: salle de fartage, boutique de location, casse-croûte, six refuges chauffés au bois. L'été: lave vélo, douches, toilettes, eau potable, refuges et aires de pique-nique.

Location: skis de fond, raquettes, traîneaux pour bébé.

Accès: 99, chemin du Moulin, Lac-Beauport. Prendre la sortie 157 (Lac Beauport) de l'autoroute Laurentienne (73). En face du centre de ski Le Relais, tourner à gauche (chemin du Tour du Lac). Au bout d'un kilomètre, emprunter à gauche le chemin des Lacs. Rouler pendant deux kilomètres avant de prendre le chemin du Moulin, sur votre droite.

Hébergement: six tentes prospecteur (dont deux à l'année), six refuges de deux à huit places, chauffés au bois (avec eau et bouillon de poulet fournis!), 40 sites de camping, un tipi.

© Gilles Morneau

Camp Mercier

Le grand séducteur

© Camp Mercier, Steve Deschênes, Sépaq

Véritable paradis du ski de fond, le Camp Mercier séduit au premier regard. Des forêts s'étendent à perte de vue et le paysage vallonné rappelle que nous sommes dans la réserve faunique des Laurentides. Un décor qui nous fait oublier que la ville de Québec est à 50 kilomètres!

Avec plus de 600 centimètres de neige chaque année, le Camp Mercier est un terrain de jeu rêvé pour les amateurs de **ski de fond** et de **raquette**. Alors qu'à la mi-avril plusieurs endroits dévoilent déjà la couleur de l'herbe, dans cette réserve faunique, il reste encore plus d'un mètre de neige au sol!

Cinquante quatre kilomètres de sentiers linéaires, tracés et patrouillés, forment un **réseau de 120 kilomètres**. Les quinze pistes de tous les niveaux serpentent à travers des épinettes et des sapins qui, couverts de neige, ressemblent à de gros fantômes. Pour les férus de ski nordique, des sentiers balisés mènent jusqu'au parc national de la Jacques-Cartier. Du Camp Mercier, le refuge le plus proche est à seize kilomètres. Les raquetteurs trouveront aussi de quoi se dégourdir les jambes : vingt kilomètres leur sont réservés au beau milieu de la forêt.

Expérience incontournable en toute saison : passer la nuit dans l'un des **chalets du «lac à Noël»**, véritables bijoux de maisonnettes. Construits en bois rond et entièrement équipés, ils offrent une vue imprenable sur le lac. Les amoureux apprécieront les chalets deux places, et tous se réjouiront de pouvoir partir le matin skis aux pieds.

Focus 

Famille et débutant: *Les pistes sont en boucle, principe idéal pour la famille et les skieurs débutants. Essayez les pistes 1, 2 et 3 formant un circuit de 7,7 kilomètres et menant au* ***relais La Sitelle****. Si le rythme est bon, vous pouvez continuer sur la piste 4 qui se rend à un deuxième refuge. Si vous voulez écourter la randonnée, revenez en longeant le lac à Noël. Les enfants s'amuseront à reconnaître les* ***pistes d'animaux sauvages*** *qui traversent les sentiers. Lièvres, renards et belettes : ils sont nombreux à trouver refuge dans cette belle sapinière.*

Expert: *La piste 14 qui passe par la forêt Montmorency mettra votre condition physique au défi avec ses successions de descentes et de montées. Si vous y accédez par la piste 13, ne ratez pas la* ***halte Le Pic*** *qui offre une vue plongeante sur la rivière Montmorency. Au loin, le Mont-Sainte-Anne vous saluera du haut de ses 800 mètres.*

Repères 

1 800 665-6527 • (418) 848-2422
www.sepaq.com

Sentiers: *Quinze sentiers ski de fond (54 kilomètres linéaires formant un réseau de 120 kilomètres), tracé double dont treize kilomètres pour le pas de patin. Huit sentiers de raquette forment un total de vingt kilomètres.*

Hébergement: *18 chalets offerts l'hiver et 19 l'été.*

Activités: *ski de fond, raquette, randonnée pédestre, canot et kayak. Et aussi, seulement pour les locataires de chalets: glissade et patinage.*

Location: *skis de fond et raquettes.*

Services: *cafétéria, salle de fartage. Six relais dont cinq chauffés.*

Saison: *ouverture toute l'année*

De l'espace au carré !

Gérée par l'Université Laval depuis 1964, la Forêt Montmorency est un centre voué à l'enseignement et à la recherche sur l'écosystème boréal. Des sentiers d'interprétation aux ateliers donnés par des naturalistes, une balade en ses terres représente un bon moyen de découvrir cette forêt qui fait la richesse de notre pays.

Située dans les contreforts des Laurentides (à 65 kilomètres au nord de la ville de Québec), celle que l'on surnomme la « **Forêt mosaïque** » vous invite à découvrir la qualité exceptionnelle de ses paysages, malgré la présence des coupes forestières. Dans ce décor privilégié, plus de **66 kilomètres carrés** sont accessibles pour la pratique du plein air.

L'**été**, 145 kilomètres de chemins forestiers font le bonheur des fervents de **vélo de montagne**. C'est d'ailleurs l'endroit de prédilection pour ceux qui recherchent une bonne séance d'entraînement, car les routes de gravier et leurs montées abruptes offrent plusieurs défis de taille.

L'**hiver**, les **fondeurs** ont rendez-vous sur neuf pistes entretenues qui forment un réseau d'environ 125 kilomètres. De niveau facile à très difficile, elles sillonnent des boisés de sapins et d'épinettes, les deux espèces-vedettes de la forêt boréale. Les amateurs de **ski nordique** trouveront aussi de quoi se mettre sous les planches, avec près de 35 kilomètres de sentiers balisés non tracés qui donnent accès à **huit refuges** dispersés sur le site. À cela s'ajoutent 25 kilomètres de sentiers pédestres qui sont destinés, selon les saisons, aux adeptes de **raquette** ou de **randonnée pédestre**.

Été comme hiver, la **randonnée du Lac Piché** (2,5 kilomètres) permet d'accéder à plusieurs refuges en forêt et offre un rallye éducatif sur les mammifères de la sapinière, ainsi qu'une activité sur le cycle de vie d'un arbre. Le long des 4,4 kilomètres du **sentier Le Forestier**, on se plaît à découvrir les panneaux d'interprétation nous dévoilant les secrets de la forêt boréale et de l'aménagement durable, ou à admirer le paysage depuis l'un de ses belvédères. Le sentier de la **chute de la rivière Noire** est l'un des attraits favoris du parc. En pleine chaleur, on vient se rafraîchir sous les éclats de l'eau, qui se précipitent d'une hauteur de 28 mètres. L'hiver venu, on vient écouter la coulée sous la glace, qui brise le silence de la forêt. Il n'est pas rare d'y apercevoir des loutres qui trouvent festin à ses pieds. Le sentier des deux Vallées, de 10,3 kilomètres, est une belle excursion pour les aventuriers d'un jour. Il passe par la **halte Le Naturaliste**, qui permet de faire une pause, et mène au **Refuge de la Chute**, une maisonnette en bois rond qui surplombe la cascade, littéralement accrochée à la falaise.

Plein air et musique

Fermez les yeux et imaginez des musiciens en canot, sur un lac, la nuit, habitant l'espace sonore pour interpréter un concert acoustique qui illustre la vie et les sons de la forêt boréale. Du printemps à l'automne, les **Concerts fauniques** proposent de vivre quelques instants en symbiose avec la nature boréale qui caractérise cet endroit. Musiciens professionnels et bruiteurs font aussi appel à l'expressivité des animaux présents pour offrir une expérience musicale inédite sur le lac Bédard, à la brunante.

Focus

Famille: *Un séjour de pêche éducatif avec un volet d'interprétation et une formation sur le montage de mouches fera le bonheur des familles. À l'automne, on pourra vivre une autre expérience tout aussi inoubliable: un safari d'observation de l'orignal.*

Débutant: *Une balade en raquettes dans la Forêt Montmorency représente un bon moyen de découvrir les mystères de la forêt et ses habitants. Des panneaux d'interprétation ponctuent le parcours et livrent une multitude d'informations sur la forêt boréale. Deux belvédères donnent des points de vue spectaculaires sur la* **rivière Montmorency** *et sur le lac Piché. Le* **sentier La Forêt Mosaïque** *conduit à un promontoire exceptionnel, lieu de formation pratique des étudiants en foresterie. L'occasion idéale de venir y observer le «patchwork» de la forêt boréale!*

Expert: *Les skieurs de fond les plus aguerris ne manqueront pas le sentier n°18. Cette piste alternant descentes et bonnes montées offre le plus haut point de vue sur la vallée de la rivière Montmorency. À mi-parcours, la* **Halte des eaux volées** *permet de se réchauffer avant de poursuivre son chemin. La Coupe du monde permet aussi de glisser sur une piste qui répond aux standards internationaux de ski de fond. Les clubs de ski de tous horizons s'y donnent rendez-vous à chaque début de saison, ce qui en fait le centre d'entraînement par excellence dans l'Est du Canada.*

Repères

www.fm.ulaval.ca
(418) 656-2034

Étendue: *66 kilomètres carrés.*

Ski de fond: *25 kilomètres linéaires répartis sur onze pistes qui forment un réseau de 125 kilomètres.*

Ski nordique: *35 kilomètres.*

Raquette et randonnée pédestre: *38 kilomètres.*

Vélo: *145 kilomètres de chemins forestiers.*

Location: *skis de fond, raquettes, canots et cannes à pêche.*

Autres services: *trois haltes chauffées, salle de fartage, cafétéria, salon.*

Hébergement: *huit refuges rustiques. Pavillon de 55 chambres avec service de cafétéria; deux pavillons pouvant accueillir 18 et 12 personnes; chalet luxueux (pour huit à dix personnes). Aucun site de camping.*

Autres activités: *patinage sur le lac, glissade, canot, initiation à la pêche à la mouche.*

Saison: *toute l'année.*

Mentionnons que la Forêt Montmorency bénéficie d'un des enneigements les plus hâtifs au Québec. Ceux qui attendent l'arrivée de la neige avec impatience s'y donnent rendez-vous tôt en saison: grâce à un système d'enneigement artificiel, les pistes y sont fin prêtes et bien entretenues dès le mois de novembre.

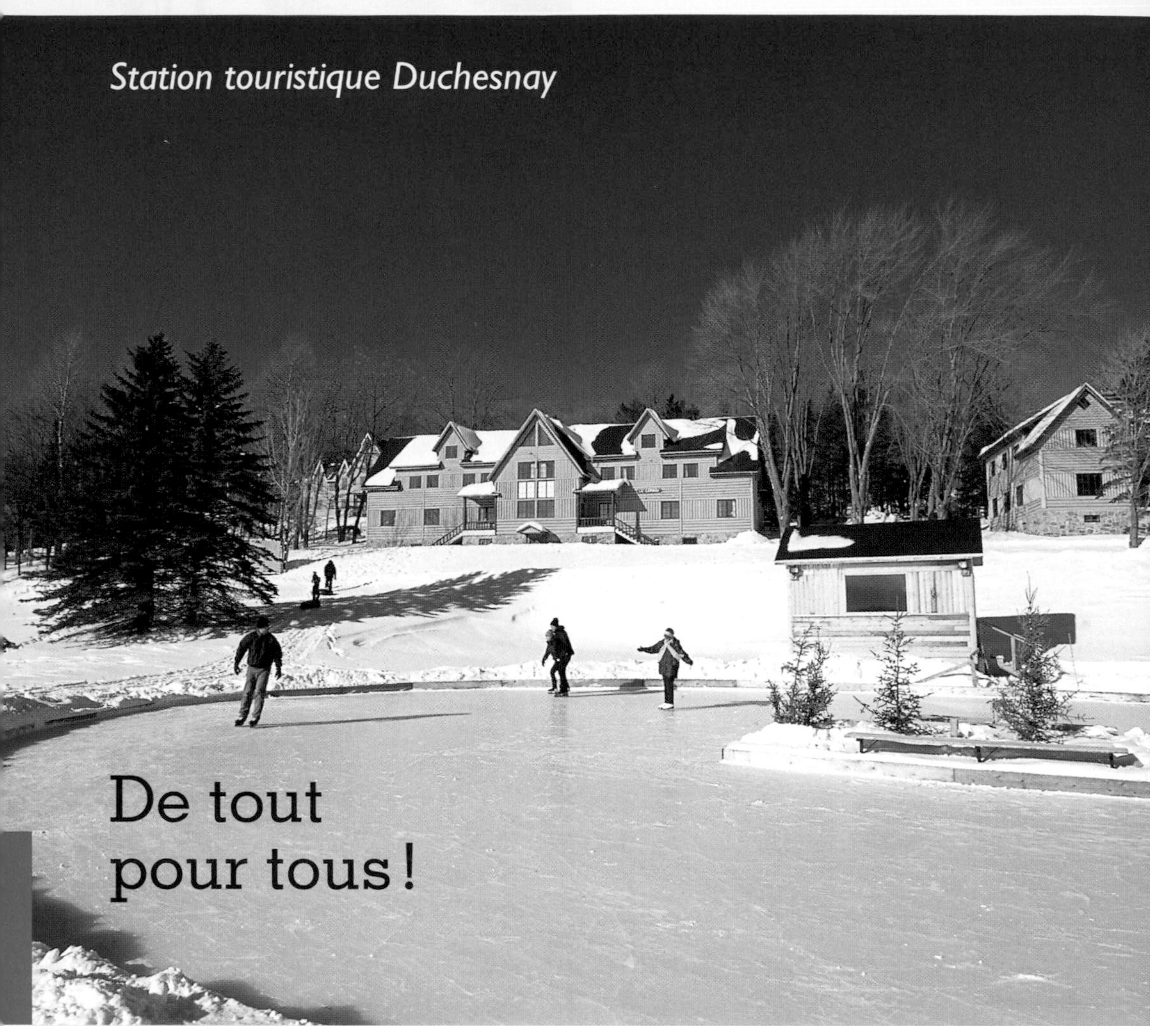

Station touristique Duchesnay

De tout pour tous !

© Station touristique Duchesnay, Steve Deschênes, Sépaq

La Station touristique Duchesnay offre une foule d'activités en toute saison. Sports aquatiques ou terrestres, tout y est à seulement vingt minutes de Québec. **Un paradis pour les familles et les sportifs en quête d'une sortie éclair !**

Situé en bordure du lac Saint-Joseph, ce territoire de 89 kilomètres carrés est constitué d'une forêt laurentienne où dominent les érables et les bouleaux jaunes. On y trouve seize autres petits lacs. Le tout abrite une faune diversifiée que l'on peut observer été comme hiver, en autonomie ou en se joignant à une randonnée d'interprétation. Au total, les marcheurs peuvent sillonner un réseau de **sentiers pédestres de 26 kilomètres** sur un relief faiblement accidenté. Les sentiers traversent plusieurs sites expérimentaux rattachés à l'aménagement forestier. Par exemple, la promenade jusqu'à l'arboretum permet de croiser 52 espèces d'arbres, résineux et feuillus provenant pour la plupart d'autres pays. Le sentier de la Tourbière fait quant à lui découvrir une flore riche et plusieurs espèces d'oiseaux. Le sentier du Rocher mène à des abris sous roche formés de nombreux blocs erratiques. Les enfants adorent !

Duchesnay offre aussi une vaste gamme **d'activités encadrées** pour adultes ou enfants : initiation aux techniques de **canotage**, **survie et orientation en forêt**, **tir à l'arc**, **escalade** sur paroi naturelle et sur une tour en sont quelques exemples. Sans oublier le parcours d'hébertisme d'Arbre en Arbre, qui plaît aux petits comme aux grands. Un bémol : la fin de semaine surtout, les **activités aquatiques** (**canot**, **kayak**, **baignade**, **pédalos**) et les randonnées sur le bord du lac sont accompagnées du bruit des bateaux à moteur et motomarines qui sillonnent le lac en tous sens, bien que la Station soit située dans un secteur plus tranquille du lac…

Fait intéressant, les **cyclistes** peuvent partir du centre-ville de Québec et se rendre à vélo à Duchesnay en empruntant le Corridor des cheminots, puis la piste cyclable Jacques-Cartier-Portneuf. Ils ont aussi la possibilité de rouler sur le Chemin de la liseuse, qui longe la rivière Jacques-Cartier sur treize kilomètres. Soixante cinq kilomètres de sentiers de vélo empruntent des chemins forestiers pour ainsi dire non utilisés, avec signalisation et arrêt possible à différents refuges. Les niveaux de difficulté sont variables.

L'hiver, le **ski de fond** prend la vedette à Duchesnay, qui entretient **42,5 kilomètres linéaires pour le pas classique** et **treize kilomètres pour le pas de patin**. Les fondeurs peuvent glisser sur huit parcours, dont cinq pour la famille et trois de niveau intermédiaire. Quant aux adeptes de raquette, ils ont le choix de s'aventurer hors des pistes ou sur les vingt kilomètres linéaires de sentiers balisés, bordés de mangeoires à oiseaux. Skieurs et marcheurs peuvent faire une pause dans l'un des cinq **refuges chauffés**, dans lesquels on peut y passer une nuit régénératrice. Et, au départ des pistes, le grand chalet en bois rond (pavillon Horizon) abrite un restaurant et d'autres services.

Repères

www.sepaq.com
1 800 665-6527 • (418) 875-2711

Accès: *143, Montée de l'Auberge, Sainte-Catherine-de-la-Jacques-Cartier*

Autres activités: *glissade, patinage, traîneau à chiens, pêche blanche, visite de l'Hôtel de Glace en saison hivernale.*

Parcours d'hébertisme: *www.arbreenarbre.com*

Hébergement: *chambres en pavillon (40), chalets au bord du lac (14) et auberge de 48 chambres, refuges et, en hiver, le fameux Hôtel de Glace.*

Autres services: *restaurant, plusieurs forfaits incluant ou non des activités, salles de réunion offertes pour différents types d'activités (mariage, banquet, etc.).*

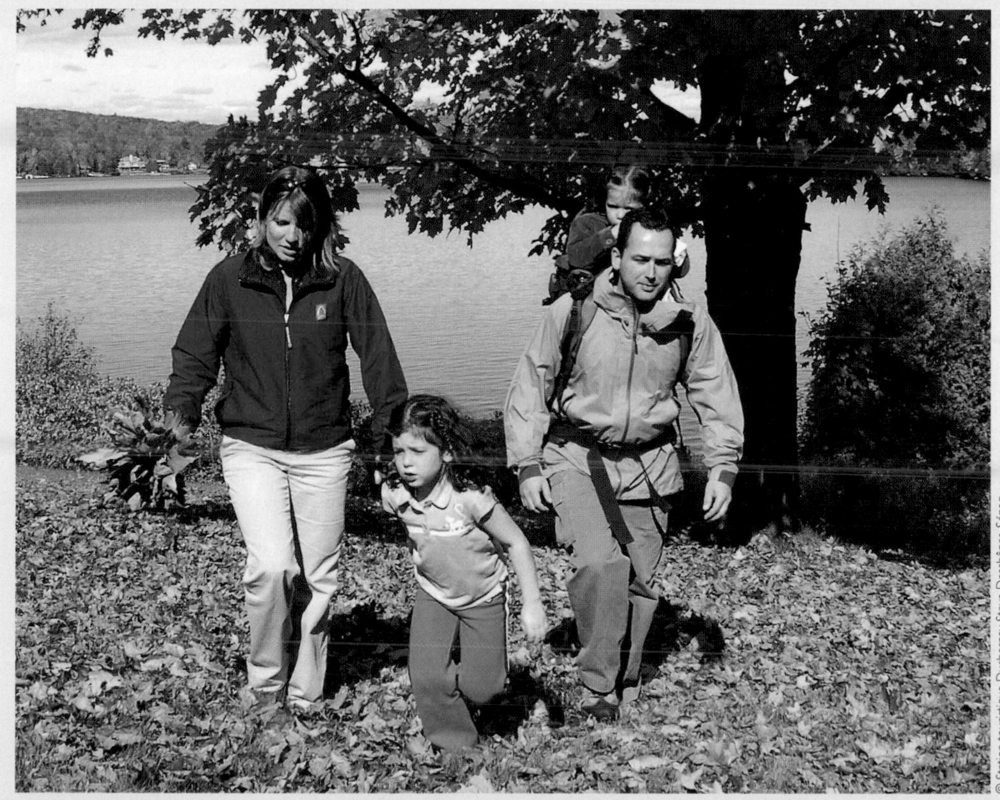

Parc national de la Jacques-Cartier

L'Échappée belle

© Parc national de la Jacques-Cartier, Steve Deschenes, Sépaq

À 40 kilomètres de Québec, il est une terre de découvertes d'une formidable diversité. Montagnes, vallées profondes et plateaux ondulés cohabitent pour le plus grand bonheur des animaux et des hommes. Le parc national de la Jacques-Cartier est le lieu des contrastes, le point de rendez-vous des extrêmes. Le microclimat qui y règne favorise autant les érablières, présence étonnamment nordique, que les chutes de neige, les plus importantes du Québec.

Toute cette beauté saute aux yeux et pourtant cette vallée a souvent été menacée. Au fil du temps, les coupes forestières, la drave et même un projet de barrage l'ont malmenée avant qu'elle ne devienne ce temple du plein air. Capitale du **canot**, haut lieu de la **randonnée** et de **l'observation** de la faune, le parc national de la Jacques-Cartier, avec ses 670 kilomètres carrés de nature, compte aujourd'hui parmi les destinations tous publics les plus attrayantes du Québec.

Si la descente de la Jacques-Cartier est devenue populaire dans les années 70, les Hurons et les Montagnais l'ont utilisée bien avant pour la pêche, la chasse et le piégeage des animaux à fourrure. Aujourd'hui, peu de canoteurs savent qu'ils empruntent exactement les mêmes sentiers de portage. Au total, dans une vallée aux allures de fjord, 26 kilomètres de rivière peuvent être parcourus.

Le tronçon la Jetée-Centre de location (19 kilomètres) représente la section école par excellence. Les rapides, distants et diversifiés en cotation, permettent d'alterner entre la détente contemplative et la tension grisante des rapides. Pour les néophytes, c'est l'apprentissage de l'autonomie, le doux frisson de la vie dans une nature où le loup, l'ours noir, le cerf de Virginie ou encore l'orignal ne sont pas très loin. Un vrai parfum d'expédition aux portes de la civilisation.

Le parc national de la Jacques-Cartier ne se résume pas seulement à sa rivière vedette. Un réseau de près de 100 kilomètres de sentiers de **randonnée pédestre** permet d'accéder aux sommets et aux points de vues époustouflants. La plupart des sentiers se parcourent à la journée.

Le **sentier des Loups** reste le plus populaire pour la **vue panoramique** qu'il offre du sommet de la montagne Sautauriski. Ce parcours linéaire de 10 kilomètres aller-retour fait grimper les randonneurs sur un dénivelé de 500 mètres en passant de la forêt de feuillus, en vallée, aux conifères des sommets.

Autre classique moins fréquenté, le sentier **la Croisée**, qui offre une ambiance visuelle et sonore spectaculaire. Ici, les 500 mètres de parois se contemplent d'en bas, sur les bords d'une rivière plus fougueuse. Treize kilomètres, avec seulement 50 mètres de dénivelé, permettent d'accéder à la **confluence de trois rivières** dans un paysage engorgé.

S'ils sont prêts à partager la route avec les marcheurs et parfois les automobilistes, les **cyclistes** peuvent trouver plusieurs parcours intéressants. Avec un **vélo hybride**, le **Draveur Sud** est tout indiqué. Sentier linéaire de 15 kilomètres, il chemine à travers les érables et les merisiers de la vallée avant d'accéder à un pont qui offre une belle vue sur la rivière. Les adeptes du tout terrain préféreront sûrement le sentier linéaire de la rivière à l'Épaule, qui rejoint le plateau est, après 17 kilomètres pour 400 mètres de dénivelé.

Une excellente manière de découvrir les richesses du parc est de participer aux activités de découverte: randonnée en rabaska guidée, observation de la faune, causeries théâtrale, etc. Des découvertes pour tous les goûts!

Depuis quelques années, le parc est aussi animé en **hiver**. La neige abondante (550 centimètres de précipitations annuellement) et de qualité réputée transforme les sentiers de marche en parcours de raquette et de ski, de courte ou longue durée. Il est possible d'effectuer un circuit de 53,5 kilomètres en passant par le Camp Mercier. En **ski nordique**, il faut compter trois jours avec des distances quotidiennes respectives de 20, 11 et 22,5 kilomètres. Le parcours plonge des hauteurs du Camp Mercier (700 mètres) à l'intérieur de la vallée et les couchers se font aux camps rustiques le Balbuzard et la Cachée.

En **raquettes**, les randonnées se déroulent essentiellement dans la vallée. Longs ou courts, comme en été, la moitié des parcours est indépendante de ceux des skieurs. Le sentier de l'Éperon (boucle C), situé à trois kilomètres de l'entrée, est un incontournable avec ses points de vue saisissants. Devant la quiétude du paysage, l'homme retrouve ses sens oubliés en suivant les traces du castor, de la loutre, du renard ou du loup.

Focus

Débutant: *Il est possible de faire une excursion de quelques heures sur le tronçon le plus calme de la rivière, là où la vallée est la plus abrupte et étroite. Le service de navette vous dépose le matin à la Jetée et vous reprend en début d'après-midi au pont Banc. Ce tronçon de 11 kilomètres est idéal pour les débutants ou ceux qui veulent «se la couler douce».*

Expert: *En partant du Camp Mercier, on accède à un important réseau de ski de longue randonnée qui sillonne la vallée de la Jacques-Cartier, de la Sautauriski, et de la rivière à l'Épaule. Des camps rustiques équipés d'un poêle à bois sont disponibles. Réservez vos places à l'avance: le circuit est très populaire.*

Focus

Famille: *Le sentier l'Éperon (5,5 kilomètres) vous permet de découvrir l'histoire de l'occupation humaine du parc grâce à sept panneaux d'interprétation visuelle et sonore. Plus court, l'Aperçu décrit les mécanismes de formation du paysage à l'aide d'un petit cours d'eau. De nombreuses autres interprétations de la faune sont proposées (découverte de l'habitat du castor et de l'orignal, randonnée en canot rabaska, etc.). Le parc offre une descente en mini-raft, parfait pour la famille (à partir de 5 ans) du pont Banc au centre de location.*

Repères

www.parcsquebec.com • (418) 848-3169

Hébergement: *10 chalets (l'hiver, ils ne sont accessibles qu'en skis ou raquettes), 8 camps rustiques, 5 yourtes, 13 tentes Huttopia, 11 sites de camping (rustiques, aménagés, de groupes ou canot-camping) pour un total de 130 emplacements.*

Randonnée pédestre: *plus de 100 km de sentiers.*

Vélo: *120 km de chemins, sentiers et routes de gravier, de niveau facile à très difficile.*

Descente de rivière: *26 km. Des chemins de portage permettent de contourner les rapides.*

Raquettes: *cinq sentiers totalisant 20 km.*

Randonnée pédestre sur neige: *15 km.*

Ski nordique: *50 km.*

Location: *canot, kayak ouvert (possibilité de louer à l'heure), mini-raft, chambre à air, canot pneumatique, casque, pagaie, habit isothermique.*

Services: *navette pour canoteurs et kayakistes, transport de bagages (l'hiver), restaurant, dépanneur.*

Camp Mercier: (418) 848-2422
www.sepaq.com

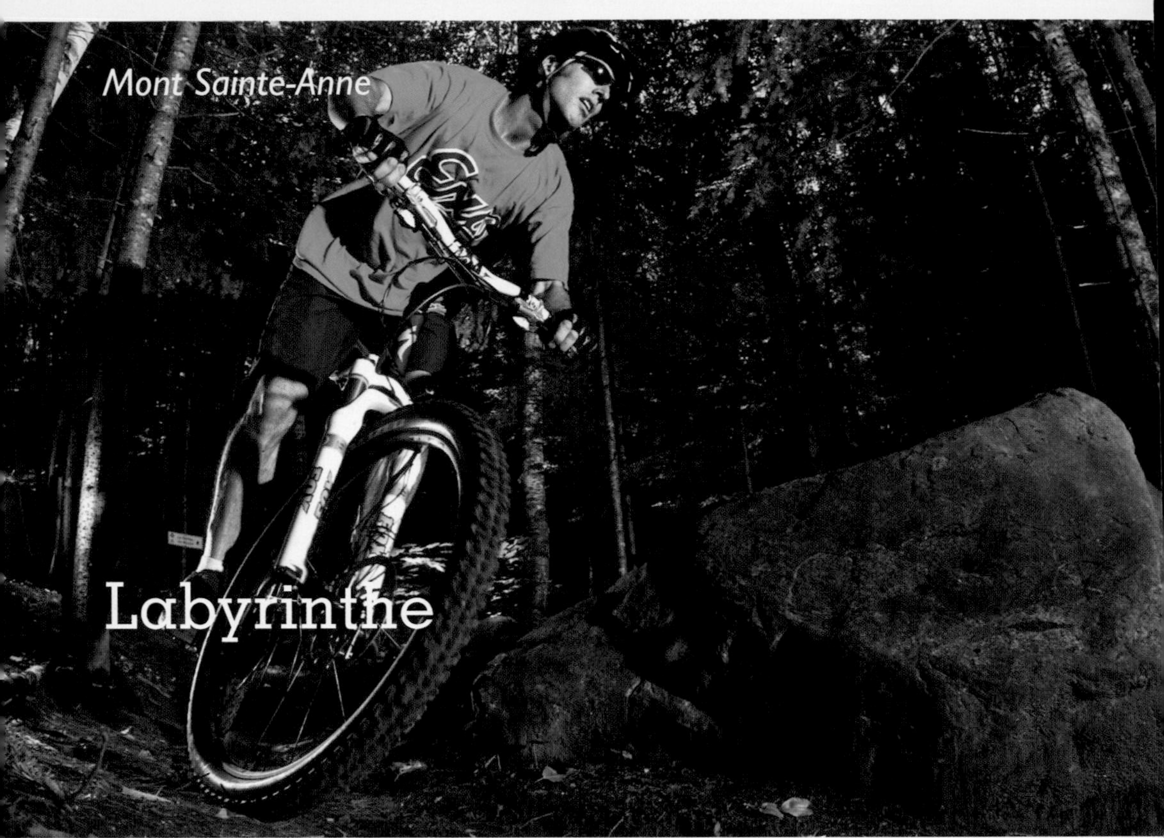

© Olivier Croteau

À l'est de Québec, une montagne surplombe le fleuve Saint-Laurent du haut de ses 800 mètres: le mont Sainte-Anne. Bien connue pour ses pistes de ski alpin, la station portant son nom offre aussi des parcours à faire frissonner les adeptes de vélo de montagne; et à faire suer à grandes eaux les fondeurs invétérés.

Au Mont-Sainte-Anne, pas de monotonie dans les parcours — forêts, vallons et rivières sculptent le paysage. Les sensations fortes ou les balades décontractées sont garanties par la diversité des sentiers, la carte des réseaux ressemblant à un véritable labyrinthe aux avenues infinies. Attention, certains sentiers sont toutefois dignes d'un parcours de Coupe du monde. D'ailleurs, le Mont Sainte Anne est l'hôte de compétitions nationales et internationales. De grands athlètes ont ainsi marqué le sol de leurs pneus à crampons ou de leurs semelles de ski de fond.

Le cycliste est choyé au Mont-Sainte-Anne avec plus de **130 kilomètres de sentiers pour le *cross-country* et 30 kilomètres** de descente sans oublier les nombreuses single track cachées un peu partout dans la montagne. De véritables petits bijoux! Faux plat sur poussière de roche ou descentes entre racines et rocs, passerelles et balançoires, chacun y trouve son compte. Un coup d'œil sur la carte montre les successions de virages de certaines pistes. Les intrépides seront servis! Les sautes d'humeur de la météo transforment certains parcours en «zones sinistrées»; il faut donc s'informer à l'accueil avant de partir. Aussi, bien que les pistes soient patrouillées, il ne faut pas s'aventurer seul sur un sentier: le temps risque d'être long en cas de pépin. Au Mont Sainte-Anne, le vélo de montagne, c'est du sérieux. En effet, le port du casque est obligatoire, peu importent les sentiers parcourus.

Atteindre le sommet prend au plus quinze minutes en télécabine ou... une heure et demie en vélo. Cinq pistes de descente sont offertes pour des sensations fortes, sur lesquelles les connaissances techniques sont mises à rude épreuve: virages en S, troncs d'arbre à sauter et pierres à contourner. Il y a entre autres *L'Échappée*, pour les lendemains de pluie: 18 kilomètres que Dame Nature transforme en véritable piste à obstacles. En cross-country, *Le Ruisseau rouge* et *La Boucle Saint Nicolas* représentent de véritables défis: douze kilomètres en forêt, bien équilibrés en montées et en descentes avec quelques faux plat permettant de savourer le paysage.

Si le vélo a la vedette, la **randonnée pédestre** est aussi au programme: du sentier panoramique tracé au sommet de la montagne jusqu'à la chute Jean Larose, il y a plus de 42 kilomètres de sentiers à se mettre sous la semelle avec de superbes points de vue.

Autre enfant chéri de la station: le **ski de fond**. Mont Sainte Anne est la plus grande station de ski de fond au Canada. Les athlètes de haut niveau s'y entraînent. Quoi de plus inspirant que de voir ces muscles d'acier, moulés dans le spandex, attaquer les montées! Les **213 kilomètres de sentiers** tracés, entretenus sept jours sur sept à l'aide d'une machinerie dernier cri, justifient le tarif plus élevé qu'ailleurs. En effet, beau temps, mauvais temps, les sentiers sont impeccables. Et que dire des **sept refuges** chauffés qui sont répartis aux quatre coins du circuit!

Skieurs de fond ou en pas de patin se côtoient sur plusieurs des sentiers, les pistes étant conçues pour que la cohabitation se fasse en harmonie: vingt pieds de largeur avec deux côtés tracés pour le pas classique. Pas de piste étroite où les skis frôlent les troncs d'arbre, largeur de la machinerie oblige. Même celles consacrées uniquement au pas classique ont une largeur de dix pieds. Résultat: une descente facilement maîtrisable en chasse-neige et une vue dégagée sur la piste.

Il ne faut pas sous-estimer la cote des pistes. Une piste «noire» est très difficile: descentes abruptes et rapides, montées en canard — les pistes à losange exigent maîtrise et bonne forme physique. Les pistes bleues s'adressent aux skieurs intermédiaires et avancés. *La 13* s'avère une piste coulante avec de belles descentes harmonieuses et des montées en douceur, qui longe la rivière Jean-Larose. Un parcours de douze kilomètres idéal pour s'échauffer.

Les adeptes de **hors-piste** ou de **ski nordique** se régalent dans *La 36*: une montée de 2,7 kilomètres conduit à une élévation de 700 mètres. Un panorama à savourer avant de se précipiter à vive allure dans cette neige folle qui n'attend que les traces des skieurs.

Enfin, les adeptes de **raquette** ne sont pas négligés: neuf pistes totalisent **29 kilomètres** à partir de la base de la station de ski alpin, et il existe d'autres circuits de raquette au départ du centre de ski de fond.

Focus

Famille: *Tracée sur poussière de roche, la piste Jean Larose offre une promenade en pleine nature. Ses quinze kilomètres aller-retour sont un vrai charme à parcourir: il s'y trouve des paysages fantastiques à découvrir, des coins ombragés pour le pique-nique et de l'espace pour se délier les jambes, sans oublier la source d'eau potable qui dévale à travers les rochers.*

Focus

Débutant: *Pour la descente à vélo, La Familiale suit une piste de ski alpin qui zigzague dans la montagne. Pas de surprise, sauf un mur de pierres que la plupart franchissent à pied. On a le temps de savourer le paysage et la vue sur le fleuve. Malgré le nom de la piste, l'âge minimum des participants doit être de treize ans. L'ouverture de cette nouvelle piste est prévue à la fin août 2010. En cross-country, La Jean Larose est fort agréable avec son faux plat de sept kilomètres.*

Expert: *Pour des pistes très techniques, aux montées et descentes rapprochées, ce sont La 1837 et La Viêtnam qu'il vous faut. Inutile de décrire cette dernière, son nom dit tout. Pour faire un «trip» de boue et en ressortir tout de noir vêtu, il y a L'Échappée. Pour vivre des sensations extrêmes, il faut utiliser La Coupe du monde. Cette piste pour experts est remodelée chaque année pour le Vélirium, festival de vélo de montagne qui comprend les épreuves de la Coupe du monde. Les plus téméraires empruntent en tout temps!*

Repères

www.mont-sainte-anne.com
1 800 463-1568 • (418) 827-4561

Étendue des sentiers: *Vingt sentiers de ski de fond pour un total de 213 kilomètres, 28 pistes de vélo de montagne totalisant plus de 160 kilomètres, douze sentiers pédestres totalisant près de 43 kilomètres.*

Autres activités: *parapente (été comme hiver), leçons de ski de fond, traîneau à chiens, patinage, canyoning de rivière (été) ou de glace (hiver) à la chute Jean-Larose, escalade de glace.*

Hébergement: *aires de camping aménagées ou sauvages, sept refuges chauffés (sans restauration) et L'Auberge du fondeur (auberge «couette et café»).*

Services: *Lave-vélo gratuit et douche publique gratuite. Centre de location et de réparation, école de ski et salle de fartage. Pour s'initier au vélo de montagne, la boutique Sports Alpins offre la possibilité de louer un vélo haute performance avec tout l'équipement de protection nécessaire. Plusieurs cafétérias réparties dans la montagne, épicerie fine La Biscotte, guichet automatique. À proximité: spa nordique Zonespa, idéal après une randonnée, ouvert en toute saison.*

Pédaler (route et montagne)

Dans un rayon près de chez

Sur le bitume ou entre les racines, la région de Québec offre plusieurs possibilités pour le vélo. Cyclistes de route ou montagnards y ont accès à quelques coups de pédales seulement.

VÉLO DE ROUTE ET CYCLOTOURISME

Le long des corridors

Depuis déjà quelques années, le **Corridor des Cheminots** (22 kilomètres), composante de la Route verte et du Sentier transcanadien, est relié à la **piste Jacques-Cartier/Portneuf** (68 kilomètres). On peut ainsi rouler de Québec à Rivière-à-Pierre. Recouvert d'asphalte, le corridor accueille marcheurs, cyclistes et patineurs. Aisé et urbain, il quitte le domaine Maizerets et va de Charlesbourg à Valcartier, là où la piste Jacques Cartier/Portneuf, une piste de poussière de pierre aux accents forestiers, prend le relais. Le tracé emprunte une dizaine de ponts, rappelant son passé ferroviaire. La piste touche plusieurs lacs, rivières et marais, et est pratiquement toujours enfouie dans les bois. Elle traverse la **Station écotouristique Duchesnay**, où l'on peut accéder à des sentiers pédestres et d'interprétation. Les endroits les plus intéressants pour casser la croûte sont le pont de pierre de Saint Léonard et la chute de l'Ours. Plus loin, la piste sort des bois et traverse quelques pâturages. À l'horizon, on peut voir des escarpements et, tout près, des vaches, des chevaux et des fruits des champs. Puis, retour dans les bois où les castors et leurs barrages sont à l'honneur. Ils sont si près de la piste qu'on peut les voir travailler.

Le **Corridor du Littoral**, de son côté, vous invite à vous balader près du fleuve Saint-Laurent en direction de Beauport et du parc de la Chute-Montmorency. Il conduit même à la Piste cyclable des Cheminots ! Son extrémité ouest relie Cap-Rouge à Saint-Augustin-de-Desmaures, pour ensuite rejoindre la Route verte sur la 138.

L'**île d'Orléans**? Oui. Pour les pommes, les fraises et le plein air à vélo. Au milieu du fleuve, en face de la chute Montmorency, se trouve cet îlot de paix et d'agriculture ceinturé d'une **route cyclable de 67 kilomètres**, une boucle facile. Plusieurs cultivateurs et artisans offrent leurs produits tout au long

Repères

La carte des pistes cyclables des **Corridors des Cheminots et du Littoral** est offerte au

Service des loisirs et des sports de la Ville de Québec au (418) 641-6224

Société de la piste Jacques-Cartier/Portneuf
www.velopistejcp.com • (418) 337-7525

Île d'Orléans • www.iledorleans.com
(418) 828-9411 • 1 866 941-9411

du chemin, si bien que l'on peut en quelques arrêts se préparer un pique-nique de première fraîcheur. La circulation est cependant très dense au cours des week-ends de cueillette des fraises ou des pommes.

LAC-BEAUPORT

Un p'tit tour en montagnes russes

À quinze minutes du centre-ville, le lac Beauport constitue une destination rapide, loin de la vie urbaine. Comme son nom l'indique, le **chemin du Tour du Lac** encercle le plan d'eau pour former une **boucle** sympathique de **7,7 kilomètres**. Ce circuit en montagnes russes accueille d'ailleurs en juin le triathlon du Lac-Beauport, très couru… et bien roulé !

Municipalité de Lac-Beauport
www.lac-beauport.ca • (418) 849-7141

Station touristique Lac-Beauport
www.lacbeauport.com • (418) 907-2825

CHEMIN DU ROY (SAINT-AUGUSTIN, RÉGION DE PORTNEUF)

Sur la route des ancêtres

Le Chemin du Roy, nom historique donné à la route 138, commence à la sortie ouest de la ville, à Saint-Augustin-de-Desmaures. Cet itinéraire de la Route verte mène jusqu'à Sainte-Anne-de-la-Pérade, dans le comté de Portneuf. Ce **parcours linéaire de 63 kilomètres** sur route asphaltée traverse des villages le long du fleuve, où l'on peut admirer les bâtiments de Deschambault, les battures de Grondines et la falaise de Cap-Santé. La halte-vélo de Deschambault-Grondines met à la disposition des cyclistes quelques outils de dépannage mécanique, en plus de constituer une aire de repos très agréable avec vue panoramique sur le fleuve.

tourisme.portneuf.com • (418) 286-3002
1 800 567-7603

Halte-vélo sur la Route verte
55, chemin du Roy, Deschambault-Grondines
www.deschambault-grondines.com • (418) 268-3735

www.routeverte.com • (514) 521-8356
1 800 567-8356

PARCOURS DES ANSES (LÉVIS)

L'envers du paysage

À portée de bateau grâce au traversier Québec-Lévis, la rive sud offre l'envers du paysage des citadins québécois. Du Vieux-Lévis, la vue est imprenable sur le Château Frontenac et les remparts. Dès la sortie du traversier, vers l'est ou vers l'ouest, on emprunte la piste cyclable : il s'agit du parcours n° 1 de la Route verte.

Si vous optez pour **l'ouest**, le Parcours des Anses se rend jusqu'au secteur Saint-Romuald. Aménagée sur une ancienne voie ferrée, cette **piste cyclable de quinze kilomètres** est entourée d'espaces verts propices aux arrêts. Par la suite, on peut emprunter les rues pour rejoindre le pont de Québec et le **Corridor du Littoral** afin d'effectuer une **boucle d'une trentaine de kilomètres** jusqu'au traversier, côté nord.

Vers l'est, on peut rouler de Lévis à Montmagny (**50 kilomètres**), en passant par les villages pittoresques de Saint-Michel, de Saint-Vallier et de L'Islet-sur-Mer. Ce circuit urbain et champêtre le long du fleuve via la route 132 offre une vue splendide sur l'île d'Orléans.

Dans les environs de Montmagny, le littoral est ponctué de nombreuses îles, dont l'Isle-aux-Grues et Grosse-Île, où les oies font escale au printemps et à l'automne. Si votre coup de pédale est encore dynamique, vous pouvez poursuivre jusqu'à Saint-Jean-Port-Joli et Saint-Roch-des-Aulnaies, au terme d'une balade d'une **centaine de kilomètres**.

www.tourismelevis.com • (418) 838-6026

Tourisme Chaudière-Appalaches
www.chaudiereappalaches.com
(418) 831-4411 • 1 888 831-4411

VÉLOROUTE DE LA CHAUDIÈRE (LÉVIS-BEAUCE)

Cap vers le sud

Au départ du parc des Chutes-de-la-Chaudière à Lévis, la Véloroute de la Chaudière met le cap vers le sud pour se rendre jusqu'à Vallée-Jonction, en Beauce. Parcours n°6 de la Route verte, ce circuit de **56 kilomètres** longe la rivière Chaudière en adoptant sa sinuosité sur un itinéraire vallonné. Le regard du cycliste surplombe souvent les ondulations de la vallée. Pendant 25 kilomètres, sur l'accotement du rang de la Rivière et de la route Carrier, le parcours emprunte une piste cyclable longue de 21 kilomètres pour traverser Sainte-Marie.

www.veloroutedelachaudiere.com • (418) 386-2599

Tourisme Chaudière-Appalaches
www.chaudiereappalaches.com • (418) 831-4411
1 888 831-4411

VÉLO DE MONTAGNE

CHARLESBOURG-BEAUPORT

Hors-piste sous tension

Entre les secteurs Beauport et Charlesbourg, une ligne à haute tension offre des kilomètres de grosses roches plates, de sable, de bouette et de ruisseaux à traverser ! Légèrement vallonné, ce secteur à découvert sous les pylônes pose quelques défis techniques. Un **parcours de sept kilomètres** est aménagé, mais puisqu'il est **linéaire**, vous pouvez aller aussi loin que vous le voulez et revenir sur vos pas. Cet endroit est aussi fréquenté par les motos et les VTT.

Pour plus de quiétude, empruntez les « sorties » le long du parcours. Des sentiers s'enchevêtrent les uns dans les autres et se rendent aussi loin qu'à Lac Beauport, Sainte-Brigitte-de-Laval, Boischatel, Château Richer. Ces **sentiers non balisés** forment un labyrinthe qui étourdira vos roues! Armez-vous d'une boussole, d'un GPS ou... laissez tomber des cailloux blancs derrière vous et partez à la découverte!

Départs/arrivées possibles:

- Au bout du boulevard Loiret (Charlesbourg)
- Au bout de la rue Seigneuriale (Beauport)
- Boulevard Raymond, près du pont de la rivière Montmorency (Beauport)

CENTRE DE PLEIN AIR CASTOR, VALCARTIER

Entraînement... militaire!

Ce centre de vélo de montagne situé sur la base militaire de Valcartier est ouvert au public. Comme pour le centre de ski de fond l'hiver, les cyclistes se stationnent au chalet du Castor et peuvent accéder aux sentiers moyennant un coût de 6$ par jour ou de 28$ pour l'abonnement d'été. Somme modique si l'on tient compte des **90 kilomètres de sentiers linéaires** qui empruntent pratiquement le même réseau que le ski de fond, autant du côté du Centre Castor que de celui du Centre Myriam Bédard. Ce réseau comporte des sections en single tracks, quelques passerelles de *North Shore*, et il se bonifie d'année en année. Des sentiers grimpent dans la montagne (anciennement un centre de ski alpin) offrant de bons dénivelés, d'autres sont plus faciles: il y en a pour tous les niveaux. Possibilité de location de vélo de montagne sur place.

(418) 844-3272 poste 221 • www.centrecastor.com

CENTRE DE PLEIN-AIR NOTRE-DAME-DES-BOIS

Rire Jaune sur son vélo!

Nouvellement développé, ce centre situé **à quinze minutes de Québec** offre quelques **dix kilomètres** de sentiers de vélo de montagne bien balisés. On y accède depuis le stationnement du du spa Siberia au lac Beauport. Il y en a pour tous les goûts: **quatre boucles** ont été judicieusement dessinées, passant progressivement du niveau facile, à moyen, difficile et enfin très difficile pour la dernière. Les parcours de cross-country, gérées par le **Centre d'entraînement Raphaël Gagné**, ont au départ été conçus pour accueillir un camp d'été et des compétitions régionales, et on y trouve la variété de terrain dont affectionnent les passionnés de ce sport: un bon dénivelé, des sentiers roulants très larges, d'autres assez techniques, des portions bien fluides sur du sable dur, le tout en alternance. Un parcours d'habiletés à vélo sur sable et gravier comportant des bosses et virages relevés a également été aménagé. Les sentiers traversent la **rivière Jaune** par des ponts en bois: de toute beauté.

Services: chalet d'accueil ouvert uniquement durant le camp d'été de vélo montagne

Accès: 335, boul du Lac, au Lac Beauport, tout près du Siberia Station Spa. Se stationner au départ du Siberia Station Spa, et vous verrez la signalisation pour le vélo de montagne avec la carte des sentiers. Coût: 5$ par saison pour être membre.

www.cecrg.ca

PARC ULTRAMAR LES ÉCARTS (LÉVIS)

Vélo de montagne urbain

En plein cœur de Lévis, le Parc Ultramar Les Écarts (acquis par la raffinerie en 2003), aussi connu sous le nom de boisé Davida ou de l'Auberivière, est un site idéal en milieu urbain pour prendre un bon bol d'air frais après une grosse journée de travail. Le parcours de vélo de montagne est constitué d'une boucle de **3,5 kilomètres**, un très beau ***singletrack*** aménagé sur le versant nord de la montagne. Ce parc, d'une superficie totale de plus de 65 hectares, est géré par les Amis du boisé de l'Auberivière et comprend aussi **sept kilomètres de sentiers pédestres,** qui voisinent ceux de vélo de montagne. La fin de semaine, on peut donc combiner à loisir marche et vélo pour en profiter plus longuement. Par contre, si l'on veut garder l'accès aux sentiers de vélo de montagne, attention à ne pas rouler dans les sentiers pédestres!

Accès: gratuit. Emprunter l'autoroute 20 Est jusqu'à la sortie Lévis centre-ville. Traverser l'autoroute sur le pont et tourner à gauche sur la rue Louis-H.-Lafontaine. Suivre cette rue jusqu'au bout

Repères

On peut se procurer le Plan du réseau cyclable de la région de Québec aux endroits suivants: hôtel de ville (2, rue des Jardins, bureau 210), centres Infotouriste, bibliothèques, centres récréatifs et communautaires situés près du réseau cyclable et plusieurs magasins de sport.

Association régionale de vélo de montagne Québec-Chaudière-Appalaches

www.vmqca.qc.ca

Service des loisirs de la Ville de Québec

www.ville.quebec.qc.ca • (418) 641-6224

Cyclo services (boutique, location de vélos et tours de ville guidés)

www.cycloservices.net
289, rue Saint-Paul, Québec • (418) 692-4052

Office du tourisme et des congrès de Québec

www.quebecregion.com • (418) 522-3511

et tourner à gauche sur la rue Christophe-Colomb. Se stationner au bout de cette rue, vous tomberez sur l'entrée des sentiers du côté est, qui sont bien signalisés.

Infos: raffinerie Ultramar (418) 837-3641

Amis du boisé de l'Auberivière
www.lesamisduboisedelauberiviere.ca

SENTIERS DES GRANDES PRAIRIES DE SAINT-ROMUALD
100 % rive sud

Si les Sentiers des Grandes Prairies de Saint-Romuald existent depuis 35 ans, le vélo de montagne est un jeune joueur qui y est apparu en 2009 seulement. Le réseau s'y développe peu à peu à partir des pistes ski fond, et c'est **le seul centre basé sur la rive sud de Québec** qui est **voué à 100% au vélo de montagne**. Il est donc opérationnel sans présenter aucune contrainte de cohabitation, dans un quartier calme non résidentiel, ce qui assure la pérennité du site, contrairement à d'autres en milieu urbain que l'on a vu disparaître... L'été, les **dix kilomètres** de sentiers de vélo de montagne offrent un terrain de jeu qui va du niveau débutant à intermédiaire avancé. Certes, ce n'est pas un lieu où l'on va chercher du gros dénivelé, mais les parcours, en pleine forêt, sont assez techniques, et une course régionale y est d'ailleurs tenue.

Services: chalet d'accueil, lave vélo, toilettes, grand stationnement

Coût: vignette à 20$ valide tout l'été, que l'on se procure sur une base volontaire. On la trouve au chalet d'accueil ou chez Demers bicyclettes et elle sert à financer l'entretien du réseau. Carte des pistes offerte sur le site.

Accès: à dix minutes de Québec et cinq minutes des ponts. Suivre l'Autoroute Henri IV sud en direction de Pont Pierre-Laporte, prendre la sortie 131 est à gauche pour rejoindre l'Autoroute 20 est, sortie 318 pour Québec 275 nord en direction de Centre-Ville/Saint-Romuald, tourner à droite sur rue Commerciale (panneaux pour Québec 275 N). Le centre se trouve au 940, 4e rue, à Saint-Romuald.

(418) 572-9199 • www.skistromuald.ca ou
www.vmnormandin.com (on y voit une vidéo des parcours)

VAL-BÉLAIR
Montée cardio

Du haut de ses **485 m d'altitude,** le sommet du mont Bélair attire les cyclistes montagnards recherchant un **bon entraînement cardio**. Du stationnement de l'aréna Les Deux Glaces (rue Pie-XI Nord), on s'élance sous la ligne à haute tension, toujours en **montée**. D'autres préféreront faire la montée par la rue du Mont-Bélair (accès par la rue de la Montagne), pentue au point où l'on doive y serpenter. À l'antenne, ils piqueront dans le bois pour redescendre dans un sentier souvent très boueux. Adrénaline garantie!

Base de plein air de Val-Bélair
1560 rue de la Découverte, Val-Bélair
(418) 641-6473

LE REFUGE (STONEHAM)
Les pistes de ski de fond redécouvertes

Reconnu l'hiver pour ses pistes de ski de fond, Le Refuge rend accessibles une **vingtaine de kilomètres** de sentiers pour le **vélo de montagne l'été**. On peut entre autres monter vers la Grotte et la Tanière.

www.centrelerefuge.com • (418) 848-6155
2155, chemin St-Edmond, Stoneham-et-Tewkesbury
(autoroute 175, indications vers Saint-Adolphe)

Grimper sans voyager

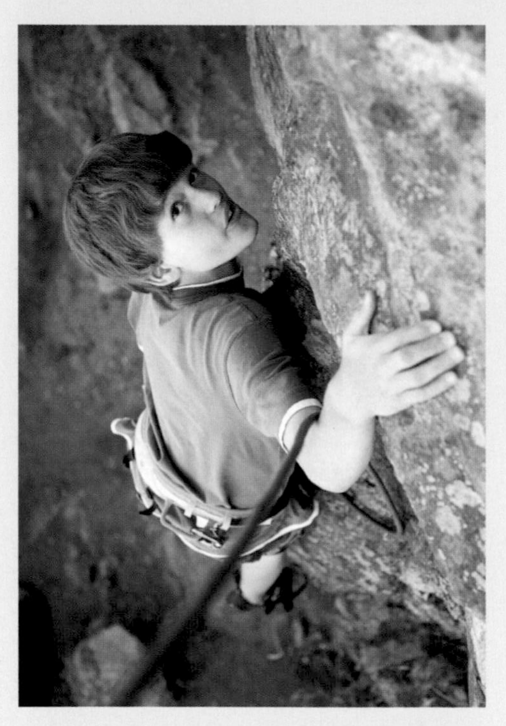

Une petite grimpe sur paroi naturelle en sortant du travail, le rêve ? À Québec, c'est une réalité ! Voici sept bonnes raisons de ne pas traîner le soir au bureau.

Le Pylône

Site idéal pour une grimpette après le boulot, le Pylône se situe juste à côté des ponts de Québec et Pierre-Laporte. Très pratique, puisqu'on peut se stationner quasiment au pied de la paroi. La trentaine de voies sont équipées d'ancrages pour la moulinette. On y retrouve cependant peu de possibilités pour les ascensions en premier de cordée. Les niveaux de difficulté s'échelonnent de 5.1 à 5.12+ et les plus longues voies ont 13 mètres de hauteur.

Accès : par l'autoroute Henri-IV (73), sortie boulevard Champlain. Un stationnement a été improvisé dans l'herbe à gauche de la barrière.

Le Champlain

Situé sous les ponts, ce site est aussi facile d'accès que le Pylône. Toutefois, les grimpeurs aguerris trouveront ici plus de défis. Le niveau de difficulté de la trentaine de voies va de 5.6 à 5.13, mais la majorité d'entre elles sont de calibre 5.10 et plus. Ce site d'environ dix mètres de hauteur est également équipé d'ancrages et offre quelques ascensions en premier de cordée sur protection naturelle.

Stationnement en bordure du boulevard Champlain, sous les ponts.

Le Crapeau de mer

Situé non loin des deux sites présentés ci-dessus, celui-ci, moins connu, fait le bonheur des amateurs d'escalade sportive. Loin des foules, on entend plutôt le clapotis des vagues tout en bénéficiant d'une vue imprenable sur le Saint-Laurent. La brise venant du fleuve rafraîchit lors des chaudes journées. De niveau intermédiaire, le site comprend huit voies équipées (5.7 à 5.10), jusqu'à une dizaine de mètres de haut, qui nécessitent de deux à cinq dégaines.

Accès : À partir du stationnement du Pylône, traversez à pied à la lumière (vers la gare), prenez le sentier à gauche qui longe le boulevard. Vous arriverez à la maison des anciens du CN (ne passez pas sur leur terrain). À droite, un sentier descend jusqu'à la grève. Évitez les sandales. La paroi est vers la gauche (en regardant le fleuve) de l'autre côté d'un bloc de roches. À marée basse, on peut passer à droite du bloc; à marée haute, il faut traverser dans le bois à gauche.

Domaine des Bois

À Val-Bélair, le Domaine des Bois jouit d'un environnement magnifique! La paroi de granit est orientée nord-est, ce qui en fait une oasis de fraîcheur pendant l'été. Les grimpeurs y trouvent une quarantaine de voies sur granit rose d'environ 30 mètres de hauteur, cotées de 5.6 à 5.12+. La Fédération québécoise de la montagne et de l'escalade (FQME) classe ce site dans la catégorie intermédiaire. On y fait de l'escalade mixte, en moulinette ou sur protection naturelle, mais les parcours ne sont pas complètement équipés pour l'escalade sportive. Ce site fait partie du Réseau de la FQME et les pratiquants doivent détenir une adhésion (annuelle ou journalière) pour y pratiquer l'escalade.

Accès : par l'autoroute Henri-IV Nord. Arrivé à Val-Bélair, tournez à gauche sur la rue Montolieu (3e feu de circulation). Allez jusqu'au bout, puis tournez à droite sur le chemin Bélair. Après cinq kilomètres, face au 801, vous apercevrez les parois à gauche de la rue, au fond du champ, où se trouve un petit stationnement dans un ancien dépôt de sable. Suivez le sentier vers la falaise.

Mont-Wright

Situé dans le Parc de la forêt ancienne du mont Wright (à Stoneham), ce site est entouré d'écosystèmes forestiers exceptionnels. Côté escalade, il en offre pour tous les goûts : moulinette, escalade sportive, traditionnelle, artificielle avec des faces, des fissures, des toits... Une quarantaine de voies de 5.6 à 5.13-, atteignant de huit à quinze mètres de hauteur. La beauté de ce site s'explique par sa verticalité, son emplacement naturel au sommet de la montagne et son orientation sud-ouest (une partie est cependant à l'ombre). La marche d'approche soutenue (de quinze à trente minutes) et les moustiques au début de l'été rebutent toutefois certains grimpeurs! Le printemps et l'automne sont des saisons plus agréables. En arrivant à la paroi, on rencontre d'abord le Damier où se trouvent des voies faciles. On le contourne par la gauche pour accéder à la falaise principale.

Une zone de blocs de granit, appelée **Stonebleau**, se trouve au pied du mont Wright. Des blocs d'une grande qualité pour tous les niveaux sont éparpillés un peu partout dans la forêt de feuillus et offrent une cinquantaine de voies.

Ce site fait partie du Réseau de la FQME et les pratiquants doivent détenir une adhésion (annuelle ou journalière) pour y pratiquer l'escalade.

Accès : par l'autoroute Laurentienne (73), puis le boulevard Talbot (175) vers Chicoutimi. Un grand stationnement a été aménagé sur le côté droit du boulevard Talbot, après le Pétro-Canada.

Vieux Stoneham

Seul site dans la région de Québec qui se grimpe uniquement de façon traditionnelle, il offre des parois de quinze à 100 mètres de hauteur. Comme il est encore en développement, mieux vaut redoubler de prudence. La protection y est relativement bonne, mais apportez quand même des *bicoins* et des *friends*. Une dizaine de voies a été répertoriée, mais il existe d'autres possibilités et variantes. Les deux blocs erratiques d'environ cinq mètres de hauteur qui se trouvent sur le bord (côté droit) de la route combleront les amateurs de bloc avec une trentaine de problèmes. Une longue cascade est propice à l'escalade de glace (II, 2).

Ce site fait partie du Réseau de la FQME et les pratiquants doivent détenir une adhésion (annuelle ou journalière) pour y pratiquer l'escalade.

Accès : par l'autoroute Laurentienne (73), puis le boulevard Talbot (175) vers Chicoutimi. Tournez à gauche sur la 1e Avenue (en face du mont Wright) et continuez sur environ un kilomètre. Vous verrez les blocs à droite. Stationnez à cet endroit.

Saint-Alban

Un peu plus à l'écart de Québec, dans Portneuf, le site de Saint-Alban prend de l'expansion. Les voies sur de la roche en strates de calcaire sont encore un peu sales et on y trouve des roches instables en raison de l'infiltration d'eau. Pour l'instant, une quarantaine de voies de 5.5 à 5.11+ sont développées sur le bord de la rivière Sainte-Anne, ainsi qu'un site de spéléologie. On y grimpe en moulinette ou en escalade sportive. Il y a également du bloc. Une section surplombante permet de grimper même quand il pleut! L'hiver, les grimpeurs de glace y trouvent douze voies de quinze à 20 mètres, cotées M5+ à M9/10. Le *dry tooling* y est à l'honneur.

Ce site fait partie du Réseau de la FQME et les pratiquants doivent détenir une adhésion (annuelle ou journalière) pour y pratiquer l'escalade.

Accès : autoroute 40, sortie 254, route 363 nord jusqu'à Saint-Marc-des-Carrières, à droite au Métro, puis quelques kilomètres jusqu'à la rivière. La paroi est de l'autre côté du barrage.

La région de Québec compte plusieurs autres sites pour l'escalade de glace, notamment : la chute Jean-Larose, la plage Jacques-Cartier, le parc de la Falaise (chute Kabir-Kouba), Grande Corneille (Stoneham), le mont Bélair et l'Île-aux-Raisins (Portneuf).

Repères

DrTopo
www.drtopo.com/quebec

Fédération québécoise de la montagne et de l'escalade (FQME)

www.fqme.qc.ca • 1 866 204-FQME (3763)
(514) 252-3004

Club de montagne et d'escalade de Québec (CMEQ)
www.cmeq.net

Sorties guidées : École d'escalade L'Ascensation
www.lascensation.com • (418) 647-4422
1 800 762-4467

Lecture
Guide des cascades de glace et voies mixtes du Québec, *Stéphane Lapierre et Bernard Gagnon, Les Éditions de La Randonnée, 2004.*

Une capitale toute en bleue

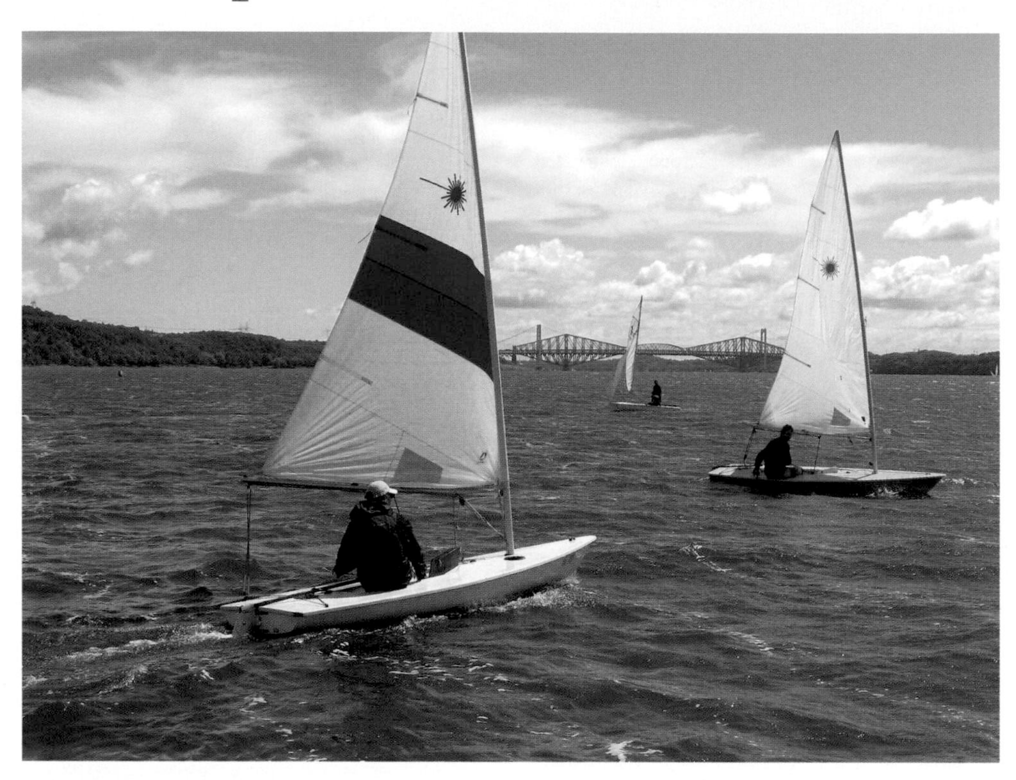

Arrosée de toutes parts, la région de Québec offre un tourbillon d'activités nautiques. Voici les meilleurs sites d'eau calme ou d'eau vive où aller se rafraîchir au fil de l'eau, pour mettre les voiles, canoter ou pagayer à seulement quelques kilomètres de la capitale enrubannée de bleu.

AU VENT OU EN EAUX CALMES

BAIE DE BEAUPORT (QUÉBEC)
La plage en ville

Rendez-vous de tous ceux qui aiment avoir les cheveux au vent: véliplanchistes, kitesurfeurs, kayakistes, capitaines de catamarans ou de dériveurs, la Baie de Beauport s'anime durant la belle saison et se couvre de voiles de toutes les couleurs, surtout lorsqu'Éole souffle de l'est nord-est.

Que la mer soit calme ou agitée, la Baie offre aux adeptes de sports nautiques un décor magnifique avec pour toile de fond l'Île d'Orléans, le Vieux Lévis et le Château Frontenac. Il s'agit d'un endroit de choix pour s'initier à la **voile**, à la **planche à voile** et au **cerf-volant à traction**. On peut y mettre à l'eau sa propre embarcation ou encore en louer une, au choix: **canot**, **kayak** simple ou double, planche à voile et **rabaska**.

La Baie de Beauport est une plage en ville idéale pour un pique-nique au bord de l'eau, pour y jouer au volleyball ou au soccer de plage entre amis, pour se rafraîchir sous les jeux d'eau et s'amuser dans le parc pour enfants. Une aire de détente, des chaises longues, un joli bar moderne avec terrasse surplombant la plage viennent compléter le tout. Quand le soleil plombe sur Québec, la Baie de Beauport est une oasis agréable où il fait bon se réfugier, les pieds dans le sable et un cocktail à la main. Seul bémol, et non le moindre: le manque d'ombre! Vivement que quelques arbres soient plantés le long de la plage pour profiter de cet écrin de fraîcheur au maximum.

www.baiedebeauport.com • (418) 266-0722
Ouverture du 15 mai au 15 octobre, de 10 h à 20 h.
Ouverture partielle à partir du 1er mai, de 10 h à 17 h.

PARC NAUTIQUE DE CAP-ROUGE (QUÉBEC)

Au gré de la marée

À l'ouest de la ville, le parc nautique de Cap-Rouge est un endroit de prédilection pour pratiquer la voile, le canot, le kayak et autres activités nautiques. Il donne accès à la baie de Cap-Rouge, sur le fleuve Saint-Laurent, et à la rivière Cap-Rouge. Cette dernière, longue de **quatorze kilomètres**, est **canotable** surtout au printemps, par hautes eaux et après un gros orage. Le parc nautique loue des voiliers dériveurs et des kayaks. Il dispense également des **cours de voile et de kayak de mer.** On peut aussi y mettre à l'eau sa propre embarcation. Les activités nautiques dans la baie sont tributaires des marées: vérifiez la table!

(418) 641-6148

Accès: 4155 Chemin de la Plage Jacques-Cartier, Québec

www.ville.quebec.qc.ca
(section parcs et bases de plein air)
Ouverture: à partir du 22 mai les fins de semaine uniquement; sept jours sur sept à partir de la mi-juin

RIVIÈRE SAINT-CHARLES (QUÉBEC)

En pleine ville!

Prenant sa source dans le lac Saint-Charles, cette rivière pleine de courbes se rend en plein centre-ville de Québec pour se déverser dans le fleuve Saint-Laurent, à côté du Vieux-Port. Le premier tiers (**dix kilomètres**) est **canotable** en tout temps. La mise à l'eau s'effectue dans le secteur de Loretteville, au centre de **location** Canots Légaré. Chaque année, fin avril, le Festival Vagues-en-Ville y célèbre l'arrivée du printemps. Et, l'automne venu, il ne faut manquer cette excursion sous aucun prétexte: les couleurs des rivages y rivalisent de beauté.

Société de la rivière Saint-Charles et Festival Vagues-en-Ville
www.societerivierestcharles.qc.ca

Canots Légaré
(418) 843-7979
12766, boulevard Valcartier, Québec
www.canotslegare.com

RIVIÈRE DES HURONS (STONEHAM-QUÉBEC)

Petit serpent

Cette petite rivière sinueuse coule sur **14 kilomètres** de Stoneham jusqu'au lac Saint-Charles. Une portion passe par **Les Marais du Nord**, où l'on offre des excursions en **canot rabaska** (qu'il faut réserver). La portion **canotable**, en crue et par hautes eaux, commence à l'intersection de la route 175 et de la route vers Saint-Adolphe. Plus de huit kilomètres de sentiers de **randonnée pédestre** permettent également de découvrir ce site naturel exceptionnel. C'est un lieu reposant et idéal pour les amateurs d'ornithologie: on peut y observer quelque 160 espèces d'oiseaux!

Les Marais du Nord
(418) 841-4629
Ouverture: toute l'année

Accès: 1100, chemin de la Grande-Ligne, Stoneham

http://apel.ccapcable.com/marais-du-nord/
www.ville.quebec.qc.ca
(section parcs et bases de plein air)

EAU VIVE

RIVIÈRE MONTMORENCY (SAINTE-BRIGITTE-DE-LAVAL)

La sportive

Déchargeant plusieurs plans d'eau des Laurentides, la rivière Montmorency termine sa course avec la célèbre chute Montmorency dans le parc du même nom. Cette rivière à l'eau claire dans une belle vallée offre des possibilités variées pour la pratique du **canot et du kayak en eau vive** grâce à une gamme de **rapides de calibre débutant à expert.** La section présentant le potentiel le plus intéressant se trouve à Sainte-Brigitte-de-Laval. Le Groupe d'accès à la Montmorency (GAM) y a développé **deux terrains d'accès**, le reste étant de propriété privée.

Groupe d'accès à la Montmorency (GAM)
(418) 659-7607
www.legam.qc.ca

RIVIÈRE JACQUES-CARTIER (LAURENTIDES-DONNACONA)

Un bijou

Réel petit bijou de rivière, la Jacques-Cartier comble les **kayakistes** et les **canoteurs** avec plusieurs sections réparties sur **177 kilomètres.** Facilement accessible sur presque tout son parcours (77% des rives sont du domaine public), elle prend sa source dans les Laurentides pour déboucher dans le fleuve Saint-Laurent, à la hauteur de Donnacona.

Vallée de la Jacques-Cartier: section **facile** située dans le parc national de la Jacques-Cartier. Superbe paysage avec la rivière encaissée entre les parois de la vallée. On peut y louer des embarcations et profiter du service de **navette**. Il est possible d'y passer de quelques heures à deux jours en **canot-camping**.

Shannon: ce court rapide suivi d'un grand plat, sous le pont à Shannon, est un bon site pour l'initiation.

Grand-Remous: section **intermédiaire** entre Grand-Remous et Pont-Rouge. Son côté un peu plus technique en fait une agréable transition vers des sections plus difficiles. On y trouve le **Rouleau du Président**, site populaire pour le rodéo.

Pont-Rouge–Donnacona: section traditionnelle et paradis du **surf** en période de crue. Des vagues, des vagues et encore des vagues! Cette portion de **neuf kilomètres** est idéale pour l'**initiation à l'eau vive** en débit moyen ou bas. La rivière y est large et peu profonde. Le centre de la section est entouré de parois impressionnantes: un petit «Grand-Canyon» à trente minutes de Québec!

Parc national de la Jacques-Cartier
1 800 665-6527
www.sepaq.com

RIVIÈRE BRAS-DU-NORD (SAINT-RAYMOND)

Familiale et sportive

Née à la jonction des rivières Sainte-Anne Ouest et Neilson, la **Bras-du-Nord** sillonne la vallée du même nom pour ensuite rejoindre la rivière Sainte-Anne à Saint-Raymond. La partie chapeautée par la Coopérative de solidarité de la Vallée Bras-du-Nord est de niveau **facile** et convient bien aux familles. On peut y **louer** des embarcations et utiliser le service de **navette**. Après le pont Cantin, la rivière devient **plus sportive**.

Vallée Bras-du-Nord
1 800 321-4992 • (418) 337-2900
www.valleebrasdunord.com
Location de canots et kayaks sur place.

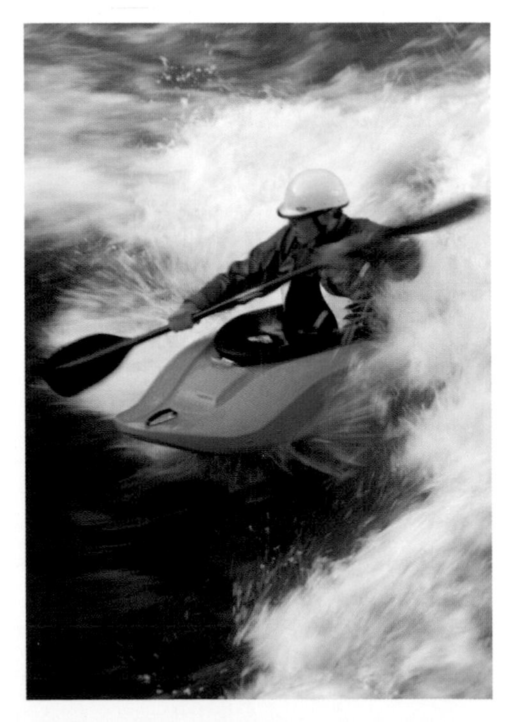

LA RIVIÈRE SAINTE-ANNE ET LES LACS DE SAINT-ALBAN

De lac en lac

Si l'on recherche un site où pratiquer le canot ou le kayak en eau calme dans la région de Québec, les **Gorges de la rivière Sainte-Anne** et les **lacs de Saint-Alban**, dans le comté de Portneuf, s'y prettent à merveille.

Ici, la rivière Noire relie la Rivière-à-Pierre et Saint-Raymond, pour aboutir dans la rivière Sainte-Anne. Une courte portion intermédiaire donne accès au lac Montauban, où l'on peut s'adonner au **canot-camping**. On peut y faire une **boucle de 20 kilomètres** de lac en lac, entre les lacs Long, Montauban et Nadeau.

Le groupe Action plan d'eau plein air, qui gère les activités des lieux, offre la location de canot, de kayak et de radeau pneumatique. Pour varier les plaisirs, il est aussi possible de visiter la **grotte Le Trou du diable**, deuxième plus longue grotte du Québec (visite de 1 h 30, avec guide). Enfin, sept chalets sont offerts en location. La plupart des activités se font sur réservation.

Action plan d'eau plein air
(418) 284-4232 • www.natureportneuf.com

Accès: entrée du village de Saint-Alban

Niveau: amateur, familial

Repères

Fédération québécoise du canot et du kayak
(514) 252-3001
www.canot-kayak.qc.ca

Fédération québécoise de canoë-kayak d'eau vive
(514) 252-3099
www.federationkayak.qc.ca

Guide des parcours canotables du Québec *de la Fédération québécoise du canot et du kayak, les Éditions Broquet. Plus de 200 fiches répertorient chaque rivière, en indiquant sa longueur, sa latitude et sa longitude et la superficie du bassin versant: très utiles lors des expéditions.*

Ski de fond et raquette

La cour arrière remplie de neige

® Jean-Pierre Huard, Sépaq

Nichée entre le fleuve et les Laurentides, la région de Québec reçoit chaque année des bordées de neige dignes des hivers d'antan. Grâce aux centres de plein air situés au nord et en altitude, les fondeurs et raquetteurs des environs de la capitale profitent de la neige du début de l'hiver jusqu'au printemps.

CAMPING MUNICIPAL DE BEAUPORT
À deux pas par là

Situé à six kilomètres du centre-ville, dans l'arrondissement Beauport, le camping municipal bénéficie d'un boisé protégé le long de la rivière Montmorency. Les sentiers de **ski de fond** nous font découvrir des écosystèmes variés: la forêt mature et ses pins blancs gigantesques, le marais et ses quenouilles, de gros sapinages, une coulée, le lac Délaissé et les berges de la rivière. Cet endroit peu fréquenté offre **20,6 kilomètres de sentiers pour le pas classique**. Le soir, un sentier éclairé sur un kilomètre permet aux fondeurs de skier jusqu'à 21 h.

Le site comprend deux pistes de raquette **totalisant 3,7 kilomètres** et un sentier de patinage (600 mètres) à travers les arbres, illuminé lui aussi jusqu'à 21 h. Les **marcheurs** y trouveront aussi leur compte, avec un sentier de un kilomètre serpentant à travers les arbres, et un autre de 6 kilomètres qui se rend du camping à la Bibliothèque Étienne-Parent par le chemin emprunté par la piste cyclable.

Services: un chalet et une salle de fartage chauffée (9 h-21 h).

www.campingbeauport.qc.ca • (418) 641-6045
conditions de neige: (418) 641-6500
95, de la Sérénité (autoroute 40, sortie 321)

CENTRE DE SKI DE FOND CHARLESBOURG
Un bon dénivelé

Le centre de ski de fond Charlesbourg offre d'intéressantes possibilités en milieu urbain, à seulement quinze minutes de la ville, avec des pistes de **0,4 à 18,8 kilomètres**, pour un total d'une **trentaine de kilomètres**. On y retrouve de bons dénivelés, généralement en montée à l'aller et en descente au retour. C'est bon pour le moral!

Pour les amateurs de randonnée pédestre, on y trouve aussi un sentier de **18 kilomètres de marche** sur neige battue, ainsi que **dix kilomètres de raquettes** en territoire boisé et montagneux.

Services: chalet d'accueil, salle de fartage, boutique de location et de réparation, relais chauffés et restaurant.
(418) 849-9054
375, rue de l'Aventure (autoroute 73, sortie 155)

LE REFUGE (SAINT-ADOLPHE, STONEHAM)

Filer dans la nature

Au nord de Québec, le centre de plein air *Le Refuge* accueille chaleureusement les fondeurs passionnés qui peuvent y filer dans la nature, loin des centres surpeuplés. Son emplacement lui garantit une température plus froide, le microclimat ambiant étant créé par les rivières Jacques-Cartier et Montmorency, assurant une neige abondante qui s'y déverse plus tôt et y demeure plus tard en saison. Petit trésor caché à 20 minutes de Québec, *Le Refuge* n'attire pas les foules de la capitale. La vaste étendue du domaine skiable (**46 kilomètres, 22 pistes**) rend les embouteillages improbables, surtout si vous mettez le cap vers la 15, la 20 et la 25. À défaut d'humains, vous y rencontrerez peut-être des animaux à panache.

Arrivé là-haut, après être passé sous d'étroites allées d'arbres qui croulent sous la neige, on reste bouche bée devant la superbe vue sur les montagnes environnantes. Pour s'y rendre, la piste 9 longe la rivière des Hurons, avec sa chute et son bassin profond. La glace la recouvre en partie, mais on y aperçoit des cascades et parfois même des nénuphars de glace. Les amateurs de montées (et de descentes!) apprécieront la 12, qui serpente jusqu'à une corniche. La **traversée jusqu'aux Sentiers du Moulin, à Lac-Beauport**, via la piste Inter (50), offre aux **experts** un aller de 22 ou de 26 kilomètres et un **aller-retour de 46 ou 52,5 kilomètres,** selon le trajet emprunté.

Les amateurs de **raquette** trouvent ici de quoi s'amuser avec un choix de **neuf itinéraires, de 2,2 à 12,6 kilomètres**. Certains passages exigent de gravir des escarpements avec l'aide de cordes. On peut aussi s'aventurer à traverser la rivière sur un pont suspendu et sur un pont de glace. Les cascades glacées, magnifiques, valent le détour.

www.centrelerefuge.com • (418) 848-6155
(418) 849-0342
1190, rue St-Edmond (autoroute 175, indications vers Saint-Adolphe)

CENTRE RÉCRÉO-SPORTIF CASTOR (VALCARTIER)

Pas seulement pour les militaires

Parce qu'il est situé sur la base militaire de Valcartier, à vingt minutes au nord-ouest de Québec, le Centre Castor n'attire pas les foules. Dommage pour les timides qui se privent d'un excellent site de ski de fond!

Les fondeurs, en **ski classique ou en pas de patin**,

bénéficient de **93 kilomètres** (46 linéaires) de sentiers répartis sur seize pistes (en incluant le centre de biathlon Myriam-Bédard), dont les niveaux varient de facile à très difficile. Un relais chauffé se situe à l'autre extrémité du site, permettant une agréable pause avec vue sur les montagnes avoisinantes. Le chalet d'accueil abrite les services de fartage, de location et de restauration.

Castor offre également **deux sentiers de cinq et huit kilomètres** pour les adeptes de la **raquette**. Les experts peuvent se rendre au sommet du mont Brillant (259 mètres de dénivelé), où l'on pouvait pratiquer le ski alpin jusqu'en 2002.

Services: location de divers équipements de plein air: skis de fond, raquettes et traîneaux pour bébés.

www.centrecastor.com
(418) 844-3272

BASE DE PLEIN AIR DE VAL-BÉLAIR

Nature de la ville

Sise dans l'ancienne « Ville de la nature » (avant la fusion avec Québec), la base de plein air de Val-Bélair constitue une autre option pour les fondeurs dans le secteur nord-ouest. Le centre de ski de fond est formé de **huit pistes** totalisant **55 kilomètres** (30 linéaires), avec des dénivelés intéressants dans un microclimat tempéré. Quelques pistes de niveau très difficile aboutissent au mont Bélair. Les familles et les débutants y trouvent aussi leur compte. Un relais chauffé invite à une halte près du lac Alain.

Les amateurs de **raquette** apprécieront y faire du **hors-piste**. La base de plein air entretient aussi un **sentier de marche** et les plus jeunes profitent de la glissade sur chambre à air.

Services: location de skis, raquettes et traîneaux pour bébés.

(418) 641-6473 • 1560, rue de la Découverte

CENTRE DE SKI DE FOND LA BALADE (SAINT-JEAN-CHRYSOSTOME)

Attention, cardio !

Sur la Rive-Sud de Québec, non loin des ponts, le centre de ski de fond *La Balade*, à Saint-Jean-Chrysostome, offre un entraînement *cardio express* aux fondeurs. Bien qu'il soit de superficie modeste (**27 kilomètres de pistes, dont huit pour le pas de patin**), ce site propose un défi intéressant en raison de ses nombreuses montées et descentes. Une balade rapide en montagnes russes fait travailler cœur et muscles. Plusieurs pistes longent un cours d'eau, qu'il s'agisse de la rivière Etchemin ou du ruisseau Pénin. L'une des pistes enjambe même la rivière pour rejoindre l'île Cadoret et l'autre rive. Tout ça, à deux pas de l'autoroute 20 !

Services : chalet, salle de fartage, restaurant, cours, boutique de vente et location, patrouilleurs, douches.

www.labalade.org • (418) 839-1551

SENTIERS DES GRANDES PRAIRIES DE SAINT-ROMUALD

Du bonheur blanc en plein centre ville !

Le centre de ski de fond des Grandes Prairies, basé dans le quartier de Saint-Romuald, en plein centre de la nouvelle ville de Lévis, offre à deux pas de sa maison ou de son bureau quelque **39 kilomètres de pistes balisées**. Les sentiers parcourent un environnement boisé sur 28 kilomètres pour le pas classique et onze kilomètres pour les patineurs. Un centre de ski familial qui convient à tous les âges et à tous les styles de skieurs, avec ses six pistes faciles (de 0,7 à 10,66 kilomètres) et ses cinq pistes difficiles (de 0,7 à onze kilomètres).

Services : grand stationnement, chalet d'accueil, salle de fartage, vente de produits pour le fartage, sécurité et premiers soins (la fin de semaine), leçons Jack Rabbit pour les enfants de huit à treize ans.

Saison : de la mi-décembre à la mi-mars.

Accès : 6 $/jour ou abonnement dix entrées (45 $) ou pour toute la saison. Gratuit pour les moins de seize ans. Situé à dix minutes de Québec et à cinq minutes des ponts. Suivre l'Autoroute Henri IV sud en direction de Pont Pierre-Laporte, prendre la sortie 131 est à gauche pour rejoindre l'Autoroute 20 est, sortie 318 pour Québec 275 nord, direction Centre-Ville/Saint-Romuald, tourner à droite sur rue Commerciale (panneaux pour Québec 275 N). Le centre se trouve au 940, 4e rue, à Saint-Romuald.

(418) 839-1919
www.skistromuald.ca • www.tourismelevis.com

Le Québec de A à Z

Du Nord au Sud, de l'Est à l'Ouest, trouvez de quoi contenter votre appétit pour le plein air aux quatre coins du Québec. Pour planifier ses vacances, organiser une journée ou encore une fin de semaine au grand air, voici plus de 275 destinations à découvrir, éparpillées au travers des 18 grandes régions touristiques de la province.

Parc national d'Aiguebelle

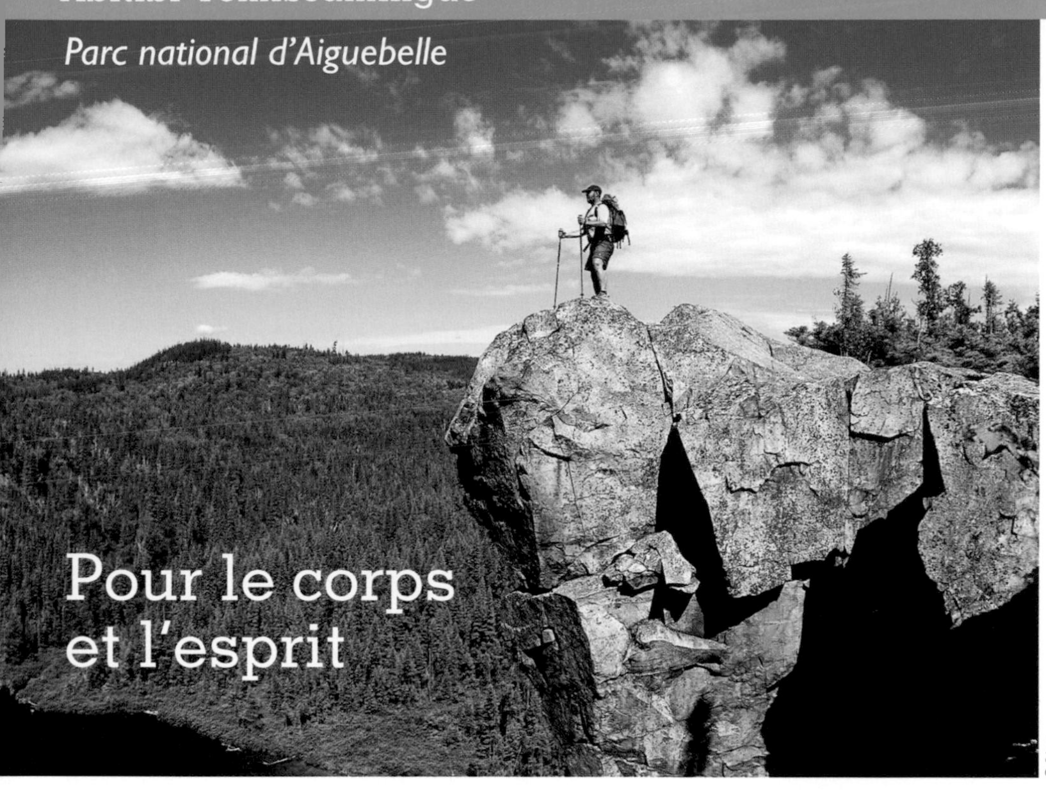

Pour le corps et l'esprit

© Sépaq

Abitibi en langue amérindienne signifie « le lieu où les eaux se séparent ». C'est exactement sur cette ligne de partage des eaux que se situe le parc national d'Aiguebelle. Connu pour ses phénomènes géomorphologiques parfois impressionnants, il attire aussi les visiteurs grâce à ses splendides points de vue accessibles en peu de temps. À l'intérieur de ses **268,3 kilomètres carrés** de nature, les promeneurs peuvent aussi bien apprécier la tranquillité des sentiers que le cachet des constructions de bois rond superbement intégrées au décor naturel. Observer l'orignal, avironner le long des falaises sur un lac « de faille », pratiquer le ski nordique ou la raquette, se mettre dans la peau des garde-feux d'antan ou même faire du kayak de mer entre les îles du lac Loïs. Familles et sportifs ont de quoi s'en mettre plein les yeux!

On vient d'abord au parc pour la beauté de ses paysages. En été, de nombreuses activités de plein air se déroulent autour des deux surprenants lacs de faille aux parois escarpées et aux eaux profondes. On peut en faire le tour à pied ou choisir de les découvrir en **canot**. Les randonneurs apprécient aussi la variété du relief. **L'hiver**, le parc national d'Aiguebelle s'enorgueillit d'une **neige abondante** et impeccablement préparée pour le **ski nordique** ou **la raquette.**

Repères

www.parcsquebec.com
1 800 665-6527 ou (819) 637-7322

- **Localisation :** *Le Parc national d'Aiguebelle est situé à 50 kilomètres au nord de Rouyn-Noranda et à 90 kilomètres de la frontière ontarienne. Compter huit heures depuis Montréal.*
- **Altitude maximale :** *570 mètres*
- **Canot, kayak et canot-camping :** *cinq lacs canotables dont un pour le kayak. Location sur place.*
- **Randonnée pédestre et ski hors-piste :** *50 kilomètres de sentiers de randonnée pédestre et 38 kilomètres de sentiers hors-piste.*
- **Hébergement :** *dix camps rustiques et trois chalets situés au bord d'un lac ou à flanc de colline, dont certains sont accessibles en voiture; trois campings et plusieurs sites de canot-camping. Forfaits d'hébergement en camp rustique disponibles.*
- **Autre activité :** *Raquettes et flambeaux (mars).*

© Sépaq

Que **la géologie** passionne le randonneur ou le laisse froid comme la glace, une balade dans le parc national d'Aiguebelle lui en apprendra peut-être plus sur ce domaine que toutes ses années d'école. Pas besoin de microscopes ou de longues-vues pour s'étonner des manifestations de la terre jalonnant le parc! Les plus impressionnantes sont le lac La Haie et le lac Sault. D'une quarantaine de mètres de profondeur, surplombés de parois d'une vingtaine de mètres, ces lacs sont nés d'une faiblesse de la croûte terrestre. Le sol basaltique du parc compte des roches parmi les plus vieilles de la terre : 2,7 milliards d'années sous les bottes!

Sentiers à prétextes

L'été, le parc est surtout apprécié pour ses courtes **randonnées** axées sur de multiples thèmes d'interprétation. Au total, **50 kilomètres de sentiers** sont tracés, et celui de La Traverse reste certainement le plus célèbre. D'une longueur de trois kilomètres, il met le randonneur dans la peau d'Indiana Jones pendant quelques instants en lui faisant traverser une passerelle accrochée à 22 mètres de hauteur. De là-haut, la vue sur le lac est superbe.

Pour ce qui est de la **moyenne randonnée**, les bons marcheurs apprécieront particulièrement la traversée des lacs de faille du parc. Longue de 11 kilomètres, on l'effectue en empruntant des portions de sentiers de courte randonnée qu'on peut aussi parcourir séparément. Parmi eux, le sentier de l'Aventurier, d'une longueur de 9,5 kilomètres, fait le tour du lac de la Haie. De niveau intermédiaire et accidenté, le chemin longe la falaise avant de plonger dans la forêt. Les beaux panoramas sur le lac et les blocs erratiques feront certainement oublier les difficultés des montées...

Aiguebelle depuis l'eau

Si l'on compte 80 lacs et rivières dispersés dans le parc national d'Aiguebelle, seul le lac Loïs a l'originalité de proposer des randonnées en **kayak de mer** pendant un ou plusieurs jours. Long d'une quinzaine de kilomètres, il permet d'atteindre de nombreux sites de camping isolés et seulement accessibles à la pagaie. Une fois le matériel chargé, les kayaks (ou les canots, selon les goûts) serpentent entre une quinzaine de petites îles où il fait bon flâner et pique-niquer. Les trois sites de **camping rustique** ne comprennent que quelques emplacements chacun. Le premier est atteint en moins d'une heure, le dernier en deux heures. La plupart des randonneurs partent pour deux jours.

L'hiver, le parc conserve ses vocations interprétatives avec ses cinq sentiers de **raquettes**, lesquels vont du très court (Le Castor : 1,5 km) à une longueur moyenne (La Loutre : 5,3 km). Presque tous en boucle, ils sont destinés à la famille et nous font voir les collines Abijévis et l'habitat de nombreux petits animaux.

Au total, durant la blanche saison, **onze camps rustiques** sont accessibles en divers endroits du parc et on les atteint grâce à un réseau de sentiers hivernaux qui s'étend sur 38 kilomètres, avec des distances à parcourir entre chaque gîte qui varient entre 2,8 et 15 km.

Focus

Famille : *Un des grands avantages de ce parc est d'offrir de courts sentiers qui recèlent tous un prétexte (passerelle suspendue à 22 mètres au-dessus de l'eau, marmites de géants, etc.) pour motiver les enfants à accompagner les parents. Et comme plusieurs des camps rustiques sont faciles et rapides d'accès tout en étant situés dans de petits coins de paradis, c'est l'occasion rêvée d'initier les plus jeunes aux joies d'un coucher rustique. Un ancien chemin forestier d'environ 10 kilomètres plaira à toute la famille pour une balade à bicyclette; il traverse une pinède et croise le camping rustique du lac du Sablon. Le parcours est facile et paisible.*

Expert : *Pour les adeptes de* ***longue randonnée****, près de* ***38 kilomètres*** *de sentiers balisés pour le* ***ski*** *et la* ***raquette nordique*** *vous sont offerts sur un plateau de neige! Vous n'avez qu'à vous concocter un parcours personnalisé de* ***une à trois nuitées****, avec un choix de* ***7 camps rustiques*** *au menu, et des sentiers évalués comme étant « intermédiaire » et « expert » comme plat de résistance. Une suggestion? Allez-y pour une sortie en raquettes ou en skis nordiques de quatre jours et trois nuits, qui a pour nom L'escapade boréale : vous skierez sur les sommets des Abijévis et passerez sur les lacs de faille aux parois escarpées. À faire rêver…*

Accès pour tous : *Les centres de services, le centre de découverte et son sentier d'accès universel de 760 mètres ainsi que deux camps rustiques sont accessibles aux personnes à mobilité réduite.*

Autres pistes

Ligne du Mocassin

De Ville-Marie à Angliers, vous trouverez un joli bout de la Route verte appelé « La ligne du Mocassin ». Comme on peut s'y attendre dans ce coin, la beauté y est sauvage et parsemée de nombreux parcs, lacs et rivières, le tout baignant dans un air pur à souhait. Il est conseillé de bien vérifier les trajets avant le départ, car certains tronçons se conquièrent plus facilement en vélo à pneus larges qu'en vélo de route.

www.temiscamingue.net/parclineaire

Centre éducatif forestier du lac Joannès (Rouyn-Noranda)

Pour changer de décor à seulement 40 minutes de voiture du parc national d'Aiguebelle, le Centre éducatif forestier du lac Joannès offre une belle diversité d'activités, entièrement gratuites. Le labyrinthe dans les bois est une mise en jambe amusante. Vous devrez trouver votre chemin parmi des haies d'épinettes, tout en vous questionnant sur le régime alimentaire du caribou. Il existe aussi dans les environs trois itinéraires pour le vélo de montagne.

www.ceflacjoannes.com • (819) 762-8867

Refuge Pageau (Amos)

Michel Pageau est une véritable star locale. Ancien trappeur, il s'est reconverti dans le soin et l'accueil des animaux blessés. Orignaux, cerfs de Virginie, loups, bébés ours... les visiteurs déambulent parmi les cages et les guides sont là pour raconter l'histoire particulière de chaque animal.

www.refugepageau.ca • (819) 732-8999

Bercé par Harricana (Pikogan)

Harricana, « le chemin qui peut amener partout »; en effet, cette rivière faisait figure d'autoroute pour les Amérindiens. Aujourd'hui, c'est la communauté algonquine de Pikogan, près d'Amos, qui propose aux sportifs de revivre l'expérience de ce moyen de déplacement, tout en écoutant les explications culturelles d'un guide. L'organisme Bercé par Harricana propose des excursions de une journée ou encore, de plusieurs jours sur les 200 kilomètres les plus accessibles de la rivière.

www.abitibiwinni.com • (819) 732-3350

Camp Dudemaine (Amos)

À 10 kilomètres de la ville, en terrain boisé, ce camp est ouvert toute l'année. On y trouve un vaste réseau de sentiers pour le ski de fond et la raquette en hiver, et pour la randonnée pédestre ou le vélo de montagne en été.

Dénivelé : 200 mètres
Sentiers pédestres : 4 (68 km, tous niveaux)
Sentiers de ski de fond : 10 (22 km, tous niveaux, tracés)
Sentiers de raquette : 3 (17,5 km, tous niveaux)
Sentiers de vélo : 7 (70,5 km, tous niveaux)
Autres activités : tir à l'arc, glissade
Location : skis et raquettes
Services : restauration (fin de semaine), salle de fartage
Hébergement : camping municipal à 1,5 km
Saison : toute l'année
Accès : gratuit (sauf ski de fond)
www.ville.amos.qc.ca • (819) 732–2781

Club de ski de fond d'Évain (Évain)

Ce club dispose d'un réseau de 35 kilomètres de sentiers situés en zone boisée entre les lacs Flavrian et Lebrun. En été, on peut y randonner.

Sentiers : 14 (35 km, tous niveaux, tracés)
Autre activité : randonnée pédestre l'été
Location : skis de fond
Services : restauration, salle de fartage, sept relais, école de ski
Saison : hiver
Accès : 8 $ (ou carte de membre : 80 $)
Façon de s'y rendre : via la route 117
www.ville.rouyn-noranda.qc.ca/evain/skidefondevain/ • (819) 768–2591

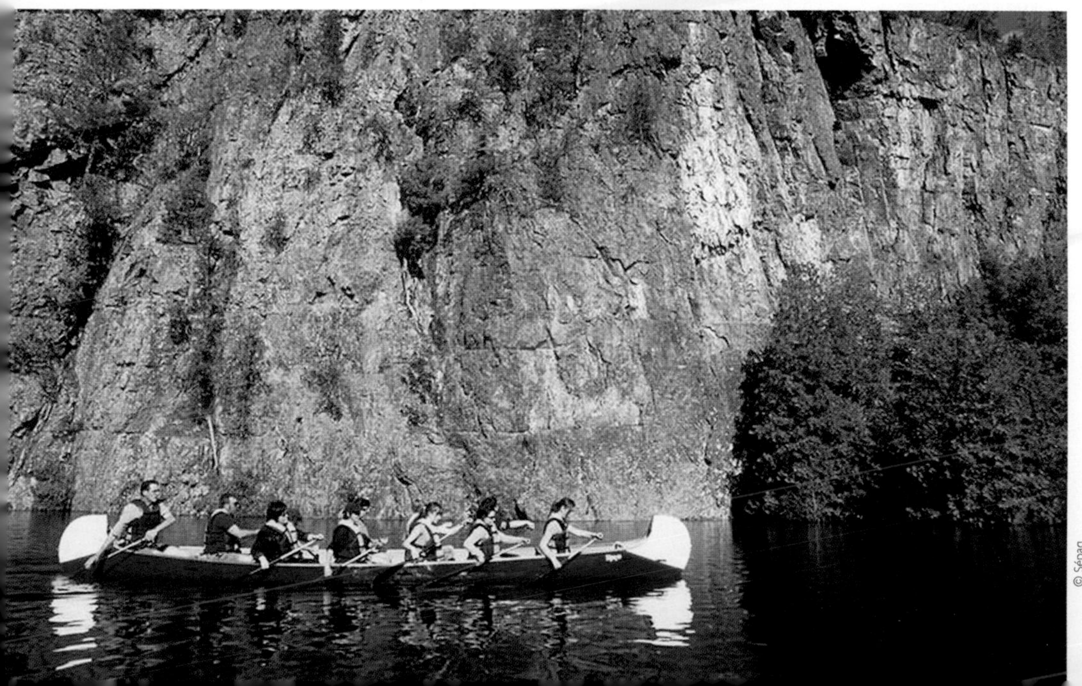

Information touristique générale

Tourisme Abitibi-Témiscamingue
155, avenue Dallaire, bureau 100
Rouyn-Noranda (Québec) J9X 4T3
www.tourisme-abitibi-temiscamingue.org
(819) 762-8181 • 1 800 808-0706.

© Sépaq

Club de ski de fond Skinoramik (Sainte-Germaine-Boulé)

Situé à quelques kilomètres du parc national d'Aiguebelle, le village de Sainte-Germaine-Boulé dispose d'un réseau de sentiers de tous niveaux grâce au relief du mont au pied duquel il est installé.

Sentiers de ski de fond : 7 (40 km, tous niveaux)
Sentiers de raquette : 2 (5,1 km)
Sentier de vélo : 1 (5,5 km, niveau intermédiaire)
Autres activités : glissade, randonnée pédestre
Location : skis de fond
Services : restauration légère (le week-end), salle de fartage, abri chauffé
Hébergement : non
Saison : toute l'année
Accès : via la route 393 ou la route 101. Frais d'entrée.
http://ste-germaine.ao.ca • (819) 787-6654

Club de ski de fond Val-d'Or

En pleine forêt boréale, le réseau de sentiers du club de ski de fond Val-d'Or offre des parcours tracés de ski de fond et de raquette pouvant convenir aux débutants ou aux entraînements intensifs, et même un sentier de quatre kilomètres éclairé en soirée.

Sentiers ski de fond : 8 (48 km, tous niveaux)
Sentiers de raquette : 22 km (niveau facile)
Sentiers de vélo : 6 (35 km tous niveaux)
Location : skis, raquettes, traîneaux pour enfants
Services : restauration, salle de fartage, abri chauffé, école de ski
Saison : toute l'année
Frais d'entrée : 9,50 $; 7,50 $ le soir (ou abonnement saisonnier, 100 $)
Façon de s'y rendre : via la route 117
www.lino.com/skidefond • (819) 825-4398

Collines Kékéko (Rouyn-Noranda)

À 10 minutes de la ville, les collines Kékéko offrent aux promeneurs, raquetteurs et skieurs de fond la quiétude intimiste d'une forêt entièrement préservée. Vue panoramique, escarpements, abris sous roche et cascades sont au menu. Le site est traversé par un sentier de grande randonnée, la Transkékéko, qui se parcourt en sept heures.

Étendue : 32,2 km^2
Hauteur : 478 mètres
Sentiers pédestres : 170 kilomètres, tous niveaux
Autres activités : raquette, vélo de montagne, ski de fond
Location : non
Hébergement : camping sauvage
Saison : toute l'année
Accès : gratuit
Façon de s'y rendre : via la route 391 Beaudry (Québec), à 11 kilomètres au sud de Rouyn-Noranda.
www.ville.rouyn-noranda.qc.ca
(819) 797-3195

Zec Kipawa (Témiscamingue)

La Zec Kipawa, d'une superficie de 2 500 kilomètres2 , a constitué cinq circuits de canot camping (de débutant à aventurier). Un sentier pédestre de trois kilomètres (dont l'accès est gratuit) et plusieurs terrains de camping semi-aménagés rustiques complètent l'offre.

Circuits de canot-camping : longueur de 31 à 190 km
Location : Canot, kayak
Saison : été (de mai à octobre)
Accès : Payant l'été, sauf pour sentier pédestre et villégiature.
zeckipawa.com • (819) 629-2002

Parc national du Bic

L'immense petit parc

© Parc national du Bic, Jean-Pierre Huard, Sépaq

Il serait très facile, en roulant sur la route 132 en direction de Rimouski, de passer tout droit devant le parc national du Bic. Mais oublier ce petit parc de 33 kilomètres carrés serait presque un crime, car il compte parmi les plus beaux du Québec.

Le parc national du Bic ne doit pas son nom à une marque de stylos, mais découlerait plutôt d'une déformation du mot « pic », ce qui d'ailleurs cadrerait bien avec la géographie du lieu. Disons-le d'emblée, ce n'est pas le mont Jacques-Cartier ni les monts Valin. Les amateurs de plein air en quête de grands défis sportifs n'y trouveront pas grand-chose à se mettre sous la dent. Tout au plus sueront-ils un bon coup en se rendant au belvédère du pic Champlain qui, à 346 mètres d'altitude, constitue le point culminant du parc.

Cela dit, rarement un parc a pu se targuer d'être aussi invitant et aussi riche en paysages variés, beaux à couper le souffle. À chaque tournant des sentiers tortueux, on découvre **une baie, une anse ou une nouvelle montagne** plus ou moins engloutie dans le fleuve selon le niveau des marées. Bientôt, on ne sait plus où est l'eau et où est la terre, ce qui est une île et ce qui ne l'est pas. En fait, le parc national du Bic possède tellement de petites montagnes qu'on s'y perd volontiers.

L'activité vedette du parc national du Bic est le **kayak de mer**, que l'on peut louer seul ou dans le cadre d'une sortie guidée. Le départ des excursions en kayak de mer se fait à l'extrémité est du parc, au quai du secteur Havre-du-Bic. De là, on peut aller plus au large et y découvrir l'île Brûlée, ainsi que l'île du Massacre, ou longer la côte pour se rendre à l'île aux Amours, nommée ainsi parce que de jeunes couples s'y aventuraient parfois à marée basse et étaient obligés d'y passer la nuit, une fois isolés par la marée montante... En passant au nord du cap Enragé, on peut aussi se rendre au récif de l'Orignal et à l'anse à Voilier,

Focus

Famille et débutant : *Le parc national du Bic est l'endroit idéal pour les familles. Les sentiers sont bien dégagés et les dénivellations, peu importantes. Pourquoi ne pas aller faire un tour du côté de la baie du Ha! Ha! ? On peut y stationner tout près et des tables de pique-nique sont à la disposition des visiteurs.*

Expert : *Les experts peuvent tenter leur chance du côté du belvédère du pic Champlain en empruntant le sentier des Murailles, à l'extrémité ouest du parc. Le sentier est classé « très difficile », mais la plupart des randonneurs devraient pouvoir s'en sortir...*

Repères

www.parcsquebec.com
(418) 736-5035 ou (418) 736-4711

- **Le Centre de découverte et de services** *est ouvert de la mi-juin au début septembre (fête du travail) de 9 h à 17 h.*

  (418) 869-3502

- **Hébergement estival :** *196 emplacements de camping répartis sur 3 terrains.*
- **Hébergement hivernal :** *8 yourtes, 2 igloos, des emplacements de camping et 1 refuge (8 places).*
- **Sentiers pédestres :** *12 sentiers pour une longueur totale de 26 km.*
- **Kayak :** *sorties guidées de 3 h 30, de jour ou au coucher du soleil ou encore excursion de 5 heures vers l'anse aux Bouleaux.*
- **Et quoi encore ?** *Les amateurs de vélo de montagne et les randonneurs qui ont une journée libre à passer dans la région peuvent se rendre au canyon des portes de l'Enfer, à Saint-Narcisse-de-Rimouski. Dix kilomètres de sentiers pour la marche et le vélo de montagne sillonnent les abords d'un impressionnant canyon, que l'on peut traverser en empruntant la plus haute passerelle suspendue au Québec.*

  (418) 735-6063.

des endroits souvent fréquentés par les **phoques**. Il est par contre interdit de pagayer plus au sud, car l'anse à l'Orignal est une zone protégée.

Au niveau de la randonnée, **vingt-six kilomètres de sentiers** s'offrent aux marcheurs, dont une partie est aussi accessible aux cyclistes. Il ne faut pas manquer d'aller faire un tour du côté de la baie du Ha! Ha! Cette immense plage, ceinturée d'un côté par le pic Champlain et de l'autre par la montagne à Michaud,

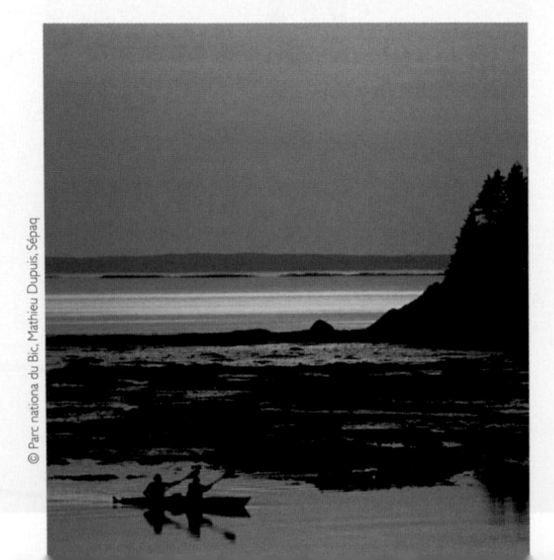

© Parc nationa du Bic, Mathieu Dupuis, Sépaq

© Tourisme Bas-Saint-Laurent

est très agréable à parcourir, tant à marée basse qu'à marée haute. Si on est à **vélo**, trois pistes cyclables nous permettent de pédaler sur **15 kilomètres**. La piste cyclable La Grève traverse les rosiers sauvages de la baie du Ha! Ha! et nous conduit en direction du cap à l'Orignal, situé à l'extrémité nord du parc. Ce cap, très particulier, est une formation rocheuse qui se détache de la montagne près de la mer et qui pointe vers le ciel. On raconte qu'un orignal, poursuivi par des chasseurs, se serait jeté du haut du cap pour échapper à ses poursuivants, d'où le nom.

Côté hébergement, le camping La Coulée compte neuf plates-formes. Ce camping rustique très boisé et situé à proximité du fleuve est niché à seulement 1,3 kilomètre du stationnement et il est accessible en kayak de mer, en vélo ou à pied. Une solution idéale pour ceux et celles qui veulent vivre une expérience nature pas trop loin de l'auto. Ce camping s'ajoute aux **44 emplacements de camping en milieu naturel** dans le secteur de la ferme Rioux. Cet ajout est d'autant plus apprécié des amateurs de plein air que les autres emplacements de camping disponibles sont situés dans le secteur de la Rivière-du-Sud-Ouest, à proximité d'une voie ferrée et de la route 132.

Le parc offre également, pour ceux qui veulent profiter du camping sans acheter tout le matériel, des tentes Huttopia et des tentes-roulottes. Ce type d'hébergement comprend tout le matériel nécessaire au camping, à l'exception de la literie. Il est également possible de louer une yourte, et ce, à l'année.

L'hiver, des sentiers balisés mais non tracés, sont mis à la disposition des **skieurs** (19 km), des **marcheurs** (5 km) et des **raquetteurs** (30 km). On peut même se rendre jusqu'au cap à l'Orignal. La plupart des sentiers ont un faible dénivelé et sont d'un niveau facile. Ceux qui veulent de plus grands défis pourront chausser leurs raquettes et s'attaquer aux 346 mètres du pic Champlain. Les visiteurs peuvent se réchauffer à l'accueil, à l'entrée du parc, ou dans l'un des deux relais situés respectivement à un et cinq kilomètres de l'entrée principale.

Les douceurs d'un fleuve

Amarrée au fleuve, nichée au pied des collines et gonflée de l'air du large, la région de Kamouraska respire toute la quiétude de la campagne. Parsemée de petits villages pittoresques, la plaine se la coule douce le long du littoral. Les marées dénudent le paysage jusque derrière les archipels et reviennent inlassablement lécher le rivage. Le vent vient balayer les champs dorés, imitant la houle sur l'eau salée du fleuve. Miroirs des cieux, les flots s'amusent avec la lumière du jour avant d'interpréter les couchers de soleil les plus extravagants qu'il soit donné de voir sur les cimes lointaines de Charlevoix... foi de commandant Cousteau!

Et lorsqu'il s'agit de faune et de flore marines, pas besoin d'aller voir sous l'eau pour être servi. Il suffit d'un simple arrêt à la **Société d'écologie des battures du Kamouraska** (SEBKA) pour en découvrir toute l'amplitude. À pied, sur la grève, les quelque **douze kilomètres** de sentiers écologiques qui bordent le littoral sont déjà riches en rencontres : grand héron, bihoreau, pluvier, eider et bien d'autres battent des ailes pour saluer les promeneurs. À même le marais, une vaste prairie d'herbes salines vient nourrir le regard de l'ornithologue « en herbe ». Et que dire des tête-à-tête dans lesquels on pourra se retrouver en poussant l'expérience jusque dans **l'archipel des îles de Kamouraska**? À bord d'un **kayak de mer**, il est possible d'observer les nombreux **phoques, bélugas et petits pingouins** qui peuplent l'endroit. Il faut cependant tâcher de ne pas trop dériver dans la contemplation, car on pourrait être forcé de contourner les filets des pêcheurs d'anguilles!

© SEBKA

Les **cyclistes**, quant à eux, trouveront leur bonheur sur la route 132, dont les accotements sont pavés – les rangs de la région sont également pavés – entre La Pocatière et Rivière-du-Loup. Peu fréquentée, cette route donne accès à plusieurs localités sans trop d'effort. Véritables galeries d'art, nombre d'églises détournent notre regard du trajet à suivre. Maisons ancestrales, musées et vieux moulins viennent à leur tour témoigner d'un passé laborieux, riche de traditions trois fois centenaires. Le rang Mississipi vaut la peine d'y faire un brin de route.

Un « amphithéâtre » dans la falaise

Si on laisse le fleuve de côté, on remarquera aussitôt les pitons rocheux qui se découpent un peu partout sur la plaine. Ces cabourons ou *monadnocks* sont en fait d'anciennes îles, témoins de l'ère glaciaire. Atteignant parfois une centaine de mètres de haut, ils poussent çà et là comme des champignons. Le rocher laiteux se dore au soleil alors que les grimpeurs se donnent le vertige dans des surplombs « renversants ».

Les **110 voies équipées d'escalade** de Saint-André-de-Kamouraska attirent avec raison un nombre croissant de grimpeurs et compte parmi les dix plus appréciés au Canada. Il faut avouer que le site est enchanteur : de magnifiques parois blanches avec une vue imprenable sur le fleuve Saint-Laurent, qui rappellent les paysages de calanques. On y trouve de tout pour tous les goûts ; des voies faciles pour apprendre les aléas du premier de cordée aux dévers qui nécessitent puissance et endurance. Le niveau des voies varie de 5.5 à 5.13 et près de la moitié sont accessibles à la moulinette. Si vous ne connaissez rien à l'escalade, c'est l'occasion de vous initier en parois naturelles puisque la SEBKA offre des cours.

Repères

Camping de la Batture (SEBKA)

www.sebka.ca
(418) 493-9984

- ***Randonnée pédestre :*** *12 kilomètres de sentiers, du littoral aux collines, en passant par le cabouron ou monadnock (crête rocheuse).*
- ***Kayak de mer :*** *Randonnée guidée de 3 h, 4 h, 5 h et 6 h en saison (de juin à septembre et, hors saison, sur demande). Halte-camping de la Route bleue. Possibilité d'apporter son propre kayak.*
- ***Vélo :*** *halte de vélo de la Route verte. Carte du réseau cyclable de la région, distribuée gratuitement par Tourisme Bas-Saint-Laurent.*
  www.tourismebas-st-laurent.com
  (418) 867-3015 ou 1 800 563-5268
- ***Hébergement :*** *camping (70 sites avec aires de feu et tables de pique-nique), douches, toilettes.*
- ***Saison :*** *de mi-mai à mi-octobre.*
- ***Tourisme Bas-Saint-Laurent***
  www.tourismebas-st-laurent.com

Îles du Bas-Saint-Laurent

Des bijoux au milieu du fleuve

À quelques kilomètres au large de Rivière-du-Loup se cachent les îles du Bas-Saint-Laurent, des petits morceaux de terre qui dorment à l'abri des foules. La plus grosse d'entre elles, l'**île aux Lièvres**, protégée depuis 1979 par la Société Duvetnor, une corporation privée sans but lucratif, est accessible au public depuis une dizaine d'années. C'est donc avec l'impression d'être les premiers à y poser le pied qu'on découvre cette île magnifiquement conservée.

La traversée dure environ 30 minutes pour se rendre à l'île. À bord d'un bateau qui fait la navette, on quitte le port de Rivière-du-Loup accompagné de quelques inconnus qui deviendront notre seule « société » avec laquelle partager ce joyau de 13 kilomètres de long sur 1,5 kilomètre de large.

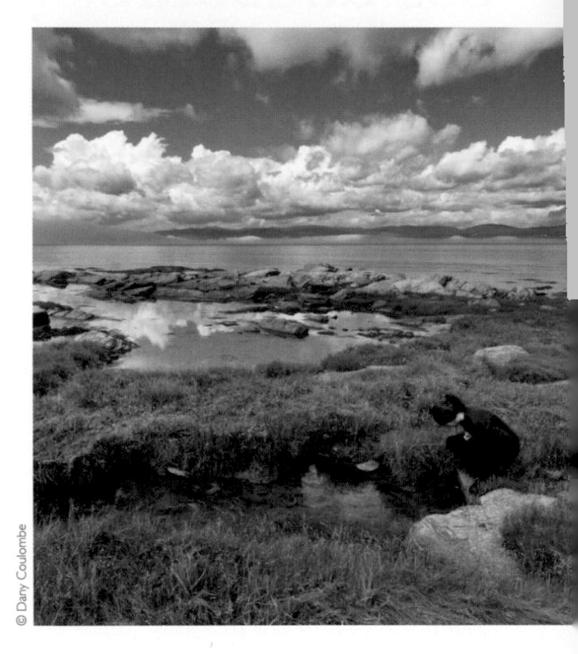
© Dany Coulombe

Certains viennent y passer quelques jours, seuls; d'autres en couple. Les séjours durent de une à six nuits, et un bateau fait quotidiennement la navette entre Rivière-du-Loup et les îles. La seule façon de sortir de ce petit havre, c'est d'être au rendez-vous!

Sur l'île, on vit au rythme des marées. Il faut donc bien planifier ses promenades, car le sentier périphérique peut être submergé à marée haute. Au total, 45 kilomètres de sentiers s'offrent aux randonneurs de tout niveau.

Les **sentiers** de l'île aux Lièvres sont magnifiques. Larges d'à peine un mètre, ils n'ont rien à voir avec certaines « autoroutes » que l'on voit souvent dans les parcs de la province. Et comme la fréquentation en est contrôlée, les sentiers sont en parfaite condition. Ici, pas de problèmes d'érosion! Tout est plus sauvage et plus frais. À chaque détour, nos pas font décamper des oiseaux qui croyaient être les seuls à connaître l'existence de cette île perdue.

En se rendant à la pointe est de l'île par le sentier de la Mer, on marche le long du fleuve, entre l'eau et la végétation luxuriante. Arrivé à son extrémité, on peut apercevoir la rive droite du fleuve, avec les majestueuses montagnes de Charlevoix. On pourra apercevoir

Repères

- ***Transport :*** *De juin à septembre, Duvetnor offre un service de navette entre les îles du Bas-Saint-Laurent et Rivière-du-Loup, ainsi que plusieurs croisières dans les îles. La traversée vers l'île aux Lièvres coûte 42 $ dollars par adulte.*
- ***Hébergement :*** *Quatre sites de camping (22 emplacements au total) sont dispersés, dont un à proximité du débarcadère et les trois autres à entre quatre et douze kilomètres de celui-ci (accessibles à pied uniquement). Ces derniers sont plus loin des bâtiments d'accueil mais l'on risque d'y voir plus de bélugas que de randonneurs. Aussi offert à la location : quatre maisonnettes avec vue sur le fleuve pouvant accueillir de quatre à six personnes. Pour des groupes plus importants ou pour encore plus de confort, la charmante Auberge du Lièvre propose six chambres coquettes en occupation double avec salle de bain privée.*
- ***Restauration :*** *Le Café de la Grande Course offre breuvages chauds et froids, sandwichs, potages, articles sanitaires, etc. La salle à manger de l'Auberge du Lièvre vous propose de son côté une cuisine classique et savoureuse ainsi qu'une boîte à lunch pour les longues randonnées.*
- ***Pour une nuit hors du commun****, optez pour l'****île du Pot à l'Eau-de-Vie*** *et son magnifique phare classé « édifice du patrimoine fédéral », dont la tour est accessible en tout temps. Gardez l'entrée du continent, observez les oiseaux marins et habitez l'une des trois chambres coquettes décorées dans l'esprit du siècle dernier! Les prix sont assez élevés, mais la cuisine qu'on y sert tient de la gastronomie.*

www.ileauxlievres.com

www.pharedupot.com • (418) 867-1660

www.duvetnor.com

Extra !

D'autres petits paradis insulaires sont à découvir

L'île Verte

Une nature presque vierge, le grand air salin, les marées, les plages, les grèves, les battures, le spectacle des baleines… Vous n'y trouvez ni magasin, ni banque, ni poste d'essence, seulement quelques gîtes et restaurants sympathiques, de même que les « verdoyants », qui vivent sur cette île protégée des excès de la modernité. L'école du Bout-d'en-Bas, le phare de l'île (qui offre l'hébergement) ou encore la collection ostéologique de Pierre-Henry Fontaine ne manqueront pas de vous faire plonger dans le passé. Et que ce soit à pied ou à vélo, vous y découvrirez de magnifiques paysages et une existence que l'on croyait révolue…

Une occasion propice pour sa visite? À chaque milieu d'été depuis 1989, l'évènement du Sentier de la bouette organise une traversée pédestre à marée basse de la côte vers l'Île, manière unique et convivale de vivre l'insularité du lieu.

- *Circuit touristique de l'île Verte (municipalité Notre-Dame-des-Sept-Douleurs)*

  www.ileverte.qc.ca
  418 898-3451
- *Traversier*
  www.inter-rives.qc.ca • 418 898-2843
- *Bateau-taxi*
  418 898-2199

*L'**île aux Basques** n'offre que deux kilomètres de sentiers mais attirera les amateurs d'histoire. On y trouve, entre autres, des fours basques datant du XVIe siècle. L'île, ancrée à quatre km de la terre ferme, est accessible de juin à octobre. Vous pourrez y séjourner le temps d'une marée, ou encore y louer un chalet pour quelques jours.*

Société Provancher • www.provancher.qc.ca
(418) 554-8636

L'île Saint-Barnabé

Située à trois kilomètres au large de la ville de Rimouski, l'île Saint-Barnabé offre plusieurs activités aux visiteurs : randonnée pédestre (20 kilomètres de sentiers), camping (12 sites), observation de la faune marine et terrestre, visites en kayak de mer et sites d'interprétation pour en apprendre davantage sur les naufrages, la contrebande et le mode vie des insulaires d'une autre époque.

Renseignements : www.tourisme-rimouski.org

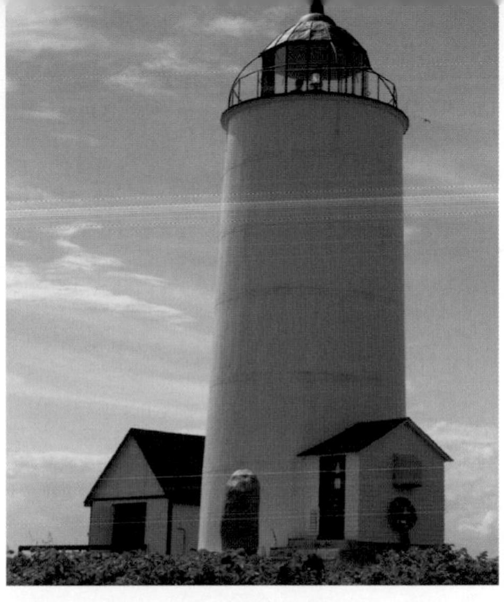
© Louise Newbury

un **béluga** qui descend le long du fleuve et remonte sporadiquement à la surface tout en émettant chaque fois un énorme souffle. Debout, à l'extrémité de ce trait de végétation tracé au milieu du fleuve, on se croirait à la proue d'un navire immobile.

En continuant la balade du côté nord de l'île, on est surpris par la brise. Comme pour les montagnes, le nord est le côté le plus exposé aux aléas du climat. De paresseuse et tombante qu'elle était du côté sud, la végétation est ici devenue dense et touffue. Les vagues viennent se heurter aux roches très friables qui se sont creusées au fil des années, ce qui leur donne aujourd'hui des formes élancées et très belles.

En coupant par les terres pour retourner au campement, on escalade une petite montagne, ce qui nous conduit à fouler le point culminant de l'île. À 40 mètres au-dessus du niveau de la mer, ce n'est pas assez haut pour sentir les effets de l'altitude… mais c'est l'endroit idéal pour avoir une vue imprenable sur les montagnes de Charlevoix.

Les **ornithologues** auront également de quoi se rincer l'œil. Une multitude d'espèces nichent sur cette île. Pendant la période de nidification, il vous faudra suivre attentivement les instructions données par les gestionnaires afin de ne pas nuire à vos amis ailés. Mais ça ne devrait pas vous empêcher d'y observer le guillemot à miroir, le petit pingouin, le bihoreau à couronne noire, le cormoran à aigrettes et l'eider à duvet (la cueillette de son duvet a d'ailleurs inspiré le nom de la société de gestion). L'avifaune locale inclut également des garrots, macreuses, bernaches, canards noirs et autres palmipèdes.

Le soir, au campement, on s'apercevra que c'est sur la rive que se couche le soleil, et des montagnes que se lèvent les étoiles. Pendant son séjour sur l'île aux Lièvres, le visiteur apprend à modifier ses repères, comme s'il se trouvait de l'autre côté du paysage…

Pédaler dans toutes les directions

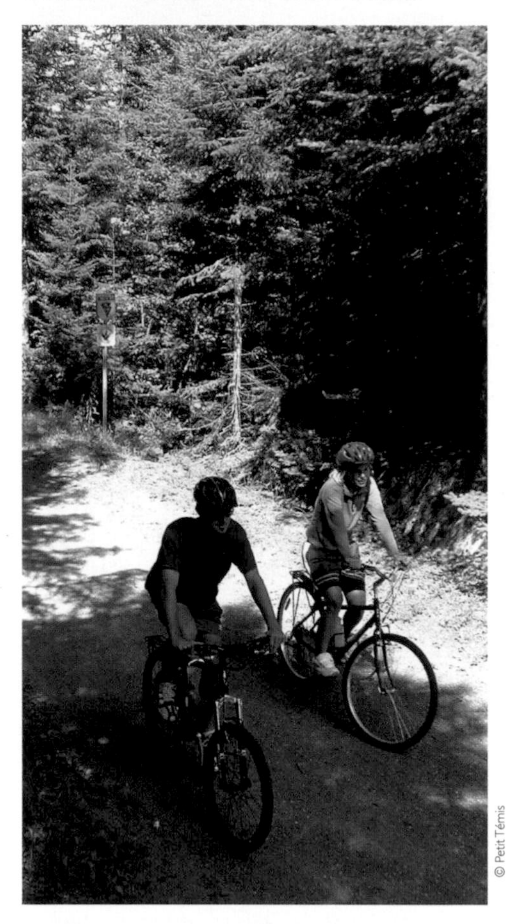

© Petit Témis

La **route des Navigateurs** s'étend de La Pocatière à Sainte-Luce, un parcours de 190 kilomètres. Peu fréquentée jusqu'à Cacouna, cette portion de la route 132 côtoie à bâbord le fleuve, et à tribord une ribambelle d'attraits maritimes et champêtres. On peut visiter un phare, observer baleines et petits pingouins, ou encore apprendre la pêche à l'anguille. Les paysages fluviaux sont magnifiques et les petits villages ancestraux typiquement québécois qui leur font face rivalisent en beauté. Plusieurs belvédères, quais et campings jalonnent le tracé.

Passé Cacouna, on peut prendre le traversier et aller rouler sur l'**île Verte** (12 kilomètres linéaires sur chemin de terre) ou encore continuer jusqu'au parc national du Bic. Dans le premier cas, c'est un retour au siècle dernier qui nous est proposé, alors que dans le second, ce sont d'autres paysages à couper le souffle (mais davantage de circulation). De Saint Simon à Saint Fabien, la route longe des pics et des barres rocheuses. Le fleuve réapparaît ensuite entre les montagnes pour former l'un des plus beaux paysages de la région. Pour le retour, ceux qui optent pour la route des Hauts Plateaux seront moins exposés au vent de l'ouest et profiteront d'une vue panoramique sur la région et le fleuve.

Le **circuit du Littoral basque** de la Route verte, une version abrégée de la **route des Navigateurs**, vous permet lui aussi de profiter des beautés maritimes et fluviales du Saint-Laurent en longeant, sur près de 40 kilomètres, les chemins de grève de Trois-Pistoles et Saint-Simon.

Finalement, une autre façon agréable de visiter le Bas-Saint-Laurent est d'emprunter la **piste cyclable Petit Témis**, qui relie Rivière-du-Loup à Edmundston au Nouveau-Brunswick, sur une distance de près de 135 kilomètres.

De Rivière-du-Loup à Cabano, le tracé sillonne une nature riche et intacte où forêts, lacs et rivières se succèdent. Ensuite, changement de décor. De Cabano à Edmundston, la piste suit plus souvent qu'autrement les abords du majestueux lac Témiscouata sur plus d'une quarantaine de kilomètres. Les occasions de descendre du vélo pullulent, puisque ce secteur, plus fréquenté, offre de nombreux services (restauration, hébergement, loisirs, etc.).

Établi sur le chemin d'une ancienne voie ferrée, le parc linéaire interprovincial Petit Témis jouit d'une dénivellation qui ne dépasse jamais 4 %. Parfait pour Papi ou la petite famille.

Repères

Plusieurs cartes décrivant les sections sud de la piste cyclable Petit Témis sont disponibles sur le site de la Société d'aménagement de la rivière Madawaska et du lac Témiscouata.

www.umce.ca/sarmlt • (506) 739-1992

Demandez la carte vélo à Tourisme Bas-Saint-Laurent. Son site propose aussi plusieurs circuits.

www.bassaintlaurent.ca • 1 800 563-5268

Autres pistes

Sentier national au Bas-Saint-Laurent

Le Sentier national au Bas-Saint-Laurent est un sentier pédestre linéaire totalisant 144 kilomètres. Il traverse dix municipalités, de Trois-Pistoles à Dégelis. Il est divisé en douze tronçons consécutifs de huit à quinze kilomètres. Un stationnement est aménagé à chaque début de tronçon. Ses paysages variés (maritimes, agroforestiers et montagneux), de même que l'omniprésence de cours d'eau constituent les principaux attraits de cette portion du SN; qui plus est, la traversée de plusieurs villages et les rencontres avec leurs résidants donnent un cachet particulier au parcours.

Niveau de difficulté : Facile à intermédiaire
Saison : À longueur d'année. Vous pouvez vérifier dans le site internet les stationnements accessibles en hiver pour la pratique de la raquette.
Hébergement : Refuges rustiques et campings aménagés sur le parcours et gîtes, chalets, auberges, hôtels et motels à proximité du sentier.
Droit d'accès : L'accès est gratuit à l'exception de la portion traversant le futur Parc national du Lac-Témiscouata (ouverture en 2012).
Topo-guide et carte du Sentier national au Bas-Saint-Laurent disponibles en téléphonant au: (418) 714-2599

www.sentiernationalbsl.com

Canyon des Portes de l'Enfer (Saint-Narcisse-de-Rimouski)

Débutant par la chute du Grand Sault, le Canyon des Portes de l'Enfer s'étire sur près de cinq kilomètres entre des parois resserrées et abruptes atteignant parfois 90 mètres de hauteur. Le réseau de sentiers pédestres donne accès à la plus haute passerelle suspendue au Québec, haute de 63 mètres et longue de 99 mètres.

Sentiers pédestres : trois, totalisant 14 km (facile, intermédiaire)
Sentiers de vélo : 13 km
Autre activité : interprétation faunique
Location : vélos de montagne
Services : restauration, aires de pique-nique
Hébergement : camping sauvage
Saison : fin mai à début octobre

www.canyonportesenfer.qc.ca
(418) 735-6063

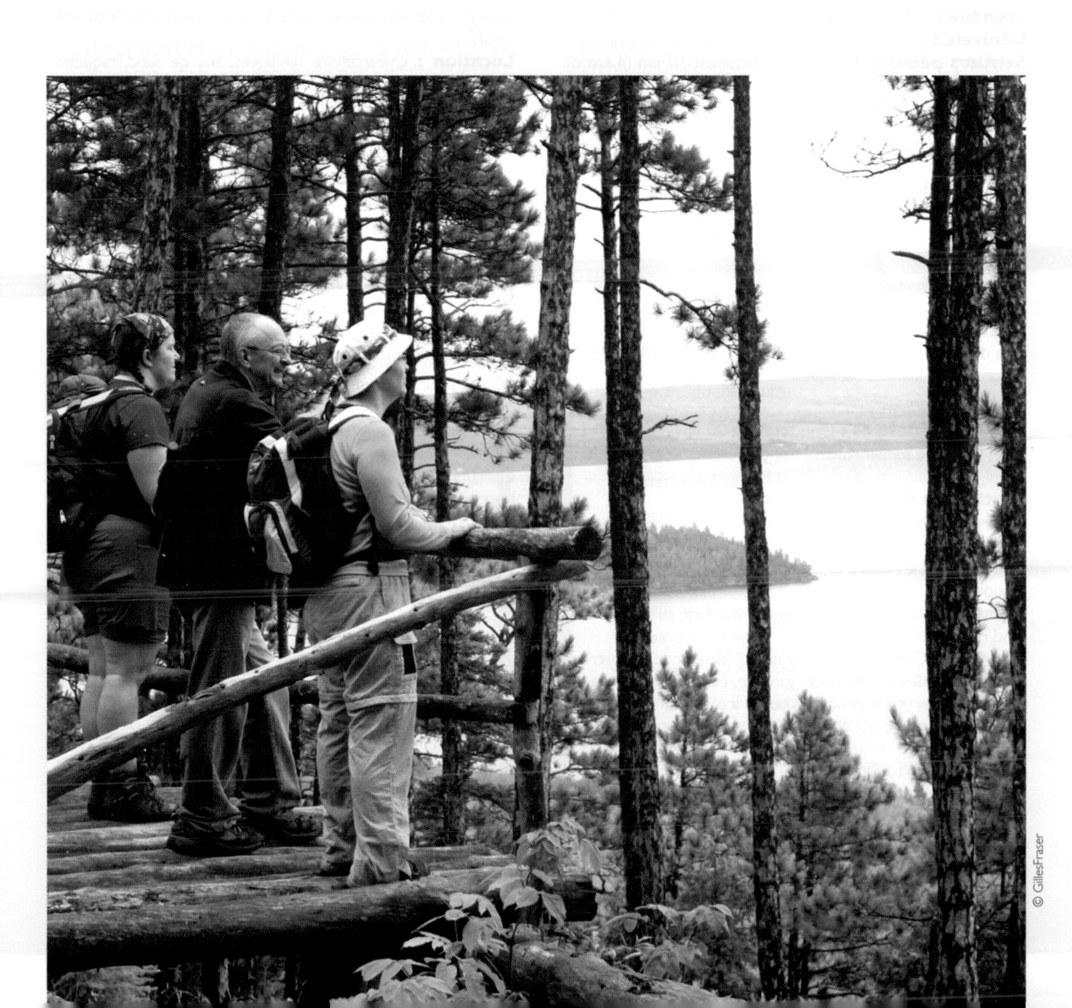

© GillesFraser

Parc national de Frontenac

Le calme à portée de main

Qu'on soit en canot sur les eaux calmes du lac des Iles ou à pied à travers la forêt de bouleaux jaunes, le parc national de Frontenac est un havre de paix où l'éveil des sens se fait sentir. Le cri mélancolique du huard qui rassure sa douce, de petites anses sablonneuses qui respirent la tranquillité, l'odeur du sous-bois ou de la tourbière... Que la paix, la grande paix!

Situé dans le plateau appalachien, à cheval sur les régions touristiques des Cantons-de-l'Est et de Chaudière-Appalaches, le parc national de Frontenac se faufile en longueur sur 30 kilomètres. Dans cette bande étroite, lacs, rivières, tourbières et forêts forgent le paysage. Le parc se divise en trois secteurs. Pour combler sa quête de tranquillité, on peut prendre la direction du secteur sud où les lacs courtisent les forêts de pins au milieu des dentelles de collines.

Trois lacs font le bonheur des **canoteurs**. Ils sont entourés du massif Winslow, véritable bouclier qui empêche les grands vents de balayer le secteur.

Des sites de **canot-camping** sont répartis ici et là aux abords des lacs. L'un d'eux est aménagé sur une île au milieu de la baie Sauvage — l'endroit est convoité! Aux aurores, il n'est pas rare d'apercevoir un orignal s'abreuver au lac.

Repères

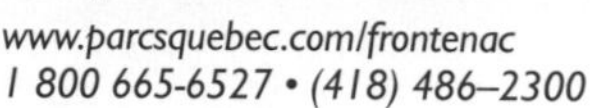

www.parcsquebec.com/frontenac
1 800 665-6527 • (418) 486–2300

- ***Superficie :*** *155 km²; cinq lacs principaux dont trois avec sites de canot-camping.*
- ***Sentiers :*** *77 km.*
- ***Location :*** *canots, chaloupes, kayaks simples et doubles de lac et de mer, pédalos (deux et quatre personnes), vélos.*
- ***Hébergement :*** *huit chalets (printemps, été et automne) entièrement équipés avec vue sur le lac et un camp rustique dont quelques-uns sont également accessibles l'hiver, 31 emplacements de canot-camping avec aires aménagées. Prêt-à-camper : 4 Huttopias et 2 tente-roulottes à Saint-Daniel et 8 Huttopias situés dans la baie Sauvage du secteur Sud. Camping aménagé : 96 emplacements à Saint-Daniel et 109 à Baie Sauvage (secteur Sud) et quelques emplacements de camping rustique au lac Egan.*
- ***Chiens :*** *interdits dans le parc.*

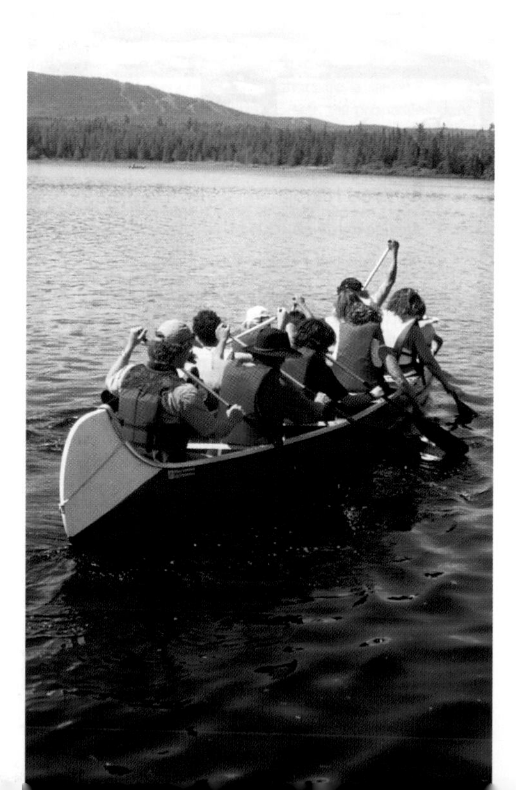

Véritable cuvette naturelle, le lac des Îles surprend par la pureté de ses eaux. Comme les parois du lac sont en calcaire, la température de l'eau reste invitante. En surface, elle atteint régulièrement 26 °C; on peut donc y plonger sans hésiter même pendant les soirées fraîches de septembre!

Par un sentier de portage, on rejoint le lac à la Barbue, vieux lac dont certaines parties se transforment lentement en marécages, attirant ainsi le grand héron qui y trouve nourriture en abondance. Voguer parmi les nénuphars a quelque chose de surréaliste. Le summum s'atteint en juillet quand une portion du lac se couvre de grandes fleurs mauves, les pontédéries à feuilles cordées.

La baie Sauvage, avec ses sept kilomètres de long, est la plus grande baie du majestueux lac Saint-François. À l'embouchure de la rivière Felton, les derniers rayons du soleil qui frappent les flots offrent un spectacle de toute beauté. En canot, kayak, ou encore en rabaska, on peut admirer le coucher du soleil. Seul hic : des embarcations à moteur venant du lac Saint-François s'aventurent dans la baie, rompant la tranquillité du lieu. Bien que la vitesse de ces bateaux soit réglementée, il vaut mieux, pour la paix totale, rester sur les lacs voisins.

© L. Wespier

Focus

Famille : *Plusieurs activités de découverte de la nature s'adressent aux petits et grands. Par exemple, trois excursions guidées en rabaska sont offertes, dont l'Expédition Felton (trois heures) qui explore les marais et les cascades de la rivière Felton. Les enfants pourront jouer les apprentis garde parc. Et, en soirée, il est possible de faire l'observation des papillons de nuit.*

Débutant : *C'est l'endroit par excellence pour apprivoiser le canot et le kayak, pagayer à son rythme et savourer le paysage! Ceux qui préfèrent la marche pourront découvrir une faune et une flore très diversifiées en empruntant le sentier de l'Érablière.*

À vélo ou à pied

Juché sur un **vélo**, on peut emprunter plusieurs sentiers qui mènent à la découverte du parc. Zones marécageuses, barrages de castors, érablières à bouleaux jaunes — différents écosystèmes se dévoilent à nous à chaque tournant.

Après quatre kilomètres à travers marais et étangs, le sentier Les Cascades aboutit à la rivière Felton où l'eau dévale en cascade. Un coin idéal pour se reposer sur les rochers et savourer les doux rayons du soleil. Malgré les airs invitants de cette rivière, il est interdit de s'y baigner : le fort courant risquerait de vous causer bien des ennuis.

Dans le secteur Saint-Daniel, une piste cyclable familiale de huit kilomètres est aménagée au bord du lac Saint-François. À proximité, un **sentier** d'autointerprétation conduit à travers deux manifestations exceptionnelles de la nature : une forêt de conifères constituée de sapins, d'épinettes et de mélèzes qui fait ensuite place à une **tourbière**. Déambuler pendant cinq kilomètres sur le sentier de la Tourbière parmi ces dizaines d'arbres géants qui émergent fièrement de ce tapis de tourbe est magique. L'arrivée dans la tourbière, où la chaleur du microclimat nous assaille, est déroutante.

La tourbière étant une zone protégée, la balade se fait sur des trottoirs de bois qui permettent de contempler les différentes espèces qui y évoluent. Parmi elles, une petite fleur, la sarracénie pourpre, est une digne représentante de la famille des plantes carnivores. Si l'occasion se présente, il ne faut pas manquer de passer par là un soir de pleine lune du mois d'août : la tourbière prend à ce moment des airs insolites. Cela s'avère une expérience unique que de marcher parmi les arbres rabougris aux allures de morts vivants jaillissant du brouillard.

L'**hiver**, la grande magie blanche s'empare du parc. Quatre sentiers totalisant 45 kilomètres sont dédiés au **ski nordique**. Faciles, ce sont les sentiers estivaux de vélo et de randonnée pédestre. Quant à la **raquette**, 4 sentiers pour adeptes débutants et intermédiaires font honneur à l'hiver sur 45 kilomètres.

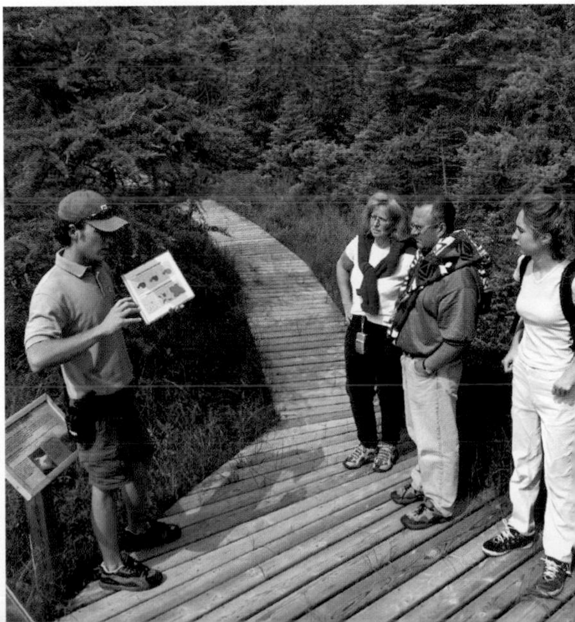

© Parc Frontenac

Parc national du Mont-Orford

Les pieds à l'eau, la tête dans les nuages

Les Cantons-de-l'Est : voilà un bout d'horizon bien vert et vallonné auquel se sont attachées des générations d'amateurs de bottines à crampons, de sacs à dos et d'avirons. Véritable mine de plein air à ciel ouvert, les lacs et les monts permettent la nage, la grimpe, la marche, la glisse et encore plus.

Voisin des monts Sutton, Bromont et Glen, et aussi cousin du mont Mégantic, lequel se trouve à un pâté de montagne plus à l'est, le mont Orford se dresse au milieu d'un parc national serti de collines boisées. Ses 54,9 kilomètres carrés n'en font pas un très grand parc, mais ils sont étonnamment suffisants pour rassasier les appétits avides de panoramas, de nature et d'activités « calorivores »!

Si tous les chemins mènent à Rome, tous les sentiers, eux, convergent vers le parc national du Mont-Orford. Deux importants réseaux québécois, l'un **cycliste**, l'autre **pédestre**, s'y croisent. Les **Sentiers de l'Estrie** permettent aux marcheurs de parcourir les coulisses des Cantons-de-l'Est sur plus de **160 kilomètres**. Une section de 28 kilomètres de ces sentiers traverse le parc du nord au sud. Son tracé est généreux en dénivelés et gourmand de sommets. Les moulineurs ont, quant à eux, accès à la **Route verte** grâce au sentier la Montagnarde. La piste cyclable transquébécoise parcourt la région d'est en ouest et permettra prochainement de rejoindre Hull et Gaspé.

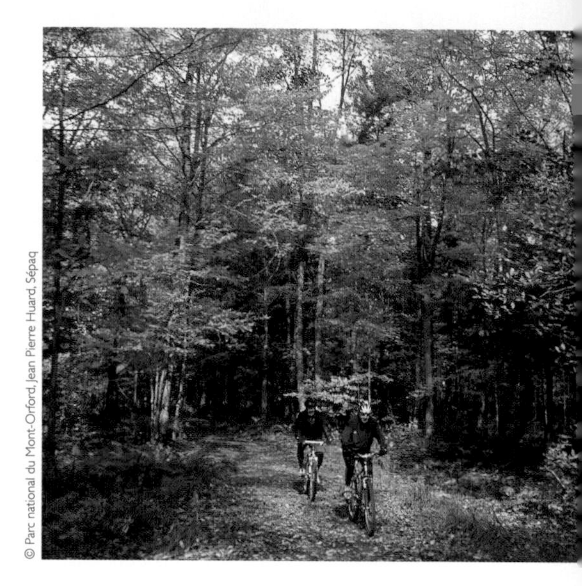

Avec les monts Orford, Alfred-DesRochers et Chauve ainsi que le pic de l'Ours, les **randonneurs** doivent s'attendre à fouler des sentiers plutôt escarpés. Des belvédères perchés sur les sommets offrent plusieurs panoramas qui se laissent pleinement savourer. Le sentier du mont Chauve et celui des Crêtes valent bien que l'on s'y chauffe les mollets. Le sentier des Crêtes mène à une **vue de 360 degrés** qu'offrent le pic de l'Ours. De là, le regard peut se promener jusqu'aux vertes montagnes du Vermont. Le spectacle est encore plus saisissant à l'automne, alors que le vaste territoire couvert d'érables s'enflamme de rouges et de jaunes. En tout, **80 kilomètres de sentiers** de courte, moyenne ou longue randonnée n'attendent qu'à être foulés de vos semelles!

Au parc national du Mont-Orford, les **activités de découverte** se font en toute saison et de toutes les façons. Sur les feuilles ou sur la neige, sous le soleil ou sous les étoiles, à pied, en canot ou à bicyclette, les visiteurs peuvent consulter les panneaux qui jalonnent les sentiers ou encore participer à des sorties animées. On peut écouter les chouettes, observer les rainettes ou participer à un rallye-nature avec sa progéniture.

Avec **50 kilomètres en pas classique** partagés en 13 sentiers, 3 refuges et des emplacements dédiés au

Repères

www.parcsquebec.com
(819) 843-9855 • 1 800 665-6527

- ***Élévation du mont Orford :*** *853 m.*
- ***Location :*** *canot, chaloupe, kayak, pédalo, équipement de ski de fond, raquette.*
- ***Autres activités :*** *baignade, escalade, vélo, raquette, golf.*
- ***Autres services :*** *douches, dépanneur et casse-croûte.*
- ***Hébergement :*** *433 470 emplacements aménagés, 21 rustiques, 3 refuges, un chalet, 16 emplacements de prêt-à-camper, un centre de villégiature Jouvence et autres possibilités d'hébergement à proximité.*
- ***Saison :*** *ouvert à l'année.*

Focus

Famille : *Les familles trouveront deux plages surveillées (lacs Stukely et Fraser), des aires de jeux pour les enfants et des espaces de pique-nique à proximité. Des sorties d'interprétation pour les jeunes sont aussi offertes.*

Débutant : *À la recherche d'une première escapade en vélo hors route? Plus de 12 kilomètres de pistes granuleuses et sans grands obstacles s'offrent à vous. L'été et l'automne, les télésièges permettent d'accéder au sommet du mont Orford. Cette option est la meilleure quand on ne tient pas la forme. Le sentier des Crêtes y conduit aussi, mais il est difficile.*

Expert : *L'hiver, le mont Chauve est accessible uniquement en raquettes. L'atteindre constitue une difficile expédition de 16 kilomètres. Rares sont ceux qui peuvent se vanter d'avoir admiré de ce sommet le somptueux manteau blanc des Cantons. Le sentier à gravir est raide et la neige abondante. Il est toutefois possible de réserver et de camper au site de camping rustique Le Vallonnier.*

camping d'hiver, les adeptes du ski de fond devraient trouver au parc national du Mont-Orford du travail pour leurs muscles et du repos pour leur esprit. Même ceux qui pratiquent le **pas de patin** seront servis avec les **26 kilomètres de sentiers** damés à leur intention. Toutes les pistes s'enfoncent profondément dans la forêt. Les tronçons se nouent les uns aux autres en proposant parfois le défi d'une montée. Un calme monastique règne sur la vallée.

Tout en haut du mont Orford est niché le Pic aux Corbeaux. En apercevant ces parois rocheuses depuis l'autoroute 10, peu d'automobilistes s'imaginent qu'on y retrouve **une cinquantaine de voies d'escalade**, certaines étant considérées comme les plus techniques du Québec. Les grimpes y sont soutenues : des toits engageants en 5.13, des dévers bouleversants en 5.12, l'endroit en impose! N'allez cependant pas croire que le Pic aux Corbeaux n'est destiné qu'à l'élite. Quelques voies et secteurs sont accessibles aux moins expérimentés; toutefois, la moulinette n'y est pas recommandée et il faut grimper en premier de cordée sportive, mixte ou traditionnelle, seulement.

Intimidé par le Pic? Optez pour le *crash pad*! Au bas des parois se trouve une panoplie de **blocs** intéressants aux problèmes complexes de tous niveaux.

Le parc national du Mont-Orford est également voisin de la station de **ski alpin** éponyme. Quatre versants, **52 pistes**, un parc de neige pour les planchistes et beaucoup, beaucoup de sous-bois. La station s'oriente de plus en plus vers les calibres intermédiaire et expert. Les nouvelles pistes sont étroites, tordues, bossues, et la précision y est une obligation.

Parc national du Mont-Mégantic

Un esprit plein dans un corps tout terrain

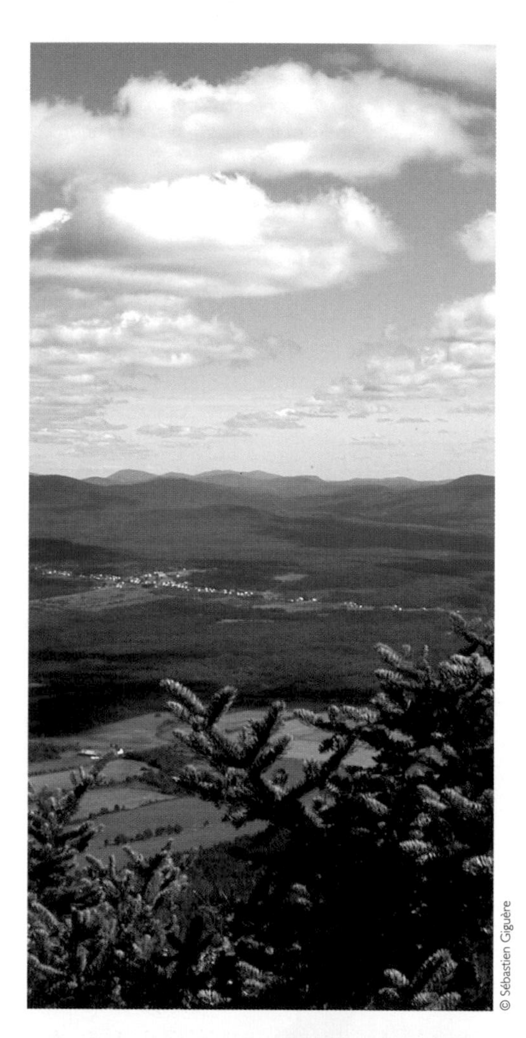

© Sébastien Giguère

Au parc national du Mont-Mégantic, les activités de plein air sont aussi variées que les sols sont diversifiés. Les richesses naturelles, les singularités et les mystères sont nombreux à nicher dans les replis de cette somptueuse montagne. Avec une composition rocheuse propre aux collines montérégiennes, mais localisé dans les Appalaches, cet imposant massif a quelque chose d'énigmatique. Ses crêtes aux flancs abrupts, où s'est creusée une profonde vallée, ont souvent fait croire à un volcan endormi. Qu'en est-il au juste? La diversité faunique du parc fait également partie de nos questions. Comment se fait-il que de nombreuses espèces, tant animales que végétales, s'y soient données rendez-vous?

Ces intrigues et bien d'autres encore sont abordées au cours d'**activités de découvertes** offertes par le parc. Un centre situé à la base du massif, l'ASTROLab est voué à l'interprétation de la nature et de l'astronomie. Deux sentiers écologiques, de même que les sommets du mont Mégantic et du mont Saint-Joseph, sont agrémentés de panneaux d'interprétation. À cela s'ajoutent de nombreuses séances d'information thématiques, présentées par une équipe d'animateurs.

Les esprits avides constateront que le parc national du Mont-Mégantic, c'est plus que la cinquantaine de kilomètres de sentiers qui s'étalent de son col jusqu'à ses pieds. Plus que le **ski nordique, la raquette, le vélo, les courtes ou longues randonnées** et les autres activités que l'on peut y pratiquer. Au-delà des pistes, des arbres et des panoramas, il y a un fascinant lopin d'écorce terrestre à rencontrer.

Que ce soit pour l'**observation de la faune** (orignaux, coyotes, cerfs de Virginie, renards roux, ours noirs, lynx roux et pas moins de **125 espèces d'oiseaux**) ou pour le simple plaisir d'une **promenade en forêt** et sur les sommets, le parc national du Mont-Mégantic offre de belles randonnées, l'hiver comme l'été.

Avec **50 kilomètres** de sentiers de tous les niveaux, il y a de quoi s'occuper. Plusieurs trajets se complètent en moins de deux heures, un choix plaisant pour les familles. Pour les plus aguerris, d'autres sentiers gagnent les sommets. Parmi ceux-là, le sentier du ruisseau Fortier mène à la cime du mont Mégantic après neuf kilomètres de marche. Au cours de la montée, on voit les feuilles céder la place aux aiguilles. Au sommet, il ne reste plus que des conifères (rabougris par le climat rigoureux), de la mousse et du vent. Beaucoup de vent et une formidable vue!

Debout sur un caillou sommital, on peut jeter un coup d'œil dans la cour de nos voisins du Sud. Les 1 105 mètres du mont Mégantic sont à trois pas de la frontière canado-américaine; une fois bien perché sur le pic, on aperçoit au loin les montagnes Blanches du New Hampshire et du Maine, le mont Washington, les monts Sainte-Cécile, Orford, Ham, Stokes, Sutton, Gosford, Jay Peak, Katahdin... Une vue splendide s'offre aussi sur la région du lac Mégantic.

Les amateurs de **longues randonnées** trouveront 13 plates-formes de **camping rustique** et **quatre**

© Rémi Boucher

Repères

www.parcsquebec.com
(819) 888-2941

- ***Étendue :*** *55 km2*
- ***Dénivelé du mont Mégantic :*** *1 105 m*
- ***Sentiers pédestres :*** *50 km (30 % de niveau facile, 45 % de niveau intermédiaire, 25 % de niveau difficile)*
- ***Sentiers de ski de fond :*** *9,4 km nordiques (non tracés), 28 km de sentiers tracés (de niveaux intermédiaire à très difficile)*
- ***Sentiers de vélo :*** *28 km (de niveaux facile à intermédiaire)*
- ***Sentiers de raquette :*** *33 km (de niveaux facile à difficile)*
- ***Location :*** *raquettes, skis de fond*
- ***Autres services :*** *douches, casse-croûte, fartage de skis et produits de fartage, transport d'équipement*
- ***Camping et hébergement :*** *13 emplacements de camping rustique, 6 refuges et 5 tentes de prospecteur. Possibilité de faire du camping d'hiver.*
- ***Autres activités :*** *observation des étoiles à l'ASTROLab, randonnées pédestres nocturnes*
- ***Saison :*** *ouvert à l'année*

refuges pour entrecouper leurs journées de marche. Un incontournable à mettre à l'itinéraire : le sentier des Trois sommets, redessiné et amélioré, qui promet de superbes points de vue sur la région de Mégantic et les montagnes Blanches. D'une longueur de 15,2 kilomètres, il relie trois monts parmi les plus élevés du Québec méridional : Saint-Joseph, Victoria et Mégantic.

Les passionnés de neige et de liberté ont un endroit de plus à visiter. Depuis 1998, on peut pratiquer le **ski nordique** sur les flancs du mont Mégantic! Perché sur le versant nord, le sentier nordique s'allonge sur 9,4 kilomètres non tracés et est réservé aux experts. Généralement étroit, il est plus difficile à certains endroits. À trois ou quatre occasions, il vous lance des virages à négocier en descente où il vaut mieux prendre garde aux bouleaux. Ceinturant le mont Mégantic et courant généralement à plus de 900 mètres d'altitude, il offre au moins sept points de vue qui s'ouvrent tantôt sur la couronne du mont Mégantic, tantôt sur les blanches Appalaches. Et dernière douceur pour les yeux, à plus de 800 mètres, les conifères deviennent si chargés de neige qu'on ne voit plus que des géants tout blancs, justement surnommés les « momies ».

Les amateurs de **raquette** ne sont pas négligés avec **33 kilomètres de sentiers** pour tous les niveaux et... deux confortables **refuges** aménagés exclusivement pour eux, au sommet des monts Mégantic et Saint-Joseph. En prime, le sentier des Trois sommets est maintenant accessible aux raquetteurs. Paysage époustouflant garanti!

Focus

Famille : *Les naturalistes accompagnent le visiteur à la découverte de la faune.*

Expert : *Il faut attacher ses souliers avec de la broche car le réseau de sentiers du parc national du Mont-Mégantic est maintenant relié au corridor international de marche des sentiers Frontaliers. Ce couloir de 90 kilomètres permet d'accéder aux montagnes frontalières telles que la montagne de Marbre (900 m), le mont Saddle (967 m) et le mont Gosford (1 189 m). Dans un avenir prochain, il rejoindra le Sentier International des Appalaches, un sentier de plus de 3 485 kilomètres qui se termine à Sprigner Mountain, en Géorgie. Plus de six mois de marche et 13 États américains séparent ici de là-bas.*

Parc d'environnement naturel de Sutton

D'un mont à l'autre

La région des Cantons-de-l'Est est fabuleusement tapissée de collines, de monts et de pignons. Parmi les gratte-ciels, un géant à la tête usée par le temps : le massif des monts Sutton. On y randonne, on y fredonne. Ce très feuillu complexe montagneux est ficelé de la tête au pied par des kilomètres de sentiers.

À quoi bon s'échiner pendant des heures sur les sentiers si, en bout de ligne, on a l'impression de n'avoir rien vu lorsque l'on rentre à la maison? Les layons du Parc d'environnement naturel de Sutton, eux, en mettent plein les prunelles toute l'année, et pas seulement en automne! Les ruisseaux sont nombreux, les points de vue spectaculaires, et la faune, variée et peu timide.

Du haut de ses 968 mètres, le massif des Monts Sutton tient comme des cordeaux ses 52 kilomètres de sentiers de randonnée en montagne, auxquels s'accrochent plusieurs plates-formes et belvédères. Quatre lacs en altitude (lacs Mohawk, Spruce, Vogel et Mud Pound) peuvent être atteints au hasard d'une randonnée.

Parsemés de cailloux et de racines, le tout sur une trame passablement inclinée, les sentiers de randonnée qui mènent aux sommets du massif des Monts Sutton varient de faciles à difficiles. Avec son dénivelé de 535 mètres, le Round Top est particulièrement exigeant. Par contre, une fois qu'on est au sommet, il suffit de lever un doigt pour toucher le ciel…

Le massif des Monts Sutton est situé au cœur d'une zone d'enneigement privilégiée : la ceinture des Appalaches. Plus de trois mètres de flocons s'y accumulent chaque hiver!

Repères

www.parcsutton.com
(450) 538-4085 ou 1 800 565-8455
(bureau d'information touristique)

- ***L'accès aux sentiers*** *se fait à Altitude 520, située à l'extrémité du Chemin Réal.*
- ***Élévation du massif des monts Sutton :*** *968 m*
- ***Sentiers pédestres:*** *52 kilomètres (facile à difficile)*
- ***Sentiers de raquette :*** *35 kilomètres (facile à difficile)*
- ***Hébergement :*** *situés à Altitude 840, un refuge de 20 places, 11 plates-formes de camping rustique et 2 lean-to (en été et sur réservation)*
- ***Sentiers ouverts à l'année.*** *(heures d'ouverture variables)*
- ***Droits d'accès :*** *5 $/adulte, 4 $/étudiant (18-25 ans), 3 $/enfant et famille 15 $ (tarifs 2010)*
- ***La carte des sentiers*** *est disponible à la guérite et au bureau d'accueil touristique de Sutton au coût de 5 $.*
- ***L'accès aux pistes de ski alpin*** *est interdit aux raquetteurs et aux randonneurs durant la saison de ski.*

Et dans les environs...

- ***Arbre Sutton :*** *ski de fond, raquette et hébertisme aérien • (450) 538-2271; 35 kilomètres de sentiers tracés (faciles à très difficiles)*

Station de montagne Sutton
www.mt-sutton.com • (450) 538-2339

Dans ces paysages chargés de neige, la raquette est aussi très appropriée à la découverte. Au total, 35 kilomètres de sentiers parcourent le parc.

Focus

Famille : *En randonnée pédestre, la boucle du Lac Spruce est tout à fait adaptée à une sortie familiale ou une mise en jambes. Sans grandes difficultés, il offre 3.2 kilomètres que l'on peut parcourir d'un pas tranquille.*

Expert : *Il faut bien connaître les sentiers du Parc d'environnement naturel de Sutton, être muni d'une carte et être un adepte de la raquette de montagne pour s'attaquer aux sommets enneigés de Sutton. L'ascension, en été comme en hiver, offre aux plus fervents randonneurs une expérience inoubliable. Prévoir environ deux heures pour l'ascension du Round Top.*

© Jean-Marc Lareau

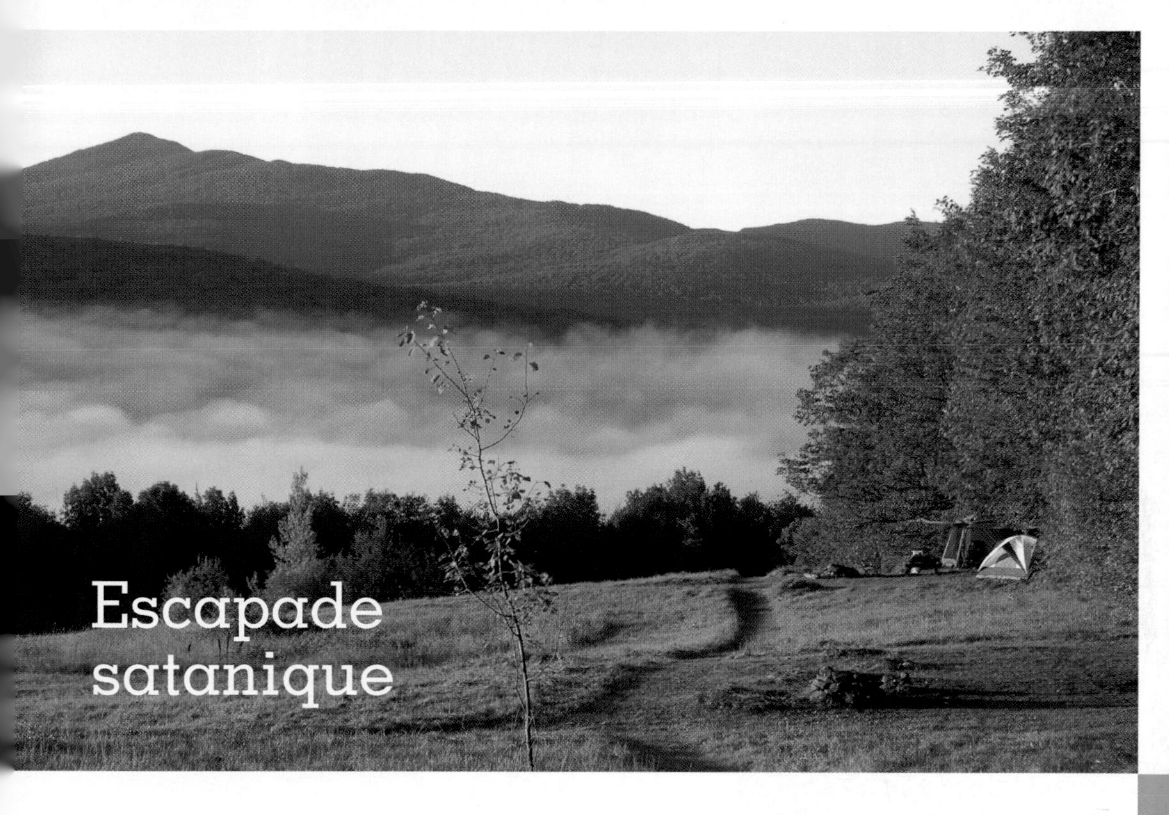

Escapade satanique

Nichée aux abords des monts Sutton, cette station de montagne offre, du haut de ses 300 mètres, une magnifique vue sur la région tout en relief où serpente la rivière Missisquoi. Deux cents acres de terres, du camping rustique et des kilomètres de plaisirs forment un immense terrain de jeu pour les amateurs de nature, le tout rehaussé des charmes d'une ancienne ferme en pierres.

Aucune habitation n'est visible du Diable vert, si ce n'est une petite fermette au loin... Les 14 kilomètres de sentiers qui sillonnent l'immense érablière sont propices à l'apprentissage et à l'observation de la nature – ornithologie, mycologie, sentiers d'interprétation. Les sentiers sont assez larges et réguliers pour ne pas avoir constamment les yeux rivés au sol! Ils communiquent avec les réseaux des Sentiers de l'Estrie et du Parc d'environnement naturel de Sutton.

L'hiver venu, raquettes et skis peuvent être enfilés pour parcourir les sentiers. De difficultés variables, plusieurs boucles sont proposées. Depuis l'hiver 2006, les sentiers sont tracés mécaniquement, pour le plus grand plaisir des fondeurs. Au programme : chutes de glace, ruisseaux glacés et un panorama bien ouvert sur la vallée.

Pour les débutants en matière de kayak de rivière, Au Diable Vert propose un pacte que vous ne pourrez refuser. Les guides vous conduiront à 15 kilomètres en amont de la rivière Missisquoi pour une balade aquatique qui s'avère une excellente entrée en la matière.

Au Diable Vert se démarque par la grande diversité de ses modes d'hébergement. On y retrouve en effet deux tentes prospecteur, neuf refuges de deux à huit places, (dont deux en bois rond et tout autant perchés dans les arbres ou dans des bâtiments historique,), ainsi que trois appartements coquets (avec cuisine). Et il y a bien sûr 35 sites de camping, soigneusement séparés les uns des autres. Les occupants sont ainsi seuls au monde, avec pour unique compagnie les montagnes qui les entourent. Les voitures restent en parking, à une distance de 5 a 25 minutes. Pour toutes les bourses et les styles de confort!

Repères

www.audiablevert.com
(450) 538-5639

- ***Activités :*** *sortie guidée en kayak à la pleine lune, cours de photographie*
- ***À proximité :*** *cyclotourisme, sentiers pédestres, équitation, pêche*
- ***Location :*** *raquettes*

Sentiers de l'Estrie

De forêts en sommets

Les Cantons-de-l'Est nichent entre leurs vallons le plus vieux et sans doute l'un des plus intéressants réseaux pédestres du Québec : les Sentiers de l'Estrie. Né il y a plus de 40 ans, il est le seul dans les quatre MRC qu'il sillonne à être accrédité par la Fédération Québécoise de la marche, pour la qualité de ses aménagements techniques et son respect et sa protection du milieu naturel. Pour ceux qui recherchent des **sentiers rustiques en grande nature,** c'est l'escapade rêvée!

Les Sentiers de l'Estrie sont **constitués de dix zones** : East-Angus, Chapman, Richmond, Kingsbury, Brompton, Orford, Bolton, Glen, Echo et Sutton. Celles-ci traversent la région du nord au sud et on y trouve quelque **200 kilomètres de sentier,** pour douze jours potentiels de randonnée. L'accès des randonneurs à la forêt privée des Cantons-de-l'Est repose sur l'octroi de droits de passage. Il arrive cependant que les propriétaires fonciers mettent fin à l'entente ou encore qu'ils procèdent à des coupes de bois importantes. Ces situations entraînent parfois le déplacement du sentier, ce qui en transforme l'allure et le parcours. Les Sentiers de l'Estrie sont rudes : ils présentent parfois des montées difficiles et sont parsemés d'obstacles naturels.

Chaque zone est entretenue par un petit groupe de randonneurs bénévoles; et après une tempête de pluie ou de vent, quelques jours sont parfois nécessaires pour nettoyer les sentiers s'il y a lieu. A titre d'exemple, en 2009, 141 personnes ont investi 332 jours de travail d'entretien. Par respect pour eux et pour les propriétaires accordant un droit de passage, on demande aux usagers de devenir membre du réseau pour le fréquenter.

L'aspect sauvage des Sentiers de l'Estrie est en partie responsable de l'attrait qu'ils exercent sur ses apôtres. Côté pratique, chacune des dix zones compte plusieurs points d'accès, ce qui permet au

Repères

www.lessentiersdelestrie.qc.ca
(819) 864-6314

- ***Étendue :*** *200 km*
- ***Élévation maximale :*** *Sutton, 968 m. Orford, 855 m. Glen, 640 m. Bolton, 700 m. Brompton, 350 m. Kingsbury, 450 m. Chapman, 626 m. Richmond 198 m, East Angus 570m.*
- ***Hébergement :*** *33 sites de camping rustique et 7 refuges. Auberges, Gîtes touristiques, chalets et campings à proximité.*
- ***Autres activités :*** *Raquette, ski de fond hors-piste.*
- ***Saison :*** *Accessible toute l'année. Fermé en avril (période de dégel) et au début novembre (saison de la chasse).*
- ***Les randonneurs*** *doivent nécessairement être membres des Sentiers de l'Estrie pour être en règle avec les droits de passage des propriétaires et accéder aux sentiers. L'affiliation est peu coûteuse et donne accès à l'ensemble du réseau pédestre. Tarifs (par année) : 35$ individuel, 60$ familiale.*
- *On peut se procurer un* ***topoguide*** *à jour avant de partir en expédition (incluant l'affiliation). Tous les points d'entrée y sont indiqués. Il peut également être bon de téléphoner aux responsables pour connaître l'état du sentier. Dans certaines sections de coupes forestières, les ronces empiètent sur le tracé. Mieux vaut prévoir des vêtements longs.*

randonneur de choisir à sa guise les lieux et les distances qu'il souhaite parcourir.

Les zones ont chacune leurs nuances. Dans Chapman (10 kilomètres), c'est une petite caverne au pied d'une muraille de roc. Pour East Angus, c'est la traversée complète d'un massif montagneux, avec de nombreux points de vues. Pour Kingsbury (17,5 kilomètres) et Brompton (14 kilomètres), c'est le relief tranquille, le chant continuel d'un ruisseau, mais aussi parfois les importantes coupes de bois.

Du côté d'Orford (26 kilomètres), ce sont les montagnes, les défis et les panoramas. Le segment le plus connu du Sentier de l'Estrie dans cette zone est le Sentier des Crêtes du **mont Orford** (853 mètres) mais, avant d'arriver au sommet, il faut jouer du mollet un bon coup.

La zone de Bolton (26,4 kilomètres) est la plus longue et l'on y trouve de tout : forêt, escarpements, points de vue, cours d'eau. Une tour d'observation de 10 mètres trône au sommet du mont Foster et permet aux randonneurs d'apercevoir les monts Glen et Sutton, qui les attendent dans les zones suivantes. À noter, le mont Chagnon est doté d'un refuge.

La nature et les sentiers des zones Glen (13 kilomètres) et Echo (16 kilomètres) sont les plus sauvages. Les cerfs de Virginie abondent et les sentiers serpentent entre les denses boisés et les pics élevés. Le tracé est noueux; il traverse des escarpements de pierre, un ruisseau et la lugubre Passe du diable.

Dernier droit avant les États-Unis, la portion Sutton (20,5 kilomètres) des Sentiers de l'Estrie file à travers le parc d'environnement naturel de Sutton et ses 77 kilomètres de sentiers. Ici aussi, les montées sont raides mais les points de vue sur le cortège des Appalaches spectaculaires.

Encore un peu d'énergie? Le sentier Long Trail du Vermont n'est qu'à un pas. Il s'ouvre sur un réseau incalculable de sentiers et sur l'Appalachian Trail, qui à elle seule fait 3000 kilomètres (à ne pas confondre avec le Sentier International des Appalaches, qui est sa prolongation en terres gaspésiennes).

En hiver, la **raquette** et le **ski de fond** s'y pratiquent dans la plus pure tradition du **hors-piste** : roches, racines, arbres à contourner. À l'exception du sentier des Crêtes, dans le parc national du Mont-Orford, tous les sentiers demeurent accessibles en raquettes pendant l'hiver, mais à ses risques et périls...

© Pierre Obendrauf

Vallée Heureuse du Mont-Élan

Une vallée généreuse!

Située au nord-est de Sherbrooke, l'heureuse vallée du Mont Élan, nommée ainsi par ses propriétaires, accueille des amateurs de plein air venus de tous les horizons. Dans la douceur rustique d'un refuge scandinave entre les arbres, sous une tente prospecteur ou sur l'une des plates-formes de cèdre disposée autour du plan d'eau, vous trouverez tout le confort nécessaire pour poser votre sac durant quelques beaux jours. De là, il vous sera possible d'explorer à votre gré la région de la rivière Saint-François et de partir marcher, glisser, pédaler ou pagayer!

Les versants de la vallée bénéficient du tracé des pistes de l'ancien centre de ski qui opérait autrefois. Un vrai plaisir pour les **cyclistes de montagne** ou pour les **marcheurs** qui pourront enchaîner les cinq kilomètres de chemins de gravier balisés ou se perdre dans les pentes plus sauvages.

Paresser **au bord de l'eau**, chercher de l'or dans le ruisseau Big Hollow, jouer au volley de plage ou déguster de petits plats sucrés/salés à la **terrasse du restaurant** : tout y est pour faire durer votre plaisir!

www.montelan.ca
(819) 832-2605

Aux alentours :

Marche à l'ombre

À 20 minutes, la **Forêt habitée de Dudswell** propose en toute gracieuseté neuf boucles de niveau facile à intermédiaire, pour une vingtaine de kilomètres de randonnée pédestre. Des panneaux d'interprétation décrivent la flore et la faune et plusieurs points de vue permettent de mirer **le lac d'Argent, dont la petite plage offre détente et baignade** « surveillée » au coeur de l'été. Aux premières neiges, une partie du réseau pédestre est accessible aux skieurs et aux raquetteurs. Les chiens en laisse sont autorisés.

www.tourismeculturedudswell.com
(819) 560-8474

L'écume des crêtes

L'association **Les sentiers de l'Estrie** dont le réseau principal se situe plus à l'Ouest, a ouvert une belle traversée de 10 kilomètres sur les **hauteurs des Monts Stock** : la zone Chapman. Il faut être membre pour l'emprunter; des permis journaliers de 5 $ sont délivrés sur demande.

www.lessentiersdelestrie.qc.ca
(819) 864-6314

Roll & roc

La rivière St-François contourne les Monts Stoke par l'Est en boucle, descendant du lac Aylmer jusqu'à Sherbrooke, pour remonter ensuite vers Windsor et son musée de la Poudrière. La section Weedon/East Angus bénéficie de **belles berges sauvages**, où le club de canot-camping Kaminak donne des formations en eau vive sur un « rapide-école ». Pour ceux qui disposent de leur embarcation, cette partie, qui s'amorce au pied du barrage de Weedon par un R3 avant de bouillonner de R1 en R4 sur une dizaine de kilomètres avant East Angus, représente un défi d'après-midi relevé. Pour une virée à la journée, la mise à l'eau se fera plutôt après le barrage de Disraëli.

www.kaminak.qc.ca

Rive gauche

À l'ouest du camp de base, au départ de Bromptonville, le sentier de la Rive, section de la piste cyclable **la Cantonnière**, sillonne **le long de la rivière Saint-François sur 24 kilomètres**. La Halte de l'Agora attend les voyageurs vers le milieu du parcours.

www.routeverte.com
(819) 845-7871 (corridors verts d'Asbestos)

S'enivrer des Cantons

© Sébastien Larose

Destination phare pour les « vélomaniaques », les Cantons-de-l'Est recèlent d'infinies possibilités de randonnées, avec près de 500 km de réseau cyclable d'une grande richesse. L'Estriade (21 km), la Montagnarde (50 km), les Grandes Fourches (77 km) en sont quelques exemples. Les familles tout comme les cyclistes plus en jambe y trouveront leur bonheur!

Au sud d'Orford

Cachet champêtre, ponts couverts, villages pittoresques : la campagne qui s'étend au sud du mont Orford regorge d'attraits qui sont autant d'occasions de s'arrêter et de déguster les spécialités culinaires et vinicoles du terroir. Le meilleur point de départ pour explorer la région est Magog, ville chaleureuse autour de laquelle rayonnent les principaux circuits proposés aux cyclistes.

Repères

Pour d'autres idées d'itinéraires dans la région, commandez auprès de Tourisme Cantons-de-l'Est la carte gratuite Les Cantons-de-l'Est à vélo, *qui contient des tracés locaux et régionaux et présente les attraits, hébergements et services à proximité des pistes.*

Le nouveau ***Centre cycliste à Danville*** *propose ateliers de réparation, service de location et aire de repos.*

(819) 839-1011

Le tour du lac Memphrémagog

Un premier défi, de taille, est la **boucle de 120 km** qui fait le tour du **lac Memphrémagog**. Sa durée dépendra du niveau de chacun; le parcours est jalonné de sites de camping et auberges, pour ceux et celles qui voudraient refaire leurs forces.

Le trajet emprunte d'abord une route secondaire peu fréquentée, cheminant à travers champs et boisés, près desquels s'élèvent parfois de vieilles demeures. C'est à Georgeville que les cyclistes pourront admirer les sommets de l'autre rive pour ensuite enjamber le joli chemin de gravier qui mène à la frontière. Au terme de ce parcours pittoresque, le parc Weir accueille les randonneurs en offrant une petite baignade à la plage. À la pointe sud du lac qui touche le Vermont (apportez votre passeport!), se trouve la ville de Newport qui, par son ambiance, ressemble beaucoup à Magog.

Le côté ouest du lac est traversé par un chemin davantage escarpé. Les coups de pédales plus vigoureux feront sûrement apprécier la plage de Vale Perkins. Un peu plus loin, un arrêt s'impose à l'abbaye de Saint-Benoît-du-Lac où vous attendent les fromages et le chocolat confectionnés par les moines. En somme, il s'agit d'une route qui mérite vraiment l'appellation de panoramique! De Saint-Benoît-du-Lac, on peut rejoindre Eastman, vers l'ouest, en empruntant le **circuit Nature-Culture**, qui se termine dans la quiétude et la beauté du parc national du Mont-Orford.

Circuits en série

Les cyclistes souhaitant élargir leurs horizons peuvent combiner d'autres circuits qui viennent se greffer à celui faisant le tour du lac. À Beebe Plain, on peut bifurquer sur le **sentier nature Tomifobia** qui remonte vers le nord sur 20 km en direction d'Ayer's Cliff pour ensuite rejoindre le village North Hatley. À partir de là, le **circuit de la Montagnarde** promène ses 50 km le long du lac Magog et rejoint Waterloo en passant par le parc du Mont-Orford. En cours de route, le vignoble du Cep d'Argent accueille les cyclistes qui désirent un petit remontant pour leurs derniers coups de pédales.

Les Cantons-de-l'Est recèlent encore bien d'autres secrets. Parmi eux, la région du Mont Mégantic garantit de belles pistes serpentant entre lacs et montagnes. De quoi user ses fonds de cuissards!

Routes des vins des Cantons-de-l'Est

Au cours des 20 dernières années, les régions du sud du Québec ont vu leurs coteaux se charger de vignes. Entre les érables et les pommiers, plus d'une cinquantaine de vignerons ont commencé à planter des vignes, à cueillir et presser les raisins pour en soustraire l'enivrant liquide. Les vignerons ont non seulement réussi à composer avec la nature mais aussi à profiter de la rudesse du climat pour produire d'excellents vins de glace, maintes fois récompensés dans des compétitions internationales.

Plusieurs vignobles devant se partager les quelques bouts de ces régions où le climat se fait plus favorable, de véritables voisinages viticoles se sont constitués. Cette concentration a permis, au fil d'un itinéraire ponctué d'arrêts bachiques, d'ajouter au plaisir d'une sortie en plein air celui de la découverte d'une culture champêtre riche en histoire et en saveurs.

Itinéraire Farnham, Brigham, Dunham, Mystic

Distance : 68 km
Niveau : intermédiaire
Départ : parc Émile-Pollender, Farnham

Avec six vignobles sur son chemin, ce parcours présente la grappe « cyclo-viticole » la plus élaborée de toutes. Comme la région est aussi le berceau de la renaissance du vin au Québec et que la route profite d'une excellente signalisation, cet itinéraire s'impose comme l'un des grands circuits québécois.

Malgré un kilométrage important, ce tracé demeure envisageable dès le début de la saison, alors que les muscles sont encore somnolents. Sans être tout à fait plat, il ne comporte aucune pente à vous flamber les guiboles. On y rencontre un seul raidillon digne de ce nom et une seule montée relativement interminable. Le reste s'enchaîne en une agréable succession de buttes et de vallons.

Dès les premiers kilomètres, l'environnement montre un visage paisible et campagnard. D'abord les pâturages verdoyants, les moutons, les vignobles, puis les vergers, suivis de vastes prés blonds et de quelques minuscules villages affichant à pleins volets leur passé loyaliste. Cette région fruitière aux accents de Nouvelle-Angleterre montre son premier vignoble, celui de **La Bauge**, après une dizaine de kilomètres. Les propriétaires ne font pas qu'élever des raisins, ils élèvent également des sangliers, des émeus d'Australie, des nandous d'Amérique du sud, des faisans, bref, une belle ménagerie que l'on peut visiter après s'être rincé le gosier des quelques échantillons de vin.

Extra !

La boucle Mystic/Pigeon Hill, surnommée le circuit Méandres et Beaux villages, vaut le détour! Avec son pont couvert, sa grange dodécagonale, ses villages oubliés par le temps, ses champs et ses vignobles verdoyants, ce coin de pays est un véritable havre de beauté et de tranquillité.

Le trajet de 50 kilomètres commence au village de Mystic, à l'auberge-restaurant-chocolaterie-salon-de-thé L'Œuf. Il sillonne des routes de campagne peu inclinées mais parfois dépourvues de revêtement. Toutes sont cependant bien entretenues. À Stanbridge-East, on peut admirer l'église anglicane St. James the Apostle et, plus loin, visiter le Musée Missisquoi. Au retour, par Bedford, le cycliste aperçoit une partie des Appalaches, dont Jay Peak.

À faire dans le sens horaire. Il est conseillé d'apporter des provisions, car il y a peu d'endroits pour acheter de la nourriture en chemin.

- ***La Route des vins** des Cantons-de-l'Est est la seule route touristique signalisée consacrée au vin au Québec. Pour les autres itinéraires québécois du genre, les tracés que proposent l'Association des Vignerons du Québec et les associations touristiques suivent surtout le goudron et s'adressent davantage aux automobilistes qu'aux cyclistes. Les circuits ont été ajustés pour la pratique cycliste en modifiant le parcours afin que les voies les moins fréquentées soient empruntées.*
- ***Impératif :** munissez-vous de cartes routières détaillées des régions visitées. Une copie de la carte produite par l'Association des vignerons du Québec est également utile ainsi que la carte-vélo produite par l'Association touristique des Cantons-de-l'Est.*
- ***Partez tôt.** Ces sorties couvrent des distances considérables et il y a beaucoup à voir et à goûter!*
- ***Préférez un vélo de route**, mais apportez le nécessaire en cas de crevaison. Certaines voies de campagne sont rongées par le temps.*
- ***Conseil :** dans les endroits où les automobilistes peuvent vous voir de loin, n'hésitez pas à rouler à plus d'un pied du bord de la route. Lorsque vous vous tenez près de la ligne d'accotement, les automobilistes sont tentés de vous dépasser sans attendre que la voie inverse soit libre et ainsi vous frôlent dangereusement.*

© Tourisme Cantons-de-l'Est

Après avoir parcouru un chemin désert bordé de champs, de granges anciennes et de quenouilles — une voie qui fait penser à une vieille couverture tant elle est rapiécée — c'est l'arrivée à Dunham. Au cœur de ce village aux maisons de pierres des champs bâties il y a plus de cent ans, on trouve, côte à côte, un antiquaire, un fromager et un confiseur. Chez ces derniers, le cycliste peut emballer terrine, pain de miche, fromages et chocolats (tous des produits locaux) en guise de gueuleton de mi-journée. Vient ensuite le noyau vigneron du Québec. Quatre vignobles en rafale! La fin semaine toutefois, on se méfiera de la lourde circulation automobile régnant sur la route 202.

Le **Domaine des Côtes d'Ardoise,** un vignoble au cachet européen, dont le bâtiment principal, adossé à ses vignes, est le point de départ d'un court sentier menant à un érable plusieurs fois centenaire. Sous les branches noueuses de l'arbre, on peut voir les rangs des cépages s'allonger sur le dos de la colline. De la mi-juillet à l'Action de Grâces une exposition de sculptures ornementales égaie le paysage. Au comptoir, 12 vins différents ne demandent qu'à être goûtés. À peine le temps de remonter en selle que l'on est déjà au **Vignoble Gagliano**. L'endroit idéal pour piqueniquer. Sur place on offre des paniers contenant vin, fruits, pâtés, fromages et pain baguette, qu'il faut réserver à l'avance. On peut déguster le tout entre les pommiers, le regard tombant sur les ceps. Si vous y êtes fin mai, vous aurez droit à un lunch parfumé puisque le verger est alors en fleurs.

Tout juste à côté, **L'Orpailleur**, le plus important vignoble au Québec et le seul Économusée de la vigne et du vin. Plusieurs de ses produits sont distribués à la Société des alcools du Québec, mais vous pourrez profiter d'une visite des lieux pour repartir avec une bouteille de son excellent vin de glace.

Le parcours présente ensuite deux villages si incroyablement tranquilles qu'on les croirait déserts : Stanbridge-East et Mystic. Le premier ne semble pas avoir changé d'un bardeau depuis le siècle dernier, particulièrement son magasin général (et musée). Le second, avec ses 70 habitants, est l'hôte de cet établissement un peu spécial : l'auberge-café-bistro-chocolatier-resto L'Œuf, ainsi que d'un bâtiment inusité, la grange dodécagonale Walbridge, qui abrite une partie de la collection du Musée Missisquoi, établi à Stanbridge East. Dans ces villages, la verdeur déborde de partout et des arbres énormes s'étendent au-dessus des rues.

Le dernier tiers est dominé par les champs. Si l'état du bitume y est parfois exécrable, sa longue course entre des terres couvertes d'herbes blondes est quant à elle fort agréable. Et si vous doutez encore de la vocation agricole de l'endroit, mettez un pied à terre au bout du rang Sainte-Anne, puis comptez les silos pour voir.

Itinéraire Dunham, Frelighsburg, Saint-Armand, Pike-River

Distance : 56 km
Niveau : expérimenté
Départ : parc récréatif de Dunham

Vous cherchez une variante qui a du punch, une randonnée à saveur viticole assez corsée? Voici un circuit à vous faire fondre en sueur. Impossible de vous dire combien il y a de côtes, on croirait qu'il n'y a que ça. Par contre, heureusement, ces pentes mènent toujours soit aux portes de villages pittoresques, soit à de superbes points de vue sur les vallées maraîchères. Et parfois elles sont descendantes, ce qui fait plaisir!

Depuis Dunham, on prend vers le sud, en direction de Frelighsburg. En moins d'une minute, c'est le premier face à face avec une écrasante montée. Au milieu, une église où l'on peut prier le saint patron des cyclistes. En haut, un premier vignoble dont une imposante résidence, bâtie en 1836. Le tracé permet de voir la route descendant et ondulant à travers des prés piqués d'arbres, et arpentés par des vaches et des moutons. Toujours très verdoyant, le paysage enveloppe les champs découpés par les forêts ainsi que les maisons de fermes ancestrales; et la route est bordée de deux grands bras feuillus.

Une longue descente mène au village de Frelighsburg. Ne négligez pas vos freins, sinon vous irez baigner avec les brochets dans la rivière qui traverse la municipalité. Les villages des Cantons de-l'Est semblent s'être tous inscrits à un concours de beauté. Leur charme classique et propret invite à d'interminables balades. Pigeon Hill est le prochain arrêt. On y arrive en se tapant d'abord une côte qui, au premier abord, ne semble pas trop pénible, mais qui, de l'autre côté d'un virage, révèle qu'il reste encore le quadruple à mouliner en montée.

Pigeon Hill, avec ses grands arbres et ses maisons colorées aux moulures stylisées dévoile un autre de ces hameaux plein de caractère. Ce village marque également l'endroit où la route commence à modérer ses éclats topographiques et où elle devient agréablement sinueuse. La voie empruntée pour le retour est la même qui mène aux principaux vignobles mentionnés ci-dessus.

Repères

Association des Vignerons du Québec

www.vignerons-du-quebec.com

Association touristique des Cantons-de-l'Est

www.cantonsdelest.com • 1 800 355-5755

Le site du Canton de Bedford offre quatre circuits détaillés avec cartes imprimables.

www.bedfordplus.com • (450) 248-7576

© Tourisme Cantons-de-l'Est

Autres pistes

Information touristique générale
Tourisme Cantons-de-l'Est
20, rue Don-Bosco Sud
Sherbrooke (Québec) J1L 1W4
www.tourismecantons.qc.ca
(819) 820-2020 • 1 800 355-5755
Courriel : info@atrce.com

Les sentiers frontaliers–Estrie

Au programme : 135 kilomètres de sentiers de niveau intermédiaire et expert qui longent la frontière canado-américaine et offrent donc une multitude de points de vue sur les montagnes Blanches. Le sentier rejoint l'Appalachian trail. Le moment fort de la randonnée, à part une probable rencontre avec un orignal, est sans conteste l'ascension du mont Gosford, le septième plus haut sommet du Québec (1 193 mètres).

Saison : à longueur d'année, l'hiver se prêtant à la raquette. Sentiers fermés pendant la saison de la chasse à l'orignal, entre la 1re et la 3e semaine d'octobre, et restreints durant la chasse au cerf de Virginie.

Hébergement : 5 abris, 12 plates-formes pour le camping, 6 refuges dans le secteur Gosford, une multitude de sites de camping sauvage.

Variante : les secteurs de la montagne de Marbre et du mont Gosford permettent d'effectuer de courtes randonnées.

Informations et carte disponibles à l'accueil du mont Gosford.

Les Sentiers frontaliers
www.sentiersfrontaliers.qc.ca • (819) 544-9004

Centre d'interprétation de la nature du lac Boivin (Granby)

Situé en bordure d'une voie de migration, le marais du lac Boivin est devenu une halte importante pour la sauvagine. Quatre sentiers amènent les marcheurs à la découverte du marais et des boisés qui l'entourent. Le pavillon L'interprétation de l'écosystème local est à l'honneur au pavillon d'interprétation.

Étendue : 450,8 ha.
Sentiers pédestres : quatre totalisant 9,7 km (facile).
Sentier de ski de fond : 19,4 km (facile).
Autres activités : vélo, patin à roues alignées, ornithologie.
Saison : toute l'année.
Accès : gratuit.
http://darwin.cyberscol.qc.ca/centre/cinlb
(450) 375-3861.

Centre de ski de fond Richmond (Canton de Melbourne)

Réseau de 42 kilomètres de pistes de ski de fond entretenues, situé dans les collines du canton de Melbourne, avec niveaux de difficulté variés.

Sentiers de ski de fond : 21 totalisant 42 km (8 faciles, 7 intermédiaires, 6 difficiles.)
Location : skis de fond.
Services : resto-bar, salle de fartage, relais chauffés.
Saison : hiver.
Accès : adulte, 11 $; étudiant, 6 $; 12 ans et moins; gratuit.
www.skidefond.ca • (819) 826-3869.

Mont Hereford (East Hereford)

Douze kilomètres de randonnée pédestre en montagne. Les sapins baumiers, les ruisseaux dévalant les pentes et la Chute à Donat accompagnent le marcheur dans sa quête du sommet. En récompense : vue imprenable sur les montagnes et vallées américaines avant de redescendre vers l'une des deux portes d'entrée : East Hereford et Saint-Herménégilde.

Sentier pédestre : 12 km (intermédiaire et expert).
Autre activité : raquette.
Services : tables de pique-nique.
Hébergement : chalets, grande maison de campagne, motel, campings sauvages.
Saison : toute l'année sauf en période de chasse.
Accès : gratuit.
www.municipalite.easthereford.qc.ca • (819) 844-2463 ou 1 866 665-6669.

Parc de la Gorge-de-Coaticook (Coaticook)

Phénomène naturel spectaculaire, la Gorge de Coaticook permet aux visiteurs de plonger à l'époque de la glaciation. Les sentiers empruntent des passerelles à flanc de falaise, ce qui permet d'apprécier l'étonnante géomorphologie du site. S'ajoutent à la plus longue passerelle piétonnière suspendue du monde (169 mètres) deux tours d'observation et une grotte qui, très populaires, pimentent la visite.

Sentiers pédestres : 10 km (facile, intermédiaire).
Sentier de vélo : 18 km (intermédiaire, difficile).
Autres activités : équitation.
Services : restauration, salle de fartage.
Hébergement : 28 campings sauvages, 130 campings aménagés.
Saison : toute l'année.
Accès : 7,50 $.
www.gorgedecoaticook.qc.ca
(819) 849-2331 • 1 888 LAGORGE (524-6743).

Ski Bromont

En été, cette station de ski offre aux amateurs 25 pistes de vélo de montagne – dont 15 de descente-, ainsi qu'un parc aquatique qui fait le bonheur des petits et des grands.
Sommet : 565 m.
Dénivelé : 385 m.
Sentiers de vélo: 100 km au total.
Activités : parc aquatique.
Location : skis alpins, planches à neige, vélos de montagne.
Services : restauration, garderie (en périodes de pointe l'hiver), télésièges, casiers.
Saison : mai à octobre (vélo).
Accès : frais d'entrée.
www.skibromont.com • 1 866 276–6668.

Sentiers du parc H.-F.-Baldwin (Baldwin Mills) – Mont Pinnacle

En laissant leur voiture à la station piscicole de Baldwin Mills, les marcheurs peuvent emprunter le sentier des Moulins, qui longe et traverse à quelques reprises la rivière Nigger. Quant aux sentiers qui mènent au sommet, ils offrent plusieurs points de vue sur le lac Lyster et sur la chaîne des Appalaches.
Sommet : 665 mètres.
Sentiers pédestres : trois, dont un pour les écoliers.
Saison : toute l'année.
Accès : gratuit.
www.tourismecoaticook.qc.ca
(819) 849-6669 • 1 866 665-6669.

Arbre Sutton (Sutton)

Situé à proximité de la station de ski alpin Mont-Sutton, c'est à la fois un centre d'hébertisme aérien, de ski de fond et de raquette. Arbre Sutton propose un parcours pour enfants et cinq pour adultes. Côté ski, on offre un réseau de 14 sentiers au milieu d'une forêt de conifères animée par un ruisseau descendant tout droit du massif.
Sentiers de ski de fond : 15 totalisant 32 km (de facile à difficile).
Sentier de raquette : quatre sentiers totalisant 15 km (de facile à difficile).
Autre activité : ski hors-piste, randonnée pédestre.
Location : skis de fond, skis hors-piste, raquettes.
Services : salle de fartage, relais chauffé, service de réparation.
Saison : à l'année.
Accès : Arbre Sutton : adulte, 31,89$; étudiant, 29,24$.
Ski : adulte, 11,47 $; étudiant 8,87 $.
Raquette : adulte, 5,09 $; étudiant, 4,87$.
www.arbresutton.com/ • (450) 538-6464 • 1 866 538-6464.

Mines Capelton (North Capelton)

Marchez sur les pas des mineurs d'autrefois en visitant une ancienne mine, puis cherchez de l'or dans le ruisseau!
Sentiers pédestres : un sentier sur pilotis dans le marécage (facile) et anciens chemins de mineur, pour un total de cinq kilomètres.
Autres activités : vélo sur la piste cyclable de la Grande Fourche, piste d'hébertisme pour enfants.
Services : restauration, produits régionaux.
Saison : 15 mai au 15 octobre.
Accès : frais d'entrée pour mine et recherche d'or
www.minescapelton.com
(819) 346–9545 • 1 888 346-9545.

Réserve naturelle des Montagnes-Vertes (Sutton, Potton)

La plus grande aire de conservation privée au Québec, la réserve naturelle des Montagnes-Vertes (RNMV) englobe les deux tiers du massif des monts Sutton et constitue un couloir naturel les reliant aux montagnes vertes du Vermont. Les sentiers de la RNMV communiquent avec ceux du Parc d'environnement naturel de Sutton (Pens) et les Sentiers de l'Estrie (SE), avec qui elle partage une partie du territoire.

Sentiers pédestres : 15 kilomètres.
Saison : à l'année, sauf durant la chasse.
Accès : carte annuelle, 25$; famille 35$. Pour les trois réseaux : billet journalier, 5$, carte annuelle, 90$.
www.rnmv.ca/ • (450) 242-1125.

Rivière Missisquoi

La rivière Missisquoi prend sa source à deux endroits : la branche nord naît du lac d'Argent à Eastman et la branche sud arrive du Vermont. C'est au point où se rejoignent les deux embranchements, près du pont de Highwater, que la rivière est canotable l'été. Très propice aux balades familiales, la Missisquoi se jette aux Etats-Unis dans le lac Champlain. De très faible difficulté, elle offre en été une vingtaine de kilomètres canotables pour tous, avec vue sur le massif des monts Sutton et les montagnes Vertes du Vermont.

- Neuf débarcadères gratuits entre Eastman et le sud de Mansonville.

- Possibilité de mettre les canots à l'eau au Carrefour des campeurs, 2733, chemin de la Vallée-Missisquoi. Frais de 5$ pour stationnement et pour débarcadère. Location de kayak sur place. 30 emplacements de camping sauvage sur le bord de la rivière.
www.carrefourdescampeurs.com • (450) 292-3737

- À Glen Sutton, Canoë & Co, 1121, chemin Burnett, loue aussi des canots et des kayaks; possibilité de camper sur place.

(450) 538-4052

ZEC de St-Romain

La zec de St-Romain est située sur le parcours de la nouvelle Route des Sommets. La randonnée pédestre, cueillette de petits fruits, observation de la faune, camping sauvage et séjour en chalets rustique sont des activités offertes sur ce territoire de 2000 hectares. Un sentier de randonnée pédestre de 3 km aménagé le long de la rivière Felton offrant airs de repos et table à pic nic.

Hébergement : 4 chalets rustique (4 personnes, 60 $/nuit), 12 plateformes de camping sauvage (20 $/nuit)
Saison : de Avril à Décembre, restreint en période de chasse.
Accès : payant
www.zecsaintromain.zecquebec.com
(418) 486-7090 • (418) 486-7320

Repères

Possibilité de mettre les canots à l'eau au Carrefour des campeurs, situé dans la vallée du Missisquoi. Frais pour stationner et pour utiliser le débarcadère. Possibilité de louer canot et kayak sur place. 30 emplacements de camping sauvage sur le bord de la rivière.

www.carrefourdescampeurs.com
(450) 292-3737

Située à flanc de montagne dans le village de Glen Sutton, la Station de montagne Au Diable Vert offre différents types d'hébergement : auberge, refuges ou camping rustique, en plus de randonnées guidées en kayak durant l'été.

www.audiablevert.qc.ca
(450) 538-5639 ou 1 888 779-9090

Parc régional de la Rivière-Gentilly

Hauts plaisirs dans les sous-bois

À une trentaine de kilomètres à l'est de Trois-Rivières, sur la rive sud du Saint-Laurent, le parc régional de la Rivière-Gentilly s'étend sur près de 90 hectares dans **une forêt mixte de conifères et de feuillus légèrement vallonnée**. La rivière Gentilly, qui se jette quelques kilomètres plus au nord dans le Saint-Laurent, définit la limite ouest du parc. Son affluent, la rivière Beaudet, le traverse d'est en ouest.

Pour poser vos valises, le choix est vaste : d'une part, **48 emplacements de camping**, dont 30 sauvages, huit aménagés deux services et 10 équestres (vous avez bien lu !) ; de l'autre, **deux camps prospecteurs et un chalet rustique** pouvant accueillir de 20 à 25 personnes.

Au sein du parc, on trouve 15 parcours (niveaux facile et intermédiaire), qui représentent au total environ **15 kilomètres de sentiers**, le long desquels on peut profiter de plusieurs postes d'observation et d'aires de pique-nique. Un **parcours d'interprétation** est consacré à la faune et à la flore locales, un second à l'histoire du parc et de la famille qui possédait autrefois les lieux. Les habitudes frustres de son dernier représentant, Omer Thibodeau, qui vivait en ermite, ont alimenté la rumeur populaire locale jusqu'à sa mort. Encore aujourd'hui, il est amusant de lire ces vieilles légendes.

L'été, on peut pratiquer la **randonnée pédestre, équestre ou en vélo de montagne**. Certains sentiers sont mixtes pour ces activités, d'autres réservés à l'une ou l'autre. Entre deux randonnées, les **bassins naturels de chutes en cascade (baignade non surveillée)** sont une véritable délectation. Et pourquoi pas un peu de pêche à la truite arc-en-ciel dans les rivières Gentilly ou Beaudet ? Une piste **d'hébertisme**, une aire de jeux pour enfants et un terrain de **volley** de plage permettent de varier les plaisirs. Chaque année, moult événements spéciaux, y sont présentés.

L'hiver, le parc demeure libre d'accès pour des **randonnées en piste ou hors piste, à pied, en skis de fond ou en raquettes**.

Repères

www.rivieregentilly.com
(819) 298-2455 • 1 877 298-2459

- ***Saison :*** *Le parc est ouvert toute l'année, l'hiver, les seuls services offerts sont la location du chalet et des camps prospecteurs.*
- ***Hébergement :*** *48 emplacements de camping (8 aménagés, 30 rustiques et 10 sur le site de camping équestre – voir ci-dessous) ; deux camps prospecteurs et un chalet rustique (20 à 25 personnes).*
- *Un site de* ***camping équestre*** *comptant dix emplacements pour véhicules récréatifs et offrant un grand espace ombragé pour installer des enclos est aussi disponible. Le parc ne fournit ni matériel ni fourrage, mais il est possible de s'adresser au Club des randonneurs équestres.*
- ***Services :*** *blocs sanitaires et bois de chauffage au poste d'accueil. Pour le ravitaillement, il faut se rendre au dépanneur de Sainte-Marie-de-Blandford, à cinq kilomètres ou à Gentilly.*
- ***Animaux domestiques :*** *acceptés si tenus en laisse.*

Aux alentours

Mont Arthabaska (Victoriaville)

Pour profiter d'une vue plongeante sur la région des Bois-Francs, une escapade au **mont Arthabaska** vaut le détour! Pendant une dizaine de kilomètres, à pied ou en **vélo de montagne**, le plaisir de la **randonnée** se conjugue au chant des oiseaux, qui ont fait de cette montagne urbaine leur nid douillet. Férus d'ornithologie, vous serez comblés dans cette oasis de**67 hectares**. En hiver, **15 kilomètres de sentiers de ski de randonnée** où cinq boucles attendent les skieurs.

www.montarthabaska.com
819) 357-1756

Et que ça roule!

Délaisser la voiture et parcourir une région à vélo : rien de tel pour découvrir un endroit sous son vrai jour! Sillonnant la forêt ombragée et les prairies, **le parc linéaire des Bois-Francs (77 kilomètres)** s'amorce à Lyster, pour prendre fin à Tinwick. D'autres portions de la **Route verte** combleront les cyclistes, et parfois même, les adeptes de patin à roues alignées. Dans l'ouest, le circuit des Traditions offre quatre boucles de pur bonheur, pour un total de 183 kilomètres. Après une incursion dans la ville de Drummondville, les cyclistes profiteront d'une belle irruption dans la forêt Drummond pour y placoter avec les chevreuils, et longeront avec plaisir la rivière Saint-François. Entre Bécancour et Baie-du-Fèbre, la Route Verte 4 s'étire en parallèle avec la 132, que l'on peut alors rejoindre pour jouir d'une vue sur le fleuve, et faire une boucle mémorable.

www.routeverte.com
1 800 567-8356 • (514) 521-8356.

Tomber des nues

Si vous aimez les sensations fortes, **faites un saut… de 13 000 pieds**, à l'École de **parachutisme** de Victoriaville! Dans un équipement conçu pour 2 personnes, votre instructeur vous fera vivre la sensation d'être Superman pendant une trentaine de secondes. Après le départ en plongée, vous prendrez la position de chute libre et goutterez de moments planants et intenses. Une fois le parachute ouvert, place à la douceur du vol plané. Le voyage se termine par un atterrissage tout en douceur, en glissade, qui marque la fin d'un moment grandiose et inoubliable! L'expérience d'une vie, quoi!

www.paravic.com
1 888 JE-SAUTE

Autres pistes

Centre-du-Québec - Circuits-vélo

Depuis 2010, la région propose **5 nouveaux circuits courts variant entre 34 et 95 kilomètres**, où les cyclistes pourront retrouver des endroits où loger, manger et se divertir au cours de leur séjour. Il ne faut pas oublier le must du cyclosportif au Québec, **un circuit de 4 jours sur 350 km** avec séjour en hôtels 4 étoiles et repas gastronomiques. Le transport de bagages et les boîtes à lunch sont offerts en option au forfait.

Enfin, la région propose une vingtaine d'autres circuits, parmi lesquels la **Route des Diligences** (94 km), qui offre des vues imprenables sur les panoramas l'arrière-pays.

La carte cyclotouristique et celle de nombreux autres circuits sont disponibles sur la page vélo du site web de Tourisme Centre-du-Québec.

www.avelo.ca
1 888 816-4007

Centre d'interprétation de Baie-du-Febvre (Baie-du-Febvre)

Grâce à une exposition permanente, à des vivariums, à une salle audiovisuelle, à une volière et à des sentiers pédestres, ce centre d'interprétation permet de mieux connaître la plus importante halte migratoire de l'oie des neiges qu'est la plaine inondable du Lac Saint-Pierre.

Sentiers pédestres : un sentiers trois facile km.
Autres activités : observation d'oiseaux, notamment des oies des neiges et des bernaches, canards 66 espèces du Canada qui migrent au printemps. Découverte du Lac Saint-Pierre en canot rabaska et en kayak de mer (sur réservation). Ateliers sur l'entomologie.
Hébergement : gîtes, campings et hôtels à proximité.
Saison : toute l'année.
Accès : entre 2 $ et 6$ pour l'exposition.

www.oies.com
(450) 783-6996.

Clé des Bois (Saint-Ferdinand)

Ce petit centre familial offre des sentiers de ski de fond en hiver.

Dénivelé : 340 m.
Sentiers de ski de fond : huit totalisant 35,4 km.
Location : skis de fond.
Services : casse-croûte.
Saison : hiver.
Accès : 7 $.

(418) 428-4049 • (418) 332-0818

Parc linéaire des Bois-Francs (Victoriaville)

Balisée « Route verte » et « Sentier Transcanadien », cette piste cyclable est entièrement aménagée sur une ancienne voie ferrée et traverse les municipalités régionales de comtés (M.R.C.) d'Arthabaska et de l'Érable. Une carte vélo détaillée du sentier est disponible gratuitement sur demande.

Sentiers de randonnée et de vélo : 77 km.
Hébergement : gîtes, camping et hôtels à proximité.
Saison : été (de mai à octobre).
Accès : gratuit.

www.parclineairebf.com
(819) 758-6414.

Pavillon Arthabaska

Le mont Arthabaska constitue un point d'observation privilégié sur l'ensemble de la région. L'été, le parc est reconnu des ornithologues et accueille les amateurs de randonnée et de vélo de montagne. En hiver, 15 kilomètres de sentiers de ski de randonnée où cinq boucles attendent les skieurs.

Sentiers de ski de randonnée : cinq sentiers totalisant 15 km.
Activités : randonnée pédestre, vélo de montagne, ski de randonnée, raquette.
Location : raquettes.
Services : resto-bar, aire de pique-nique.
Hébergement : gîtes, campings et hôtels à proximité.
Saison : toute l'année.
Accès : gratuit.

www.montarthabaska.com
819 357-1756.

Réseaux Plein Air Drummond (Drummondville)

Le *Circuit des traditions* est composé de quatre boucles représentant 183 kilomètres de pistes cyclables sinueuses et ombragées. En hiver, rendez-vous à *La Courvalloise* pour la glissade sur tubes, la raquette et le ski de randonnée. D'Arbre en arbre Drummondville offre 83 ateliers et un parc de tyroliennes.

Sentiers pédestres : six km.
Sentier de vélo : 183 km.
Sentier de ski de randonnée : 30 km.
Sentier de raquettes : 5,8 km.
Autre activité : glissade sur chambres à air.
Hébergement : gîtes, campings et hôtels à proximité.
Saison : toute l'année.
Accès : frais d'entrée.

www.reseauxpleinair.com
(819) 477-5995.

Information touristique générale

Tourisme Centre–du–Québec
20, boul. Carignan Ouest
Princeville (Québec) G6L 4M4
www.tourismecentreduquebec.com
(819) 364–7177 • 1 888 816–4007 poste 300

Sentier des Trotteurs

Le Carrefour écoutouristique des Appalaches gère deux boucles et un sentier dans le secteur de Sainte-Hélène-de-Chester. À pied ou en raquettes, on prendra plaisir à cette forêt où se retrouvent entre autres une plantation de noyers cendrés, des hêtres à grandes feuilles tout tordus. Le sentier Trottier-Arthabaska (26km) relie la cime du mont Arthabaska au hameau de Trottier Mills.

Sentiers pédestre : 42 km (de facile à difficile).
Services : magasin général.
Hébergement : tente de prospecteur sur réservation.
Saison : toute l'année sauf période de la chasse.
Accès : don, membership annuel (10$).

www.sentierdestrotteurs.com
(819) 758-5480

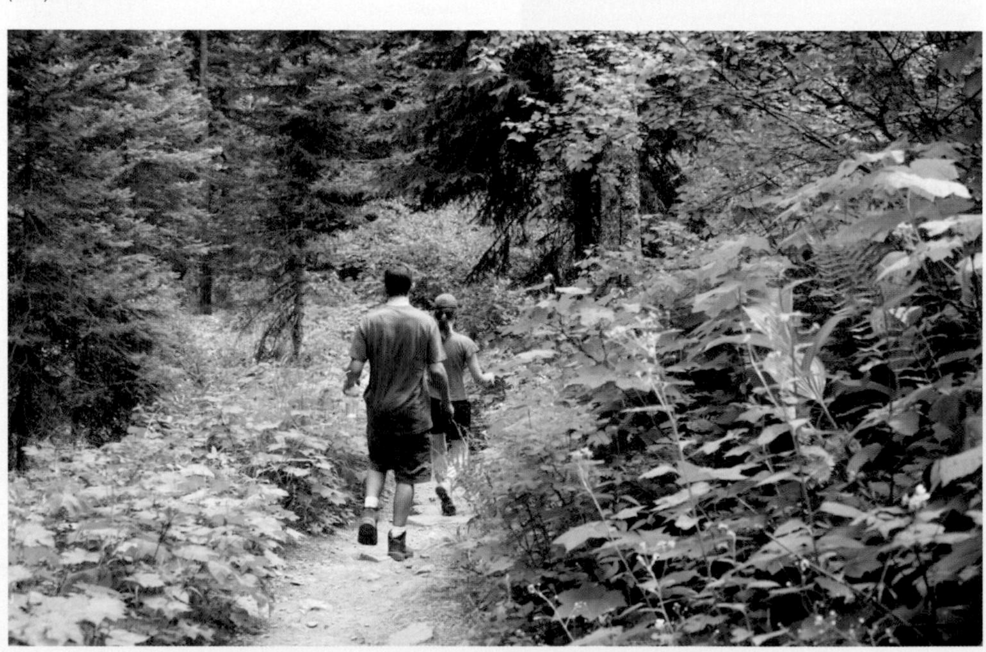

Parc régional du Mont Grand-Fonds

Grand ski à petit prix

Un bijou de montagne s'élève à plus de 700 mètres dans la région de Charlevoix. À 1 h 30 de Québec, le mont Grand-Fonds nous accueille en toute tranquillité dans l'oasis de neige de l'arrière-pays, loin du brouhaha des grands centres.

Chaque année, le ciel y déverse plus de 650 centimètres de neige. Le réseau de sentiers de ski de fond apparaît tel un joyau blotti au milieu des montagnes. Lacs et forêts de conifères forgent le parcours qui sillonne une vallée. Plus de **160 kilomètres de sentiers** attendent les fondeurs de tout niveau. Les pistes pour le **pas classique** ont une largeur de trois mètres avec un tracé double ou simple.

L'accès au réseau de pistes débute par des sentiers faciles : un bon moyen de se réchauffer les muscles avant d'attaquer. La montée des Lions, sur un kilomètre en pente douce, met les cuisses au défi. Mais les efforts sont récompensés par la longue descente vers le Chalet Promenade. Les plus endurcis suivront les pistes qui relient et longent les lacs : un parcours vallonné de 20,4 kilomètres à travers bouleaux, érables et sapins, et qui croise trois chalets. Les quatre lacs jaillissent telles de grandes nappes blanches au milieu du paysage.

Les adeptes du **pas de patin** sont également choyés avec un sentier de **50 kilomètres** qui leur est réservé. Côté **ski hors-piste**, ce sont **26 kilomètres** de neige folle qui attendent les traces des adeptes. Une montée intensive jusqu'au sommet offre, par temps clair, une vue sur l'immensité du fleuve. Attention, toutefois! Cette section de la montagne n'est pas patrouillée et seuls les skieurs aguerris devraient s'y hasarder.

Les amateurs de **raquette** ne sont pas en reste, avec un circuit de **16 kilomètres** situé au sommet de la montagne. En plus, un nouveau réseau de 10 kilomètres longeant les pistes de ski de fond vous est offert, ainsi que l'accès à deux relais chauffés où café, chocolat chaud et bouillon de poulet vous sont servis gratuitement!

Plusieurs petites attentions viennent agrémenter une journée de plein air au mont Grand-Fonds. Des bénévoles ont eu la bonne idée d'installer des mangeoires d'oiseaux près des refuges. Assis confortablement sur un banc orienté plein sud, on peut admirer le durbec des sapins, jaseur boréal qui batifole au milieu des graines.

Focus

Famille : *Le sentier La Promenade offre, comme son nom l'indique, une belle promenade de 4,5 kilomètres à travers une forêt de conifères. À mi-chemin, un chalet permet aux enfants une pause ravitaillement. Ils peuvent aussi nourrir les oiseaux.*

Expert : *Quel régal! Pas de patin, pas alternatif, les pistes à losange offrent de belles montées et des descentes abruptes. Style montagnes russes, la numéro 7, entre autres, présente trois descentes endiablées.*

Repères

www.montgrandfonds.com
1 877 665-0095 ou (418) 665-0095

- ***Ski de fond :*** *quinze sentiers répartis sur 160 kilomètres (de niveau débutant à expert)*
- ***Autres activités :*** *ski alpin, randonnée pédestre, télémark à la station de ski alpin, glissade sur chambre à air*
- ***Location :*** *skis de fond, raquettes*
- ***Autres services :*** *salle de fartage chauffée, 4 relais chauffés, réparation de skis et de raquettes, garderie, cafétéria*
- ***Saison :*** *de la mi-décembre à la fin mars. Sentiers accessibles à la rando durant l'été, mais pas de services offerts.*

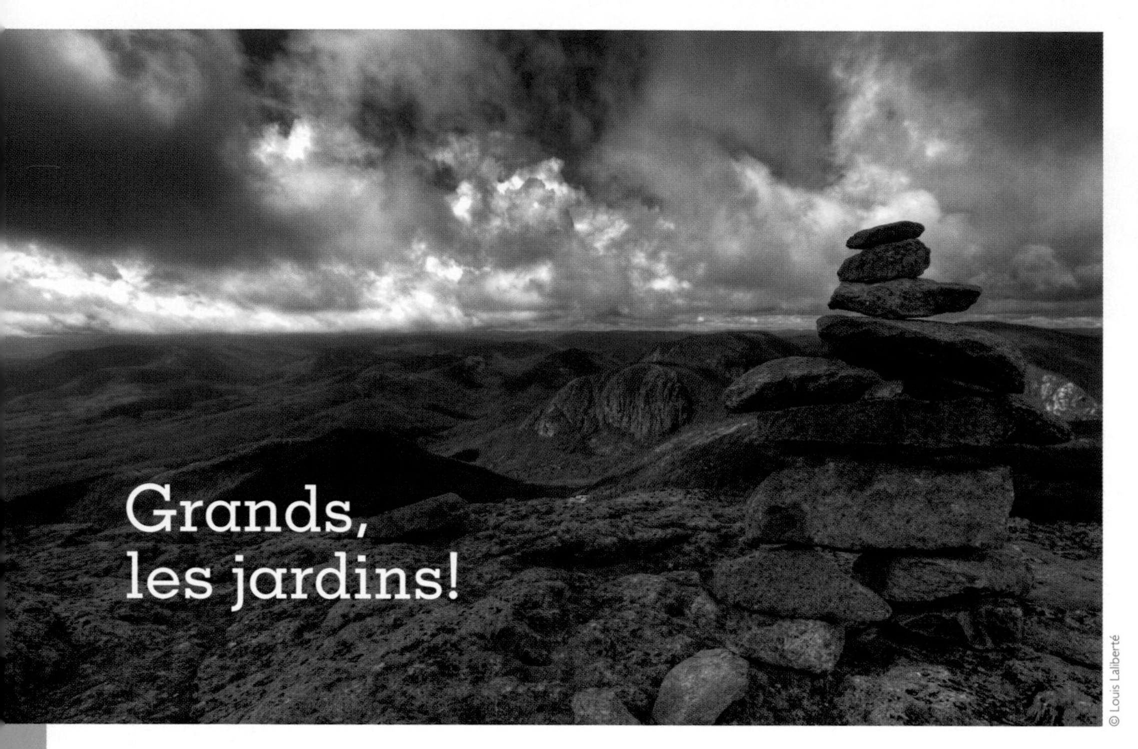

Grands, les jardins!

© Louis Laliberté

Avant 1990, seules les cannes à pêche prenaient place sur la banquette arrière des voitures des vacanciers au parc national des Grands-Jardins. Depuis, chaussures de marche, mousquetons et vélos de montagne font partie de l'équipement courant des visiteurs. Ici, les amateurs de plein air sont au cœur de la **réserve mondiale de la biosphère de Charlevoix**.

À 120 kilomètres de Québec, au nord de Baie-Saint-Paul, se profile un paysage digne d'un **décor nordique**. Pas besoin de se rendre à la Baie-James : un îlot du Grand-Nord a élu domicile au parc national des Grands-Jardins. Depuis 7000 ans, le paysage est le même : épinettes noires éparses, cuvettes glaciaires et tapis de lichens.

Pour ceux qui n'ont qu'une seule randonnée à faire, le mont du **Lac des Cygnes** est un must. Le caractère nordique du parc ressort ici dans toute sa splendeur. Pour expliquer ce nom très évocateur, deux légendes s'opposent : la première, romantique, veut que l'élégant cygne couve près d'un lac à proximité, et la seconde, pragmatique, veut que le lac à l'avant plan rappelle la forme du palmipède en question... Quoiqu'il en soit, un sentier de 4,1 kilomètres permet d'accéder au **sommet** (980 mètres), avec une dénivellation totale de 480 mètres. Il faut compter environ deux heures pour se rendre au sommet, qui est recouvert d'une végétation clairsemée et rabougrie, et de roches exposées aux fortes bourrasques.

Du faîte, on peut s'amuser à mettre un nom sur chacun des villages charlevoisiens au pied de la montagne, parmi lesquels on retrouve Saint-Aimé-des-Lacs et Saint-Urbain. De la base, un sentier plus long (7 km) permet d'accéder au sommet par l'ouest. D'une difficulté moyenne, le sentier comprend quelques cailloux bien placés pour garder le rythme. Avec quelques ar-

Repères

www.parcsquebec.com
1 800 665-6527 • (418) 439-1227

- ***Hébergement :*** *trois refuges, treize chalets (dont un accessible uniquement par voie d'eau) et quatre sites de camping (94 emplacements).*
- ***Poste d'accueil Thomas-Fortin :*** *situé au kilomètre 31 de la route 381, à l'entrée principale du parc.*
- ***Poste d'accueil du Mont-du-Lac-des-Cygnes :*** *situé au kilomètre 21 de la route 381.*
- ***Location :*** *embarcations nautiques et vélos de montagne au centre de location du Château Beaumont.*
- ***Autres activités :*** *activités de découverte, canot, kayak, excursion en rabaska, pêche blanche.*

rêts pour graver le souvenir des montagnes, une petite descente mène à la forêt des bouleaux tordus.

« Les pionniers » est un nouveau sentier qui fait découvrir des tapis de mousse impressionnants en bordure de la petite rivière Malbaie, sur environ 2,5 kilomètres. Également très intéressants et instructifs, les circuits guidés prennent leur envol du château Beaumont. Il en existe un qui se nomme « La taïga, pays de lichen et du caribou » et il nous amène en zone de conservation pour explorer les cuvettes des hauts plateaux de la taïga (c'est d'ailleurs la seule façon de pouvoir marcher dans la taïga...). Parmi les épinettes noires éparses et les mélèzes ensoleillés, on peut observer quelque 120 espèces de lichens et des bouleaux multicolores aux allures de bonsaïs. Imaginez un lichen qui met 25 ans pour croître de 10 centimètres! Au total, le parc offre un **réseau de sentiers de plus de 30 kilomètres** pouvant satisfaire toutes les catégories de randonneurs.

En hiver, les **raquettes** équipées de crampons sont parfaitement adaptées au terrain, surtout sur le sommet verglacé du mont du Lac des Cygnes. En tout, comptons une **trentaine de kilomètres** en sentiers partagés avec les fondeurs ou réservés pour ce seul sport. Côté **ski nordique**, il y a un parcours d'une **cinquantaine de kilomètres**, de difficulté moyenne, qui est balisé sans être tracé mécaniquement. La particularité intéressante du Parc des Grands-Jardins, en hiver, réside surtout dans le fait qu'on semble se retrouver dans un désert de cimes d'arbres, car la végétation, renouvelée depuis les feux de forêts, est enfouie sous la neige. Ce paysage, lunaire par endroits, laisse une grande place à l'observation de la faune, ou du moins, aux traces que les grands quadrupèdes tels que orignaux et caribous laissent sur leur passage.

Avec une moyenne de 40 jours par année sans gel au sol, il faut un bon matelas de sol pour camper ici. Au camping de la Roche, situé en bordure de la majestueuse Rivière Malbaie, il est possible de pratiquer le canot ou le kayak face au site de camping.

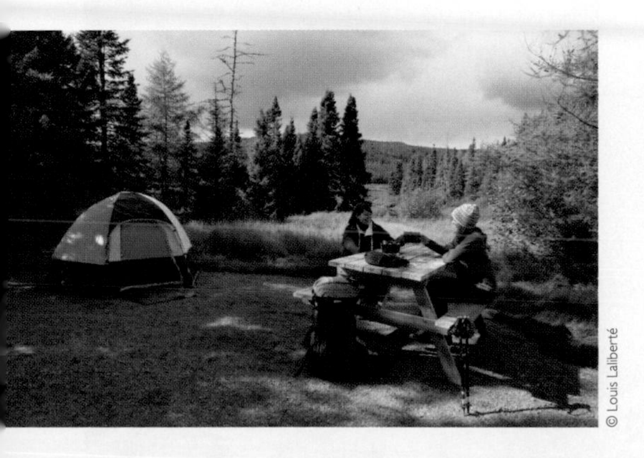
© Louis Laliberté

Focus

Famille et débutant : *Dans le secteur Pied-des-Monts, empruntez le sentier du Gros Pin, une boucle de 1,8 kilomètre qui s'enfonce dans la forêt. Les sentiers du Boréal et de la Pinède sont d'autres choix possibles. Les gardes-parcs naturalistes vous attendent au mont du Lac des Cygnes pour vous livrer les secrets de la grande nature du parc. Dans le secteur du mont du Lac des Cygnes, un nouveau sentier, nommé La Chouenne, donne accès à un sommet de 730 m. (4.4 km aller-retour, 230 m de dénivelé, 2 h, niveau intermédiaire)*

Expert : *Les parois du secteur des Monts (Gros Bras, de l'Ours et du Dôme) séduisent les mordus d'escalade. Elles sont comparables à celles de la région de North Conway aux États-Unis, sans l'achalandage. Il est recommandé de se procurer le guide pratique d'escalade de la région, qui indique le degré de difficulté des parois.*

Lors d'une première visite, de nombreux grimpeurs sont intimidés par la magnificence des lieux et par la hauteur des parois du parc national des Grands-Jardins. Les falaises du Dôme ont en effet beaucoup à offrir aux amateurs de longues voies. De nombreux itinéraires sont possibles sur un rocher parsemé de trous, communément appelé des gouttes. Plus exposé aux vents dominants, le mont de l'Ours offre lui aussi beaucoup de sensations aux amants de verticalité. Des itinéraires aériens de tous les niveaux combleront les ascensionnistes traditionnels les plus exigeants. L'ensemble des secteurs dispose d'une centaine de voies atteignant jusqu'à 300 mètres de longueur.

Le camping du Pied-des-Monts, situé à l'entrée du parc, 300 mètres plus bas que les autres campings, fait gagner aux plus frileux quelques degrés. Douches confortables et moustiquaires aux fenêtres sont le luxe de fin de journée du randonneur. À l'avant-scène, plus de 980 mètres de parois rocheuses hantent les rêves des grimpeurs. Et pour ceux qui rêvent de tranquillité, le petit camping de l'Étang Malbaie (cinq sites seulement) est à l'écart de tout.

Le camping Arthabaska, en bordure du lac Arthabaska et à proximité d'une rive sablonneuse, est le point de départ d'un joli trajet de canot ou kayak de 9 km en eau calme.

Parc national des Hautes-Gorges-de-la-Rivière-Malbaie

Beautés sauvages

De bas en haut ou de haut en bas, c'est comme ça que se déguste le parc national des Hautes-Gorges-de-la-Rivière-Malbaie de la région de Charlevoix. Au ras des eaux pour commencer — celles de la rivière Malbaie —, il suffit de s'embarquer dans un kayak de mer ou dans un canot, de lever la tête et de contempler les cascades et les parois abruptes : un paradis.

Après quelques coups de pagaie, on a envie de voir tout cela de haut. On peut alors enfiler ses chaussures de randonnée et grimper l'Acropole des Draveurs, un **sentier** où les chèvres seraient plus à l'aise que les marcheurs : 5,5 kilomètres de pistes pour se rendre à **1 048 mètres d'altitude** et franchir 800 mètres de dénivellation!

Au sommet, le spectacle est fascinant : « À nos pieds, la rivière serpentait tel un fil d'argent dans un ruban vert », écrivait William Blake, en 1890, dans son livre intitulé *The Camp at Les Érables*. Un siècle plus tard, les regards plongent avec toujours autant d'émotions dans un superbe paysage dessiné par des parois profondes (700 mètres) et des vallées étroites.

Au-delà de la grande beauté du panorama, la diversité des écosystèmes est certainement un attrait majeur du parc national des Hautes-Gorges-de-la-Rivière-Malbaie. En une seule randonnée, on rencontre toutes les zones forestières du Québec. Le parc compte aussi cinq **vallées suspendues** (créées en altitude par les glaciers), des ormes d'Amérique de 1,5 mètre de diamètre, des chutes de 100 à 200 mètres, en plus de parcelles de toundra, comme dans le Grand Nord. En d'autres mots, ce parc représente une véritable synthèse de plusieurs milieux écologiques. En empruntant le sentier de l'Acropole des Draveurs, on a le privilège de traverser toutes les

Repères 

www.parcsquebec.com
1 800 665-6527 ou (418) 439-1227

- **Accès au parc :** *Pour préserver l'environnement, l'accès par les voitures est limité et les visiteurs à la journée doivent emprunter une navette (passage fréquent) pour circuler dans le parc.*
- **Sentiers pédestres :** *17,5 km (de niveaux facile à difficile).*
- **Vélo :** *16 kilomètres le long de la rivière (niveau facile).*
- **Hébergement :** *camping (26 emplacements aménagés au Pin Blanc, 106 au Cran, et 25 rustiques à l'Équerre).*
- **Services :** *dépanneur, restaurant, boutique.*
- **Location :** *kayaks, canots, vélos et remorques à vélo.*
- **Interprétation :** *Le centre de découverte et de services Félix–Antoine–Savard présente, sur la formation de la vallée, une exposition thématique intitulée Sculpté par le temps, au pays de Menaud. Des activités de découverte, dont une à saveur historique à bord d'un rabaska, sont offertes.*
- **Saison :** *Été et automne*

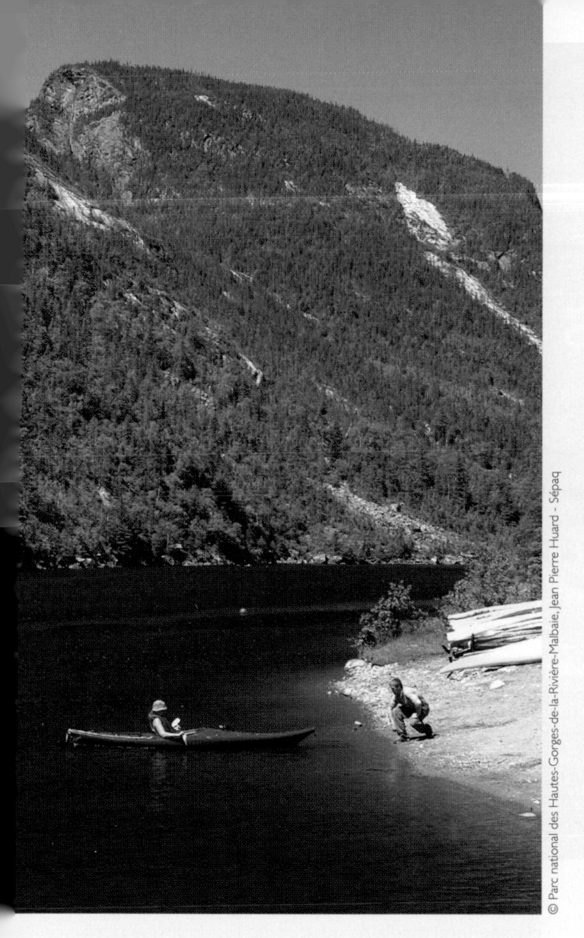

© Parc national des Hautes-Gorges-de-la-Rivière-Malbaie, Jean Pierre Huard - Sépaq

zones de végétation forestière du Québec. Ainsi, **de l'érablière à la toundra, en passant par la pessière, la pinède et la taïga**, le parc permet de voir en une seule journée toute la richesse et la variété de la forêt québécoise. Pour avoir autrement accès à cette étonnante diversité (qui s'explique par d'importantes variations d'altitude), plusieurs voyages du nord au sud de la province seraient nécessaires.

Au fil de l'eau

Au parc national des Hautes-Gorges-de-la-Rivière-Malbaie, la diversité caractérise l'environnement, mais aussi les activités sportives que l'on peut y pratiquer. Vélo, kayak de mer, randonnée pédestre, camping et canot : tout y est!

En amont du barrage des Érables, la rivière Malbaie coule tranquillement et on peut y circuler sur huit kilomètres... si doucement, qu'il serait possible de remonter le courant à la seule énergie de ses bras. D'un **canot** ou **kayak de mer,** chaque détour réserve une surprise. Il y aura des cascades, un étang, des îlots et la Pomme d'or, une paroi de 350 mètres (qui fait le bonheur des amateurs d'escalade de glace). Cette rivière est idéale pour donner ses premiers coups de pagaie en kayak de mer.

Quant aux amateurs de **vélo**, ils peuvent facilement longer la piste cyclable de 16 kilomètres (aller) située le long de la rivière. Et pourquoi ne pas se rendre jusqu'au parc en vélo en mettant justement à l'horaire une visite du parc lors d'une excursion de cyclocamping dans la région? Les **marcheurs** ont le choix entre sept sentiers pédestres (17,5 kilomètres au total) cotés de niveaux facile (Érablière) à très difficile (Acropole des Draveurs). Chaque sentier offre un intérêt particulier : une chute pour l'un, un belvédère ou une vallée suspendue pour l'autre.

Pour assurer la conservation d'une partie de la forêt, le ministère de l'Environnement a créé la réserve écologique des Grands-Ormes, un espace où la nature est la même qu'à l'époque de Jacques Cartier. On y trouve, entre autres trésors, des ormes de plus de 400 ans. Les randonneurs n'y ont pas accès, mais les sentiers du Cran et Érablière permettent d'apprécier une forêt similaire à celle de la réserve.

Ici, les amateurs de plein air n'ont pas (encore) à craindre les foules. Le parc national des Hautes-Gorges compose l'une des aires centrales de la réserve de la biosphère de Charlevoix, une reconnaissance internationale accordée par l'UNESCO, qui a le grand mérite de désigner les aires où protection et conservation se conjuguent avec activité humaine.

Focus 

Famille : *Plusieurs sentiers très courts et bien aménagés, parfois avec des passerelles de bois, permettent aux familles d'accéder à des points de vue intéressants. À ne pas manquer : le Belvédère (1,4 kilomètre) qui grimpe dans la forêt le long d'un ruisseau avant d'offrir une belle vue sur les gorges. Le Riverain (8,4 kilomètres) vous amènera aux abords du ruisseau des Érables ou vous pourrez pique-niquer en écoutant les doux murmures de l'eau.*

Expert : *Il est possible de traverser la région de Charlevoix de bout en bout tant à pied qu'en skis de fond ou en vélo de montagne. Au programme : une centaine de kilomètres, des sommets de 650 à 800 mètres, des vallées de 200 à 350 mètres. Bref, un des plus difficiles sentiers de longue randonnée du Québec.*

Canot et kayak-camping
Rivière Malbaie

Au pays des géants

© Parc national des Hautes-Gorges-de-la-Rivière-Malbaie, Jean Pierre Huard - Sépaq

On associe souvent la pratique du canot à une activité empreinte de calme et de sérénité. Un coup d'aviron, une inspiration, un coup d'œil sur un groupe de canetons, une expiration, puis un autre coup d'aviron… Pourtant, avec la même embarcation, on peut tout aussi bien aller s'exciter les pagaies dans les rouleaux et les bouillons!

Au fond de l'étroite vallée du parc national des Hautes-Gorges, dans Charlevoix, on trouve la rivière Malbaie. Un cours d'eau qui, avec ses rapides de classe R-I et R-II, n'a rien pour vous coller le « trouillomètre » à son maximum, mais qui saura tout de même agréablement vous secouer, ainsi que vos préjugés, si vous en avez, à propos de la bonhomie du canot.

Entre le barrage des Érables, situé à 8 km de l'entrée du parc, non loin du village de Saint-Aimé-des-Lacs, et celui qui se trouve près de Clermont, il y a 42 kilomètres d'eau vive : clapotis, cascatelles, quelques cailloux saillants et beaucoup de mouvement. Certains ont pris le temps de compter : ils ont identifié 13 R-I, 11 R-II, 5 R-III et 1 superbe seuil (S-IV). Heureusement, le tout est entrecoupé de sections où le courant se fait docile. Il est alors possible de laisser glisser le regard sur un paysage de géants, balisé de montagnes et d'arbres parfois tricentenaires. C'est la beauté de ce coin de pays ainsi que l'accessibilité de cette **descente classée intermédiaire** qui font de l'endroit une destination prisée autant par les débutants (des excursions guidées sont même offertes – voir encadré) que par les initiés.

Trois jours à se la couler… drue!

En approchant du barrage des Érables, où les canots sont mis à l'eau, on est immanquablement subjugué par la taille des falaises. Prenant la forme d'un énorme « V », **les parois inclinées des Hautes-Gorges** jaillissent du sol et se lancent à **plus de 1 000 mètres** vers le ciel. Entre leurs pieds ondule la rivière Malbaie qui, à partir de cet endroit, ruisselle vers un relief qui s'aplanit rapidement plutôt que de traverser les gorges. Néanmoins, le paysage à venir n'a rien de monotone.

Jour 1 – Le chant de la Malbaie

On atteint le site de camping rustique en quatre heures environ. L'idéal est donc d'appareiller vers l'heure du dîner. Du barrage des Érables au pont du même nom, il y a huit kilomètres de beaux rapides d'une difficulté moyenne (surtout R-I et R-II). On rencontre quelques cailloux et le secteur est légèrement difficile à manœuvrer. La suite est plus tranquille. Vers la fin de l'après-midi, les canotiers arrivent devant les chalets de la traversée de Charlevoix. Le terrain pour camper se trouve juste de l'autre côté de la rivière.

Repères

www.parcsquebec.com
1-800-665-6527

- *Descente accessible à la plupart des gens qui ont fait quelques sorties après leur initiation ou encore lors d'un stage avec moniteur.*
- *La rivière Malbaie bénéficie d'un débit assez constant au cours de l'été. Généralement entre 25 et 75 mètres cubes d'eau par seconde. À moins de 14 m3/s, le canot se fait allègrement gratter la bedaine, tandis qu'à 100 m³/s, il devient passablement plus difficile de le manier à son gré.*
- *L'eau est plutôt fraîche et ne reste pas que dans la rivière... Assurez-vous que votre paquetage est bien à l'abri dans des sacs étanches.*
- *Avec l'autorisation de la Sepaq, vous pouvez stationner une voiture à l'entrée du parc et une autre à l'arrivée, sur la rive droite, un peu en aval du pont de ciment de Clermont.*
- ***Pour s'y rendre :** de Québec, prendre la 138 (direction Sainte-Anne-de-Beaupré) et traverser Baie-Saint-Paul. Avant La Malbaie, tourner à gauche vers Saint-Aimé-des-Lacs (dernière chance de faire le plein). Après le village, une route étroite et sinueuse totalisant une trentaine de kilomètres mène jusqu'au parc national des Hautes-Gorges. Il faut compter une distance d'environ 400 kilomètres de Montréal.*
- ***Location :** canots et kayaks de mer*
- *Le parc est ouvert du début juin à la mi-octobre.*

Une fois les tentes montées et le feu allumé, c'est le moment d'étaler ses « exploits » de la journée. Il n'y a aucun service à cet endroit. On est seul avec la nature et l'on s'endort bercé par le chant de la Malbaie.

Jour 2 – Le calme et la volupté

Départ entre 9 h et 10 h. Un peu à l'image de la veille, la deuxième section s'annonce belle et relativement tranquille. Coulante, on s'y laisse glisser sur un courant se maintenant à 3-4 kilomètres/heure. Il n'y a pas d'obstacles majeurs obligeant à jongler avec les avirons, mais quelques traîtres remous menacent tout de même de vous faire voir le fond. Sur les rives s'étalent des petites plages et des gros rochers où l'on peut prendre une pause et une bouchée sous le soleil. Du pont des Érables au camping : 27 kilomètres. L'arrêt pour la nuit se fait à l'ancienne décharge de « pitounes », laquelle est inutilisée depuis la fin du flottage du bois en 1985.

Jour 3 – L'euphorie

Dès le petit matin, l'excitation est palpable. Plus loin mijotent de gros rapides et, dès les premiers coups d'aviron, le plaisir est de la partie. Cette dernière section est animée de vagues et de bouillons sur tout son long. Le niveau de difficulté augmente ici d'un cran et certaines zones demandent un peu plus d'énergie. Après quelques kilomètres vient le clou de l'expédition : le seuil. Deux impressionnants paliers dont le tumulte s'allonge sur environ 70 mètres. Selon le niveau de l'eau, une ou deux voies de passage sont envisageables; d'après votre propre appréciation, il se peut aussi qu'il n'y en ait aucune. Auquel cas, vous pourrez cordeler par la gauche. La veine de droite est moins profonde que celle de gauche. On doit se donner une certaine propulsion pour arriver à défoncer le rouleau qui se trouve à sa base. À gauche, c'est un trou et un rouleau à rappel qu'il faut traverser. Les chances de « sous-mariner » sont bonnes de ce côté. Avant de vous y aventurer, prenez un instant pour observer les rapides et établir votre stratégie.

Finalement, toute bonne chose ayant une fin, voilà l'arrivée au barrage de Clermont. C'est la mi-journée, ce qui laisse aux uns le temps d'aller chercher la voiture restée au point de départ, pendant que les autres se baignent ou se font dorer sur de grandes roches aplaties. Euphorie, jubilation : à leur retour, certains parlent même de paradis.

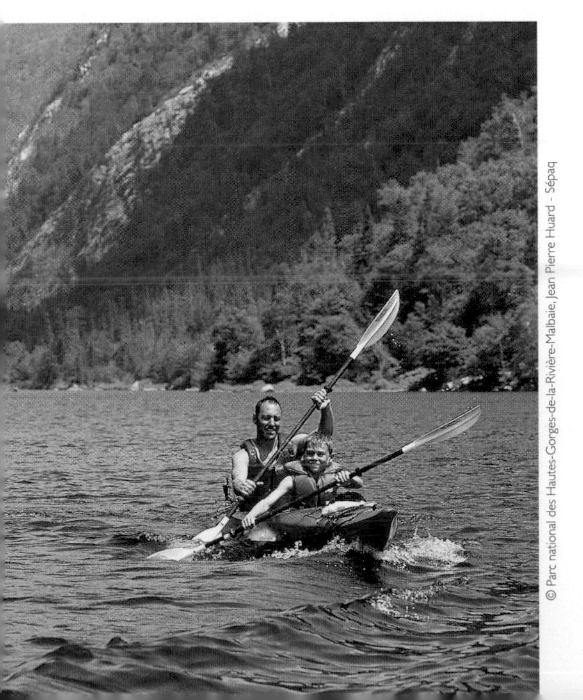

La glisse sous toutes les coutures

© François Piché

Déjà connu des adeptes de ski et de planche à neige, Le Massif est devenu, au cours des dernières années, le point de rassemblement d'un nombre grandissant de **télémarkeurs**. Ceux-ci, en raison de la plus importante dénivellation à l'est des Rocheuses canadiennes — 770 mètres depuis le sommet jusqu'à la mer — peuvent s'en donner à cœur joie dans une station à leur image. Le Massif, c'est bien plus qu'une simple station de ski : c'est la nature à l'état pur! Offrant littéralement la mer au bout des skis, la montagne s'intègre en parfaite harmonie avec le milieu naturel de la région de Charlevoix, reconnue en 1989 par l'UNESCO comme faisant partie de la Réserve mondiale de la biosphère.

Les chalets de la base et du sommet du Massif offrent une **vue panoramique sur la montagne et le fleuve**. Les cafétérias et le restaurant Mer & Mont servent des plats régionaux conçus à partir de produits du terroir, comme le croustillant au Migneron. L'amant de la nature ne peut demander mieux! Et que dire de la vue qui s'offre à ses yeux au détour des nombreux virages? À ses pieds, la vue du fleuve gelé s'étend dans toute sa splendeur jusqu'à l'Isle-aux-Coudres.

De la neige jusqu'aux genoux

Aux abords du grand fleuve, Le Massif bénéficie de conditions de neige exceptionnelles : **630 centimètres par année**, c'est toute une moyenne. Comme dans les Rocheuses, l'humidité en provenance de la « mer » gèle en montant et se transforme en neige pour recouvrir les pentes d'une petite couche de poudreuse qui fait le bonheur des lève-tôt.

Après une bonne bordée de neige, il ne faut pas manquer de laisser sa trace dans **La 42**, une piste renommée dont l'inclinaison se fera sentir jusque dans les cuisses. À ceux qui auront encore de l'énergie après une telle descente, le secteur hors-piste du Mont à Liguori offrira un terrain de jeu fascinant avec 34 hectares de poudreuse. Pour du ski de bosses, c'est dans **La Pioché** que ça se passe. Ceux que les grandes courbes intéressent peuvent aller du côté de **L'Anguille**. Cette piste, qui porte le nom des habitants de Petite-Rivière, promet de grandes émotions. Quant à **La Charlevoix**, elle offre une descente vertigineuse. Longue de plus de deux kilomètres, cette piste — homologuée par la Fédération internationale de ski — permet à l'élite de s'entraîner dans l'est du Canada. C'est en outre le lieu idéal pour la tenue de compétitions d'envergure. Pour des descentes plus douces, L'Ancienne est accessible aux télémarkeurs de tout niveau. **La Petite-Rivière** présente pour sa part une dénivellation constante en plus d'une vue imprenable sur le fleuve. Sur les pentes du Massif, l'évasion ne pourrait être plus totale.

Repères

www.lemassif.com
1 877 LE MASSIF (536–2774)

- ***Surface skiable :*** *166 hectares pour 48 pistes et sous-bois dont la plus longue fait 4,8 kilomètres.*
- ***Niveau :*** *de débutant à expert, avec 43 % du domaine skiable coté de difficile à extrême (20 % facile, 37 % difficile, 31 % très difficile, 12 % extrêmement difficile).*
- ***Saison :*** *du début décembre à avril.*
- ***Services :*** *école de glisse (ski, surf des neige, télémark, chaise sur skis), cafétérias bistro, restaurant et pubs, location et réparation d'équipement, service de garderie, tarifs pour les groupes.*
- ***Le Rendez-vous télémark :*** *chaque année, à la fin janvier, un week-end entier est consacré au télémark.*
- ***Autres événements marquants : Le Massif Open****, ouvre la saison printanière tous les ans, avec une course amicale et un après-ski au pub du sommet.* ***La journée des Père Noël*** *: tous les skieurs et planchistes costumés Père Noël peuvent skier toute la journée pour 15 $; tous les fonds amassés sont remis à l'organisme Dr. Clown.*

Sentier des Caps

Un belvédère sur le fleuve

Au Sentier des Caps de Charlevoix, le Saint-Laurent et ses îles dévoilent toute leur magnificence depuis les fiers sommets qui les surplombent. Un cap étant une pointe de terre qui s'avance dans la mer, le fleuve — ici à l'allure de mer — ne s'est jamais dévoilé d'aussi près que depuis la faille géologique qui se précipite du haut de l'un de ces promontoires vertigineux. L'impression de pouvoir plonger dans les flots, ne serait-ce que du regard, ne s'est jamais faite aussi intense.

En quittant le sentier pour s'approcher un peu du vide, cette impression est plus que saisissante. Un pas de plus et on y est! L'Isle-aux-Coudres d'un côté et l'archipel de l'Île-aux-Grues de l'autre se dessinent peu à peu sous l'œil averti du spectateur privilégié qu'est le randonneur en ces lieux. Avec des lunettes d'approche, on peut même apercevoir la croix celtique qui se dresse sur Grosse Île, en mémoire des immigrants irlandais.

À seulement 40 minutes de la capitale, ce sentier de **longue randonnée** est une escapade rêvée pour fuir la ville. La beauté de son décor sauvage convertirait même le plus accro des citadins! Chaque saison offre un spectacle renouvelé. Comme un caméléon, le fleuve passe par toute une gamme d'émotions colorées, du rose le plus ardent jusqu'au bleu le plus glacial. Des premiers bourgeons du printemps aux derniers soupirs de l'automne, la randonnée pédestre est à l'honneur. Comme pour les milliers d'oies blanches qui reviennent chaque année trouver refuge au Cap-Tourmente, ce ne sera pas la dernière fois qu'on y met les pieds. La forêt encore vierge de Charlevoix, avec ses arbres centenaires et sa flore généreuse, ne cesse de révéler ses mystères. La nuit tombée, le reflet de la lune sur le fleuve et les lueurs de la vie nocturne des insulaires font place à la rêverie.

Repères

www.sentierdescaps.com
1 866 823-1117 ou (418) 823-1117

- ***Étendue :*** *51 kilomètres de sentiers balisés et patrouillés (mais non tracés l'hiver) entre la Réserve faunique du Cap-Tourmente et le village de Petite-Rivière-Saint-François.*
- ***Dénivelé :*** *jusqu'à 800 mètres.*
- ***Sentiers pédestres :*** *68 kilomètres.*
- ***Sentiers de ski de fond et hors-piste :*** *65 kilomètres.*
- ***Sentiers de raquette :*** *53 kilomètres.*
- ***Niveau :*** *pour randonneurs et skieurs de niveau intermédiaire à avancé.*
- ***Hébergement :*** *sept refuges, équipés d'un poêle à bois et de bois de chauffage, pouvant loger entre quatre et 14 personnes; camping sauvage au lac Saint-Tite et le long du sentier de longue randonnée.*
- ***Location :*** *skis, chaussures, raquettes et bâtons de marche.*
- ***Autres services :*** *transport de véhicules, transport de bagages, randonnées guidées, etc.*
- ***Saison :*** *de la mi-mai à novembre pour la randonnée pédestre, de décembre à la mi-avril pour la raquette et le ski.*
- ***Accès :*** *2 rue Leclerc à Saint-Tite-des-Caps (au coin de la Route 138) : accueil principal. Raquette et ski de fond : 441, Rte 138 Petite-Rivière-Saint-François : sortie Ski alpin Le Massif (accès par le sommet du Massif).*

En **hiver**, le soleil fait étinceler comme autant de diamants les îlots de glace qui descendent le Saint-Laurent. La nuit venue, il arrive que les aurores boréales dansent dans le ciel. **Raquettes** aux pieds, on se laisse aisément séduire par la fraîcheur et l'éclat des paysages qui ne sont pas sans rappeler le royaume du Père Noël. En six ou sept jours, on peut parcourir les 48 kilomètres du Sentier des Caps en passant par Saint-Tite-des-Caps. D'ailleurs, le secteur de Saint-Tite-des-Caps est un véritable royaume pour la **courte randonnée**, avec sept sentiers de 4 à 16,4 kilomètres qui mènent les raquetteurs à des belvédères incomparables sur le Saint-Laurent et sur l'archipel de Montmagny.

Focus

Famille : *Au sentier linéaire s'ajoutent d'autres petits itinéraires pour la randonnée d'une journée, permettant à toute la famille de saisir du coin de l'œil un morceau du fleuve. Dans le secteur Petite-Rivière-Saint-François se trouvent sept sentiers de ski de fond ou hors-piste. Dans le secteur Saint-Tite-des-Caps, sept sentiers de quatre à 16,4 kilomètres se prêtent à la raquette et huit sentiers de cinq à 12,4 kilomètres à la randonnée pédestre.*

Depuis 2005, le Sentier des Caps s'est enrichi d'un nouveau réseau de quatorze kilomètres de sentiers exclusifs à la **raquette**. Croisant à l'occasion les pistes de ski de randonnée, ces sentiers permettent aux raquetteurs de pratiquer leur sport favori dans un environnement sauvage. À ne pas manquer : une descente de 5,4 kilomètres dans la « neige folle », jusqu'à la base de la montagne du Massif. De là, il est possible de profiter du service de remontée mécanique pour rejoindre le sommet... et recommencer!

Côté **ski**, les amateurs sont bien servis. En effet, 45 kilomètres tracés et vingt kilomètres réservés au pas nordique attendent les fondeurs au **Centre de ski de fond et nordique du Sentier des Caps**, basé au sommet de la station de ski alpin Le Massif. Au menu : sept sentiers, dont deux sont classés « faciles ». Les adeptes de ski nordique ne manqueront pas l'Abattis, un sentier de 11,7 kilomètres spécialement adapté à leur sport et offrant une vue splendide à mi-chemin. Imaginez : à l'ouest, plus de six caps qui embrassent le fleuve — avec le Cap-Tourmente en arrière-plan — et, à l'est, l'Isle-aux-Coudres. La cerise sur le gâteau : le refuge l'Abattis, situé juste là, sur ce belvédère! Rêves inspirés à l'horizon.

Les **skieurs aguerris** pourront emprunter le sentier Grande Liguori et passer la nuit dans le refuge du même nom, à quatre kilomètres du départ (la piste faisant 7,5 kilomètres au total). Ces deux sentiers (Abattis et Grande Liguori) sont tracés à huit centimètres de large — ce qui est intéressant pour ceux qui aiment chevaucher sentiers tracés et nordiques avec leurs skis hors-piste... Chaussés de ceux-ci, les plus téméraires n'oublieront pas les peaux de phoque, bien utiles pour faire l'ascension des 800 mètres de dénivelé, ou pour se lancer à l'assaut du Cap-du-Salut, où ils connaîtront sûrement la rédemption.

Que ce soit pour effectuer une randonnée d'un jour ou deux ou encore pour faire la traversée depuis le Cap-Tourmente jusqu'à Petite-Rivière-Saint-François (ou vice-versa), en été comme en hiver, le Sentier des Caps propose une occasion rare de surprendre la noblesse du grand fleuve d'aussi près et d'aussi haut à la fois.

Les défis de l'arrière-pays

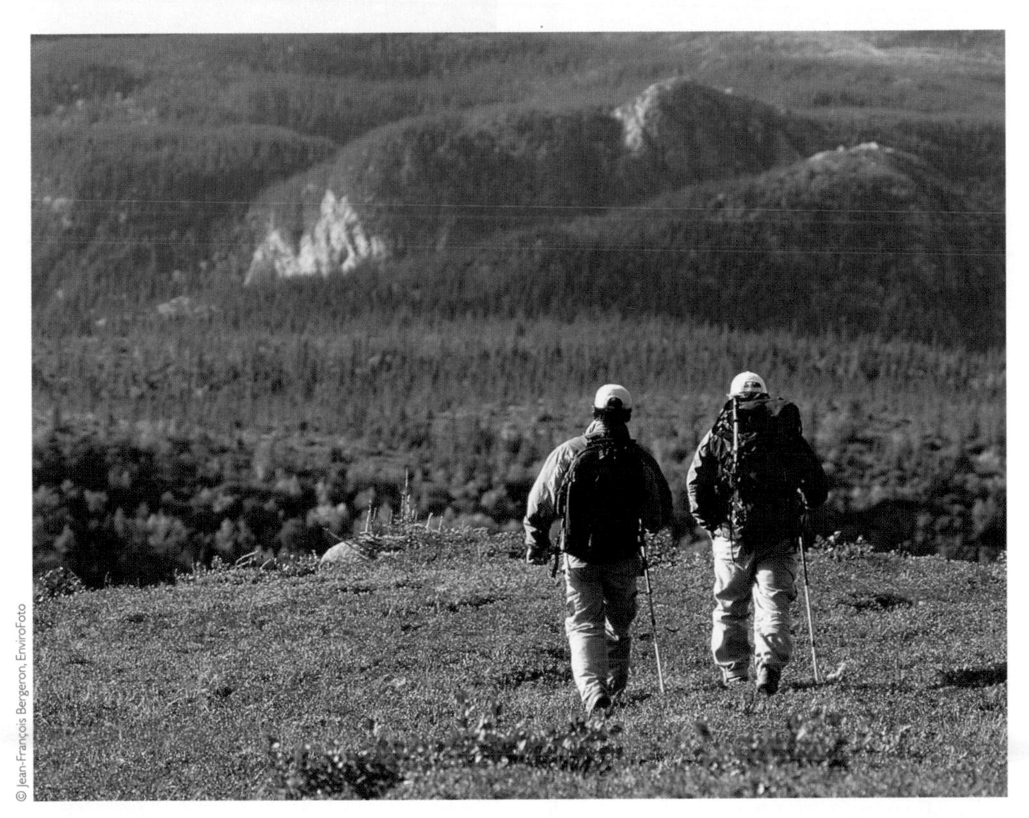

© Jean-François Bergeron, EnviroFoto

Parcourant des sommets tantôt impressionnants, tantôt modestes, La Traversée de Charlevoix, représente 100 kilomètres d'un agencement majestueux de montagnes et de forêts entrecoupées de nombreux lacs et rivières. Ce corridor, aménagé au cœur de la région de Charlevoix, Réserve mondiale de la biosphère, en révèle les secrets les plus précieux. **D'immenses vallées** aux gorges déployées, couronnées de vagues pétrifiées dans le granit, façonnées par les glaciers, sont autant d'étalages devant lesquels le spectateur ne peut que retenir son souffle.

Depuis la limite du parc national des Grands Jardins, jusqu'aux profondeurs de la vallée de Charlevoix, en passant par le parc national des Hautes Gorges de la Rivière Malbaie, pour enfin se terminer dans les sentiers du mont Grands Fonds, la forêt livre ses trésors un à un. Des arbustes de la taïga, où chaque forme de vie résulte d'un équilibre délicat, on passe à de grandes forêts mixtes à perte de vue. Depuis les **refuges et les chalets** accrochés sur les crêtes, c'est un monde de découvertes qui ne demande qu'à se laisser apprivoiser, tout comme les perdrix, les porcs-épics et les geais gris qu'on peut rencontrer au détour du sentier.

Ouverte en 1978, La Traversée de Charlevoix est le premier sentier de longue randonnée aménagé au Québec pour le **ski nordique** et le plus long dans son genre. Plusieurs années de dur labeur permettent aujourd'hui aux amateurs de **randonnée pédestre** et aux adeptes de **vélo de montagne** d'en profiter. Cependant, il n'y a pas de crainte à y avoir : la bousculade n'est pas au rendez-vous.

S'il est l'un des sentiers les plus sauvages au Québec, il est aussi **l'un des plus difficiles.** Que ce soit à ski, à pied ou à vélo, cette randonnée n'est pas de tout repos. Montées et descentes se succèdent sur ce sentier « linéaire », où la ligne droite est quasi inconnue. Très exigeant sur le plan physique, ce véritable raid en forêt boréale demande aussi une grande maîtrise technique et, pour les cyclistes, une bonne connaissance de la mécanique. Quant au ski, comme Eudore Fortin, « père » de La Traversée, nous le rappelle : « La Traversée de Charlevoix ne s'adresse pas aux

Repères 

www.traverseedecharlevoix.qc.ca
1 877 639 -2289

- **Accueil :** *Kilomètre 10,6 sur la route 381, au nord du village de Saint Urbain*
- **Étendue :** *Un peu plus de cent kilomètres de sentiers balisés, non tracés (l'hiver) ni patrouillés, dont 30 % de montées, 45 % de descentes et 25 % de terrain plat.*
- **Dénivelé :** *Entre 200 et 850 m*
- **Durée :** *À pied ou à ski, compter six ou sept jours (possibilité de trajet raccourci de trois ou quatre jours) et en vélo de montagne, trois ou quatre jours.*
- **Étapes :** *Outre la première étape, qui ne fait que 4 kilomètres, compter de 12 à 20 kilomètres entre chaque refuge.*
- **Calibre :** *Pour randonneurs de niveau intermédiaire, pour skieurs de niveau intermédiaire à avancé et pour cyclistes très expérimentés. Nécessite une très bonne forme physique ainsi que des connaissances en matière de survie en forêt et de secourisme en région éloignée.*
- **Hébergement :** *Six refuges équipés d'un poêle à bois (bois de chauffage fourni), pouvant loger jusqu'à 8 personnes. Six chalets en bois rond (accueillant jusqu'à 15 personnes), équipés d'un poêle à bois, d'une cuisinière et de lampes au propane, de couverts et d'une batterie de cuisine. En haute saison, pour s'assurer d'une place, il vaut mieux réserver longtemps à l'avance. Deux autres chalets pouvant accueillir entre 15 et 20 personnes sont disponibles pour de la courte randonnée pédestre et de la raquette. L'Eudore et le Dôme sont situés à 2 kilomètres au nord du Mont du Lac des Cygnes (parc des Grands Jardins).*
- **Autres services :** *Navette, transport des bagages et de la nourriture, cartes topographiques, location d'équipement (sur demande : raquettes, bâtons, peaux de phoques) et vente de nourriture lyophilisée. Douches au bureau d'accueil.*
- **Saison :** *De juin à novembre pour la randonnée et le vélo; de décembre à la fin de mars pour le ski.*
- *Le sentier est un* ***tronçon du Sentier national*** *au Québec (www.fqmarche.qc.ca) et du Sentier transcanadien (www.tctrail.ca).*
- *Les* ***chiens*** *sont admis pour les trois premiers jours, ensuite, il faut emprunter la sortie de secours située entre le jour deux et le jour trois.*

débutants. Bien que les étapes ne soient pas très longues, les sentiers ne sont pas damés et, à certains endroits, il faut mettre les peaux de phoques non seulement pour monter, mais aussi pour descendre, tellement c'est abrupt! ».

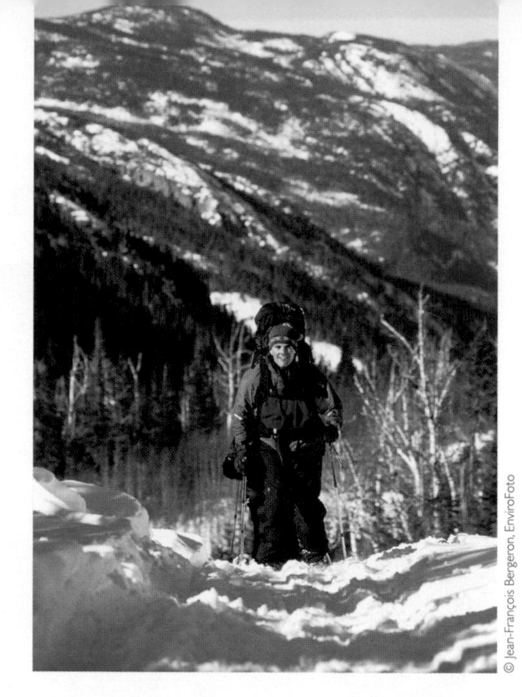

© Jean-François Bergeron, EnviroFoto

Peu importe la discipline choisie, l'effort et une attention soutenus sont la clé de la réussite pour ce **défi grandeur nature** où les obstacles ne sont pas rares : un pas sur la mousse glissante, un autre sur une pierre instable, un saut au-dessus d'une mare d'eau, un arbre à enjamber, un ruisseau à franchir, de la boue plein les pneus, de la neige jusqu'au cou. Mais, comme le soulignait l'ex-premier ministre du Québec Lucien Bouchard : « Plus que l'effort déployé pour atteindre les sommets, c'est la splendeur du paysage et la beauté des lieux qui coupent le souffle ».

Attention, il ne faut pas se méprendre : bien qu'elle nécessite une bonne forme physique, La Traversée de Charlevoix n'est pas réservée qu'aux athlètes. Grâce à une formule astucieuse mise sur pied par les responsables, la tâche devient moins « lourde ». En effet, ceux-ci proposent, pour les groupes, le transport des bagages et de la nourriture, et ce, de chalet en chalet. Ce qui veut dire que l'on peut partir le cœur léger, avec pour seul fardeau son propre baluchon contenant le nécessaire pour la journée. Ce qui signifie que l'on retrouve, le soir venu, tout ce dont on a besoin pour être heureux et rassasié, y compris, si on le désire, une bonne bouteille de rouge! Cette façon de procéder laisse aussi place à une plus grande tranquillité d'esprit, car, bien qu'il soit possible de rejoindre la route à plusieurs endroits, le sentier ne dessert aucun village. On peut ainsi compter sur la présence, chaque matin, d'une motoneige ou d'un camion pour l'évacuation d'un blessé ou, chose plus fréquente, d'un participant fatigué. Bien sûr, il faut savoir composer avec les éléments, car nul n'est à l'abri des soubresauts de la température que peut connaître une région en altitude comme celle de Charlevoix.

Biodiversifié!

Situé dans le pittoresque village de Baie-Saint-Paul, le **Genévrier** est l'endroit rêvé pour emmener toute la famille en vacances. Du petit dernier en passant par les grands-parents et les cousins éloignés, ce n'est pas la place qui manque : les 34 chalets et les 430 emplacements de camping vous accueillent dans le superbe décor de Charlevoix. Des aires de jeux aux sentiers qui jalonnent la rivière de la Mare, une multitude d'activités, éducatives ou ludiques, sont proposées aux amateurs de plein air.

Sur place, les quinze kilomètres de sentiers de **vélo de montagne**, partagés avec les randonneurs, vous feront découvrir les pistes ombragées et rocailleuses du Centre régional de vélo de montagne. À l'aller, de bonnes montées sont à prévoir; au retour, en descendant, le terrain accidenté ravira les plus téméraires.

L'été, une **multitude d'activités pour les enfants,** encadrés par des moniteurs, sont organisées afin de laisser aux parents un peu de temps libre. Volley-ball, jeux sur la plage et baignade occuperont toute la famille.

Sentiers pédestres : 5 (totalisant 15 km, niveau facile)
Sentiers de ski de fond : 4 (totalisant 15 km, niveaux facile, intermédiaire, difficile).
Autres activités : patin, glissade, randonnée de ski de fond en nocturne, vélo de montagne, baignade.
Location : skis de fond, patins, raquettes
Services : restauration, salle de fartage
Hébergement : 34 chalets et 430 emplacements de camping
Saison : toute l'année
Accès : frais d'entrée : 3,50 $ - Ski : 5,50 $

www.genevrier.com
(418) 435-6520 • 1 877 435-6520

Aux alentours

Le tour de l'Isle à vélo

L'Isle-aux-Coudres à vélo, ce sont 26 kilomètres de pistes cyclables paisibles, accessibles à tous les membres de la famille. La vue sur les eaux calmes du fleuve fera écarquiller les yeux des enfants et rendra zen le plus stressé des parents.

www.tourisme-charlevoix.com
1 800 667-2276

Descente sauvage

Pour petits et grands aventuriers, le **canyoning**, ou descente de rivière en rappel, est une activité à découvrir absolument. Au creux d'un canyon, vous enchaînerez des descentes en rappel le long de chutes, des traversées en tyrolienne et des sauts dans des bassins d'eau naturels... le tout dans le décor extraordinaire de la côte charlevoisienne. Des excursions d'une demie à une journée sont proposées, dans quatre sites différents : la **Chute à Cimon** à **Saint-Joseph-de-la-Rive, La Vieille Rivière à Petite-Rivière-Saint-François, La rivière du Moulin à Baie-Saint-Paul et Le canyon du lac de l'Engoulevent**.

De mai à octobre, seul ou en groupe, équipement fourni et encadrement par des guides professionnels.

www.canyoning-quebec.com
(418) 827-8110

Écologie charlevoisienne

Pour s'initier aux sciences de la nature avec des guides naturalistes, le **Centre écologique de Port-au-Saumon** de La Malbaie est un incontournable. De la fin juin à la fin août, le public est accueilli deux fois par jour pour des visites de deux heures des sentiers d'interprétation et des bassins d'organismes marins. Au programme : écologie forestière et marine, ornithologie et manipulation d'étoiles de mer, d'oursins, d'anémones ou de crabes dans un marinarium. Une sortie éducative originale!

www.cepas.qc.ca
1 877 434-2209 • (418) 434-2209

Kayak de mer

Entre fleuve et mer

© Georges Fischer

BAIE-DES-ROCHERS

Exercice de style

Enchâssée parmi les falaises rocheuses de la rive nord du Saint-Laurent, la baie des Rochers offre des panoramas dignes d'une œuvre d'art! Sise entre Saint-Siméon et Baie-Sainte-Catherine, elle expose ses charmes indéniables à travers une galerie de paysages grandioses. Il est possible de mettre son kayak à l'eau à partir d'un quai et de profiter ainsi d'une splendide excursion de plusieurs heures. Le kayakiste déambulera parmi des rochers, des battures et pourra accéder à l'île située au centre de la baie. Par marée basse, elle est accessible à partir de la plage, car la baie se vide littéralement, ce qui permet aux marcheurs de profiter de plus de six kilomètres de randonnée. Il est donc impératif de s'informer des heures de marées.

Le kayakiste plus expérimenté peut s'aventurer au large dans les eaux miroitantes du fleuve et suivre la côte charlevoisienne. Au nord, on longera avec plaisir le cap du Basque et au sud, le cap de la Tête au Chien. Pour une randonnée de quelques heures, cette destination plaira aux pagayeurs de tous les niveaux.

Infos : Tourisme Charlevoix

www.tourisme-charlevoix.com
1 800 667-2276

Infos : Isle-aux-Coudres

- *www.tourismeisleauxcoudres.com*
  1 866 438 2930

Katabatik

- *www.katabatik.ca*
  (800) 453-4850 (418) 665-2332

ÎSLE-AUX-COUDRES

Poésie sur l'eau

Depuis la jolie plage de Saint-Joseph-de-la-Rive, on aperçoit son contour brun doré se détacher peu à peu, dans la brume vaporeuse d'un petit matin sur le fleuve : l'Isle-aux-Coudres semble à portée de main!

Une vingtaine de minutes suffisent pour rejoindre les rives à bord du traversier, abandonnant au sillage l'ombre des montagnes charlevoisiennes. Arrivé à bon port, on voit la lumineuse Baie-Saint-Paul épouser le panorama et, plus au sud, le massif de Petite-Rivière-Saint-François laisse dévaler jusqu'aux flots ses vertigineuses pentes boisées. Mettre à l'eau sur une île semble aller de soi, mais les habitants de ce bout de terre de trente kilomètres carrés savent bien que le fleuve ne pardonne pas les imprudences des navigateurs d'eau douce! Entre flux et reflux, le courant peut ici atteindre les sept nœuds, soit de treize à quatorze kilomètres à l'heure. Maîtriser la lecture d'une carte et d'une table des marées est impératif pour y pagayer en toute sécurité.

Les kayakistes intermédiaires trouvent dans la randonnée d'une journée un défi d'environ 25 kilomètres. Depuis la rive nord de l'île dénudée par la marée matinale et brillante d'algues vertes, le kayakiste file jusqu'au grand large, veillé par quelques mouettes perchées sur les Roches Perdues de la Pointe du Bout d'en Bas. Puis l'on s'engouffre dans l'estuaire. À gauche, la rive sud du Saint-Laurent se devine à plus de dix kilomètres à fleur d'eau. Sur la droite, les rochers de la longue plage au sud de l'île sèchent au soleil entre les flaques salées... Soudain, la tête argent d'un phoque farceur surgit pour replonger et réapparaître aussitôt, toute proche. Et plouf! plus personne... Derrière la pointe de l'Islet, où, à une certaine époque, les pêcheurs de marsouins venaient tendre leur piège pour récolter la précieuse graisse du mammifère marin, Baie-Saint-Paul réapparaît et l'on passe devant le phare qui garde la baie des Prairies. Chargée de foin salé, la rive sous le vent offre son refuge humide et touffu aux bernaches, parulines, cormorans et autres volatiles aquatiques. Un coin ornithologique magique qui invite à prolonger encore un peu la bienfaisante pause insulaire en plein air...

Autres pistes

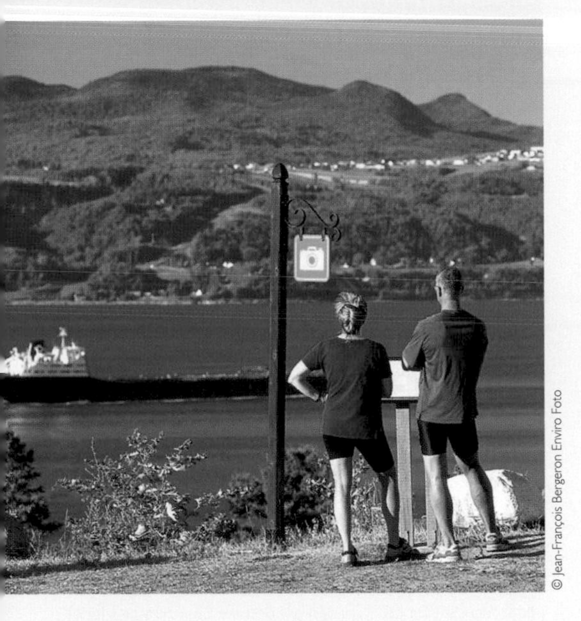

© Jean-François Bergeron Enviro Foto

CHARLEVOIX À VÉLO

Charlevoix à vélo, c'est un ensemble de paysages paradisiaques auxquels on accède après des montées d'enfer. La **route du Fleuve** prend le départ à Baie-Saint-Paul et suit la route 362 jusqu'à La Malbaie, un trajet de 50 « longs » kilomètres. Environ huit côtes inclinées de 14 % à 16 % attendent les mollets endurcis. La halte du cap aux Corbeaux donne sur le village de Baie-Saint-Paul et sur le fleuve, alors que, sur la route des Éboulements, par une visite au Domaine Charlevoix, on obtient une vue inimaginable sur l'Isle-aux-Coudres.

Après avoir traversé le village des Éboulements, où plusieurs artistes ouvrent les portes de leur atelier, les cyclistes peuvent aller se rafraîchir à la plage du cap aux Oies. Une bouchée à Saint-Irénée, sur le quai de pierre, puis c'est l'une des dernières montées importantes avant la sublime et panoramique descente en lacets qui mène à La Malbaie.

L'**Isle-aux-Coudres** : 3,6 kilomètres de large, 10,4 de long, et 26 kilomètres d'une route cyclable reposante, bercée par les vagues du Saint-Laurent. Sur ce chemin, plus facile à rouler que le tracé précédent, on voit des maisons du 19e siècle, des moulins, des foins salés et des musées présentant l'histoire de l'Isle. Il est recommandé de rouler dans le sens anti-horaire.

Repères

Imprimez les cartes touristiques de la ***route du Fleuve*** *et de l'****Isle-aux-Coudres*** *sur le site de l'ATR de Charlevoix.*

www.tourisme-charlevoix.com
1 800 667-2276

Les Palissades (Saint-Siméon)

À douze kilomètres au nord du village de Saint-Siméon par la route 170, le parc d'aventures en montagne Les Palissades de Charlevoix invite les amants de plein air et de montagne à découvrir plusieurs activités vertigineuses, dont deux parcours de via ferrata et une descente en rappel accessibles à tous. Le site comprend de très beaux sentiers de randonnée pédestre (et de raquette l'hiver) avec des belvédères aériens. Une paroi d'escalade de granit avec plus de 150 voies (jusqu'à 400 mètres de hauteur) de même qu'une tyrolienne de plus de 250 mètres attendent les amateurs de sensations fortes. La visite des lieux permet également la découverte d'espèces végétales et forestières très diversifiées et d'un lac d'origine glaciaire.

Sentiers pédestres : quinze kilomètres.
Activités : escalade, via ferrata (estivale et hivernale), descente en rappel (70 mètres), tyrolienne, interprétation de la nature, pont suspendu, raquette, randonnée pédestre, spa et sauna.
Location : canots.
Services : formation en escalade de rocher et de glace l'hiver (privée ou en groupe), service de guide privé, navette pour le sentier de l'Orignac (pour la longue randonnée), hébergement, restauration, spa et sauna aux abords du lac.
Hébergement : en dortoir, chalet, refuge ou bivouac en montagne.
Saison : toute l'année.
Accès : 4,43 $ par adulte et 3,54 $ par enfant.

1 800 762-4967
www.aventurex.net

Centre de plein air Les Sources Joyeuses (La Malbaie)

Ce centre de plein air, actif surtout l'hiver, propose plusieurs activités, dont 82 kilomètres de ski de fond. Un belvédère permet d'admirer une vue panoramique sur le fleuve et les composantes de la Réserve mondiale de la biosphère. L'été, l'accès est libre pour les randonneurs.

Sentiers de ski de fond : douze totalisant 82 kilomètres (facile, intermédiaire, difficile).
Sentier de raquette : 11 kilomètres.
Marche sur neige : 5,5 kilomètres (trois sentiers).
Sentier pédestre (été) : 21 kilomètres.
Autres activités : raquette, patin à glace, glissade, tour d'observation, randonnées de ski de fond en nocturne les soirs de pleine lune.
Location : patins à glace, skis de fond, raquettes et casiers.
Services : restauration, salle de fartage, relais chauffé.
Saison : hiver et été.
Accès : payant l'hiver.

www.lessourcesjoyeuses.com
(418) 665-4858

Information touristique générale

Tourisme Charlevoix
495, boul. de Comporté
La Malbaie (Québec) G5A 3G3
1 800 667-2276
www.tourisme-charlevoix.com

Trois sentiers de randonnée

Le sentier Les Florents, d'une longueur de 8,4 kilomètres, mène les amateurs de marche (et l'hiver, de raquette et de ski en peau de phoque) à proximité des montagnes de l'arrière-pays de Charlevoix. Le sentier compte deux points de départ : la Maison d'affinage Maurice Dufour et les Motels et Chalets Chez Laurent, situés à moins de 10 kilomètres de Baie-Saint-Paul et accessibles à partir de la route 138. Du côté des Éboulements, deux sentiers permettent la pratique des trois mêmes activités et la découverte de paysages et de panoramas grandioses. Il s'agit des sentiers Le Paysan et Louis-Charles Audet, de longueurs respectives d'environ cinq et trois kilomètres. Départ des sentiers de la Ferme Éboulmontaise (route 362).

Saison : toute l'année.
Accès : gratuit.

1 800 667-2276

VOILE DANS CHARLEVOIX

Prendre l'Air du large

Pour qui désire s'initier au plaisir de la navigation, Baie-Saint-Paul représente un endroit idéal pour prendre le large. Porté par le Saint-Laurent, on longe durant quelques heures une côte déchirée, dont chaque cap dévoile de nouvelles falaises plongeant dans l'eau. En face de la baie, l'Isle-aux-Coudres s'offre aux embarcations qui souhaiteraient se mouiller, le temps d'un pique-nique ou d'une petite halte. La liberté sur l'eau est grande et une excursion avec L'Air du large peut vous mener jusqu'à Tadoussac, site de prédilection pour observer les baleines, ou bien jusque dans l'archipel des Îles-de-Montmagny, sur la rive sud.

Location : dériveurs de différentes tailles (jusqu'au quillard de 28 pieds), vélos de montagne, vélos hybrides, trottinettes, cerf-volant acrobatique.

Autres activités : initiation et autres cours (relatifs à la voile et au parapente), excursions guidées de kayak de mer ou de kayak de rivière, excursion aux baleines en canot pneumatique ou en bateau.
Saison : été
www.airdularge.com • (418) 435-0127

Hisser les voiles depuis Cap-à-l'Aigle

Du côté du magnifique village de Cap-à-l'Aigle, si typique des paysages de Charlevoix, l'entreprise Rendez-vous Charlevoix offre principalement des cours d'initiation à la voile pour débutants. En activité principalement au cœur de l'été, en juillet et en août, l'école propose des sorties d'une journée ou demi-journée de navigation sur le fleuve Saint-Laurent au départ de cette charmante petite marina. Pour ceux qui désirent pousser l'aventure plus loin, il est aussi possible de suivre un cours de plusieurs jours pour découvrir tout ce qu'il faut savoir pour devenir équipier ou autonome sur un bateau. Enfin, un stage d'une semaine donnera aux plus compétitifs le B.A.-BA des règles de course, de l'ajustement des voiles, de la stratégie et de la tactique de la régate.

Saison : été
www.rendezvous-charlevoix.com
(418) 665-9898

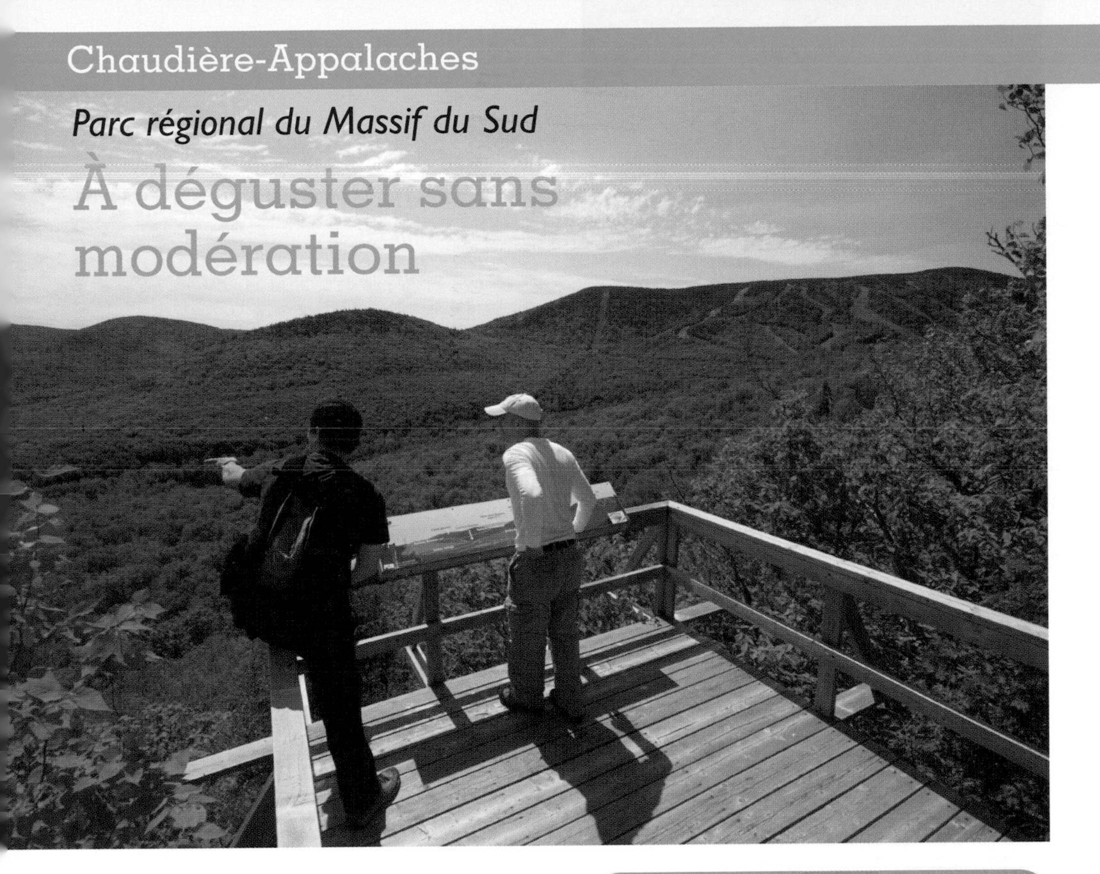

Parc régional du Massif du Sud

À déguster sans modération

Du savoureux « Mont Chocolat » aux intrigantes « Portes de l'enfer », des sommets culminant à 917 mètres aux profonds canyons en passant par les abris-sous-roche et autres curiosités géologiques, le Parc régional du Massif du Sud se déguste à toutes les sauces. À pied, en vélo, à cheval, en skis ou les raquettes aux pieds, on apprécie ses charmes laissés au naturel.

Blotti au flanc des Appalaches, le terrain de jeu se déroule sur 119 kilomètres carrés de montagnes et de vallées. Sur les sommets, des tours d'observation et promontoires permettent de gagner encore quelques mètres pour profiter du panorama à des dizaines de kilomètres à la ronde.

Dans les vallées, l'eau coule à flot pour donner naissance à de superbes paysages aquatiques. Ruisseaux et rivières, cascades, canyons et bassins naturels sont autant d'endroits paisibles et charmants auprès desquels on peut se promener ou camper. Ces différents environnements nous font voir une flore et une faune très variées; on y retrouve même des espèces rares telles que la grive de Bicknel et des tétras. À mesure qu'on grimpe, on passe de la luxuriante végétation de feuillus installée au bord des cours d'eau aux sapinières des sommets : tout un dépaysement!

Repères

www.massifdusud.com
(418) 469-2228

- ***Autres activités :*** *piste d'hébertisme, géocaching, ski alpin, glissades.*
- ***Hébergement :*** *trente sites pour le camping sauvage, deux abris et six refuges rustiques, deux tentes prospecteur et une yourte.*
- ***Grande randonnée des sommets :*** *fin de semaine de la Fête du Travail. Randonnée de trois jours à la découverte de sites de marche de la région : Parc régional Massif du Sud, Camp forestier de St-Luc.*
- ***Les dimanches de septembre et jusqu'à l'Action de Grâces :*** *remontée mécanique de la station de ski ouverte aux cyclistes de montagne et marcheurs.*
- ***Équitation : Ranch Massif du Sud :*** *www.chevaux.com • (418) 469-2900*

Focus

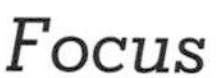

Débutant : *Le circuit des Passerelles : courte randonnée de 3,5 kilomètres à faire si vous disposez de peu de temps. Laissez-vous charmer par le murmure de la rivière du Milieu en empruntant le sentier des Passerelles.*

Intermédiaire : *Pour ceux qui aiment les balades à vélo où la nature surprend à chaque détour, le sentier du Milieu et le sentier de la Vallée proposent des trajets sinueux dans la forêt où courbes et pentes surgissent soudainement. Comme le sentier de six kilomètres est bien tracé, la balade se fait en douceur et en toute sécurité.*

Expert : *Ceux qui ont de bons mollets pourront attaquer le circuit de l'Ascension (24 kilomètres). Deux sommets seront atteints lors de cette ascension menant au faîte du mont Chocolat à 717 mètres d'altitude puis au mont du Midi à plus de 915 mètres d'altitude. Découvrez la magnificence des plus hauts sommets entre les Chic-Chocs et le mont Mégantic. Sensations fortes assurées!*

Au total, 93 kilomètres de **sentiers pédestres** et 35 kilomètres de **chemins de gravier multifonctionnels** sillonnent le territoire. Il existe près d'une vingtaine de circuits réservés uniquement à la marche et leur longueur varie entre 3,5 et 24 kilomètres. Et pour allier plaisir et découvertes, le parc offre plusieurs activités animées. Parmi elles, la populaire **randonnée aux abris-sous-roche** accompagnée d'un naturaliste offre l'occasion d'en apprendre plus sur ce phénomène géologique aux manifestations impressionnantes.

Dans cet environnement très accidenté, il faut emprunter plusieurs échelles et se faufiler entre d'énormes blocs de pierre pour cheminer. Les enfants adorent! Quant aux parents, ils apprécieront les beaux points de vue et l'adaptation spectaculaire de la végétation dans ce paysage rocheux. Plusieurs ateliers payants sont aussi au programme : initiation au GPS, *géocaching*, randonnées guidées en période estivale et hivernale, et plus.

Vous préférez le **vélo**? Trente kilomètres de sentiers pour les **vélos hybrides et les vélos de montagne** (dont 13 se situent dans la zone des sommets) mettront vos mollets au défi et vous feront découvrir les sommets du mont du Midi et du mont St-Magloire, sur lequel une tour a été construite et offre une vue de 360 degrés. En septembre, il est possible d'utiliser les remonte-pentes de la station de ski et de redescendre par un chemin de 18 kilomètres. D'autres sentiers longent la rivière, sans grandes dénivellations, et sont donc parfaits pour pédaler en famille. Les mêmes parcours peuvent être empruntés à cheval, avec des guides du ranch installés à l'entrée du parc.

L'hiver, le réseau est utilisé pour le **ski de fond** ou **la raquette**. Que ce soit pour grimper au mont du Midi (915 mètres) ou faire une promenade le long d'une rivière, chacun y trouve un parcours à son niveau. Du côté de la raquette, les sentiers balisés sont longs de 2,5 à 15 kilomètres. Il y a aussi la possibilité de prolonger son bien-être et de dormir dans un des sept **refuges** ou dans une **yourte**. Côté ski de fond, 22 kilomètres n'attendent que vos planches! Et tout comme l'été, fondeurs et raquetteurs ont accès au sommet du mont du Midi en remontée mécanique, pour ensuite redescendre paisiblement.

Tout autant que le dynamisme créé par toutes ces activités, on aime la fraîcheur de ce parc et son naturel, car ici, on peut encore faire du camping sauvage, dormir en abri, en refuge, en tente prospecteur ou en yourte pour une petite somme. On peut aussi amener en vacances son compagnon à quatre pattes et profiter de l'eau revigorante d'un bassin naturel.

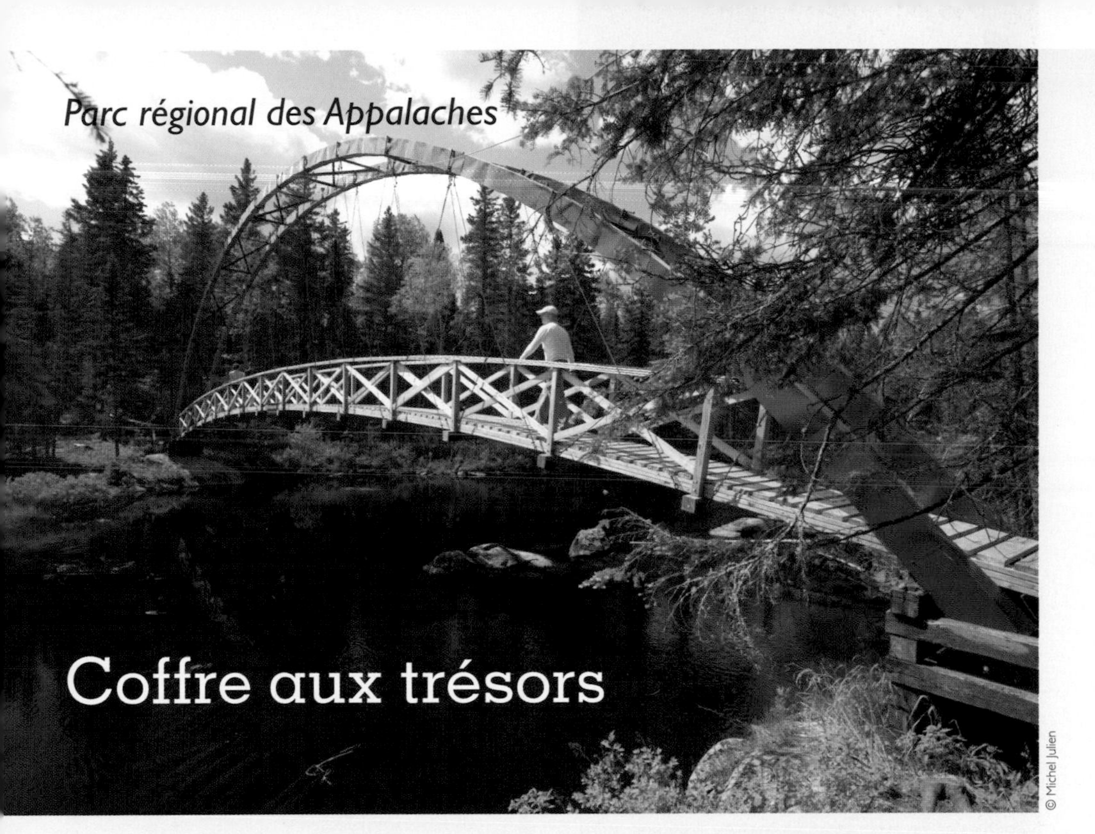

© Michel Julien

Coffre aux trésors

Quand huit maires rassemblent leurs municipalités en un vaste parc et que chacune déploie ses charmes pour offrir aux visiteurs ce qu'elle a de mieux, le résultat est remarquable : un parc à vocations multiples, pareil à un coffre aux trésors.

Niché au milieu de la chaîne de montagnes du même nom, le parc régional des Appalaches a de quoi plaire aux visiteurs. Pas de monotonie dans les paysages. Le randonneur dispose d'un réseau de **120 kilomètres de sentiers** à travers tourbières, rivières, forêts et montagnes. Le canoteur apprécie les escapades qu'offre le calme des lacs et des rivières. Même l'adepte de descente en eau vive sera conquis par certaines portions des rivières. L'hiver, l'amateur de **raquette**, de **traîneau à chiens** et de **trottinettes des neiges** peut prendre la direction du Jardin des gélinottes, qui tient son nom de la grande variété d'oiseaux que l'on peut admirer tout au long du parcours d'une vingtaine de kilomètres. Pas de gros vents qui décoiffent ni de montées éreintantes, les pistes se faufilent en douceur dans la forêt et forment des boucles. Des refuges sont aménagés le long du parcours où on peut se réchauffer et faire un pique-nique.

Les adeptes de **randonnée pédestre** ayant un faible pour les parcours vallonnés seront aux oiseaux dans le sentier des Orignaux : 17 kilomètres à travers une forêt mixte entrecoupée de rivières et de lacs. Quoi de plus relaxant que de marcher au son de l'eau qui ruisselle parmi les rochers. Il ne s'y trouve aucune

Repères

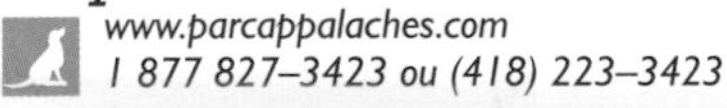

www.parcappalaches.com
1 877 827–3423 ou (418) 223–3423

Superficie : *parc regroupant 11 sites naturels reliés entre eux par 120 km de sentiers pédestres.*

Sentiers de raquette : *80 km*

Location : *canots, kayaks, rabaska, vélos, raquettes*

Autres services : *balade en ponton, services de guide et de navette, bureaux d'information touristique*

Hébergement : *sites aménagés pour le camping et aires sauvages pour le canot-camping; 15 refuges, dont six accessibles quatre-saisons.*

Autres activités : *interprétation de la nature, ornithologie, randonnée guidée*

Le Raid des Appalaches (mi-septembre) est une compétition de style triathlon de 50 km, ouverte à tous.

Saison : *ouverture à longueur d'année*

Tarif : *l'accès aux sites est gratuit, sauf à la base de plein air du lac Carré et à la montagne Grande Coulée*

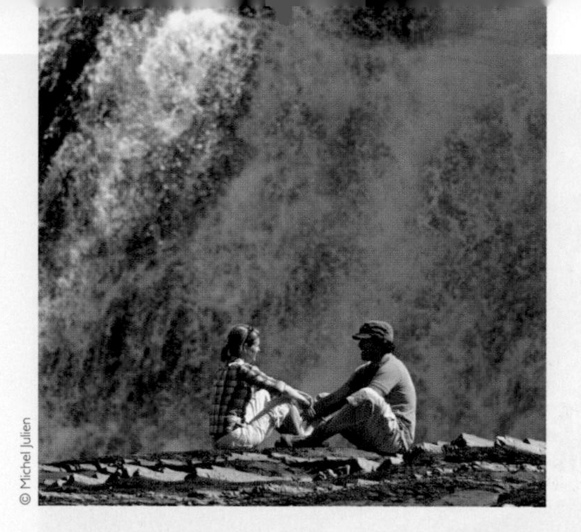
© Michel Julien

rivière à traverser à gué puisque des ponts relient une rive à l'autre. Au loin, la montagne Grande Coulée apparaît seule, majestueuse au milieu des lacs qui l'entourent. On peut gravir cette montagne (dénivelée de 363 mètres) jusqu'à une altitude de 853 mètres, à pied ou en **raquettes** (sentier balisé—voir en page 193 pour le sentier de longue randonnée). Au fil des sentiers, plusieurs panneaux d'interprétation attirent l'attention sur la faune et la flore, notamment grands hérons, martins-pêcheurs, huards, cervidés et castors, que l'on peut observer en traversant tourbières, érablières et eskers. Le mont Sugar Loaf, un incontournable avec ses 650 mètres d'altitude, offre de son sommet une vue dégagée de 360 degrés sur la région.

Pour les amateurs de **vélo en forêt**, les Tourbières de Saint-Just-de-Bretenières offrent un parcours de 15 kilomètres. Les visiteurs pourront admirer une majestueuse tourbière tapissée de Sarracénie pourpre, une plante insectivore. De plus, le parcours mène à la frontière canado-américaine et fait découvrir un milieu humide, mystérieux et propice à l'interprétation.

Au départ de la municipalité de Saint-Fabien, la chute Devost offre des cascades qui dévalent sur 500 mètres. Dès le milieu de la matinée, le soleil règne en maître, et ce, pour le reste de la journée. Un moment à bouquiner sur les rochers ou à se détendre dans le bassin aux eaux tourbillonnantes est toujours apprécié, mais il faut songer à apporter de la crème solaire!

Le lac Talon peut être le point de départ d'une formidable expédition en **canot-camping**. Dans ce vaste secteur, il y a matière à occuper trois bonnes journées d'activités, au cours desquelles on alternera le canot et la marche, jusqu'au lac Frontière. Cette aventure d'eau vive nous transporte sur les eaux calmes de la Rivière Noire Nord-Ouest, longue de 30 kilomètres, dont le niveau fluctue beaucoup en fonction des précipitations et qui, par le fait même, fait varier la longueur des six sentiers de portage.

Le long de la rivière, on trouve plusieurs emplacements de **camping** sauvage, semi-aménagés et gratuits. Le circuit contourne le mont Sugar Loaf, au long d'un parcours ponctué d'aires de repos et de **refuges** d'où l'on peut accéder aux sentiers pédestres du mont. Le trajet n'a toutefois pas besoin d'être parcouru en entier : des aires d'embarquement permettent d'y accéder et d'en sortir à différents endroits. Quel plaisir de planter sa tente en bordure de la rivière et d'y prendre un bain de minuit les soirs de pleine lune! Et pour les soins du corps, pourquoi pas un bain de boue à l'une des plages de glaise!

Pour éviter aux visiteurs de revenir sur leurs pas et pour leur faire profiter au maximum des installations du parc, le personnel propose un service de **navette.** Un employé du parc ramène la voiture des visiteurs au point d'arrivée de leur excursion. Valet, S.V.P!

Focus

Famille : *Une balade sur le sentier du lac Talon offre une expérience tactile unique aux petits et grands. L'attraction principale est l'immense tourbière où flore et faune évoluent paisiblement. Les enfants apprécient admirer les barrages de castors et observer le grand héron monter le guet. Le sentier représente six kilomètres. Les bottes sont nécessaires car, même si certaines parties du parcours sont pontées, il s'agit d'un milieu humide.*

Débutant : *Pour une marche à travers des érablières et sur des crêtes de montagne, le sentier du ruisseau des Cèdres #3 est l'endroit idéal où entendre des chants variés, car plusieurs espèces d'oiseaux nichent dans la forêt qu'il traverse. Le parcours aboutit à une chute d'une trentaine de mètres et à un bassin à remous propice à la baignade. C'est l'occasion de remplir la gourde à la source. Il est possible de parcourir ce sentier de 3,5 kilomètres ou de le combiner avec d'autres parcours en boucle pour une plus longue randonnée.*

Expert : *Pour les téméraires, le sentier du Garde-feu mène au sommet du mont Sugar Loaf (à ne pas confondre avec celui des États-Unis). Le sentier, qui est à même la montagne, tire son nom de l'époque où les guetteurs étaient en devoir pour repérer les éventuels feux de forêt. Avec ses 650 mètres, c'est le deuxième plus haut mont du parc. La montée, parfois abrupte, est récompensée par une vue sur 360 degrés, où huit clochers d'églises apparaissent tels que ceux de ces petits villages que l'on pose sous le sapin de Noël!*

À pagaie ou à pédales

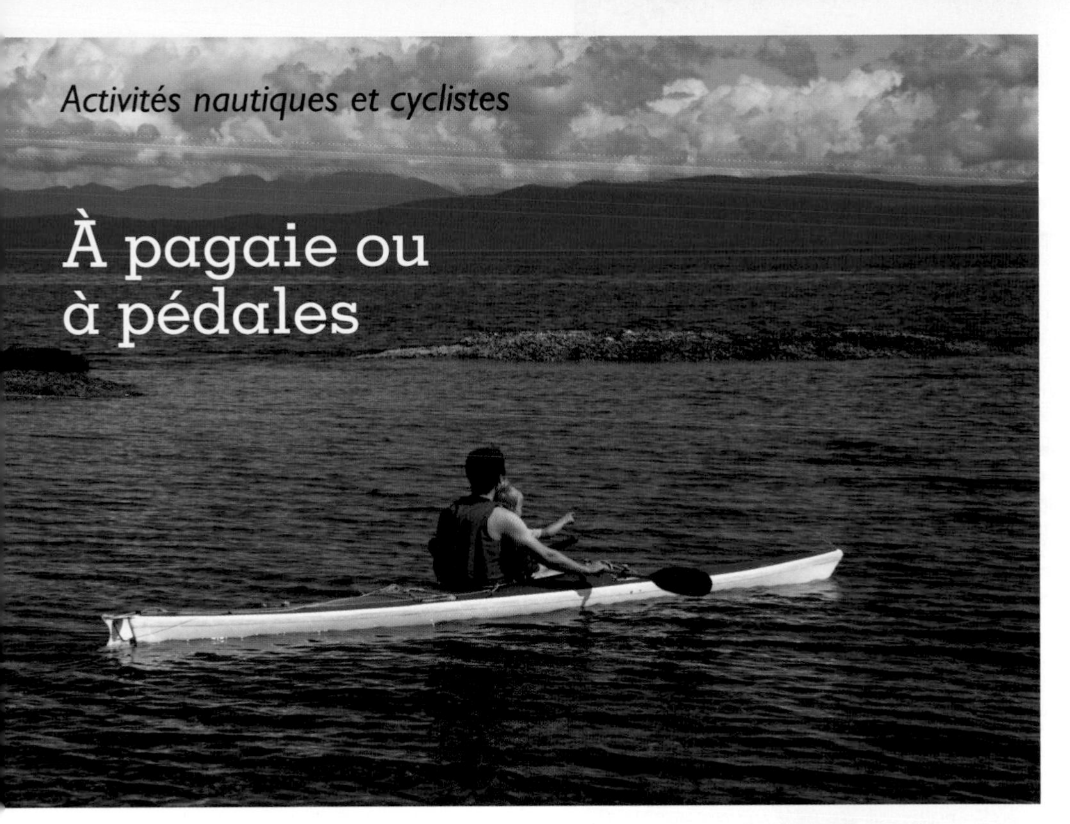

Kayak de mer dans l'archipel de L'Isle-aux-Grues

Si près de la ville de Québec et pourtant, tellement loin; les marées ponctuent le rythme de la vie comme un métronome, comme celui d'une symphonie. Le paysage se transforme au gré des errances : au sud, la plaine du Saint-Laurent inspire la réflexion, le recueillement et au nord, les caps érodés de Charlevoix motivent les élans d'enthousiasme les plus grandiloquents. Et à l'instar des centaines de milliers d'oiseaux migrateurs qui font une halte dans ce coin de pays, le kayakiste pourra migrer parmi **les 21 îles et îlots qui composent l'archipel.** Une balade de 25 kilomètres qui fait oublier qu'on se trouve à 40 minutes de Québec!

Mise en garde : en se faufilant entre les îles, les bancs de sable, les battures, les anses et les plages désertes, il est normal de se sentir enivré par la vue, **l'air salin** du large, de même que par les exhalaisons de foins qui parcourent les champs attenants l'île aux Grues! Il y a aussi, sur cette dernière, quelque 250 insulaires qui font de l'endroit l'un des plus accueillants du Québec.

Il faut savoir qu'il est malheureusement interdit de poser, ne serait-ce que le petit orteil, sur les autres îles, car elles sont privées. Toutefois, leurs noms évocateurs (Grande-Île, Madame, Patience, Sottise, Longue, Ronde ou encore à Deux Têtes) contribuent à donner une teinte particulière au voyage.

Repères

www.chaudiereappalaches.com
1 888 831-4411

Mise à l'eau : *Le meilleur accès est à l'Auberge des Dunes.*

Kayak : *Quelques sociétés organisent des excursions et louent des embarcations.*

Niveau : *Intermédiaire ou avancé. Les débutants doivent être accompagnés d'un guide. Il n'est pas recommandé de pagayer seul dans l'archipel.*

Marées : *Les plus grandes mesurent six mètres.*

Camping : *Un seul terrain municipal*

(418) 248-8060

Transport : *Des traversiers permettent aussi d'accéder à l'île aux Grues.*
www.isle-aux-grues.com
(418) 234-1735
www.croisiereslachance.ca
1 888 476-7734

© Michel Julien

Situé devant Berthier-sur-Mer et Montmagny, l'archipel s'étire de l'île aux Oies jusqu'à l'île Madame. Les mises à l'eau se font notamment au quai de Saint-François et à celui de l'île aux Grues. La traversée la plus stimulante se déroulerait, de l'avis de plusieurs, de l'île d'Orléans à l'île aux Grues. Il est également possible de partir de la rive sud de Montmagny, mais de forts courants ascendants, provenant du chenal Saint-Thomas, rendent l'aventure plutôt périlleuse.

Circuits-vélo sur la côte

D'une nature généreuse où le fleuve côtoie les vallées fertiles, Chaudière-Appalaches est le paradis du cyclotourisme, de la randonnée en montagne et de l'observation des oiseaux. Les cyclistes de tous les niveaux peuvent choisir parmi plus de onze circuits totalisant 800 km de sentiers à la découverte des plus beaux villages du Québec. Des propositions d'hébergement adaptées aux cyclistes ainsi que des propositions de visites complètent l'offre à vélo de la région. Au printemps et à l'automne, observez la migration des oies des neiges qui forment un point de rendez-vous de centaines de milliers d'oies sauvages qui offrent aux observateurs un spectacle à la fois unique et mystérieux.

C'est la **route des Navigateurs**, conjonction de plusieurs circuits, qui attire certainement le plus les cyclistes. Comme pour le tronçon du Bas-Saint-Laurent, le tracé emprunte l'accotement de la route 132 et longe le fleuve sur environ 200 kilomètres. Plus de la moitié de ce circuit permet de pénétrer dans de petits villages pittoresques où jardins floraux, richesses culturelles et patrimoine architectural se succèdent et attirent l'attention du cycliste. À Lévis, le **Parcours des Anses** est constitué d'une piste multifonctionnelle de 15 kilomètres en bordure du fleuve qui offre des panoramas grandioses.

Repères

La carte des parcours cyclables de Lévis est distribuée dans les bureaux d'accueil et d'information touristique de la ville.

www.tourismelevis.com
(418) 838 6026

La région de la Chaudière-Appalaches offre son ***guide vélo*** *avec pas moins de 11 propositions de circuits et 800 kilomètres de piste! Retrouvez tout le contenu de ce guide, y compris les cartes imprimables, sur Internet.*

www.velochaudiereappalaches.com
1 888 831-4411

Autres pistes

Sentiers pédestres des 3 Monts de Coleraine (Saint-Joseph-de-Coleraine)

Été comme hiver, le Territoire de conservation des 3 Monts de Coleraine propose aux randonneurs une vingtaine de kilomètres de sentiers traversant un décor d'une étonnante diversité. Les sentiers permettent l'accès à l'une des rares réserve écologique accueillant le public et à une zone de conservation du territoire abritant une variété de plantes menacées ou rares et des écosystèmes forestiers exceptionnels. Les trois monts protégés sont le Mont Oak (460 mètres), la Colline Kerr (494 mètres) et le Mont du Caribou (558 mètres), dont les sommets dégarnis et rocailleux rappellent l'aspect du Mont Albert en Gaspésie.

Sentiers pédestres : 20 km
Autres activités : raquette, ski nordique
Location : raquettes
Services : relais chauffé
Hébergement : relais-refuge, camping
Saison : toute l'année
Accès :
Famille (2 adultes + 2 enfants de moins de 18 ans) : 12,00 $
Adulte : 4,50 $
Enfant (3 à 12 ans) : 2,00 $
www.3monts.ca • (418) 423-3351

Camp forestier de Saint-Luc

Situé dans le petit village de Saint-Luc-de-Bellechasse, le Camp forestier de Saint-Luc fait découvrir aux visiteurs la tradition des chantiers forestiers des années 1940-1950.

Sentiers pédestres : 20 km (facile, intermédiaire, difficile).
Autres activités : traîneau à chiens, raquette, ski de fond.
Services : restaurant.
Hébergement : hébergement semi-rustique, camping.
Saison : à l'année.
Accès : selon les activités choisies.
www.campforestier.qc.ca • (418) 636-2626.

Centre de plein air de La Grande Escapade

Des sports d'hiver pour toute la famille : ski de fond, raquette et même glissade équipée d'un remonte-pente.

Sentiers de ski de fond : six totalisant 24 km (facile, intermédiaire).
Sentiers de raquette : 24 km.
Autres activités : glissade sur tube avec remonte-pente.
Services : restauration, bar, chalets, salle de fartage.
Saison : hiver.
Accès : selon les activités choisies
www.centredepleinair.net/ • (418) 359-3363.

Club sportif Les Appalaches (Saint-Eugène)

Les sentiers balisés et les beaux paysages de ce parc attirent chaque hiver un nombre croissant d'amateurs de ski de fond.

Sentiers de ski de fond : 10 totalisant 49 km (facile, intermédiaire, difficile).
Autre activité : raquette.
Location : skis de fond.
Services : restauration, salle de fartage, refuge chauffé.
Saison : hiver.
Accès : 9 $.
www.clubsportifappalaches.com • (418) 247-3271.

Parc des chutes d'Armagh (Armagh)

Petite oasis de tranquillité, le parc permet de s'évader dans la nature pour y faire pique-niques, randonnées pédestres et activités familiales. Une passerelle surplombe le canyon, offrant une belle vue sur les chutes.

Sentiers pédestres : 5 km (facile, intermédiaire).
Services : aire de pique-nique, casse-croûte
Autres activités : piste cyclable à proximité
Saison : toute l'année.
Accès : 3 $ à 5 $.
www.parcdeschutes.ca
(418) 466-2874.

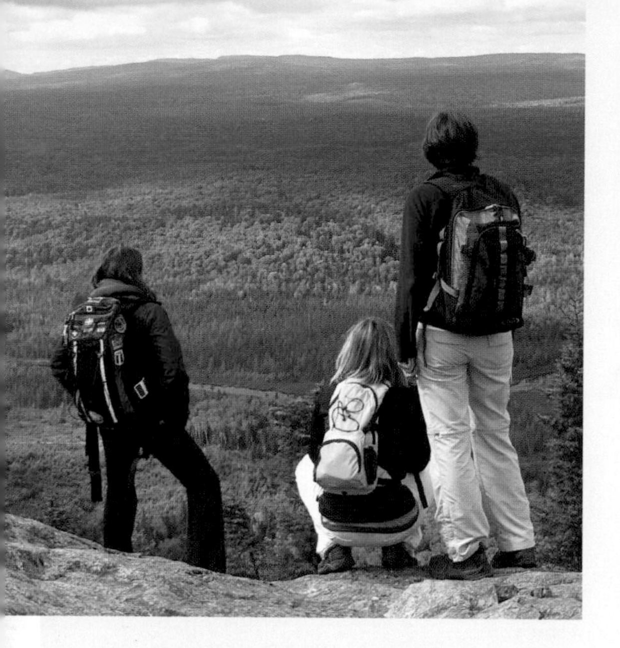

> *Information touristique générale*
>
> ***Tourisme Chaudière-Appalaches***
> ***800, autoroute Jean-Lesage***
> ***Saint-Nicolas (Québec) G7A 1E3***
> ***www.chaudiereappalaches.com • (418) 831-4411 • 1 888 831-4411***
> ***info@chaudiereappalaches.com***

Domaine de la Seigneurie (Saint-Georges)

Site récréotouristique en zone urbaine. Deux passerelles permettent aux randonneurs et aux cyclistes d'accéder à l'île Pozer. Grâce à un barrage gonflable, un plan d'eau se forme l'été sur la rivière et il est aussi possible d'y pratiquer plusieurs activités nautiques. En hiver on peut y pratiquer la marche, la raquette et le ski de randonnée.

Étendue : 200 acres
Sentiers pédestres : 20 km (facile, intermédiaire).
Autres activités : activités nautiques.
Services : location d'embarcations et rampe de mise à l'eau.
Saison : toute l'année.
Accès : selon les activités choisies.
www.destinationbeauce.com • (418) 227-4642.

Mont Orignal (Lac-Etchemin)

La station offre 23 pistes, de débutant à expert, qui sauront divertir les skieurs dans les beaux décors de la région Chaudière-Appalaches. Les amateurs d'émotions fortes apprécieront le parc pour planches à neige qui compte plus de 25 *rail boxes* et plusieurs sauts pour tous les calibres.

Dénivelé : 296 m.
Sentiers de ski de fond : 5 sentiers disponibles de 3 km à 10,6 km
Autres activités : ski alpin, planche, raquettes, glissades.
Location : skis de fond.
Services : restauration, salle de fartage.
Saison : Hiver
Accès : Selon les activités choisies
www.montorignal.com
(418) 625-1551 • 1 877 335-1551.

Parc des Chutes-de-la-Chaudière (Lévis)

Parc thématique aménagé en bordure de la rivière Chaudière, sur le site d'un barrage hydroélectrique. Des belvédères disposés sur les sentiers et une passerelle longue de 113 mètres offrent de beaux points de vue sur les chutes.

Sentiers pédestres : 4,5 km de sentiers aménagés (facile à intermédiaire)

Autres activités : 1,5 km de piste cyclable à proximité.
Services : Bureau d'information touristique
Saison : Le site est ouvert du début, mai à la fin octobre.
Accès : gratuit.

www.tourismelevis.com • (418) 838-6026

Pourvoirie Daaquam (Saint-Just-de-Bretenières)

Située dans le Parc régional des Appalaches en bordure d'une rivière, la Pourvoirie Daaquam permet d'associer activités de plein air et hébergement en chalet et dans une auberge quatre étoiles.

Sentiers pédestres : 9 km
Sentiers de ski de fond : 2 totalisant 9 km
Sentiers de vélo : 2 totalisant 9 km
Autres activités : canot, raquette, traîneau à chiens, baignade.
Location : canots, skis de fond, raquettes, vélos, tentes, sacs de couchage.
Service : restaurant, massothérapie, spas.
Hébergement : Sites de camping sauvage, sept chalets, une auberge.
Saison : toute l'année.
www.daaquam.qc.ca
(418) 244-3442 • 1 888 558-3442

Les sentiers de Standon (Saint-Léon-de-Standon)

Pour profiter des couchés de soleil à couper le souffle et du paysage grandiose, trois trajets ont été aménagés à Saint-Léon-de-Standon. Tous les sentiers conduisant au sommet des montagnes ont une pente parfois difficile, mais la vue exceptionnelle de tous les côtés vaut largement l'effort de la montée.

Sentiers pédestres : 30 km
Saison : Été.
www.stleondestandon.qc.ca • (418) 642-2893

Zec Jaro (St-Théophile)

Localisée dans la chaîne de montagne des Appalaches à la lisière de l'état du Maine, la zec Jaro offre un cadre splendide pour les excursions en canot ou la randonnée pédestre. Près de 70 kilomètres de chemins forestiers invitent à la randonnée découverte. Pour les adeptes de canotage, des embarcations sont à louer pour naviguer sur l'un des douze plans d'eau avec accès aménagé que compte la zec. Pour y séjourner, on optera pour le camping ou, si l'on est un petit groupe (famille, amis), on pourra se réunir dans une spacieuse auberge en pleine nature, le Refuge du cerf. Entièrement équipé, avec salon et foyer, il dispose de onze chambres, et il est accessible par un chemin forestier de bonne qualité.

Services : Location de chaloupe, canot et pédalo sur place.
Hébergement : 28 sites de camping, location du chalet du Refuge du cerf
Saison : ouvert toute l'année
www.zecjaro.qc.ca • (418) 597-3622
(418) 225-7775 (pour Refuge du cerf)

Réserve de parc national du Canada de l'Archipel-de-Mingan

Mer et monde

© Sébastien Larose, Expédition Agaguk

Créée en 1984, la réserve de parc national de l'Archipel-de-Mingan assure la protection et la mise en valeur des îles de l'archipel. C'est l'un des plus beaux endroits pour faire du **kayak de mer** et du trimaran (ou voile-camping) en Amérique du Nord. Là, on évolue sous le signe de la découverte parmi les anses et les baies magnifiques et l'on multiplie les allées et venues entre une **quarantaine d'îles** aux noms évocateurs : île de la Fausse-Passe, île du Fantôme, Grosse île au Marteau… Impossible de manquer les monolithes, ces incroyables **colonnes de calcaire** sculptées par la mer qui font la renommée de la région.

Le bout du monde

En arrivant près de Havre-Saint-Pierre, la forêt se retire et fait place à d'immenses tourbières parsemées d'arbrisseaux et de petits plans d'eau. Pas de doute, la route 138 mène directement au bout du monde. À Longue-Pointe-de-Mingan, 30 minutes avant Havre-Saint-Pierre, on peut visiter la **Station de recherche des îles Mingan.** Depuis plus de vingt-cinq ans, des passionnés de l'environnement marin y accomplissent un travail digne des plus grandes enquêtes policières : photographier, reconnaître, répertorier et classer les données recueillies sur les différents individus rencontrés au cours de la journée, soit **des baleines bleues, des rorquals à bosse, de petits rorquals...**

Repères

www.pc.gc.ca/mingan • (418) 538-3285

Station de recherche des Îles Mingan
www.rorqual.com • (418) 949-2845

Organisme de prévention et sécurité en kayak de mer (OPS – Kayak de mer)
www.opskayak.com

Association touristique de Duplessis
(418) 962-0808 • 1 888 463-0808

Expédition Agaguk (kayak de mer – trimaran)
expedition-agaguk.com • 1 866 538-1588

Havre-Saint-Pierre, ce bourg de 3500 âmes, ne s'appelle pas « havre » pour rien. En effet, la ville est protégée des vents du large par l'île du Havre, située à quelques centaines de mètres du rivage et qui servent de bouclier naturel. Même lorsqu'une tempête fait rage, la côte est relativement épargnée, ce qui joue souvent des tours aux gens peu expérimentés… Quand le vent se lève et les vagues jouent fort, il faut savoir s'en remettre à d'autres activités qu'une sortie en mer. Mais lorsque la mer se fait si douce qu'on a le goût de la flatter, alors là, c'est le temps de se lancer...

En partant de la Longue Pointe, on a tout de suite l'impression d'être en pleine mer. À peine embarqué, il se peut que vous croisiez une demi-douzaine de petits rorquals ou de macareux. Puis, c'est la découverte des îles, mystifiante. La majorité comporte d'impressionnants monolithes de calcaire, auxquels les gens du pays attribuent des patronymes créatifs : « Bonne femme », « Nixon », « Tête d'Indien »... Parce qu'il est lointain, serti d'îles aux trésors, on revient de l'Archipel de Mingan comme d'un pays rêvé, avec la ferme intention d'y revenir à chaque année.

Une fois les pédales de son kayak ajustées et sa jupette tendue, on remarque sans tarder l'île du Havre. Avec son périmètre de 15 kilomètres, elle est difficile à manquer. En faire le tour est facilement l'affaire d'une demi-journée, surtout que le côté exposé au large est souvent plus difficile à franchir en raison des conditions météo plus violentes. Il est possible de passer la nuit sur le côté sud de l'île, dans les emplacements de camping réservés à cet effet.

Plusieurs autres îles sont aussi à portée de pagaie de Havre-Saint-Pierre. C'est le cas de la Petite île au Marteau, qui possède une station de phare, de l'île Firmin et de l'île du Fantôme, sur lesquelles on peut accoster. Sur la vingtaine d'îles de grosseur importante, **six sont aménagées pour le camping.** Pour s'adonner à cette activité, on doit réserver dans les bâtiments d'accueil de Parcs Canada. Certaines îles, en revanche, sont interdites d'accès durant l'été, comme l'île aux Goélands, où des centaines d'oiseaux ont élu domicile. En pagayant par temps brumeux, si ce n'était de la cacophonie indescriptible générée par les milliers de goélands ou sternes qui y nichent, on pourrait facilement passer à côté d'elle sans même en soupçonner l'existence.

Focus

Débutant : *Il est conseillé d'avoir recours aux services d'un guide; services disponibles sur place.*

Expert : *Il est également conseillé de retenir les services d'un guide ou, à défaut, de parler avec eux pour connaître les particularités du site.*

Extra!

La région se prête à merveille à un ***road trip.*** *Chaque saison offre des attraits différents. Au printemps, les oiseaux migrateurs envahissent les îles. En juin, la floraison des orchidées et une abondance de petits rorquals sont à ne pas manquer. Au cœur de l'été, on voit parfois moins de mammifères marins, mais le soleil est à son meilleur. À l'automne, les oiseaux migrateurs font une escale dans les îles et, malgré une température encore clémente, l'achalandage touristique est à son plus bas. Soyez émerveillés par la voilée de limicoles qui dansent autour de vous en longeant le rivage des îles. La mer a pour effet de tempérer le climat. L'été est donc moins torride qu'en ville, et l'hiver, plus doux.*

Vogue le voilier

La Minganie est l'endroit parfait pour **s'initier au trimaran.** À la différence d'un catamaran, le trimaran possède trois coques. C'est un voilier qui se manœuvre un peu comme un kayak de mer et qui est pratiquement impossible à chavirer même par vent fort.

Une fois l'équipement, les tentes et les provisions bien installés dans la coque centrale du voilier, c'est le moment tant attendu de partir pour quelques jours sur le fleuve en compagnie d'un guide expérimenté. Avec un peu de persévérance, on vient à avoir un premier sentiment de contrôle sur les éléments de base de l'embarcation, à savoir ceux que l'on contrôle avec nos deux pieds et nos deux mains. Pour les éléments naturels comme le vent ou la mer, même les meilleurs marins avouent ne pas réussir à les contrôler, simplement peut-être à gagner leur respect...

Premier arrêt pour la nuit : l'île Niapiska, située au-delà du 50e parallèle, comme la quarantaine d'autres îles calcaires qui composent l'archipel. La mince rive rocailleuse de Niapiska se transforme rapidement en une dense forêt de conifères typiques de la forêt boréale. Le site de camping est juste assez près de la rive pour que la houle serve de bruit de fond au crépitement du feu.

Que dire de ces journées à naviguer dans un archipel d'îles bordées de monolithes, en étant accompagnés par des créatures marines tout droit sorties d'une fable, comme ce petit rorqual aperçu plus tôt? Et que dire encore de ces oiseaux marins, bien souvent seuls témoins de notre aventure en mer? Et même de ce vent, apparaissant entre deux îles, et fouettant la grand-voile pour nous désarçonner? Tout cela nous donne juste le goût de prendre une deuxième leçon!

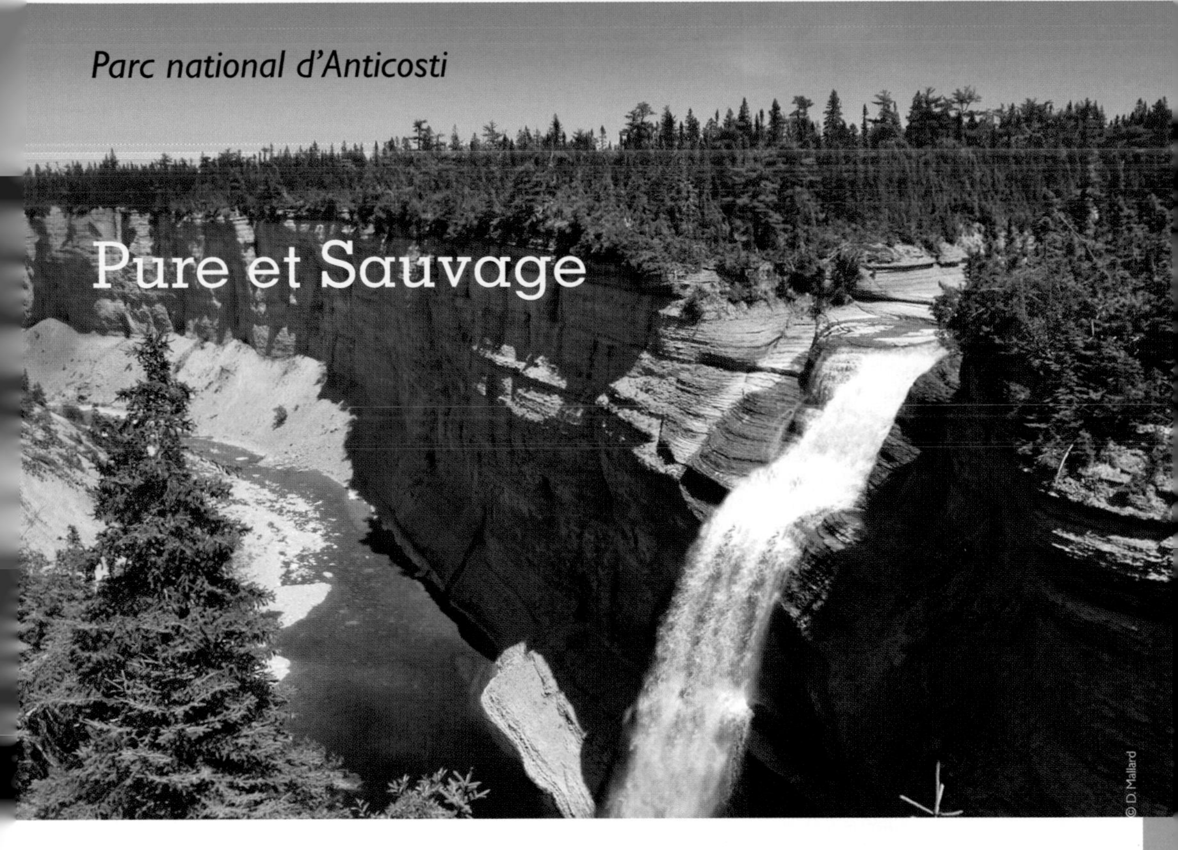

Pure et Sauvage

Un territoire sauvage, dix-sept fois grand comme l'île de Montréal, où cerfs de Virginie circulent librement dans les champs, et où fous de Bassan s'enfoncent tête première dans les vagues. Des rivières qui descendent en cascade au pied de canyons vertigineux, d'immenses falaises blanches caressées par le va-et-vient de l'eau, et des plages de sable et de galets qui se faufilent à travers les baies. Cette beauté de la nature, c'est l'île d'Anticosti. À vol d'oiseau, 72 kilomètres la séparent de la presqu'île de Forillon, où est située le célèbre parc de la région de Gaspé.

Le visiteur qui se rend à l'île d'Anticosti a droit à un contact privilégié avec la nature. La faune évolue en toute liberté : **loups de mer, chevreuils, castors et renards** composent le décor quotidien. Sans compter plus de 130 espèces d'oiseaux qui nichent le long du littoral et dans l'arrière-pays. Étendue sur 220 kilomètres, l'île est grande et les distances entre les points d'intérêt sont longues à parcourir. La route Henri-Menier, dite la « Transanticostienne », traverse l'île d'est en ouest. Des chemins secondaires se greffent à cette route de terre nommée en l'honneur du célèbre propriétaire de l'île qui y régna en maître à la fin des années 1800. C'est d'ailleurs lui qui introduisit les premiers cerfs de Virginie sur l'île.

Repères

www.parcsquebec.com • (418) 535-0156

Superficie du parc : *572 km²*

Nombre de sentiers (parc et autres) : *près de 60 km (linéaires) de sentiers entretenus et balisés.*

Calibre : *de niveau facile à intermédiaire.*

Autres activités : *kayak de mer (avec équipement personnel seulement), équitation, vélo (avec équipement personnel seulement), ornithologie, spéléologie et interprétation de la nature.*

Hébergement : *20 chalets, 3 auberges et 3 terrains de camping (35 sites).*

Ouverture : *de juin à août.*

Forfaits : *des formules « tout inclus » (avion, véhicule, hébergement et droit d'accès pour le parc) sont offertes.*

Location de véhicules disponible sur l'île.

Focus

Famille : *Du côté sud de l'île, le sentier des iris, situé près de l'embouchure de la rivière Chicotte, offre une belle variété de paysages. Des plages de sable que les vagues viennent caresser, ou des kilomètres de champs où se dressent des centaines d'iris aux reflets bleutés, les enfants ont de quoi gambader. D'autant plus qu'à marée basse, les plages se transforment en véritable quartier général de loups de mer. Les enfants seront émerveillés de voir les animaux se dorer au soleil.*

Débutant : *Longue promenade sur la plage ou en bordure d'une rivière à saumons pour apprivoiser l'île; elle a tant à offrir. L'île pullule d'endroits où la seule autre présence humaine sera le reflet de son ombre sur le sol. Vous préférez un sentier balisé? Le sentier Observation-la-Mer, d'une longueur de quatre kilomètres, offre de beaux points de vue sur la rivière qui coule en contrebas. À 50 mètres du pont, vous trouverez d'agréables bassins d'eau pour un petit plouf!*

Intermédiaire – Expert : *Une balade de 15 kilomètres mène à la chute Vauréal dont les eaux déferlent d'une hauteur de 76 mètres. Si la majeure partie du parcours se fait en forêt, vous aurez de superbes points de vue sur la rivière qui s'agite à vos pieds. Aussi, vous rencontrerez les rares feuillus qui ont survécu à l'appétit vorace des cerfs de Virginie.*

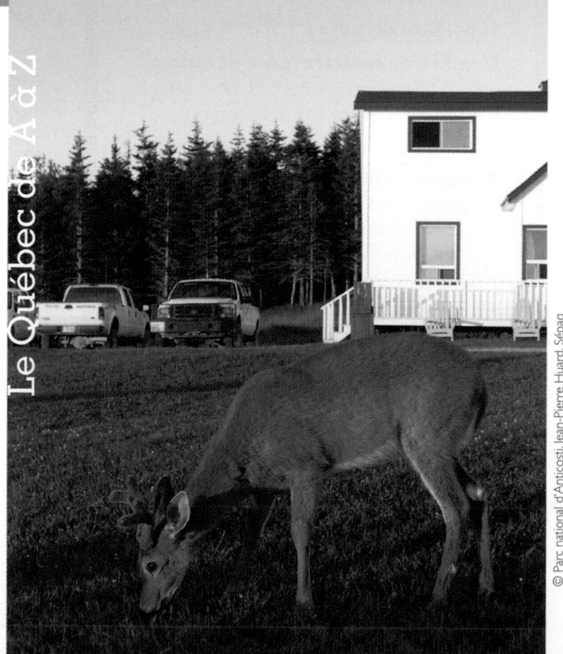

On dénombrait 220 cerfs au XIXe siècle, ils sont maintenant évalués à quelque 160 000 bêtes. Difficile de ne pas en croiser un…

Près de 60 km (linéaires) de **sentiers pédestres** entretenus et balisés sillonnent l'île. Parmi eux, près de 50 kilomètres se trouvent dans le parc national d'Anticosti, créé en 2001, et qui couvre 572 kilomètres carrés (soit environ le quart de la superficie de l'île). Les sentiers de bord de mer sont ponctués de montées sur des caps qui donnent une vue sur l'immensité du fleuve, et de descentes dans des baies qui permettent d'observer la faune marine. On peut y voir le petit rorqual commun ou encore des oiseaux tels des pygargues à tête blanche ou le macareux moine aux allures de clown. L'intérieur des terres offre de belles balades le long des rivières à saumon. La rivière Jupiter est la plus longue et la plus majestueuse de l'île. Ses eaux turquoise et cristallines, qui s'étendent sur plus de 50 kilomètres renferment des bassins où foisonnent des dizaines de saumons. Rendez-vous au pont Jupiter 24 pour contempler ce ballet aquatique.

Anticosti, c'est aussi **d'immenses canyons**, héritage du passage des glaciers, qui transportent le randonneur dans des paysages uniques au Québec. L'un des beaux canyons de la province, le canyon de la Vauréal, domine l'île depuis plus de 12 000 ans. Sensation lilliputienne au pied de ses parois de calcaires, dont certaines font plus de 90 mètres. Il est bon de garder l'œil ouvert, car certaines espèces rares d'orchidées bordent le parcours. Quelques passages se font à gué… mieux vaut prévoir deux paires de chaussures!

La grotte à la Patate se dresse après deux kilomètres de marche au bord de la rivière du même nom. Elle apparaît grandiose avec son vaste porche sculpté dans le roc. Stalactites, stalagmites et bassins d'eau jaillissent de ses entrailles tout au long de l'exploration. Petit à petit, les passages se rétrécissent pour devenir très étroits, voire exigus. Il est préférable pour les claustrophobes de limiter les déplacements au début de la grotte! Casques et lampes frontales sont disponibles au poste de Pointe-Carleton.

En fin de journée, les visiteurs peuvent s'installer à la baie Sainte Claire et admirer les cerfs de Virginie qui profitent de l'abondante nourriture des champs sous un ciel coloré par les derniers rayons du soleil. Un autre spectacle céleste!

À pagaie ou à pédales

KAYAK DE MER ET CANOT

Autour de Sept-Îles

La Grande Basque est la vedette de l'archipel des Sept-Îles, un petit temple de plein air insoupçonné. En quittant le port, on commence par une expérience peu ordinaire : pagayer le long des paquebots géants. On atteint l'île en moins d'une heure. Les côtes rocheuses alternent avec des plages de sable. La balade peut se faire en une journée, mais pourquoi ne pas prolonger le charme et profiter de l'un des **six campings aménagés?** On peut alors se délier les jambes dans les sentiers, ou encore rayonner vers les îles environnantes (Grosse Boule, Petite Boule...) en se laissant surprendre par les baleines.

Pour couronner le tout, le retour au port se fera en naviguant d'une déferlante à l'autre. Sensations fortes garanties que les débutants préféreront éprouver en étant guidés...

Infos : Corporation touristique de Sept-Îles
www.tourismeseptiles.ca
1 888 880-1238 • (418) 962-1238

D'Harrington-Harbour à Blanc-Sablon - L'Odyssée réinventée

Dans ce pays insulaire, les villages qui jalonnent la côte — Harrington-Harbour, Tête-à-la-Baleine, Saint-Augustin, Brador, Blanc-Sablon — séduisent par leur caractère immémorial. Sertis de maisons de pêcheurs blanches ou pastelles juchées sur des trottoirs de bois, ils ne se sont pas laissés envahir par le bitume. Ici, le temps semble au beau fixe depuis des millénaires.

D'Harrington-Harbour à Blanc-Sablon, plus de **300 kilomètres de littoral** sont accessibles par une multitude de parcours sinueux. Des centaines d'îles forment des havres à l'abri desquels le débutant peut s'initier à la pratique séculaire du kayak, dans un cadre unique en son genre.

La faune y est diversifiée et colorée. En partant à l'aube, on est parfois surpris par le regard d'un rorqual bleu. Des marsouins émergent subitement des profondeurs ou encore des loups marins touchent, du bout de leur nez, celui du kayak. La faune ailée est aussi omniprésente. On trouve, en Basse-Côte-Nord une grande concentration de balbuzards, qui partagent les lieux avec des macareux, des guillemots et des petits pingouins. Dépaysement garanti!

Au fil des jours, des **villages pittoresques** défilent au gré du parcours. On passe par Tête-à-la-Baleine, où les îles, amoncelées dans l'archipel du Petit Mécatina, rendent le parcours stimulant, tout en protégeant le kayakiste des affres du vent. À la Tabatière, située au centre de l'île du Gros Mécatina, il est possible de dormir dans un camp d'été. Ces **petites maisons ouvertes aux passants, pourvues d'un poêle et de bois,** sont disséminées çà et là sur la côte. Plus loin, Saint-Augustin offre à nos yeux des paysages exquis. Falaises escarpées, forêts bigarrées et plages sablonneuses galvanisent le kayakiste au gré des coups de pagaie. Le Petit Rigolet, de par son étendue, s'apparente au fjord du Saguenay. En son enceinte, la marée désarçonne autant qu'elle mystifie.

Par-delà l'archipel du Vieux Fort (l'île aux Chiens, pour les habitants de la région) et jusqu'à Blanc-Sablon, des **icebergs** peuvent faire partie du paysage. Et comme partout en Basse-Côte-Nord, on continue à faire son chapelet parmi la kyrielle d'îles qui rompent la monotonie du parcours.

Voilà un pays fait de démesure, de découvertes, où il fait bon rencontrer des gens accueillants à l'abri du tourisme préfabriqué. Vraiment atypique, l'expérience permet de vivre une odyssée au fil d'un parcours constamment réinventé.

Repères

Mise à l'eau : *Dépendant des marées, les mises à l'eau se font directement à partir du littoral.*

Débutant : *Tête-à-la-Baleine est une destination tout indiquée pour le néophyte.*

Intermédiaire/avancé : *Les autres municipalités énumérées représentent des destinations qui offrent leur part de défi, surtout si l'on s'aventure dans le golfe.*

Par bateau : Relais Nordik inc.
Permet de découvrir 12 localités de la Basse-Côte-Nord.

Il est possible d'apporter son kayak sur le bateau pour ne faire qu'une partie du littoral.
www.relaisnordik.com/fr/home/24.cfm
1 800 463-0680

Woodward-MS Apollo est le traversier qui relie Blanc-Sablon à St. Barbe (Terre-Neuve).
1 866 535-2567

Association touristique de Duplessis
www.tourismeduplessis.com
1 888 463-0808

CANOT-CAMPING

La Rivière Moisie : du Lac Ménistouc au Fleuve Saint-Laurent

On parle ici d'**une véritable expédition: 400 kilomètres** où il est préférable d'éviter les grandes crues. Les nombreux panoramas d'une beauté indescriptible paveront votre route et vous marqueront à jamais. Vous traverserez plusieurs gorges et admirerez parmi les plus beaux spécimens de **forêt boréale** et de **taïga** de l'Amérique du Nord. Ce périple s'adresse à des **canoteurs expérimentés.** La perfection, ça se mérite. La rivière compte **plus de 100 rapides** dont 38 R1, 24 R2, 23 R3 et **18 considérés comme infranchissables.** Il faut prévoir de **15 à 18 jours** pour une expédition, selon le rythme des canotiers et la taille du groupe.

Repères

Mise à l'eau : *trois départs sont possibles : du lac de Mile, au 53e parallèle ; de la rivière aux Pékans, près du mont Wright ; ou encore par la rivière Carheil, près de Fermont.*

Niveau : *pour canoteurs expérimentés seulement.*

Association touristique de Duplessis
www.tourismeduplessis.com
1 888 463-0808

© M. Deslongchamps, ATRD

CIRCUITS-VÉLO

Avec vents et marées

Entre Port-Cartier Natashquan, il y a **450 kilomètres de routes côtières,** un petit millier d'îles et des paysages à faire tomber de vélo. Outre la succession de baies, d'anses et de récifs sur lesquels viennent s'échouer les vagues du Saint-Laurent, il y a des falaises abruptes tranchant les montagnes, des rivières animées suivies de lacs polis comme des miroirs, et des forêts qui s'effacent devant les lichens et la toundra. Partout, **des plages de sable fin**, des eaux bleu clair, d'incroyables œuvres abstraites sculptées à force de vents et de marées à même les rochers. Puis, dans l'immensité de ce décor, de petits **villages sympathiques,** figés dans le temps, grouillants de pêcheurs.

Il faut faire une visite dans **l'archipel de Sept-Îles.** Une randonnée y permet l'observation des petits pingouins et comme les baleines fréquentent assidûment la région, elles peuvent être approchées par bateau à distance raisonnable. Il en va de même à l'archipel de Mingan, où la promenade en bateau est fort agréable. Les fans de kayak sauront aussi y trouver leur compte. On est alors beaucoup plus libre et on peut prendre le temps voulu pour explorer ces îles au visage insolite.

Environ 75 kilomètres après Maliotenam, le fracas étourdissant des **chutes de la rivière Manitou** vient nous sortir de nos pensées. Si l'on a l'âme du découvreur, on peut enfiler ses souliers de randonneur et prendre le sentier non aménagé à droite, tout de suite après le pont. En une vingtaine de minutes, on atteindra le pied d'une spectaculaire chute de 85 mètres. À quelques heures de là se trouve le Natashquan chéri de Gilles Vigneault. Ce village ancestral s'étire sur un bord de mer enchanteur où alternent galets et sable fin. C'est aussi à cet endroit que prend fin le voyage, la route 138 devenant un sentier.

Il faut compter **une dizaine de jours pour tout parcourir.** La circulation sur la 138 est modérée et les automobilistes sont courtois. L'étape entre Maliotenam et Manitou comporte de nombreuses côtes, et il vaut mieux ne pas s'y lancer lorsque des **vents forts** se mettent à les dépoussiérer.

www.tourismeduplessis.com
1 888 463-0808

Le bout du bout… de la 138

© A. Danais, ATRD

Vous rêvez de grands espaces, d'eau à l'infini? Inutile d'aller au bout du monde : celui de la route 138, de Port-Cartier à Natashquan, offre l'exotisme à portée d'auto. Sur ses rives et ses îles sauvages, de splendides paysages attendent les visiteurs.

La région offre une expérience maritime enrichissante, avec tout un éventail d'activités tournées vers le fleuve, que l'on pourrait qualifier de « mer », tant il est large à cet endroit. De plus, l'air y est vivifiant à souhait. Les villages qui s'égrènent le long de la côte ont aussi beaucoup à proposer. On les découvrira tour à tour, puisque le tourisme est ici linéaire, suivant **la Route des baleines**, la seule à desservir villes et villages. Mais loin d'être des étapes forcées, ces escales sont de véritables destinations.

Sept-Îles, porte d'entrée

À Sept-Îles, l'archipel qui donna son nom à la ville, invite à diverses activités, de la **randonnée** à l'observation de la faune terrestre et marine, en passant par le **kayak de mer** et l'**escalade**. On peut aussi plonger dans ses eaux limpides, le temps d'observer étoiles de mer, oursins et **crustacés.** Les plongeurs accrédités pourront s'offrir une plongée avec bouteille, les autres batifoleront en apnée. Mais n'imaginez pas exhiber votre plus beau maillot de bain : la température de l'eau exige une combinaison isothermique… Pour ceux qui préfèrent ne pas traîner leur équipement, la compagnie Le petit Pingouin offre la location de matériel de plongée et plusieurs autres services liés à l'activité.

La baignade creuse l'appétit : la spécialité locale, le « club-sandwich » au crabe, vous attend. Ceux qui veulent poursuivre l'aventure pourront s'arrêter au **camping situé peu après la ville**, sur le bord de la légendaire rivière Moisie. Là, les lueurs d'une aurore boréale illumineront peut-être la soirée, mais elles se font rares!

Passé Sept-Îles, on rencontre encore plusieurs haltes sur la 138, en raison des nombreuses rivières qui incisent le paysage côtier. **Les rapides de la Matamek**, par exemple, sont un lieu idéal pour le pique-nique, tout comme les cascades en escalier de la **rivière Saults-Plats** qu'on croise un peu plus loin. Avant de rejoindre le village suivant, on peut aussi se rafraîchir dans les embruns de la spectaculaire **chute Manitou**, haute de plus de 35 mètres.

Ville de Sept-Îles : *www.tourismeseptiles.ca*
1 888 880-1238

Camping de la rivière Moisie :
(418) 927-2021 (en saison) • (418) 962-3737

Autres pistes

Base de plein air Les Goélands (Port-Cartier)

À 12 kilomètres à l'ouest de Port-Cartier, la base de plein air Les Goélands propose des sentiers de randonnée et de vélo de montagne (ski ou raquette l'hiver), un accès à la mer et un panorama sur la baie des Îles-de-Mai.

Sentiers pédestres : cinq (10 km, faciles et intermédiaires).
Sentiers de ski de fond : 11 (25 km, tous niveaux).
Autres activités : vélo de montagne, raquette.
Services : restauration, salle de fartage.
Hébergement : auberge (chambres de deux à sept lits), camping à proximité, (418) 766-7137.
Tarifs : chambres - 25 $/adulte (12,50 $ enfant), camping 19 $/jour
Saison : toute l'année

(418) 766–8706

Île Grande-Basque (Sept-Îles)

Avec ses 11 kilomètres de sentiers pédestres, ses plages, ses sites de camping rustique et ses guides, l'île Grande-Basque est parfaite pour les amoureux de la nature, et plus particulièrement de la mer.

Dénivelé : 150 m.
Sentiers pédestres : réseau de 11 km, tous niveaux.
Autres activités : observation avec interprétation des écosystèmes (terrestres et marins).
Services : foyers de cuisson (vente de bois sur place), tables de pique-nique, toilettes sèches, abris, navettes maritimes.
Hébergement : camping rustique (10 $ par tente et par nuit).
Saison : du 12 juin au 12 septembre.
Frais d'accès : navette maritime et camping.

www.tourismeseptiles.ca
1 888 880-1238 • (418) 962–1238

Réserve faunique de Port-Cartier-Sept-Îles

Accessible par la route 138, cette contrée sauvage et méconnue à la topographie accidentée offre des décors spectaculaires. On y pratique la randonnée pédestre, le canot-camping et l'observation ornithologique. À éviter en période de chasse…

Superficie : 6 423 km2.
Sentiers : randonnée pédestre, vélo de montagne.
Autres activités : baignade, observation ornithologique, canot-camping, pêche.
Services : deux postes d'accueil (lacs Arthur et Walker), aires de pique-nique et de jeux.
Location : chaloupes et canots.
Hébergement : chalets, camps rustiques, camping aménagé.
Saison : toute l'année.
Frais : hébergement et forfaits.

www.sepaq.com/portcartierseptiles
1 800 665-6527 • (418) 766-2524

Zec Matimek

La zec Matimek est située non loin de Sept-Îles. D'une superficie de 1 854 kilomètres carrés, elle est surtout active à la belle saison, de mai à la fin d'octobre. Kayak, canot-camping et même canot-escalade y sont à l'honneur! Le kayak se fait sur un parcours d'environ 60 kilomètres qui dévale la Sainte-Marguerite. On peut faire du canot-camping sur la Sainte-Marguerite également, ou encore sur le lac Hall. Le canot est aussi très agréable sur les lacs Gamache, Hélène, à Toi, à Moi et Vierge. Un site d'escalade est accessible (par voie navigable) sur le pilier Simon Proulx, situé à dix kilomètres de la route 138, soit dans la partie sud de la zec.

Services : Location de chalet et de chaloupe (sans moteur). Terrain de camping en période estivale. À proximité de la zec : dépanneur, station-service, et, au-delà de douze kilomètres : épicerie, pharmacie, hôpital et bureau d'information touristique.
Saison : La zec est accessible toute l'année. Les postes d'accueil de la zec Matimek sont ouverts à l'année, excepté le poste d'accueil du secteur Nord qui ferme à la mi-octobre pour rouvrir au printemps.
Accès : Droit d'accès à payer.

www.zecmatimek.zecquebec.com • (418) 583-2677

Information touristique générale

Association touristique régionale de Duplessis
312, avenue Brochu
Sept-Îles (Québec) G4R 2W6
www.tourismeduplessis.com
(418) 962-0808 • 1 888 463-0808

© Luc Bernier

Parc national de la Gaspésie

Quand la montagne fait des vagues!

© Parc national de la Gaspésie, Jean-Pierre Huard, Sépaq

L'immensité des montagnes de la Gaspésie ne laisse personne indifférent. Lorsque, depuis la route, on aperçoit pour la première fois le massif des Chic-Chocs, on ne peut retenir une exclamation de surprise. Au pied de ces éminents personnages, la somptueuse parure que revêt le paysage est des plus chics et le contraste est tout un choc. Ultime prolongement des Appalaches, ces crêtes arrondies par le passage des glaciers trônent aux côtés du majestueux Golf Saint-Laurent. Cette dualité mer et montagnes ne fait qu'accentuer le caractère unique de la région.

Au cœur de la péninsule gaspésienne, la beauté sauvage de ces vagues pétrifiées sur le continent impose le respect. Depuis 1937, le parc national de la Gaspésie s'efforce de préserver la vie sur ces sommets, qui culminent bien souvent à plus de 1000 mètres d'altitude, son climat hostile la rendant très vulnérable. Des vastes forêts de conifères, on passe rapidement à la taïga et à la toundra. Sur les cimes dénudées, le vent souffle, les cristaux de neige et de glace attaquent la végétation comme un abrasif. Les arbres prennent la taille d'arbustes, les plantes se prosternent au sol. Au sein de cet habitat fragile, nul n'échappe à la rigueur du climat, surtout l'hiver. Pas même les grands cervidés – l'orignal, le chevreuil et le caribou – qui occupent le territoire. C'est une lutte incessante pour survivre dont seuls les plus vigoureux sortent vainqueurs.

Le silence règne, témoin de la pureté de ces lieux protégés. Le ciel, d'un bleu intense, laisse transparaître la blancheur des sommets. Leurs rondeurs invitent la caresse des **skis**. Ici, pas question de remontées mécaniques. Pour mieux apprécier le plaisir grisant de la descente, le skieur doit accepter les préliminaires, soit une ascension en **raquettes** (les skis sur le dos) ou avec des peaux de phoque. Au creux des courbes, il connaîtra indubitablement l'extase.

Paradis pour les amoureux des sports de glisse, les champs de neige « Mur des Patrouilleurs » et « Grande-Cuve » que recèle le mont Albert offrent des étendues de poudreuse sans obstacle avec une inclinaison atteignant parfois 60 degrés. Le secteur du mont Albert est une aire protégée, et pour cette raison, seuls ces deux champs de neige, vedettes de leur catégorie, font partie du domaine skiable. Question de conservation et de sécurité, étant donné que les avalanches, même si elles ne sont pas monnaie courante, sont tout de même probables!

Jour après jour, plusieurs sentiers de **ski nordique**, tous aussi riches en surprises, permettront à celui ou celle qui ne maîtrisent pas la mise à carre de s'évader.

De même, on peut se laisser tenter par la grande aventure et, de refuge en refuge, aller par monts et par vaux. Qu'on choisisse les secteurs du mont Logan ou du lac Cascapédia, qui sillonnent les Chic-Chocs, ou celui des monts McGerrigle, des panoramas grandioses naîtront à coup sûr au détour de chaque virage. À l'apogée de ces abrupts sentiers, on pourra même, par temps clair, apercevoir le Saint-Laurent maritime dans son lit givré, avant de se laisser doucement redescendre sur les pentes fraîchement poudrées. Alors que les heures passent et que le soleil pénètre de moins en moins profondément dans la forêt, on retrouvera volontiers la chaleur délicieuse de l'un des refuges de montagne du parc, véritables havres de paix.

La grande traversée

Bien que les cimes restent vêtues de neige une grande partie de l'année, elles finissent toujours, à force de chaudes persuasions, par se dénuder. C'est alors qu'on découvre toute la luxuriance de la végétation, au creux de la vallée de la rivière Sainte-Anne. Au fur et à mesure que l'on remonte le long de ses courbes, cette dernière laisse tomber un à un les quelques habits qui la protègent encore des voyeurs, se faisant ainsi plus vulnérable.

On peut bien sûr se contenter d'une brève incursion dans l'intimité des montagnes, mais, pour faire durer le plaisir, on préférera la **grande traversée**, depuis le mont Logan jusqu'au sommet du mont Jacques-Cartier (1270 mètres), la plus haute cime du Québec

Repères

www.parcsquebec.com
1 866 727-2427

- **Étendue :** *802 km2 ; 25 sommets de plus de 1000 mètres.*
- **Altitude :** *1270 pour le mont Jacques-Cartier, 1154 m pour le mont Albert, 1150 m pour le mont Logan.*
- **Sentiers :** *150 km de sentiers pédestres; 165 km de sentiers de ski non entretenus, dont 27 km sont tracés. Quant à eux, les adeptes de la randonnée à raquettes peuvent profiter de 13 sentiers de 1,6 à 12.6 km dans le secteur du Centre de découverte et de services et sur le territoire de la réserve faunique des Chic-Chocs.*
- **Activités estivales :** *randonnée pédestre, interprétation de la nature, canot.*
- **Activités hivernales :** *ski de randonnée, télémark, ski et planche à neige hors piste, raquette et camping d'hiver.*
- **Autres services :** *activités de découverte, location et vente d'équipement, transport des bagages, navette, cartes, etc.*
- **Calibre :** *une bonne expérience de la montagne ainsi qu'une bonne condition physique sont des critères essentiels pour la longue randonnée, que ce soit à pied ou à skis.*
- **Hébergement :** *auberge le Gîte du Mont-Albert, chalets rustiques, refuges en montagne et camping. Pour vous assurer une place, mieux vaut réserver tôt .*
- **Saison :** *de juin à octobre et de décembre à avril. À noter que certaines restrictions s'appliquent pour les monts Albert et Jacques-Cartier, secteurs de préservation du caribou.*
- *Association touristique de la Gaspésie*

  www.tourisme-gaspesie.qc.ca
  1 800 463-0323 • (418) 775-2223

Extra !

Haute montagne et escalade de glace

Les massifs des Chic-Chocs et McGerrigle se prêtent très bien aux activités de haute montagne. Dans les secteurs de Mines Madeleine, on retrouve de nombreux couloirs de neige, parfaits pour pratiquer ses manœuvres de glacier. De nombreuses cascades de glace y voient aussi le jour chaque hiver. Celles-ci pourront faire la joie des grimpeurs, en autant que l'on aime les marches d'approche d'au moins une journée! À noter que les conditions pour l'escalade sont très changeantes et qu'il n'y a ni documentation ni soutien fournis par le parc.

Vélo de montagne

On peut pratiquer cette activité sur des chemins forestiers, où circulent plus ou moins régulièrement des automobilistes. Le trajet le plus spectaculaire, du lac Thibault au mont Logan, enchaîne faux plat après faux plat. Au cœur de la forêt boréale, il n'est pas rare de croiser l'un des grands cervidés qui habitent le parc. Sur les versants abrupts du mont Logan, on peut entrevoir le golfe du Saint-Laurent ainsi que les grandes éoliennes de Cap-Chat. Un refuge peu utilisé situé au lac Thibault, Le Huard, permet d'ériger un bon camp de base.

Canot

D'une longueur de quatre kilomètres, le lac Cascapédia offre aux canoteurs un milieu propice à l'observation des orignaux ainsi que des points de vue intéressants sur le versant sud des monts Chic-Chocs. Location de canots au camping.

méridional. Sur la **centaine de kilomètres** qui séparent les deux extrémités du parc national de la Gaspésie, on aura tout le loisir de palper les charmes de ces dames. On passera des profondeurs de leurs gorges à la pointe de leurs mamelles. Au tournant du sentier, on en profitera pour faire l'ascension du mont Albert, où la récompense des efforts déployés sera servie sur un plateau de pas moins de 13 kilomètres carrés de toundra.

Grisé par cette découverte, on effectuera la descente tout en douceur. On se dirigera lentement vers le lac aux Américains pour se laisser à nouveau séduire, cette fois par un magnifique cirque glaciaire.

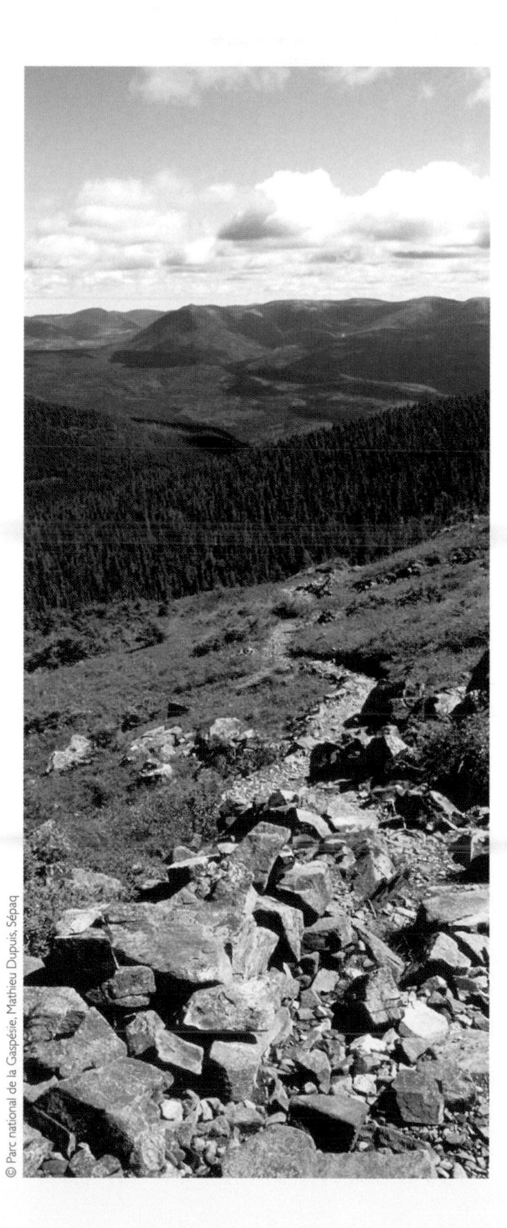

© Parc national de la Gaspésie, Mathieu Dupuis, Sépaq

Focus 

Famille : *L'exposition interactive et les nombreuses activités du centre de découverte et de services sauront répondre aux mille et une questions des petits. À partir de là, on pourra emprunter, à pied ou en raquettes selon la saison, le sentier qui longe la rivière Sainte-Anne et ses cascades, pour ensuite rejoindre le sentier de la Lucarne et boucler le tout par l'ascension de la Lucarne, une petite tour qui permet d'admirer la face nord du mont Albert et ses fameuses « marches de géant ». Le tout : deux kilomètres, pour environ une heure et demie de balade soit juste ce qu'il faut pour combler les grands sans épuiser les petits.*

Débutant : *Comme valeur sûre, essayez le mont Ernest-Laforce, qui offre un sentier de 4.5 km en boucle et se fait en moins de deux heures. Point de vue spectaculaire sur le mont Albert garanti! Pour une courte randonnée, on peut se diriger du côté du lac aux Américains. À partir de la route 160, on en a pour une demi-heure tout au plus pour se retrouver devant le spectacle grandiose d'un cirque glaciaire. Et l'hiver, on peut chausser les raquettes pour s'attaquer au mont Olivine, qui offre un trajet de 8 kilomètres aller-retour. Point de départ : le stationnement du ruisseau Isabelle. Panorama unique de la Vallée du Diable une fois le sommet atteint.*

Expert : *Tout pour inciter à tenter La grande traversée. D'un bout à l'autre du parc, cette longue randonnée de plus de 100 km saura combler les randonneurs comme les skieurs, même les plus insatiables. Pour des sensations fortes, on ira déchirer les champs de neige du côté des monts Hog's Back, Blanche-Lamontagne et les Champs-de-Mars situés à proximité, dans la réserve faunique des Chic-Chocs.*

Parc national du Canada Forillon

Voyage au bout des terres

© Serge Ouellet

Au détour de ses nombreux **sentiers de randonnée**, le parc national de Forillon recèle et préserve des trésors d'une étonnante beauté. Ses vastes forêts, sillonnées de petites rivières et de ruisseaux et échancrées par d'anciennes terres agricoles, abritent une grande variété d'espèces animales, depuis les petits rongeurs jusqu'aux grands ongulés. Il n'est pas rare d'y croiser un barrage de castors, un renard qui pavane sa flamboyante queue, un porc-épic qui dresse son armure épineuse, un lièvre qui détale à grandes enjambées, ou encore d'entendre la marmotte siffler son approbation. À l'aube ou au crépuscule, il n'est pas difficile de s'imprégner de toute la quiétude de cette nature omniprésente.

Pour avoir un véritable aperçu de la grandeur qui nous assiège de toutes parts, on se rendra au sommet du **mont Saint-Alban** qui domine l'horizon du haut de son perchoir. Au cours de cette ascension, le paysage joue à cache-cache, passant de l'intimité de la forêt au déploiement de la mer. Une **tour d'observation** permet d'embrasser le paysage. On y voit le golfe s'engouffrer dans la baie de Gaspé et, sous un ciel clément, on peut entrevoir, tel un mirage, l'île d'Anticosti ou le mythique rocher Percé. Le sentier Les Graves, quant à lui, mène à Cap-Gaspé, à la fine pointe de la Gaspésie. C'est sur cette étroite bande de terre bordée de falaises que les Appalaches terminent leur long périple. Haut perché sur la fin des terres, un phare veille…

« C'est pas l'homme qui prend la mer, c'est la mer qui prend l'homme », fredonne âprement Renaud. Ces paroles prennent tout leur sens dans les eaux voisines du parc, alors que vents et marées insufflent dans les poumons l'air salin, que le fracas des vagues sur les parois rocheuses et la clameur des oiseaux marins transportent le navigateur bien au large du train-train quotidien. **La presqu'île de Forillon** semble pointer le doigt. À son extrême limite, le cap Gaspé fonce dans la mer tel un vaisseau titanesque. À bord de son **kayak de mer**, on se sent plus petit que David à côté de Goliath. Seul face à l'immensité de la mer, au milieu des géants, on largue les amarres.

La faune aquatique est au rendez-vous, y compris la légendaire **baleine bleue**, le plus grand mammifère marin de tous les temps. À tribord comme à bâbord, des détonations, qui ne sont autres que le souffle puissant de ces colosses, retentissent dans le silence des flots. Petits rorquals et rorquals communs jouent au magicien, s'éclipsant sous l'eau pour mieux réapparaître ensuite, alors que les baleines à bosse les acclament d'un grand clapotis sans queue ni tête. Et que dire des multiples acrobaties des dauphins! **Les phoques**, quant à eux, se contentent de contempler la scène depuis les grandes roches plates, où ils se prélassent sans se soucier de l'indice UV. Levés avant l'aurore, les **nombreux oiseaux** — cormorans à aigrettes, guillemots à miroir, petits pingouins, mouettes tridactyles et goélands — qu'hébergent les falaises du littoral semblent eux aussi se moquer de tout ce théâtre mis en scène pour épater la galerie.

Pour aborder la nature sous un autre angle, **les routes secondaires du parc** (secteurs Nord et Sud) et le chemin menant à la plage de Penouille sont accessibles aux cyclistes. Les amateurs de **vélo de montagne** peuvent également emprunter **les sentiers La Vallée et Le Portage** ainsi que la route de gravier menant à Cap-Gaspé (location de vélos sur place).

Hiverner sur la côte

Jouissant d'un climat plus doux que celui auquel on pourrait s'attendre sous une latitude aussi nordique, le parc national de Forillon se transforme, l'**hiver** venu, en véritable fête pour adeptes de **ski de fond** (40 km de pistes entretenues) et de **raquette**. En effet, si la proximité de la mer tend à rafraîchir les esprits pendant la saison estivale, elle vient également modérer les rigueurs de l'hiver, laissant ainsi aux amants de la nature, tout le loisir d'en apprécier les saveurs. Les paysages de Forillon, alors complètement transformés, offrent un cachet féerique particulièrement contrastant près de la mer. Cette dernière, prisonnière des glaces, permet de longues **balades à ski sur la banquise**, dans la baie de Gaspé. Au pied des falaises sculptées par les caprices de l'érosion, la neige se laisse à son tour façonner par le vent du large.

Certaines routes du parc sont fermées l'hiver. Bien enneigées, elles permettent néanmoins d'accéder à un autre secteur du parc, celui du **camping Petit-Gaspé**. On cheminera ainsi, raquettes aux pieds, entre la forêt et la côte, d'où l'on peut observer le mouvement des glaces sur la baie de Gaspé.

Focus

Famille : Le sentier La Chute, *long d'un petit kilomètre en forêt, fera le bonheur des petits qui pourront se tremper les orteils au pied d'une cascade de 17 mètres. À Grande-Grave, ils pourront se familiariser avec le monde sous-marin du golfe et observer de près les organismes qui l'habitent. Les enfants pourront ainsi faire la connaissance de bernard-l'ermite ou serrer la pince aux crabes et homards. Oursins et étoiles de mer sont aussi au rendez-vous.*

Débutant : *L'été, le sentier Les Graves (huit kilomètres aller retour) permet de découvrir plusieurs anses et plages de galets jusqu'à Cap-Gaspé, au bout de la péninsule. Depuis son perchoir, on peut observer phoques et baleines et, au loin, le rocher Percé. L'hiver, la piste de ski de fond La Vallée présente un parcours peu accidenté, à l'abri du vent, parfait pour l'initiation. Longeant une rivière bien en vie, elle offre un beau point de vue sur la vallée (d'où le nom) de l'Anse au Griffon.*

Expert : *Les dessous de Forillon surprendront les* **plongeurs** *(en apnée ou avec bouteilles) par leurs riches couleurs et l'intensité de la vie sous-marine que l'on peut y rencontrer. Il n'est pas rare de rencontrer le chaboisseau, un poisson qui, comme le caméléon, prend la couleur des fonds marins. Un soleil de mer épineux, une étoile de mer à 12 bras, quelques crabes araignées, des oursins, homards et anémones plumeuses peuvent aussi être de la partie. Aussi, dès le mois d'août, il est possible d'observer les phoques de près en plongeant.*

Repères

www.pc.gc.ca/forillon
(418) 368–5505 • 1 888 773-8888
(Parcs Canada)

Bureau d'information touristique de Gaspé

www. tourismegaspe.org
(418) 368–8525

- ***Activités estivales :*** *randonnée pédestre, kayak de mer, croisières, vélo, équitation, interprétation de la nature, plongée sous-marine autonome ou en apnée, pêche aux maquereaux, baignade, pique-nique, etc.*
- ***Activités hivernales :*** *ski de fond, raquette, camping d'hiver, traîneau à chiens, observation d'oiseaux, etc.*
- ***Étendue :*** *244 km2, dont une partie englobe un milieu marin. Un réseau de sentiers pédestres de plus de 70 km et une quarantaine de kilomètres de pistes sont entretenues pour le ski de fond.*
- ***Camping :*** *360 emplacements semi-aménagés. Pendant la période estivale, il est préférable de réserver au 1 877 737-3783. Inscription obligatoire pour le camping de groupe, le camping sauvage dans l'arrière-pays et le camping d'hiver au (418) 368-5505. Bois de chauffage disponible.*
- ***Autres services :*** *centre d'interprétation, randonnées avec naturalistes, croisières aux baleines, centre récréatif et piscine, publications et cartes, stationnements, services adaptés pour les personnes à mobilité réduite, etc.*
- ***Saison :*** *ouverture à longueur d'année. Par contre, une partie des sites ne sont accessibles que du début juin à la mi-octobre.*

Parc national de l'Île-Bonaventure-et-du-Rocher-Percé

Un géant dans la mer

La première chose qui attire le regard lorsqu'on s'approche de Percé, c'est bien sûr **cet immense rocher** qui se dresse fièrement, tel un seigneur, tout au bout de la péninsule gaspésienne. Le Rocher Percé n'a guère besoin de présentation tellement il a été peint et dépeint par de nombreux artistes qui viennent savourer, chaque année, la chaude hospitalité de la région. Façonné par le temps, le géant au cœur ouvert exerce depuis toujours un étrange magnétisme sur le témoin ébahi.

Il y eut une époque - pas si lointaine - où les marcheurs venaient encore déambuler comme des pèlerins autour du monolithe à la marée basse, question de toucher ses flancs sans cesse érodés par le temps et les éléments. Mais c'est justement cette **érosion implacable** qui prescrit dorénavant la plus grande prudence aux abords de ce géant ridé. Les **chutes de roches imprévisibles** font en sorte qu'il est plus sage d'accepter l'invitation des guides-interpètes du parc pour observer l'icône du belvédère du Mont-Joli.

Pour l'admirer d'un peu plus près, le **kayak de mer** est à privilégier. Discret, celui-ci permet de créer des liens plus forts avec la faune marine qui anime les courants du fleuve dans la mer.

Au printemps, en même temps que la pêche au homard, des bancs de capelans viennent mouiller dans les environs. Et comme les krills sont le repas des baleines, celles-ci ne se gênent pas pour débarquer en grand nombre. Après le festin de juin et juillet, ces énormes mammifères s'attardent encore quelques mois, histoire de digérer un peu. C'est lorsque les baleines sont occupées à se prélasser dans les eaux du golfe, au large de Percé et de l'île Bonaventure, qu'on pourra le mieux les observer, ainsi que les **nombreux phoques** qui flânent à leurs côtés.

Fous sous observation

Un peu plus au large, semblant tout droit sortie des profondeurs de la mer, **l'île Bonaventure** offre un spectacle saisissant. Bordée de falaises abruptes, à l'image de son complice de toujours, le rocher Percé, elle est seulement accessible par la petite Anse-à-Butler, où la terre descend doucement dans la mer pour y accueillir les visiteurs. Si l'île fut longtemps la résidence d'été de familles de pêcheurs, elle revêt aujourd'hui le statut de parc national, dont le but est de protéger l'oiseau emblématique de la région. Avec ses 60 000 couples, elle constitue la colonie de **fous de Bassan** la plus importante et la plus accessible au monde. En plus des fous, ce sont 200 000 oiseaux marins nicheurs de 11 espèces différentes, qui élisent chaque été domicile dans le parc, contribuant à faire de celui-ci **le plus grand refuge d'oiseaux migrateurs du Québec**. Les randonneurs bénéficient d'un accès unique à ce petit paradis ornithologique grâce d'une part aux bateaux qui les amènent tout au pied des gigantesques colonies, mais surtout grâce aux sentiers qui déposent les marcheurs ébahis à moins d'un mètre des oiseaux impassibles.

Pagayer autour de l'île Bonaventure ravira autant les sportifs que les contemplatifs. Elle abrite un microcosme écologique d'une richesse impressionnante où se côtoient oiseaux et mammifères marins. La faune ailée étant particulièrement sensible au dérangement, il est interdit aux kayaks de pénétrer dans la bande marine (100 mètres) vis-à-vis de ses colonies. De plus, il est à noter que les conditions de navigation autour de l'île requièrent un bon niveau d'expérience en kayak.

Repères

www.sepaq.com • (418) 782-2240

Secteur île Bonaventure

- *Heures d'ouverture : de 9 h à 17 h.*
- *Services d'interprétation et casse-croûte.*
- *Un réseau de quatre sentiers totalisant une quinzaine de kilomètres.*

Secteur Rocher Percé

- *475 m de longueur, 90 m de largeur et 88 m de hauteur.*
- *Le mont Sainte-Anne (Percé) : un réseau de neuf courts sentiers, au départ de l'église, totalisant une douzaine de kilomètres.*

Secteur historique Charles-Robin

- *Centre et services d'interprétation du parc, accueil, boutique nature.*
- *Services offerts par des partenaires : navette, kayak, plongée sous-marine, etc.*
- *Saison : de juin à octobre.*

Camping

- *la Sépaq gère le camping de la Baie-de-Percé, situé au coeur même du village.*

Bureau d'information touristique de Percé (saisonnier)

- *142, route 132, Percé.*

  (418) 782-5448 • www.gaspesie.qc.ca/perce

Club nautique de Percé

- *excursions en mer, location de kayaks de mer et de vélos, plongée sous-marine, etc.*

  (418) 782-5403 • www.percenautic.com

Extra !

Vélo

*Plusieurs itinéraires sont possibles depuis Percé. Par exemple, on peut parcourir les petites rues du village et admirer leurs maisons pittoresques. Pour pousser l'aventure un peu plus loin, on se dirige vers l'**Anse-à-Beaufils** en longeant la côte sur environ neuf kilomètres. On pourra y faire la cueillette d'agates et de jaspes sur la plage, découvrir ce havre de pêche toujours bien vivant et en visiter son ancienne usine de transformation de poisson, ou encore étirer ce trajet en pente douce jusqu'au **phare de Cap-d'Espoir**. Les plus audacieux pourront s'attaquer à la **route panoramique des Failles**. Très escarpée et sinueuse, celle-ci fait le tour de Percé par les montagnes, longeant parfois des précipices à donner des frissons dans le dos.*

Plongée sous-marine

*La richesse des fonds marins du parc national de l'Île-Bonaventure-et-du-Rocher-Percé en fait l'une des destinations les plus prisées de la côte atlantique, non seulement par les oiseaux, mais aussi par les plongeurs. Tapis d'anémones, algues et coquillages leur en font voir de toutes les couleurs. **En compagnie des phoques**, on peut plonger dans cette « mer froide » sans inquiétude, dans une eau oscillant entre 16 et 20 degrés celcius. La seule chose qui pince dans ses profondeurs, ce sont les homards et les crabes qu'on peut y croiser. Une autorisation est requise pour plonger dans la bande marine du parc qui s'étend sur 100 mètres autour de l'île Bonaventure.*

Crête de haute passion

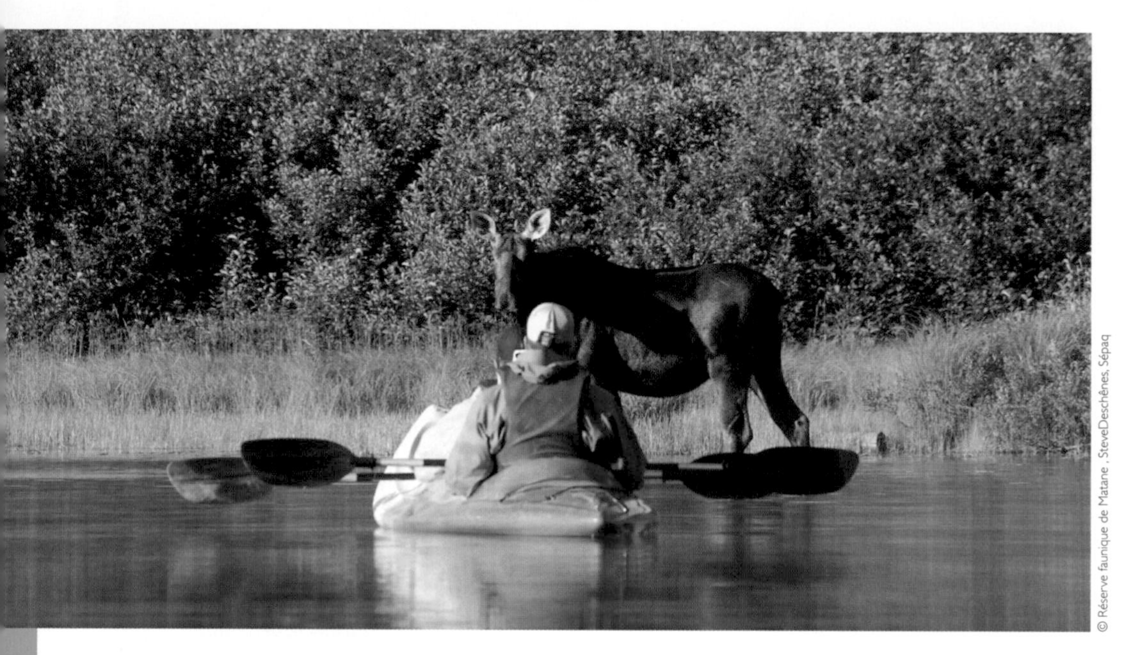

© Réserve faunique de Matane , SteveDeschênes, Sépaq

Une brise rafraîchissante assèche les dernières sueurs de l'abrupte montée. On laisse ses jambes suivre mécaniquement le sentier qui sillonne la toundra alpine sans trop les regarder, car le panorama est à couper le souffle. On ressent un petit plaisir égoïste à l'idée d'avoir ce paysage juste pour nous, n'ayant croisé que deux randonneurs de toute la journée. Mais il ne faut pas trop se laisser distraire, car le sentier longe de très près le rebord d'une falaise qui se jette, quelques centaines de mètres plus bas, dans le lit d'une rivière agitée. Il s'agit bel et bien de ce qui attend ceux qui parcourront la portion du Sentier international des Appalaches (SIA) qui relie les monts Collins et Matawees, dans la réserve faunique de Matane.

La partie occidentale des monts Chic-Chocs, dont le prolongement vers l'est a fait la renommée du parc national de la Gaspésie, constitue en quelque sorte l'épine dorsale de cette réserve de 1 280 kilomètres carrés gérée par la Sépaq et située à 40 kilomètres de Matane. Jusqu'à tout récemment, cet immense et sauvage territoire forestier, giboyeux et constellé de lacs, demeurait l'apanage des chasseurs et des pêcheurs. Depuis l'achèvement en 2000 du SIA — sentier de 1 073 kilomètres qui relie le mont Katahdin, dans le Maine, au parc national du Canada de Forillon —, les amateurs de plein air ont enfin accès à un territoire encore peu exploré regorgeant d'attraits.

La section du SIA qui traverse la réserve compte 101 kilomètres et franchit plusieurs sommets importants, dont certains s'élèvent à plus de 1 000 mètres. Certains tronçons de ce sentier sont accessibles pour les **randonnées d'un jour.** Le sommet le plus populaire est sans doute le mont Blanc (**1 065 mètres**), accessible par un sentier secondaire de huit kilomètres. Le dénivelé, modéré mais constant, permet d'accéder sans effort surhumain au plateau sommital, traversé par le SIA. La vue dégagée qui donne au loin sur le fleuve et sur les éoliennes de Cap-Chat est superbe. Pour casser la croûte, un refuge stratégiquement construit sur le sommet permet de se mettre à l'abri du vent parfois incisif. Les plus exigeants seront aussi comblés par le mont Nicol-Albert (890 mètres). Avec une montée de 747 mètres sur une distance d'à peine plus de six kilomètres, le tronçon du SIA qui relie la route 1 et le sommet du Nicol-Albert présente l'un des plus forts dénivelés balisés du Québec. Pour randonneurs avertis, dont les efforts seront récompensés par de jolis points de vue et par la possibilité de se rafraîchir près de chutes et de cascades.

Ceux qui n'hésitent pas à partir en **longue randonnée** pourront visiter l'un des plus beaux segments de sentier de tout le Nord-Est américain, soit le tronçon du SIA qui relie la route 1 au mont Logan, dans le parc national de la Gaspésie. Le moment fort de cette route, qui totalise plus d'une trentaine de kilomètres

Repères

Réserve faunique de Matane

www.sepaq.com
(418) 562-3700 • 1 800 665-6527

- ***Superficie :*** *1 282 km2.*
- ***Activités estivales :*** *randonnée pédestre, camping, vélo de montagne, pêche et observation d'orignaux (une des plus fortes densités au Québec), activités d'interprétation de la nature.*
- ***Période d'accès recommandée :*** *entre le 1er juin et la fête du Travail. Après la fête du Travail, s'informer auprès de la Sépaq de la date exacte d'ouverture de la période de chasse qui change chaque année.*
- ***Hébergement :*** *aires désignées de camping (généralement munies de plates-formes) ; 18 chalets pouvant loger entre 2 et 6 personnes, dont 7 sont situés près de l'Étang-à-la-Truite. Réservez auprès de la Sépaq.*
- ***Deux principaux points d'accès :*** *de Matane, suivre la route 195 (asphaltée) sur 35 kilomètres, tourner à gauche sur le chemin de la Réserve (la route 1 est large et recouverte de gravier). Le poste d'accueil John se trouve cinq kilomètres plus loin. De Cap-Chat, suivre la route (partiellement asphaltée) qui longe la rivière Cap-Chat jusqu'à l'entrée de la zec de Cap-Chat (frais d'entrée). Suivre le chemin étroit et sinueux (en terre battue) jusqu'à l'entrée Pineault de la réserve faunique.*

aller-retour, demeure l'arête dénudée qui relie les monts Collins et Mattawees.

Les amateurs de **vélo de montagne** ne seront pas en reste. Plusieurs routes secondaires de terre ou de gravier, sur lesquelles la circulation motorisée demeure minime, permettent de s'échauffer les mollets. La suggestion du chef en matière de vélo : la route 30, dont le parcours sinueux longe une jolie rivière et où, paraît-il, les chances sont élevées de voir l'un de ces gros quadrupèdes herbivores appelés orignaux qui pullulent dans le parc. Si vous avez plus de chance — ou de malchance, selon le point de vue — un ours noir pourrait même venir parader en bordure du chemin. Pour observer la faune et la flore locales sans avoir à pédaler, il faut se rendre à l'étang à la Truite où un court sentier d'**observation des orignaux** donnera la chance d'admirer ces impressionnants colosses.

À l'extrémité est de la réserve faunique, face à la chute Hélène, non loin des monts Matawees et Collins, l'Auberge de montagne des Chic-Chocs offre une programmation qui favorise une intégration de l'individu au milieu naturel. Différentes formes de randonnées (ski de haute route, raquette, randonnée pédestre et vélo) permettent d'observer des paysages exceptionnels et un environnement très vivant (caribous, orignaux, chevreuils, sapinière à bouleau jaune et toundra)!

Focus

Débutant et famille : *Observation d'orignaux et activités d'interprétation avec guides à l'Étang-à-la-Truite. Pour les amateurs d'ornithologie, soulignons la présence, dans la réserve faunique, de pygargues et d'aigles dorés. Randonnée vers la chute Hélène, d'une hauteur de 50 mètres (8 km aller-retour). Le sentier, qui comporte tout de même plusieurs petites montées et descentes, longe une rivière encaissée dans une profonde vallée et est bordé de pins blancs géants.*

Expert

- *Pourquoi pas la traversée complète de la réserve par le Sentier international des Appalaches, une traversée de 101 kilomètres qui permet de fouler les principaux sommets.*
- *Ceux qui ne veulent que le meilleur se doivent de faire au moins l'aller-retour entre la route 1 et le mont Logan. Cette randonnée de plus de 30 kilomètres est très accidentée et parfois difficile à suivre. Seuls les randonneurs très expérimentés et qui partent tôt arriveront à faire l'aller-retour en une journée. Les autres préféreront sans doute passer une nuit ou deux à l'aire de camping du ruisseau Bascon.*

Rivière Bonaventure

Vivez la bonne aventure!

S'il y a une image de carte postale qui représente à elle seule l'arrière-pays gaspésien, c'est bien celle de la **rivière Bonaventure**. Sa clarté singulière et sa couleur cristalline, tirant sur le vert émeraude, la classent parmi les perles rares des rivières de la côte atlantique et justifie à elle seule le voyage dans cette contrée. Sa pureté serait due à la présence de roches calcaires, la calcite restant en suspension dans l'eau et réfléchissant la lumière. Depuis le lac Bonaventure, dans les profondeurs des Appalaches, jusqu'au village éponyme au bord de la Baie des Chaleurs, la façon de découvrir cette voie d'eau magique n'est qu'une question de goût et de temps disponibles.

À proximité du dit village, la principale compagnie d'aventures du coin a monté un **véritable camp de base** pour répondre à presque tous les souhaits des visiteurs. Depuis près de vingt ans, **Cime Aventure** est le point de départ tout indiqué pour des excursions de tous genres, de toutes longueurs et dans tous les sens de la Bonaventure.

Dans l'ordre d'apparition, on est d'abord confronté à une **offre d'hébergement sur place** on ne peut plus complète : camping avec ou sans services, yourte, tipis, jusqu'aux « écologis », petits chalets sur pilotis laissant une empreinte écologique minimale. S'ajoutent au cocktail une restauration aux saveurs du terroir local, une zone spa pour les douceurs de fin de journée et même des spectacles en soirée Ce n'est plus un camp de base mais bien un véritable « Club Med » - même si nous sommes en forêt, à huit kilomètres du bord de mer!

Mais qu'importent les aménagements choisis, l'attraction principale demeure la rivière, que l'on peut déguster de maintes façons. **Le canot et le kayak** sont bien sûr les moyens de prédilection pour partir à la découverte, en **formule guidée ou en autonomie**, avec service de navette ou non. Les forfaits courts vont de la **balade de deux heures jusqu'à la longue journée de huit heures**, alors que ceux qui désirent une échappée plus complète peuvent s'embarquer pour **plusieurs jours de camping en rivière** (jusqu'à six, sur 126 kilomètres de distance).

Enfin, pour les plus casaniers, des parcours en rabaska dans l'embouchure et son « barachois » (zone d'échanges entre les eaux douces et salése) ainsi que des sorties en **kayak de mer** sur la côte aux falaises ocres viennent remplir une coupe déjà pleine. Alors choisissez votre bonne aventure et vogue la galère!

Repères

www.cimeaventure.com
1 800 790-2463 ou (418) 534-2333

- *La portion en amont (les premiers 67 km de la rivière) demande beaucoup de préparation et de connaissance en expédition. La partie du bas (59 km, plus facile) peut s'aborder en ayant suivi un cours d'initiation ou un stage avec moniteur.*
- *La Bonaventure est généralement canotable de la fonte des neiges jusqu'à octobre (la période sèche de milieu d'été peut par contre affecter le niveau d'eau du haut de la rivière).*
- ***Accès à la rivière Bonaventure :** 150 km de chemins forestiers; Cime Aventure offre le service de navette.*
- ***Location :** canots et kayaks de mer. Si vous décidez de faire la rivière en solo, vous pourrez louer un téléphone (relié par satellite).*

Aux alentours

Quelques kilomètres plus au nord, les enfants apprécieront de s'enfoncer dans les entrailles de la terre à la grotte de Saint-Elzéar. En une heure et demie, un guide vous emmène à la découverte des stalactites, des bassins souterrains et autres curiosités du monde cavernicole. Pas question de ramper : les cavernes ouvertes à la visite sont suffisamment hautes pour que l'on puisse s'y tenir debout.

www.lagrotte.ca
1 877 524-7688

Sur le chemin de l'aller ou du retour, la trentaine de kilomètres de sentiers pédestres de Carleton permet de marcher entre mer et montagnes. De beaux panoramas sur le Nouveau-Brunswick et quelques bonnes montées au cœur d'une immense forêt sont au rendez-vous. Dix sentiers de niveaux facile à intermédiaire, reliés les uns aux autres, permettent de créer diverses boucles.

Bureau d'information touristique de Carleton-sur-mer

www.carletonsurmer.com
418) 364-3544

Auberge de montagne des Chic-Chocs

Péché montagnard

© Auberge de montagne des Chic-Chocs, Jean-François Bergeron, Sépaq

Nichée au cœur de la réserve faunique de Matane, l'Auberge de montagne des Chic-Chocs promet une expérience nature unique en son genre, un joli péché que les aventuriers épicuriens ne pourront se refuser. Car si le skieur ou le randonneur en soi trouvera dans ces monts immaculés un immense terrain de jeu vierge, l'amoureux du confort et de la fine cuisine se sentira tout aussi privilégié par ce séjour sécuritaire dans les hauteurs du Québec.

Se laisser mener

Le départ vers ce chic lieu de villégiature montagnard se fait à partir de Cap-Chat où on laisse la voiture. En hiver, c'est plutôt un minibus sur chenilles, qui transporte les amateurs de grands espaces 55 kilomètres au sud, là où l'aventure débute. Durant le trajet qui prend plus d'une heure en été et près de deux heures et demie en hiver, on peut profiter de la vue exceptionnelle sur les contreforts du massif des Chic-Chocs.

Le voici enfin, le long chalet de trois étages posé à 615 mètres d'altitude et perdu au milieu de 60 kilomètres carrés de nature vierge. Un emplacement de choix pour se sentir seul au monde. Imposante et spacieuse, l'auberge est décorée sobrement et s'harmonise avec son cadre naturel. Le bois se fait omniprésent. Le personnel avenant accueille les invités – 36 au maximum – dans une atmosphère intimiste et chaleureuse. Au deuxième étage où l'imposante fenestration donne droit à tout un panorama la nature dévoile ses atouts caractérisés par des sommets dénudés et des vallées profondes. Du **mont Matawees** (1073 mètres) jusqu'à la longue **chute Hélène** (50 mètres) et ses eaux cristallines les paysages remplissent les yeux. Au centre de la pièce, le foyer réchauffe l'atmosphère et porte à la détente.

Ici, pas question de faire un appel au bureau, les cellulaires sont simplement hors service. Il n'y a qu'un téléphone et un poste Internet pour la clientèle. De plus, il n'y a pas de télévision ou de radio dans les chambres. De quoi décrocher de la réalité! Alors pourquoi ne pas en profiter pour enfiler le maillot et se glisser dans l'eau apaisante du **sauna** ou du **bain à remous extérieur avant** de prendre un apéro tout en échangeant avec les autres convives.

C'est autour de quatre grandes tables que sont dégustés les repas du chef Alain Laflamme, qui apprête de belle et bonne façon les poissons et les viandes de gibier. Pour gourmands et gourmets avertis, les papilles seront comblées par les mets de canard, pintade, wapiti, veau... Et le vin coule, et le temps passe...

Neige vierge

Amateur de plein air ou non, la beauté des lieux incite à sortir dehors et à découvrir à son rythme ce monde isolé et enchanteur. Devant soi, un couvert

© Auberge de montagne des Chic-Chocs, Steve Deschenes, Sépaq

de neige vierge donne des envies de jouer. Tuque bien enfoncée sur la tête, on peut défier une montée, soit en **ski hors-piste**, en **skis de haute route**, en **raquettes** ou tout simplement prendre une marche sur le chemin de neige qui vous a conduit à l'Auberge.

Au détour d'un sentier, un frottement animal met la puce à l'oreille et fait ralentir instinctivement notre virée hivernale. Soudain, une haute silhouette sombre sort d'un bosquet de conifères, dérangé de sa couche par les pas feutrés trop proches de celui qui vient. Ici, **l'orignal** est roi : ils sont près de cinq au kilomètre carré. Les minutes filent, silencieuses. L'énorme cervidé poursuit sa lente fuite vers des bois moins fréquentés. Et alors qu'il disparaît, majestueux, l'excursion reprend.

En traçant de grandes boucles au travers du couvert forestier, de plus en plus clairsemée, et en gagnant du dénivelé, la toundra alpine se révèle peu à peu. Depuis les hauteurs, on devine l'immense panorama et l'ombre des sommets dont les **monts Collins** (1036 mètres), Coleman (975mèetres) qui filtrent à travers les nuages. À la descente, la pente est plus douce, piquée de conifères emmitouflés de givre. Qui sait, c'est peut-être le temps d'une pause-hamac?

Un rythme vert

La belle saison offre pour sa part de nouvelles couleurs. Au vert ténébreux des conifères vient s'ajouter le vert tendre des feuillus et des fougères. À chacun de trouver son rythme dans ces atmosphères de puretés.

Bien conseillés par les guides toujours présents, les sportifs ajustent leur sac de promenade, y mettre un lunch et s'enfoncent dans le réseau de **sentiers de randonnée**. Des paysages changeant au fil des pas s'ouvrent à eux, menant sur des sommets dénudés souvent soufflés par de forts vents D'autres plus hardis empruntent plutôt un **vélo de montagne**, gracieuseté de l'Auberge, les **50 kilomètres** de sentiers forestiers qui sillonnent le territoire leur permettront de sillonner la partie moins montagneuses du territoire.

Et les contemplatifs ? Ils peuvent emprunter des sentiers de promenade qui les conduiront à de beaux paysages, à un plan d'eau pour une ballade sur l'eau pour tout simplement ouvrir les yeux et regarder la faune et la flore qui s'offrent à eux. Sur les territoires de l'Auberge, trois grands cervidés dominent : l'orignal, le **caribou** et le **cerf de Virginie**. Du haut des airs, ce sont plutôt les **aigles à tête blanche**, les **buses** et les **faucons** qui survolent. Des ateliers et des sorties à thème, telle l'observation faunique ou l'initiation à la sécurité en montagne, sont régulièrement planifiés par les guides présents sur place.

Ici, la sécurité est primordiale. Les invités se font remettre dès leur arrivée une carte topographique, une radio émetteur-récepteur et, en hiver, un ARVA (appareil de recherche de victime d'avalanche). Les guides sont tous formés pour répondre aux urgences.

Repères

Des forfaits de deux, trois, quatre ou sept jours sont offerts selon le temps de l'année. Ces forfaits comprennent l'hébergement, les repas, les collations, le transport à partir de Cap-Chat et l'équipement de plein air et de sécurité. Des séjours thématiques (cuisine, peinture, photographie, écriture) viendront par ailleurs enrichir l'offre de l'Auberge avec le temps.

www.sepaq.com (section Chic-Chocs)

www.chicchocs.com • 1 800 665-3091

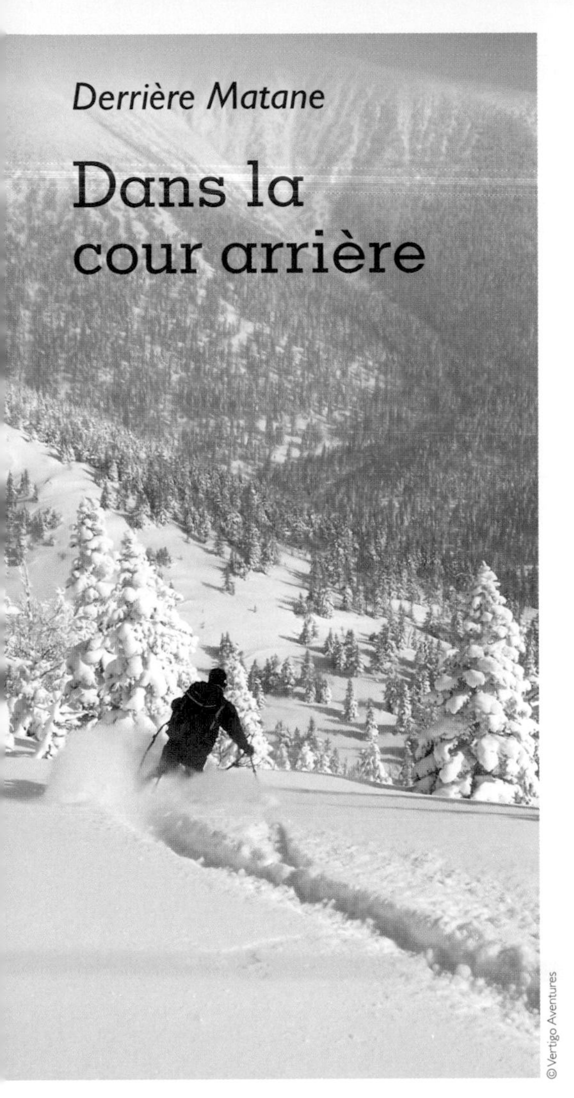

Derrière Matane

Dans la cour arrière

©Vertigo Aventures

À contre-courant

Péninsule bénie pour l'amateur de plein air, la vaste Gaspésie dévoile ses charmes bien avant Percé! Entre montagnes boisées et fleuve salé, les environs de Matane constituent un port d'attache à découvrir. Idéalement située, au pied des rondeurs appalachiennes et de son sentier pédestre international, Matane s'avère une destination sauvage de choix ! Aux abords de la rivière Matane, le camping municipal est un ancien parc régional miraculeusement converti en havre pour campeurs! Aussi accueillant que méconnu, il offre plus de 126 emplacements spacieux, très boisés et agencés soigneusement sur le chemin de la réserve faunique de Matane.

Sillonné de chemins touffus de fougères et de champignons, l'écrin de verdure du camping abrite un sentier d'interprétation. De quoi y voir plus clair en observant la flore et la faune locale, en forêt ou au bord de l'étang à castors, également repère de colonies de canards. Évidemment, la rivière Matane offre aussi son lit aux pieds fatigués.

Un autre sentier de quatre kilomètres longe la rivière jusqu'au centre-ville : à parcourir à pied ou à vélo pour une sortie sur le port ou quelques achats sans auto. Tout proche en suivant la piste et moyennant un modeste droit d'entrée, les Jardins de Doris dévoilent leurs atours floraux dans une explosion de couleurs. Les enfants apprécieront la présence des petits animaux de la ferme, tandis que les parents férus d'échecs pourront se lancer en fous sur l'échiquier géant!

Camping Municipal de la rivière Matane
www.ville.matane.qc.ca • (418) 562-3414

Section VIP dans l'arrière-pays

Destination par excellence de la glisse hors-piste dans l'Est, les Chic-Chocs s'offrent aux skieurs, télémarkistes et planchistes de mi-janvier à fin avril. Les guides de Vertigo Aventures vous transportent en motoneige jusqu'au massif du mont Blanc (1060m) dans la réserve Matane, pour un séjour de glisse de 3-5 jours. Trois montagnes sauvages offrent une possibilité quasi-illimitée de virages en neige vierge sur des versants atteignant 500 m de dénivelé. Ce territoire est à toute fins pratiques exclusifs au forfaitiste depuis 2004. Après ski et hébergement convivial en yourtes et tentes de prospecteur.

On offre également un combo cours de sécurité en avalanches -séjour de glisse sur le site du mont Blanc. Le cours est reconnu par l'Association Canadienne de l'Avalanche (AST1).

Vertigo Aventures
www.vertigo-aventures.com • (418) 775-1623

Autres pistes

Parc national de Miguasha

Situé dans la Baie-des-Chaleurs, le parc national de Miguasha est réputé mondialement pour la quantité et la qualité des fossiles qu'on y retrouve. Ce minuscule parc (0,8 km2) renferme une formidable quantité de poissons et de plantes fossilisées, datant de 380 millions d'années avant notre ère. Ces fossiles couvrent la période fascinante où les vertébrés ont amorcé leur conquête de la terre ferme. Le parc est inscrit depuis 1999 au Patrimoine mondial de l'UNESCO.

Sentiers pédestres : un court sentier d'interprétation longe la falaise sur 1,5 km et offre de beaux points de vue sur l'estuaire. Au bout, un escalier donne accès à la plage.
Autres activités : musée d'histoire naturelle. Avis aux paléontologues amateurs : les fouilles sont réservées au personnel du parc!
Services : visites guidées, boutique, restaurant.
Hébergement : la Sépaq offre deux maisons à louer à moins d'un km du musée. À moins de cinq km du parc, on trouve aussi deux campings et deux auberges.
Saison : musée : toute l'année. Visites guidées : juin à octobre.
Accès : frais d'entrée.

www.parcsquebec.com
1 800 665-6527 • 418 794-2475

Réserve faunique de Port-Daniel

Depuis 1953, la réserve faunique de Port-Daniel a pour mandat de protéger le saumon Atlantique, dont elle abrite plusieurs frayères. Toute en cascades et en fosses, la rivière Port-Daniel arbore le beau vert émeraude caractéristique des rivières de la Baie-des-Chaleurs. L'orignal et le grand héron fréquentent assidûment ses rives. Cette petite réserve (57 km2) est également réputée pour ses nombreux lacs.

Sentiers pédestres : le sentier Plaisance (5km, boucle, facile) longe la rivière. La Montée (4 km, boucle, intermédiaire) mène à un point de vue sur la baie de Port-Daniel.
Autres activités : vélo de montagne, pêche.
Location : équipement de pêche et literie.
Services : dépanneur, salle communautaire, boutique de souvenirs.
Hébergement : chalets, camps rustiques, camping (avec services, sans services, de groupe).
Saison : juin à octobre.
Accès : Droit d'accès obligatoire (gratuit). Frais de stationnement.

www.sepaq.com
(418) 396-2789 (de mai à septembre)
(418) 396-2232 (administration)

Réserve faunique des Chic-Chocs

Au cœur de la péninsule gaspésienne, le massif des Chic-Chocs est une destination qui se démarque en toute saison. Du haut des sommets coiffés d'une végétation typique de la toundra, on embrasse du regard des paysages à couper le souffle. La réserve comprend plusieurs montagnes bien connues des amateurs de sports de glisse, dont les monts Blanche-Lamontagne (940 m) et le mont Hog's Back (830 m).

Sentiers pédestres : le sentier des Pics (4 km aller, facile) mène à une vue imprenable sur les monts McGerrigle. Le sentier du mont Hog's Back (6 km aller-retour, dénivelé 450 m, difficile) donne quant à lui accès à de beaux points de vue sur le mont Albert.
Sentiers de ski nordique : le mont Blanche-Lamontagne offre un parcours en boucle de 16 km avec un dénivelé de 650 m. Le sentier peut se faire aussi en raquette, mais il faut partir tôt le matin!
Sentier de raquette : les deux principaux sont ceux du mont Hog's Back (voir plus haut) et du Champ-de-Mars (5 km aller-retour, dénivelé 395 m, intermédiaire).
Autres activités : télémark, ski alpin et surf des neiges (remontée en chenillette), vélo de montagne, équitation. À noter que les activités hivernales sont gérées par le parc national de la Gaspésie.
Services : boutique de souvenirs.
Hébergement : chalets, camping sauvage.
Saison : juin à septembre et décembre à avril.
Accès : libre.

www.sepaq.com
1 800 665-6527 • (418) 797-5214

Sentier international des Appalaches-Québec

Le Sentier international des Appalaches, est un réseau pédestre long de 3017 kilomètres reliant le Maine (211 kilomètres), le Nouveau–Brunswick (343 kilomètres), le Québec (650 kilomètres), la Nouvelle-Écosse (465 kilomètres), l'Île-du-Prince-Édouard (148 kilomètres) et Terre-Neuve et Labrador (1200 kilomètres).

Le SIA–Québec commence à Matapédia, passe par le secteur la Vallée de même que par Amqui et rejoint la rivière Matane avant de traverser la réserve faunique du même nom, les parcs nationaux de la Gaspésie et de Forillon, pour conclure son tracé à Cap–Gaspé.

Le sentier offre plusieurs possibilités de randonnée pédestre d'un jour ou plus (jusqu'à 40 jours), avec divers niveaux de difficulté - de très facile à exigeant (dénivelé léger ou abrupt).

Services : transport (individus, bagages, voitures), guides, hébergement, etc.
Saison : approximativement de la mi-juin à la mi-octobre, en fonction de l'arrivée (et du départ!) de la neige.
Hébergement : 10 refuges, 24 abris et 25 sites de camping.

www.sia-iat.com
(418) 562-7885

Circuits-vélo en Gaspésie

Le **tour de la Gaspésie** : un périple côtier allant de Sainte-Flavie à... Sainte-Flavie, et couvrant la bagatelle de **885 kilomètres de macadam**. Si vous avez deux semaines de liberté (trois pour vraiment en profiter), le parcours vaut le détour. Il est préférable de circuler dans le sens horaire. Les vents dominants venant de l'ouest sont appréciés dans les régions montagneuses. Passé Mont-Saint Pierre, la route, surplombée de falaises élevées, se colle à l'estuaire.

Rivière-la-Madeleine lance le bal des montagnes. D'interminables montées s'enchaînent pour ensuite nous propulser dans de folles descentes. Ce tronçon s'illustre également par ses écarts de température. Dix degrés vont et viennent entre les espaces ouverts et ceux protégés par la forêt. Vient ensuite le superbe parc Forillon, propice à de nombreuses activités de plein air. Cet itinéraire est difficile. La voie empruntée étant la route 132, elle doit souvent être partagée avec les automobilistes. Il faut donc éviter les semaines de congé de juillet, quand la route est très fréquentée.

www.gaspesiejetaime.com
1 800 463-0323

Information touristique générale

Association touristique régionale de la Gaspésie
357, route de la Mer
Sainte-Flavie (Québec) GOJ 2LO
www.gaspesiejetaime.com
(418) 775-2223 • 1 800 463-0323

Base de plein air de Bellefeuille (Pabos Mills)

Milieu naturel où se côtoient deux lacs, l'océan Atlantique, la plage et la forêt. Location de chalets avec accès direct aux sentiers.

Sentiers de ski de fond : quatre totalisant 15 km (facile, intermédiaire).
Autres activités : randonnée pédestre, canot, vélo de montagne, kayak, voile, patin, raquette, glissade.
Location : skis de fond, vélos, embarcations.
Services : restauration.
Hébergement : 12 chalets, 12 dortoirs.
Saison : toute l'année.
Accès : frais d'entrée.

www.basedebellefeuille.com
(418) 689-6727 • 1 888 689-6727.

Centre de plein air de Saint-Siméon (Saint-Siméon)

Été comme hiver, ce centre propose des activités variées qui feront le bonheur des familles.

Sentiers de ski de fond : Les cinq sentiers s'étirent le long d'une rivière, dans un milieu forestier, sur 25 km (facile et intermédiaire).
Sentiers de vélo pédestres : deux totalisant 10,5 km (facile, intermédiaire), le long d'une rivière, en pleine forêt.
Autres activités : raquette, glissade, baignade et vélo de montagne.
Services : Chalet, restauration (hiver seulement).
Saison : toute l'année.
Accès : gratuit.

(418) 534-2155

Parc régional Val-d'Irène (Sainte-Irène)

Ouvert toute l'année, ce parc régional offre en hiver 26 pistes de ski alpin et de planche à neige sur deux versants, de niveau facile à extrêmement difficile. En été, le service de remontée mécanique est disponible pour les adeptes de vélo de montagne et 50 kilomètres de sentiers attendent les marcheurs.

Dénivelé : 274 m.
Sentiers pédestres : six totalisant 50 km (facile, intermédiaire, difficile).
Sentiers de ski de fond : trois totalisant 15 km (intermédiaire).
Sentier de raquette : 1,8 km.
Autres activités : ski alpin, planche à neige, baignade, vélo de montagne avec remontée mécanique.
Location : location d'équipement.
Services : restauration, salle de fartage, halte-garderie, salle de réception.
Hébergement : chalets, camping sauvage.
Saison : toute l'année.
Accès : frais d'entrée.

www.val-direne.com
(418) 629-3450.

Site historique Pointe-à-la-Renommée (L'Anse-à-Valleau)

Ce site historique a jadis été un centre stratégique de communication pendant les deux guerres mondiales. Deux expositions racontent la vie des premiers gardiens de phares et des premiers opérateurs radio. Sur le site, randonnée pédestre, ski de fond et raquette hors piste sont au rendez-vous.

Dénivelé : 270 m.
Sentiers pédestres : cinq totalisant 22 km (facile, intermédiaire).
Autres activités : ski de fond hors-piste, raquette hors-piste.
Hébergement : camping.
Saison : toute l'année.
Accès : gratuit.

www.gaspesie.com/renommee
(418) 269-3310.

Zec Cap-Chat

Au pied des Chic-Chocs, un territoire de plus de 100 km² et les eaux cristallines de la rivière Cap-Chat rendent ce lieu unique. On peut y venir observer les espèces fauniques et faire de la **randonnée pédestre** sur un réseau de chemins accessibles uniquement en saison estivale. Côté attraits naturels, la **chute Hélène** vaut le détour et elle ravira les photographes. Une **randonnée sportive en montagne** permet aussi d'observer deux autres chutes, **Le Petit Saut** et **la chute Beaulieu** et de gravir un **sommet de 830 m**.

Activités : Randonnée pédestre
Hébergement : Deux chalets d'une capacité minimale de quatre personnes et un autre pour trois personnes.
Accès : 6 $ à 8 $ par véhicule.

Société de Gestion de la Rivière Cap-Chat (SOGERCA)
53, rue Notre-Dame, Cap-Chat

www.zeccapchat.zecquebec.com
(418) 786-5255 poste d'accueil de l'Islet : (418) 786-5966

Le vent, la mer, les îles

Les Îles de la Madeleine : on y marche, on y roule, on y vogue, on les explore et on les goûte. On finit par les quitter, mais on ne cesse jamais d'y rêver. Qu'il s'agisse d'activités reliées au vent, à l'eau ou à la terre, toutes procurent une satisfaction peu commune. En faisant de la randonnée sur les dunes, sur les caps ou dans les bois, en naviguant en kayak de mer le long des falaises de grès rouge ciselées par les marées ou encore en découvrant les fonds marins et les grottes immergées, le visiteur se trouve rapidement attiré par l'envergure des activités et conquis par la beauté de l'environnement.

Les Îles de la Madeleine sont situées à 215 kilomètres de la péninsule gaspésienne et à 105 kilomètres de l'Île du Prince-Édouard. Ce petit bout de pays, pris entre quatre vents et exposé aux intempéries virulentes qui frappent en automne et en hiver, a pris la forme d'une main qui s'agrippe par le pouce et l'index au golfe du Saint-Laurent. L'archipel comprend une douzaine d'îles. Six d'entre elles sont reliées par d'étroites dunes de sable qui emprisonnent de magnifiques lagons bleus. Brodées de vertes collines, de falaises enflammées et de 300 kilomètres de plages blondes, ces îles cachées dans l'océan représentent un véritable trésor de la nature.

Extra !

Événements estivaux

Le ***Concours de construction de petits bateaux****, en août, s'inscrit dans la programmation du Festival Acadien. Les participants ont trois heures pour construire une embarcation à voile —avec un budget maximal de 200 $— qu'ils doivent ensuite mettre à l'eau!*

La ***Traversée des Îles à vélo****, en juillet. Randonnée à vélo d'un bout à l'autre des Îles.*

Le ***Concours annuel de châteaux de sable****, en août, réunit de 70 à 80 bâtisseurs qui édifient des palais dont certains dépassent la taille d'une personne.*

Au mois de mars, ***la mi-carême*** *se fête à Fatima. Pendant trois jours, des gens costumés défilent de maison en maison. Les hôtes doivent deviner l'identité des visiteurs.*

Calendrier des événements sur www.tourismeilesdelamadeleine.com

Bien que l'on puisse également découvrir les paysages madelinots à **vélo** ou à **cheval**, ceux qui souhaitent vraiment y plonger optent généralement pour la **marche**. Pieds nus dans le sable, accompagné d'un vent aux effluves salins et d'un soleil cajoleur, le marcheur peut parcourir les plages de bout en pointe.

Tous les sentiers et tous les rivages semblent déboucher sur un bout de paradis. Il est toujours possible, et sans grandes conséquences, d'aller se perdre au bout d'un petit chemin qui mène on ne sait où. On se trouvera toujours à une courte distance d'une habitation.

Le « bout du banc » est une bande de sable étroite, longue de près de six kilomètres, qui court jusqu'à Havre-Aubert. À droite comme à gauche, l'océan. Rien d'autre que le chant du large et l'éternelle valse des flots. On y marche, longtemps et seul. Au loin, on aperçoit l'Île d'Entrée. Un autre bel endroit à toucher du pied. Un phare, deux rues, trois collines, une poignée de maisons et quelques animaux de pâturage. Entièrement ceinturée de sentiers, cette île offre de fantastiques points d'observation donnant sur l'archipel. Du haut des 174 mètres de Big Hill, on a l'impression de voir des paysages écossais, tellement tout y est pres-

que trop vert. Contrastantes, des falaises échancrées plongent vers la mer où les vagues viennent se briser sur leurs rochers, rouges au nord, gris au sud.

Les Îles de la Madeleine sont très prisées par la **faune ailée**. De populeuses colonies de fous de Bassan, de sternes, de guillemots à miroir, de cormorans à aigrettes, de grands hérons, de petits pingouins, de pluviers siffleurs (une espèce qui niche uniquement au Québec sur les plages des Îles) et plus de 200 autres espèces peuvent être observées. Deux sites, l'un à l'île Brion et l'autre à la Pointe de l'Est (secteur de Grosse–Île), sont aujourd'hui des réserves. Le rocher aux Oiseaux, situé à l'extrémité nord-est de l'archipel, représente un autre site d'intérêt majeur pour l'**observation d'oiseaux**. Il s'agit de l'endroit où niche la deuxième plus importante colonie de fous de Bassan en Amérique du Nord après celle de l'Île Bonaventure. Quelques organisations offrent des excursions nautiques vers cette destination. Autrement, le refuge n'est pas ouvert au public.

Les **phoques gris et communs** se remarquent facilement autour de l'archipel. Ils affectionnent particulièrement la pointe est de l'île Brion et le rocher du Corps–Mort (où l'on peut faire de la plongée légère parmi eux), le bout de la plage de la Grande Échouerie, Grosse–Île et certaines plages isolées. L'hiver, on peut aussi les côtoyer sur la banquise. Chaque année, au début de mars, des centaines de milliers de phoques à capuchon et du Groenland se donnent rendez-vous sur les glaces du golfe pour donner naissance à leurs petits. Mignons et rondouillards, le pif barbouillé de neige, les blanchons attendent gentiment le retour de leur mère.

Les Îles de la Madeleine, avec leurs vagues, leurs lagons et leurs vents, offrent aux estivants la déclinaison complète des sports nautiques. Elles bénéficient d'un climat maritime, ce qui en fait l'un des endroits du Québec où ces sports peuvent se pratiquer le plus longtemps au cours de l'année. Les **véliplanchistes**, les adeptes de **cerf-volant à traction**, de **surf**, de **kayak** et de buggy parcourent les eaux et les plages du début du mois de juin jusqu'à la fin d'octobre (et l'hiver également pour le **ski tracté** et le **surf des neiges**). L'accès facile aux plans d'eau, leur faible profondeur, leur diversité (pleine mer, baies et lagunes abritées) de même que la constance du vent ont fait des Îles un endroit sensationnel pour les sports de voile. Selon l'endroit et les conditions météo, les vents peuvent même mettre les plus chevronnés dans l'embarras. Mieux vaut consulter des Madelinots expérimentés avant de se lancer.

Focus

Famille : *Sur l'île de Grande Entrée — capitale québécoise du homard — le chemin du Bassin Est épouse les caps élevés, puis descend sur la dune de sable qui le relie à l'île Boudreau; on s'y régale de fruits sauvages et de mollusques. Sur l'île Boudreau, on peut prendre un bain d'argile naturelle. Les stations de plein air L'Auberge La Salicorne et le Centre nautique l'Istorlet proposent aux familles des garderies et des camps pour enfants.*

Débutant : *Dans la Baie de Grande Entrée, le Bassin aux Huîtres (trois kilomètres) forme un plan d'eau calme et bordé de falaises d'un côté, parfait pour l'apprentissage des activités à voile.*

Expert : *Des expéditions de kayak de mer s'échelonnant sur plus d'une journée sont offertes. Une initiation aux sports tractés réjouira les plus téméraires.*

certain dérangement. Mais les animaux sont faciles d'approche et il faut surtout guetter les mamans, qui peuvent attaquer si elles sentent que leurs petits sont menacés : suivez les instruction de votre guide!

Si vous préférez les célébrations traditionnelles aux blanchons, programmez plutôt une visite vers la fin du mois de mars, alors que se déroule la **fête de la Mi-Carême.** Cet événement costumé a pour origine le répit que se donnaient les chrétiens au milieu de la longue abstinence du carême. Aujourd'hui, toutes les générations s'unissent pendant trois jours pour célébrer en grand, avec musique, déguisements originaux et tournée des maisons.

Avis de tempête?

Si la météo venait à faire des siennes, les Îles ne manquent pas d'occupation et de refuges fort accueillants. Pour des plaisirs aquatiques, le Centre d'Interprétation du Phoque ou le Musée de la Mer sont riches en découvertes. Les gastronomes apprécieront les nombreuses bonnes tables et ne manqueront pas de faire un arrêt à la fromagerie où l'on peut assister à la production du fameux Pied-de-Vent, en plus de visiter l'Économusée (exposition sur la fabrication du fromage). Enfin, l'**artisanat** n'est pas en reste, que ce soit avec les créations très originales et typiques des Artisans du Sable et des souffleurs de verre de La Méduse, ou encore grâce à plusieurs galeries de peintres, dont certaines sont ouvertes même en hiver, comme L'atelier d'Art La Baraque.

Repères

www.tourismeilesdelamadeleine.com
1 877 624-4437

Activités :

- *paraski, kayak de glace, randonnée-nature guidée, campement en yourte, hiver comme été avec Vert et Mer :*

  www.vertetmer.com
  1 866 983-3555 et *(418) 986-3555*

- *Cerf-volant de puissance, ski et buggy tractés, kayak de mer avec Aérosport, l'été seulement :*

  www.aerosport.ca • 1 866 986-6677

Y aller :

- *L'hiver, les Îles de la Madeleine sont accessibles en auto, en avion et même en bateau depuis Matane ou Souris (Ile du Prince Édouard). Le Groupe CTMA offre un lien maritime hivernal au départ de Matane (avec voiture ou non) par le Voyageur (bateau cargo disposant de quelques cabines). Un lien maritime à l'année relie Souris (I.-P.É.) à Cap-aux-Meules. On peut réserver en ligne : www.ctma.ca • 1 888 986-3278*

- *Deux compagnies d'aviation offrent le trajet : Air Canada et Pascan Aviation. Tous les renseignements figurent dans le site Web de l'ATR mentionné plus haut. Certains forfaits tout inclus sont offerts.*

  www.pascan.com • 1 888 313-8777

  www.aircanada.com • 1 888 247-2262

Autres pistes

Les Îles de la Madeleine en kayak de mer

En kayak de mer, les paysages des Îles de la Madeleine revêtent un tout autre visage. En partant de Gros-Cap, on a la chance de progresser dans des eaux abritées et peu profondes que le soleil réchauffe. Les faibles courants et marées permettent de progresser devant les falaises de grès rouge modelées par le vent et la mer. Au bout de trois ou quatre kilomètres, on accède à des grottes mystérieuses où nichent des guillemots à miroir et des goélands. Leur profondeur atteint parfois une soixantaine de mètres. Du côté de la Belle Anse, à Fatima, on les surnomme la « Cathédrale », la « Lessiveuse » ou encore le « Ventre du dragon ». Sur la Cormorandière, île située à trois ou quatre kilomètres au large, on progresse dans des tunnels en « L » avant d'aller observer la colonie de phoques gris et de phoques communs. Après quelques heures ou plusieurs jours, tous ceux qui ont pagayé aux Îles de la Madeleine reviennent avec une drôle de lueur dans les yeux, comme s'ils avaient eu la révélation du secret le mieux gardé du Québec.

Bureau d'information touristique des Îles de la Madeleine
www.tourismeilesdelamadeleine.com
1 877 624-4437 et (418) 986-2245

Bouillée de bois (Étang-du-Nord)

Comptant plusieurs sentiers forestiers d'interprétation, La bouillée de bois est un site qui offre aux amants de la nature la possibilité de se balader en forêt. Un sentier longe l'étang de la Martinique, qui regorge d'espèces aquatiques. C'est l'un des sites ornithologiques les plus reconnus (observation de la sauvagine, des Goélands, des Grands Hérons, des Sternes pierregarins, de même que d'une colonie de Mouettes rieuses et de Mouettes de Bonaparte).

Sentiers pédestres : cinq totalisant 12,6 kilomètres (faciles).
Autre activité : à environ deux kilomètres, baignade à la plage de La Martinique, séparant Cap-aux-Meules de Havre-Aubert.
Saison : toute l'année.
Accès : gratuit.

Pour information, s'adresser au bureau d'information touristique.

L'Île d'Entrée

Cette île située à 16 kilomètres de Cap-aux-Meules est un petit paradis pour les amants de la nature. C'est à cet endroit que se trouve le plus haut sommet des Îles, soit la Big Hill (174 mètres). De là, vous avez un magnifique point de vue sur l'ensemble de l'archipel.

Autres activités : possibilité de faire des excursions nautiques guidées qui vous dirigeront vers cette Île : interprétation de la nature, géologie, histoire et ornithologie sont au menu avant de débarquer sur l'Île pour une randonnée pédestre.
Accès : avec frais.
Saison : à l'année.
Hébergement : Maison Josey (jusqu'à dix personnes) : (418) 986-5862.

www.tourismeilesdelamadeleine.com
1 877 624-4437 et (418) 986-2245.

Réserve écologique de l'île Brion

L'Île Brion, située à seize kilomètres de Grosse-île, est une réserve écologique du gouvernement du Québec. Il s'agit d'un site exceptionnel pour l'observation des oiseaux et des phoques. Un sentier pédestre en milieu forestier est accessible aux randonneurs dans la partie hors-réserve, située à l'ouest. Il est également possible de se rendre jusqu'à la maison des Dingwell en empruntant un sentier longeant les falaises, mais il faut absolument être accompagné d'un guide autorisé pour accéder à l'intérieur de la réserve écologique. Vert et mer, une entreprise de tourisme « vert » qui encourage les activités ayant un faible impact environnemental sur l'archipel des Îles de la Madeleine, est le seul pourvoyeur autorisé à accompagner de petits groupes à l'intérieur de la réserve écologique de l'Île Brion.

Autres activités avec Vert et Mer : ski cerf-volant, kayak de mer, excursion à l'Île d'Entrée, cyclotourisme sur tout l'archipel, forfait écotouristique tout inclus (exploration des écosystèmes insulaires, initiation à l'herbier des Îles de la Madeleine, ornithologie et interprétation de la dynamique des dunes).
Location : Vert et Mer loue du matériel de camping, de ski cerf-volant et de kayak de mer ainsi que des yourtes.
Services : guides d'expédition, restauration et transport de bagages.
Hébergement : écolodge en yourte, camping.
Saison : été : kayak et randonnée pédestre; hiver : ski cerf-volant.
Accès : 633, chemin des Caps, Fatima, Îles de la Madeleine
www.vertetmer.com • 1 866 986-3555

> *Information touristique générale*
> **Tourisme Îles de la Madeleine**
> **128, chemin Principal**
> **Cap-aux-Meules (Québec) G4TL 1C5**
> **www.tourismeilesdelamadeleine.com**
> **(418) 986-2245 • 1 877 624-4437**

Réserve nationale de faune de la Pointe de l'Est (Grosse-Île)

La randonnée pédestre : une des activités les plus ressourçantes pour découvrir les Îles! Située au nord-est de l'archipel des Îles de la Madeleine, la réserve nationale de faune de la pointe de l'Est est un petit bijou de nature. Constituée de dunes, de sable et de milieux humides, cette réserve nationale de 684 hectares est colonisée en grande partie par une végétation maritime. C'est aussi une halte migratoire majeure pour de nombreux oiseaux de rivage, dont le Pluvier siffleur et le Grèbe esclavon.

Étendue : 684 hectares.
Sentiers pédestres : deux totalisant environ vingt kilomètres (faciles).
Autres activités : visite de grottes, excursions en kayak de mer et kayak de surf, randonnée de la Pointe de l'Est, randonnée l'Ile Boudreau, bain d'argile en bord de mer, pêche aux coques, baignade en mer, location de kayak, canot, pédalo, rabaska (location en supplément si pas en séjour à L'Auberge La Salicorne), séjour en camping (repas et activités possible en forfait).
Saison : hébergement toute l'année. De la mi-mai à la fin septembre.
Accès : accessible par la route 199. Entrée sur la réserve gratuite. Sortie guidée avec un naturaliste inclus dans le séjour à L'Auberge La Salicorne. Activités à la carte ou inclues dans un forfait.
www.salicorne.ca
1 888-537-4537 et (418) 985-2833

Nuits mongoles

Une magnifique idée pour quelques jours de vacances. Vert et Mer propose cinq forfaits de dépaysement total. L'hébergement est toujours assuré dans de grandes yourtes blanches fabriquées dans la région. Un coup de cœur particulier pour la formule « Abandon », grâce à laquelle les participants sont libres de choisir leur activité sur la minuscule île d'Entrée. Loin de tout, avec les oiseaux pour seuls compagnons, il est possible de randonner, de faire du vélo de montagne ou simplement de rencontrer les pêcheurs du coin. Les guides assurent tout de même une présence au campement de yourtes. Durant l'hiver, on vous invite à vivre une expérience hors du commun au campement nomade de la Butte du vent. Que vous soyez en ski de fond, en raquette ou à pied, le secteur de la Butte du vent vous envoûtera et déroulera devant vous une vue panoramique sur l'ensemble des Îles. Cerise sur le gâteau : Vert et Mer applique le principe « sans trace » à ses campements. Le groupe a même obtenu un permis éducatif exceptionnel pour camper et visiter l'île Brion, qui n'est normalement ouverte qu'aux scientifiques et aux écoles.
www.vertetmer.com • 1 866 986-3555

Parc régional de la Forêt Ouareau

Vaste et insoupçonné

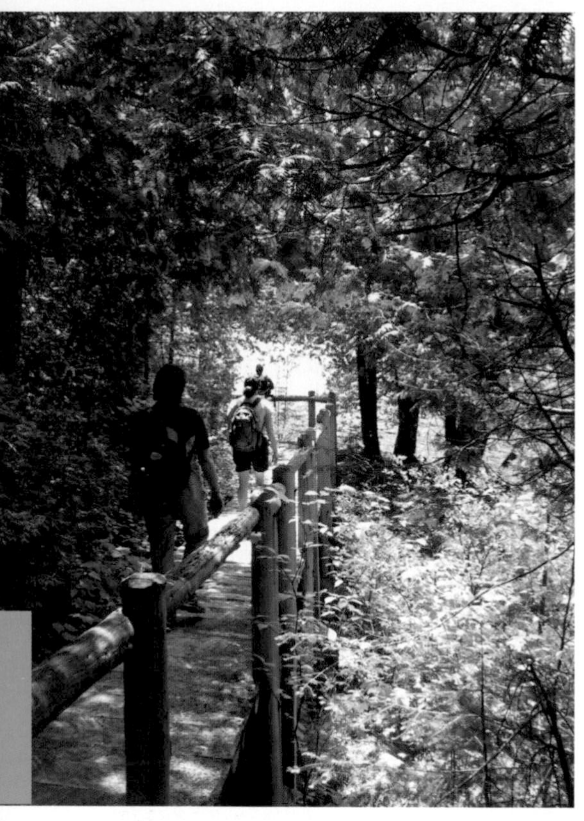

À moins d'une heure et demie de route de Montréal, le parc régional de la Forêt Ouareau constitue une destination à découvrir pour les adeptes de nature sauvage. Sur un territoire de 149 kilomètres carrés, le site possède des écosystèmes aussi variés que ses paysages : forêt mixte, lacs, rivières, et même quelques sommets (point culminant à 639 mètres). Trois portes d'entrée sur le parc permettent aux visiteurs d'y accéder, dont Grande Vallée, dans le secteur de Chertsey, l'entrée du Massif et l'entrée du pont suspendu, à Notre-Dame-de-la-Merci (lire encadré).

Pour la **randonnée pédestre, 114 kilomètres** de sentiers de niveaux facile et intermédiaire, et même de niveau avancé lorsque la piste s'élève (dénivelé maximum : 300 mètres) sont accessibles en toute saison. Les nombreux panneaux d'interprétation installés sur les sentiers constituent autant d'occasions de faire une halte et d'admirer les décors sauvages inoubliables du parc tout en apprenant à mieux le connaître. L'été, les adeptes de **vélo de montagne** de niveau intermédiaire peuvent défier les **35 kilomètres** de sentiers qui leur sont destinés dans la section du Massif. Les plus téméraires et aguerris ont accès à plus d'une **vingtaine de kilomètres supplémentaires**, dont plusieurs sont très accidentés. Il est également possible de profiter d'un des lacs ou cours d'eau pour faire une **baignade** (pas de service de surveillance). Et pour les passionnés de sport d'hiver, il n'y a que l'embarras du choix avec 35 kilomètres de sentiers de **raquette** et 45 kilomètres de pistes de **ski de fond**.

Plusieurs options d'hébergement sont disponibles sur place. Pour le **camping**, neuf plates-formes sont aménagées en bordure des lacs Prud'Homme, à la Loutre et Corbeau. **Trois refuges** de quatre à huit personnes sont aussi disponibles non loin de ces lacs. **Le camping sauvage** est permis partout dans ce secteur. À l'entrée du pont suspendu, **40 terrains de camping semi-aménagés** jouxtent la rivière Ouareau, propice au canot, kayak et rafting.

À l'automne 2009, une entente d'harmonisation a été signée entre la MRC de Matawinie, gestionnaire du parc, et l'entreprise forestière qui exploite une partie du bois. Ces derniers ont conclu une entente permettant de procéder à une coupe d'assainissement afin de favoriser la régénérescence de la Forêt Ouareau tout en respectant l'aspect visuel et esthétique de cette dernière.

Repères

www.matawinie.org
1 877 424-1866 • (819) 424-1865

Hébergement : *trois refuges répartis au sein du parc (réservation obligatoire, 20 $/pers.) et plusieurs lieux prévus pour le camping sauvage (sans réservation, gratuit) sur les rives de la rivière Ouareau. Service de transport des bagages possible par la MRC.*

Accès : *depuis Montréal, prendre la route 125 vers le nord. Ensuite, plusieurs choix sont possibles, car le parc possède six entrées. Deux sont accessibles par la route 125, qui longe le côté ouest du parc, et deux autres par des routes locales au sud. Ces quatre entrées donnent accès à la plus grande partie du réseau de sentiers. Les deux dernières sont situées sur la route 347, au nord du parc, et ouvrent sur un sentier linéaire de six kilomètres.*

Parc régional des Chutes Monte-à-Peine-et-des-Dalles

Oasis de fraîcheur

Cinq kilomètres de rivière, trois chutes et plus de **dix-sept kilomètres** de sentiers : le parc régional des Chutes-Monte-à-Peine-et-des-Dalles a des airs d'oasis... À un peu plus d'une heure de Montréal, une randonnée au cœur de ce petit coin boisé offre un rafraîchissement apprécié pleinement. La rivière l'Assomption, qui sillonne le parc et brasse les eaux de la rivière Noire, libère en effet une humidité vivifiante.

Depuis la porte d'entrée de Sainte-Béatrix, le sentier qui borde la rivière relie les trois chutes. La première, la **chute des Dalles** offre un beau panorama sur le canyon, haut de 30 mètres. Ce paysage unique a été façonné par les glaciers, il y a quelques millions d'années. Pour atteindre la deuxième chute au centre du parc, il faut d'abord grimper au cœur d'une belle **forêt**. Une fois cuisses et mollets bien échauffés, la randonnée se poursuit facilement jusqu'à la **chute Desjardins**. Plutôt intime, on perçoit le grondement sourd et particulier d'un torrent qui s'engouffre dans une vallée encaissée.

Repères

www.parcdeschutes.com
(450) 883-6060

Sentiers pédestres : *10 sentiers faciles totalisant 17 km, 1 sentier d'interprétation de la nature avec 18 panneaux d'interprétation.*

Autres activités : *visites guidées, observation à partir de 6 belvédères, cours de survie en forêt. Accès gratuit aux peintres en plein air durant le mois d'août.*

Services : *aire de pique-nique et toilettes.*

Saison : *début mai à fin octobre.*

Horaire : *Début mai à la mi-juin: 9 h à 18 h.*

Mi-juin à la mi-août: 9 h à 20 h.

Mi-août à la fin octobre: 9 h à 18 h.

Accès : *6 $/adulte, 3 $/enfant (5 ans +), 3 $/chien.*

S'y rendre : *105 km depuis Montréal, compter 1 h 15 de trajet environ. Emprunter l'autoroute 40 depuis la Rive-Nord. Prendre la sortie 122 pour l'autoroute 31 Nord en direction de Joliette. À Joliette, suivre la 131 Nord jusqu'à une des trois portes d'entrée soit Sainte-Béatrix, Saint-Jean-de-Matha et Sainte-Mélanie.*

Focus

Famille : *Un sentier de 600 mètres permet d'atteindre la chute Monte-à-Peine; plusieurs autres courts sentiers se prêtent bien aux petites jambes.*

Expert : *Les plus dégourdis pourront effectuer le parcours à la course. Le sentier est idéal pour améliorer sa performance cardiovasculaire!*

Au cœur de la forêt, quelques petits ponts se succèdent. Malgré la sérénité des lieux peu achalandés, il ne faudrait pas croire que l'on est seuls! Renards, coyotes, belettes, cerfs de Virginie et 89 espèces d'oiseaux se partagent le territoire dans la plus grande discrétion. Le sentier sinueux mène à un plateau où les randonneurs savourent une première récompense : une vue infinie sur les arbres et les vallons des Laurentides. Le chemin se poursuit jusqu'à la troisième chute, **la Monte-à-Peine.** Le bruit et la force de l'eau sont des plus impressionnants... et les embruns vraiment rafraîchissants! Étourdissante, l'eau se jette en de multiples voiles blancs et mousseux. Contrairement à ce que nous pourrions penser, le nom donné au lieu ne signifie pas que les pentes se montent facilement. Au contraire, peine vient de pénible. Sur quelques kilomètres, un sentier d'interprétation explique les abris fauniques, les sapins, le vent, etc. Les paysages se suivent et ne se ressemblent pas : l'itinéraire qui mène à la **chute des Dalles** se poursuit à travers une érablière. La rivière offre des paysages totalement différents.

Extra!

Vous voulez tout connaître sur la survie en forêt? Un guide propose des cours selon la méthode amérindienne. Au programme : construction d'un abri, fabrication de cordes, mise en route d'un feu, initiation aux plantes sauvages.

Autres pistes

Information touristique générale

Tourisme Lanaudière
3568, Rue Church
Rawdon (Québec) J0K 1S0
www.lanaudiere.ca
(450) 834 2535 • 1 800 363 2788

Circuits-vélo dans Lanaudière

Du côté de Lanaudière, vous trouverez la diversité de paysages et le défi cycliste. Par contre, les familles avec des enfants en bas âge aimeront moins le partage des routes empruntées avec la circulation motorisée, et ce, sur une grande partie du territoire. Mais certaines villes, comme Le Gardeur, Repentigny ou Terrebonne, possèdent un petit réseau local de pistes destinées aux cyclistes. Les bandes cyclables, en bordure de la 138, demeurent une option intéressante. À partir de Berthierville, on pourra entrer dans les terres par la Route verte, empruntant l'ancien chemin du Roy en direction du village de Saint-Barthélemy. On y découvre un patrimoine digne d'intérêt. À un rythme de baladeur, le tour complet prendra environ une heure.

www.lanaudiere.ca • 1 800 363-2788

Sentier national en Matawinie–Lanaudière

Parmi les 180 kilomètres reliés par le sentier national en Matawinie, différentes possibilités, autant courtes que longues, s'offrent au randonneur. Des excursions d'une à quatre nuitées sont possibles pour les amateurs de séjour en refuge. Une nouvelle passerelle sur la rivière l'Assomption et trois nouveaux refuges permettent maintenant de relier le sentier de la rivière Swaggin au sentier de la Boule. Pour découvrir davantage, le sentier est raccordé aux parcs régionaux de la Forêt Ouareau, de la Chute-à-Bull et des Sept-Chutes. Au menu : chutes, lacs et rivières, en plus de montagnes culminantes entre 550 et 675 mètres. Le caractère sauvage des lieux plaira aux randonneurs de tous niveaux.

Saison : à longueur d'année, l'hiver en raquette. Évitez la période de chasse…

Hébergement : 6 refuges sur le Sentier national (8 refuges dans les parcs régionaux), 2 abris, 25 campings aménagés sur plate-forme, camping sauvage autorisé.

M.R.C. de Matawinie
www.matawinie.org • (450) 834-5441• 1 866 484-1865

Sentiers Brandon

Tracés et entretenus aux quatre saisons par une équipe de volontaires, les Sentiers Brandon débutent au chalet des loisirs de la municipalité et sillonnent sur une vingtaine de kilomètres la pleine nature blottie aux portes sud de la ZEC des Nymphes. Ponctués par un point de vue sur la petite ville de Saint-Gabriel-de-Brandon et son église, les sentiers enchanteront aussi bien les randonneurs que les adeptes de ski de fond et de raquette surtout grâce au panorama du lac Maskinongé, qui s'étend au nord de la ville.

Sentiers pédestres : quatre totalisant 27 km (facile).
Autres activités : ski de fond, raquette, trottinette des neiges, baignade.
Services : deux relais chauffés, chiens en laisse autorisés, carte des sentiers disponible à l'accueil, stationnement.
Saison : toute l'année.
Accès : frais d'entrée.

www.panorama-brandon.com • (450) 835-1515

Îles de Berthier

Les îles de Berthier forment — avec les îles de Sorel — l'archipel du Lac Saint-Pierre, réserve mondiale de la biosphère de l'UNESCO. On s'y aventure à pas feutrés, au petit matin, quand la faune est en pleine effervescence. C'est le moment idéal pour parcourir les 8,5 kilomètres du sentier d'interprétation. À vos jumelles et appareils photo! Plus de 900 nids de hérons ont été recensés certains étés! Sur ce territoire encore vierge à 90 %, les observations sont multiples, 288 espèces d'oiseaux ayant élu domicile dans ces milieux humides. Quatre-vingts kilomètres de pistes cyclables permettent également de découvrir la région, à travers les îles de Berthier, les villages et les campagnes pittoresques.

Société d'aide au développement de la collectivité de D'Autray-Joliette
www.poleberthier.com • 1 877 836-0410

Au canot volant (Saint-Côme)

Après avoir marché et roulé abondamment, une virée en canot ou en kayak d'eau vive du côté de la rivière Assomption s'impose. Situé à Saint-Côme, Au canot volant est un centre d'activités nautiques qui offre des excursions guidées ou autonomes. Des circuits sont destinés aux débutants et aux intermédiaires avancés sur différentes sections de la rivière. Dès 2010, le centre propose du kayak de mer dans le parc National du Mont-Tremblant dans le secteur de l'Assomption. Il prévoit également d'offrir du rafting sportif et familial à partir de 2011. De quoi vous faire ramer!

www.canotvolant.ca • (450) 883-8886

Réserve faunique Rouge-Matawin

Les deux rivières qui forment à la fois le toponyme et l'hydrographie de cette réserve faunique sont des classiques du canot-camping. La Rouge, avec sa fameuse section des 21 milles, est destinée aux experts alors que la Matawin est une rivière qui sied aux canoteurs intermédiaires. La section qui part du Lac Audelin et se rend jusqu'à l'accueil, 27 kilomètres plus loin, est parsemée d'emplacements de camping sauvage et de belles plages, et se parcourt très bien en une fin de semaine. Vous terminerez votre descente au poste d'accueil de Saint-Michel-des-Saints, où il est possible d'effectuer de la location de canots et de bénéficier du transport de ceux-ci.

Hébergement : 12 chalets (2 à 14 personnes), 3 camps rustiques (2 à 4 personnes) et 9 camps prospecteurs (2 à 4 personnes); 77 emplacements de camping rustique (la majorité en bordure de lacs ou cours d'eau), 37 emplacements de camping aménagé sans services et 3 emplacements de prêt-à-camper en tente roulotte. Réservations :(800) 665-6527

www.sepaq.com
Poste d'accueil La Macaza : (819) 275-1811
Poste d'accueil Saint-Michel-des-Saints : (450) 833-5530

Centre de plein air L'Envolée (St-Lin-Laurentides)

Situé au pied des montagnes de Lanaudière, voilà un lieu familial où l'on peut pratiquer une dizaine d'activités de plein air. Les sportifs hivernaux auront le choix entre des loisirs sur glace (patinoire aménagée ou glissade sur tube) et des loisirs de neige (raquette, ski de fond et pas de patin), alors qu'au retour de la belle saison, on accueille les cyclistes de montagne. Le réseau de sentiers forestiers autour du centre s'étale sur plus de 72 km pour des randonnées faciles (à partir de 1,5 km) à très difficiles (jusqu'à 17 km) à choisir parmi les 15 pistes du site.

Une fois par mois durant l'hiver, le centre organise des randon-

nées aux flambeaux en ski de fond. Une piste de 3,5 kilomètres est entièrement illuminée. Possibilité de louer raquettes, skis de fond et patins au centre d'accueil de l'Envolée qui dispose aussi d'une salle de fartage.
Activités : Raquette, ski de fond et vélo de montagne
Distance : Raquette : 10,2 km • Ski de fond : 30 km dont 23 km en pas de patin
Coût : Raquettes et patin : 6 $ en fin de semaine • Ski de randonnée : 9 $ en fin de semaine
Accès : Prendre la 19 Nord, puis la 25 Nord jusqu'à la sortie 46 (juste avant le village de Saint-Esprit). Prendre ensuite la route 158 Ouest (rang Saint-Louis) jusqu'à la lumière à Saint-Lin-Laurentides. Tourner à droite sur la 337 Nord, faire 1,3 km et tourner à gauche sur le rang Double. Rouler 4,3 km. Le centre de plein air se trouve à droite de la route (1135, rang Double).

www.lenvolee.com • 450 439-7687

Chez Ti-Jean ski de fond (L'Épiphanie)

Centre de ski de randonnée avec pistes tracées et balisées situées en plein cœur d'une forêt de pins matures offrant 34 kilomètres de pistes doubles et 6,2 kilomètres de pas de patin.
Sentiers de ski de fond : sept sentiers totalisant 34 km (facile, intermédiaire, difficile).
Location : skis de fond, traîneaux pour enfants.
Services : casse-croûte, deux relais chauffés, salle de fartage, réparation d'équipement.
Saison : de décembre à mars selon température.
Accès : frais d'entrée.
www.erablieredautrefois.com • (450) 588-5980.

Parc des chutes Dorwin (Rawdon)

Les 2,5 kilomètres de sentiers écologiques longent la gorge où se déchaîne la rivière Ouareau et mènent aux deux belvédères donnant sur les chutes. Durant l'été, pourquoi ne pas faire un pique-nique sous de grands pins et partir observer la tête de pierre du sorcier Nipissingue sur la paroi de la chute?
Sentier pédestre : 2,5 km.
Services : aires de pique-nique, parc pour enfants et sentier d'interprétation de la flore.
Saison : De la fin de semaine précédant la Fête des Patriotes jusqu'à l'Action de Grâce.
Accès : frais d'entrée.

www.municipalite.rawdon.qc.ca • (450) 834-2596, poste 7160.

Parc régional des Chutes à Bull (Saint-Côme)

Sentiers d'interprétation pour découvrir l'histoire de cette chute où, à l'époque, on y faisait la drave. Les refuges sont ouverts toute l'année. Cependant, du 24 juin à la fête de l'Action de Grâce, seulement trois refuges sont disponibles.
Étendue : 185,1 ha.
Sentiers pédestres : 9 km.
Sentiers de raquette : 9 km.
Hébergement : quatre refuges avec poêle à bois (disponibles en automne, hiver et printemps. Trois refuges en été).
Saison : toute l'année.
Accès : frais d'entrée seulement en été.

(450) 883-2730 et 1 866-266-2730

Parc régional des Sept Chutes (Saint-Zénon)

Le relief du parc est caractérisé par ses escarpements rocheux et ses hautes collines, dont l'altitude moyenne est de 500 mètres. Les panneaux d'interprétation le long des sentiers du parc feront découvrir la richesse de sa flore et de sa faune.
Dénivelé : 210 m.
Sentiers pédestres : 12 km.
Services : restauration, douches.
Saison : de mi-mai à novembre.
Accès : frais d'entrée.

(450) 884-0484.

Pourvoirie Trudeau (Saint-Zénon)

Cinquante-deux kilomètres carrés de territoire sauvage parsemé de 27 lacs. Sur le site, 48 kilomètres de sentiers pédestres et de nombreuses activités, telles que le ski de fond hors-piste, la raquette et les activités nautiques.
Étendue : 52 km^2.
Sentiers pédestres : 48 km (facile à difficile).
Autres activités : ski de fond hors-piste, raquette, pêche sur la glace, glissade, kayak, pédalo, canot, baignade.
Services : restauration seulement en hiver, de fin décembre à la mi-mars.
Hébergement : auberge, chalet.
Saison : toute l'année.
Accès : frais d'entrée.

www.pourvoirietrudeau.com
(450) 884-5432 • 1 800 293-5432.

Sentier national (Sainte-Émilie-de-l'Énergie)
Quarante kilomètres de sentiers pédestres classés intermédiaires et accessibles, gratuitement toute l'année. Camping et refuges sur le site.
Sentiers pédestres : cinq totalisant 40 km.
Hébergement : refuge, camping sauvage, camping d'hiver possible.
Saison : toute l'année.
Accès : gratuit.

(450) 886-3823.

Société de Conservation, d'Interprétation et de Recherche de Berthier et ses Îles (SCIRBI)
Les dix kilomètres de sentiers permettent d'observer la diversité de la faune et de la flore typiques du lac Saint-Pierre. Trois tours d'observation sont érigées le long du sentier principal. Aucun vélo ni véhicule motorisé ne sont autorisés sur le site. Sur demande, présence de naturalistes sur les sentiers.
Sentiers pédestres : 10 km (hiver, environ 6 km).
Sentiers de ski de fond : 2 (environ 18 km).
Autre activité : raquette.
Saison : toute l'année.
Accès : gratuit.
www.scirbi.org • (450) 836-4447

Zec Collin (Saint-Michel-des-Saints)
Située à deux heures de Montréal, au nord de Saint-Michel-des-Saints, la zec Collin offre un territoire parsemé d'une centaine de lacs et de rivières, dont la majorité est accessible en véhicule. Adeptes d'activités de plein air telles que la randonnée pédestre, le vélo de montagne, le kayak et le canot-camping seront enchantés par ce coin de pays. Des terrains de camping avec service sont installés au bord du lac Lusignan. Pour une expérience plus sauvage, on trouve de magnifiques sites de camping rustique au beau milieu de la rivière du Milieu ou en bordure de lacs, où l'on pourra aussi se baigner à loisir.
Services : Location de chaloupes et de gilets de flottaison. La plupart des sites de camping rustique sont pourvus d'une table à pique-nique et d'un bac à feu, certains de toilettes sèches.

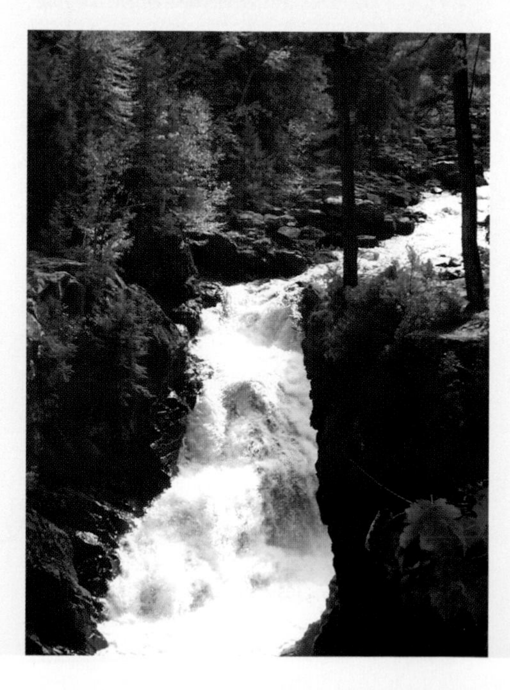

Saison : du 15 avril au 15 novembre
Accès : Payant. Enregistrement au poste d'accueil : 8370, chemin Brassard St-Michel-des-Saints

www.zeccollin.zecquebec.com
(450) 833-5195 • 1 866-753-4624

Zec des Nymphes (St-Félix-de-Valois)
Avec ses 123 lacs et ses deux rivières, ce territoire de 266 kilomètres carrés offre la possibilité de pratiquer, outre la pêche sportive, le camping, la randonnée, le canotage et le vélo de montagne. Côté randonnée pédestre, plusieurs parcours sont tracés et l'accès au Sentier national, secteur des Nymphes, d'une longueur de 18 kilomètres, peut se faire à plusieurs endroits par la route. De plus, un sentier de cinq kilomètres le long de la rivière Gauthier est accessible à partir du secteur Mandeville. Un autre sentier de 6,5 kilomètres offre également une très jolie escapade autour du lac Wolfe. Des sites de camping rustique y sont aussi installés.
Autres activités : canotage, baignade, cueillette de petits fruits
Services : Location de chaloupes, réservation de sites de camping journaliers avec électricité. Camping rustique sans service
Saison : du 1er avril au 30 novembre
Accès : Frais de passage à acquitter l'été et enregistrement obligatoire.

www.zecdesnymphes.zecquebec.com
1 877-889-8796 • (450) 889-8796

Zec Boullé (Saint-Michel-des-Saints)
Le territoire de cette zec compte plus de 150 plans d'eau. Canot-camping, canot, kayak, randonnée pédestre et cueillette sont à l'honneur. De superbes attraits naturels comme les Chutes à Diane, situées sur le ruisseau Boiret valent le détour. La randonnée est reine, avec 200 kilomètres de chemins, dont plusieurs sentiers ont été aménagés suivant en parallèle le cours des ruisseaux. Sur la rivière du Milieu, une belle section canotable passe par la zec, idéale pour la descente en canot, en kayak et pour le canot-camping. La rampe de mise à l'eau se fait au kilomètre 56 sur le chemin Manawan. Le camping sauvage peut être pratiqué librement un peu partout sur le territoire.
Services : Camping avec une centaine d'emplacements (eau, égouts, électricité). Camping rustique autorisé en forêt sur des espaces désignés
Accès : Frais de passage à acquitter et enregistrement obligatoire.

www.zecboulle.zecquebec.com • (450) 756-4761

Zec Lavigne
Portant le nom de la rivière et du lac qui couvrent son territoire, cette zec est l'endroit idéal pour le canotage, mais aussi pour la randonnée pédestre et le vélo de montagne. En effet, un réseau de onze sentiers pédestres, avec des observatoires et plusieurs points de vue forme un ensemble de huit boucles (20 kilomètres) à parcourir sans repasser par le même endroit. Ces boucles sont accessibles par cinq départs différents. Sentiers et routes s'offrent aussi aux amateurs de vélo de montagne. On peut s'offrir un séjour avec nuitée dans les chalets Gamelin, situés sur les lacs Sarazin et Hull, à 40 minutes de l'accueil de St-Zénon (sur réservation). Pour une expérience plus dépaysante, le camping sauvage peut se pratiquer, sans réservation, sur certains sites plus éloignés.
Services : Location de chalets et de terrains de camping. Mini dépanneur sur place. Location d'embarcations à rame et de vêtements de flottaison.
Saison : Ouvert à l'année, poste d'accueil ouvert de fin avril à fin octobre

www.zeclavigne.zecquebec.com • (450) 884-5521 • (450) 883-8648

Parc national du Mont-Tremblant

© Parc national du Mont-Tremblant, Steve Deschenes, Sépaq

Toutes saisons, toutes passions

Le parc national du Mont-Tremblant s'offre comme un îlot sport-nature-aventure complet, que l'on soit en vélo, en canot, en ski, en kayak ou à pied, sac au dos.

S'étendant entre les Laurentides et Lanaudière, il est l'aîné et le plus vaste des 23 parcs nationaux du réseau Parcs Québec. Ses **1510 kilomètres carrés** couvrent un relief ondulant où se succèdent des sommets élevés, des gorges enclavant de tumultueux rapides ainsi que des vallées larges et tranquilles.

Baigné par six rivières et plus de 400 lacs et étangs, tissé de plus de 160 kilomètres de sentiers, le tout dans un environnement magnifique et bardé d'un millier d'emplacements de camping, le parc national du Mont-Tremblant a été développé pour le plaisir des adeptes de la randonnée.

Des bottes et un sac à dos, un bâton et un proche, voilà le nécessaire pour filer par-delà les sentiers! Ceux que l'on trouve au parc national du Mont-Tremblant ont ceci d'intéressant : ils s'enchâssent les uns dans les autres et sont entrecoupés de nombreux refuges. L'idéal pour apprivoiser la longue randonnée! Une fois raboutées, ces portions de sentiers faisant chacune entre 10 et 20 kilomètres permettent de traverser le parc d'est en ouest.

L'entretien des pistes est bien dosé. Juste ce qu'il faut pour marcher avec entrain sans pour autant rappeler les trottoirs urbains. Et le paysage? C'est une forêt épanouie, peuplée d'érables, de bouleaux jaunes et de conifères, qui entoure les marcheurs tout au long de leur périple. Les sentiers glissent le long des lacs et chevauchent les pinacles; ils offrent souvent des dénivelés de 100 à 400 mètres d'une piste à l'autre. L'effort est cependant récompensé par de nombreux et superbes points de vue.

Le sentier du Centenaire est particulièrement éloquent à cet effet. Il fait partie du Sentier national du Québec, au même titre que le sentier du Toit-des-Laurentides, et il propose une **superbe randonnée** de neuf kilomètres sur un dénivelé de 400 mètres (le retour – environ trois kilomètres – se fait par la route 1). Ce parcours, qui emprunte la crête de La Vache Noire, croise une suite de neuf points de vue donnant sur les collines environnantes et d'où on peut plonger le regard sur les courbes de la rivière du Diable et sur les forêts de la Boulé.

Rien n'oblige cependant à marcher pendant une semaine. On peut se tricoter sur mesure une expédition d'une journée ou encore de quelques heures à peine, selon sa volonté. Le parc compte 80 kilomètres de sentiers aménagés pour la pratique de courtes randonnées. Certains mènent à des sites panoramiques spectaculaires : les sentiers de la Roche et de

Repères

www.parcsquebec.com
1 800 665-6527 ou (819) 688-2281

Étendue : *1510 kilomètres carrés.*

Dénivelé du mont Tremblant : *915 mètres.*

Sentiers pédestres : *160 kilomètres.*

Sentiers de ski de fond : *92 kilomètres en skis nordiques (secteurs la Diable et la Pimbina), 53 kilomètres sur sentiers tracés (secteur la Diable uniquement).*

Sentiers de vélo : *45 kilomètres (secteur la Diable), 17 kilomètres (secteur la Pimbina).*

Sentiers de raquette : *23 kilomètres (secteur la Diable), 15 kilomètres (secteur la Pimbina).*

Location : *vélos, canots, kayaks, pédalos, raquettes, skis de fond.*

Autres services : *magasin général, Boutiques-Nature, transport de canot et navettes dans le parc*

Hébergement : *près de 1000 emplacements de camping (la moitié aménagée sans service et l'autre de type rustique), 238 sites de canot-camping, 11 refuges, 11 chalets (deux ouverts à l'année), 9 yourtes (dont 5 aménagées pour l'hiver dans le secteur de la Pimbina), 26 tentes Huttopia.*

Autres activités : *« Sentiers de nature » (quatre sentiers, neuf kilomètres), activités de découvertes animées par des gardes-parc naturalistes, baignade (deux plages surveillées).*

À proximité : *Centre de ski de fond Mont-Tremblant (65 kilomètres de sentiers de ski de fond et 13 kilomètres pour la raquette*

www.skidefondmont-tremblant.com
(819) 425-5588

© Parc national du Mont-Tremblant, Pierre Parent, Sépaq

la Corniche, ceux de L'Envol et de la Chute-aux-Rats de même que celui du Lac-de-L'Assomption.

L'eau est omniprésente sur le territoire du parc national du Mont-Tremblant. Elle s'étend calmement – sauf entre le lac Laplante et les chutes Croches (où le canotage est interdit) – en lacs intimes entre les montagnes, et sert ainsi tant les canoteurs que les kayakistes. On trouve sur les rivières du Diable et L'Assomption des rapides de niveaux I à IV. Des sentiers ont été aménagés en bordure pour pouvoir les passer à pied. Environ deux jours sont nécessaires pour effectuer le parcours de ces rivières aux cent visages.

Côté **vélo**, on retrouve 62 kilomètres de sentiers de terre battue qui parcourent la forêt, et qui ont été pensés pour la famille. Allant jusqu'à une difficulté moyenne, les différents sentiers de vélo rencontrent plusieurs refuges pour des arrêts bouffe ou repos, et il est possible de louer certains d'entre eux (cinq) pour la nuit.

Pour découvrir et apprécier ces paysages d'un tout nouveau point de vue, le parc offre une expérience de montagne unique avec l'aménagement de la **Via ferrata** du Diable, un parcours aménagé, sur la paroi de la Vache Noire à l'entrée du secteur de la Diable, qui promet de vous en mettre plein la vue! Imaginez-vous progresser tout doucement vers une passerelle qui vous permettra d'admirer en surplomb la sinueuse rivière du Diable. À l'horizon, après une ascension à 200 m d'altitude, vous serez littéralement saisi par la vue sur les montagnes. Jamais plus vous ne verrez ce majestueux parc du même oeil...

Le parc national du Mont-Tremblant saura également satisfaire les adeptes du camping. En plus des sites aménagées et rustiques, 9 yourtes sont disponibles pour roupiller en pleine nature. Offrant tout l'équipement nécessaire pour un séjour agréable en pleine nature, ce mode d'hébergement présente beaucoup de charme et de rusticité. Pour les adeptes du camping ayant délaissé leur équipement, les séjours en prêt-à-camper sont également une belle alternative. Les tentes Huttopia vous permettent de vivre un séjour de camping en toute simplicité.

D'autre part, la blanche saison ne demeure pas en reste. Premièrement, on retrouve 36 kilomètres de parcours dédiés à la **raquette**, pour tous les goûts. Dans le secteur de la Diable, on peut pratiquer la raquette sur les rives du lac des Femmes et du lac Monroe. Il est également possible d'emprunter les sentiers de la Roche et de la Corniche, et ainsi évoluer à flanc de montagne en direction des belvédères. Ces deux sentiers sont reliés par le sentier de la Coulée, ce qui permet d'effectuer une boucle de huit kilomètres. **Le sentier du Centenaire** est accessible aux plus chevronnés et il offre des paysages hivernaux à

Extra!

Le massif du mont Tremblant est situé à l'intérieur du parc, mais offre une tout autre atmosphère et est géré distinctement. À la ***Station Mont-Tremblant****, on peut pratiquer le vélo de montagne ainsi qu'un style plus tranquille sur les sentiers au pied de la montagne, la randonnée, le patin à roues alignées, le patin à glace, le ski alpin, le télémark et la planche à neige.*

À la base de la montagne, une ***piste multifonctionnelle nommée Villageoise*** *s'allonge sur 11,4 kilomètres en suivant la rivière du Diable. Tranquille, malgré certains passages sinueux et pentus, elle permet aux marcheurs et aux cyclistes de gagner le parc linéaire du P'tit-Train-du-Nord. Ce tapis de gravier pourra conduire le visiteur vers le sud jusqu'à Saint-Jérôme ou vers le nord jusqu'à Mont-Laurier.*

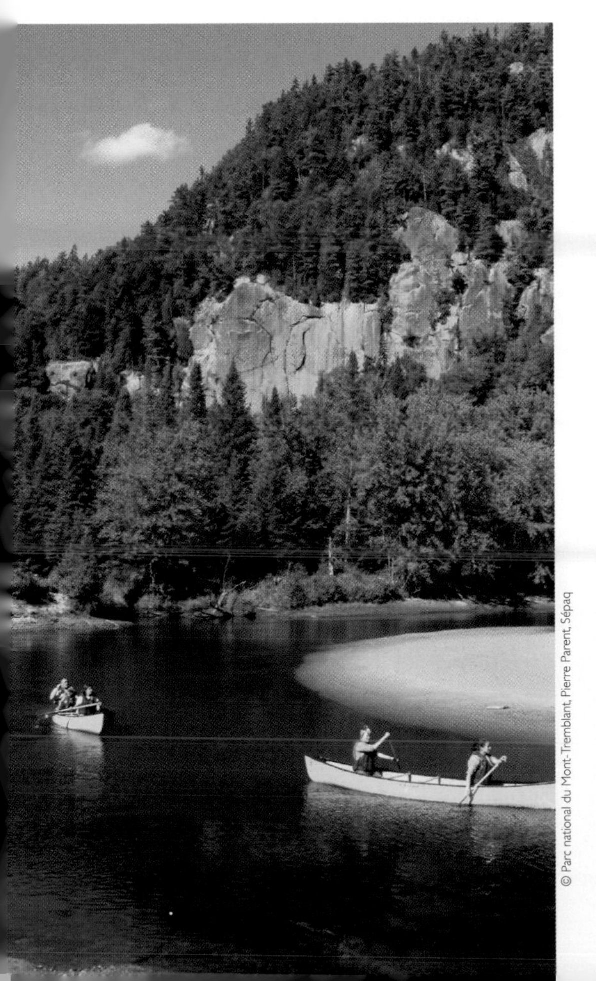

© Parc national du Mont-Tremblant, Pierre Parent, Sépaq

couper le souffle. Enfin, le dernier sentier aménagé en 2005 est celui des Ruisselets qui permet d'accéder au refuge de la Renardière pour y sommeiller la nuit durant. Deuxièmement, depuis 2009, le secteur de la Pimbina se positionne comme un haut lieu pour la pratique de la raquette. Deux types d'expérience sont possibles dans ce secteur : la randonnée sur l'un des cinq sentiers, totalisant près de 15 kilomètres, ainsi que la randonnée au cœur d'une zone de neige vierge. Il est également possible de séjourner en yourte chauffée, accessible en raquettes. En sentier, il est possible de refaire le plein à mi-chemin en se réchauffant près du poêle à bois du Geai-Bleu, un refuge où il fait bon s'arrêter pour casser la croûte.

Le **ski nordique** dans le parc national du Mont-Tremblant se pratique sur des sentiers qui ne sont ni damés, ni tracés, ni patrouillés : l'aventure à l'état pur sur 77 kilomètres dans le secteur de la Diable et 15 kilomètres pour la Pimbina. Les fondeurs sur pistes trouveront 53 kilomètres de sentiers tracés dans le secteur de la Diable.. Tous auront beaucoup de plaisir à goûter le charme et les décors qu'offre l'hiver laurentien.

Sous le soleil, sous les feuillages ou sous la neige, il y a toujours une expédition, une randonnée ou une évasion à réaliser au parc national du Mont-Tremblant...

Focus

Famille : *L'ensemble des sorties à vélo, à pied et à skis est accessible aux familles. Une agréable sortie à vélo avec les petits : le sentier qui relie le camping de la Ménagerie aux chutes Croches (environ deux heures), dans le secteur de la Diable.*

Débutant : *Les difficultés se posent surtout en longue randonnée et dans les rapides des rivières du Diable et L'Assomption. Toutefois, la présence de refuges accueillants facilite une première expédition et la variété du profil de ces rivières en fait de bonnes écoles d'eau vive. De plus, les refuges situés en bordure des sentiers de courte randonnée sont facilement accessibles, aux débutants comme aux familles; la Renardière, par exemple, est à seulement 3,2 kilomètres d'un stationnement.*

Expert : *Les expéditions de longue durée en skis de fond promettent de bons défis. Tracer sa propre piste sur des dizaines de kilomètres, dans une neige profonde et sur un parcours comportant des dénivelés appréciables : quel plaisir!*

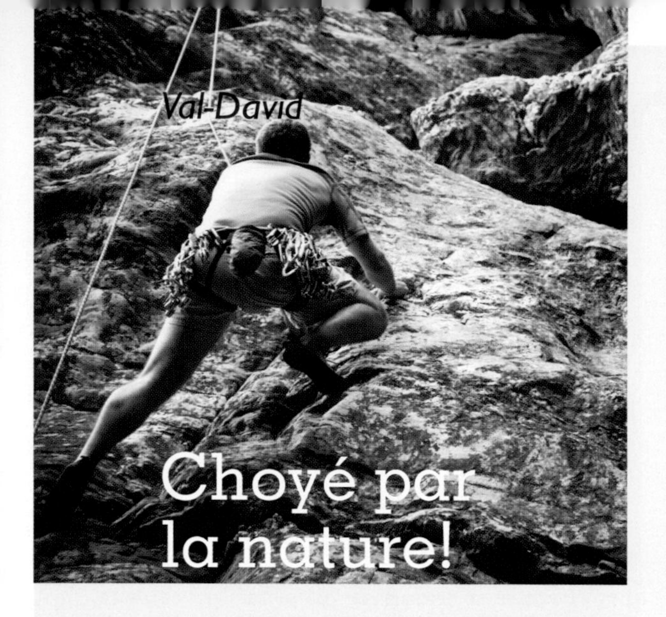

À 50 minutes de Montréal, Val-David est un véritable paradis où l'on peut tout faire. Quel que soit son élément de prédilection et quelle que soit la saison, les familles comme les accros d'adrénaline y trouveront des activités pour tous les goûts.

La popularité de Val-David n'est pas nouvelle. Déjà, dans les années 1950, le mont Plante était la station de ski la plus populaire des Laurentides. Venus par train, des milliers de Montréalais débarquaient dans ce village chaque fin de semaine. C'est aussi principalement à Val-David, à partir des années 1940, que se développe **l'escalade** au Québec. Avec plus de **550 voies répertoriées et cotées**, l'escalade est certainement l'activité vedette de l'endroit. Les parois, dont certaines atteignent 130 mètres de hauteur, se répartissent sur 6 massifs principaux. Des multiples voies d'initiation jusqu'au mythique et ardu « toit de Ben », le choix est vaste et permet au site de se présenter comme le plus important de l'Est canadien. Tous les massifs se situent à proximité du village et sont accessibles par des sentiers d'approche aménagés et balisés.

Val-David est aussi « la Mecque » de l'escalade de **bloc** à proximité de Montréal. Les secteurs des *Femmes* et des *Hommes* offrent un bon nombre de blocs qui totalisent plus d'une centaine de **« problèmes »** (nom utilisé dans le milieu pour désigner des défis).

Les grimpeurs ne sont toutefois pas les seuls chanceux à atteindre les nombreux points de vue. Des **sentiers** sinueux aménagés pour la marche mènent au sommet des collines en passant près des parois. Ces mêmes panoramas sont accessibles l'hiver, en **raquettes** ou à **skis** par le réseau de sentiers du **parc régional Dufresne** qui, depuis 2005, est rattaché à l'un des plus gros réseaux de ski de fond des Laurentides. C'est ainsi qu'au pied des parois rocheuses des monts Condor, King et Césaire, on trouve près de **100 kilomètres de pistes de ski de fond** balisées, entretenues et patrouillées, de même qu'une vingtaine de kilomètres de **sentiers de raquette**, offrant de magnifiques points de vue. Une dizaine de kilomètres de pistes de **ski nordique** permettent de rallier le vaste réseau de sentiers des Laurentides.

Le parc compte deux bâtiments d'accueil, l'un du côté de Val-David, l'autre du côté de Val-Morin. Le circuit de 28 kilomètres menant à Piedmont — accessible par **le parc linéaire** qui traverse le village — est aussi l'un des plus grands classiques des Laurentides. Tout au long du parcours, des abris chauffés et un refuge permettent aux fondeurs et raquetteurs de faire la pause et de se réchauffer.

Comme si tout cela ne suffisait pas, Val-David offre aussi beaucoup aux **amateurs de vélo de montagne et de route** ainsi qu'aux **pagayeurs**. Au printemps, les rivières animées font le bonheur des kayakistes et, plus tard en saison, une section tout en douceur de 7,5 kilomètres sur la rivière du Nord relie le village au lac Raymond, à Val-Morin.

Focus

Famille : *Les familles apprécieront notamment l'aiguille du mont Condor, qui offre une superbe vue sur le village.*

Expert : *Val-David est le lieu par excellence pour s'initier à l'escalade. Petits et grands y trouveront leur compte… à condition d'être en bonne forme physique! Tout au long de la saison, l'École d'escalade de Val-David offre des cours d'initiation, de transition, de premier de cordée et bien plus!*

Repères

Bureau d'accueil touristique de Val-David

www.valdavid.com
1 888 322-7030 poste 235

Parc régional Dufresne Val-David/Val-Morin

www.parcregionaldufresne.com
(819) 322-6999

Chalet d'accueil Anne-Piché
1165, chemin du Condor, Val-David

École d'escalade de Val-David
www.ecole-escalade.com • (819) 323-6897

Club de Vélo de Montagne Val David/Val-Morin: formations techniques et sessions d'entraînement supervisé par des entraîneurs qualifiés.

www.velodemontagne.com • (819) 322-1140

Par tous les saints!

Vous avez prié tous les saints pour trouver le Club de plein air à une heure et des poussières de Montréal? Vos prières ont été entendues! Été comme hiver, que ce soit pour la randonnée pédestre, le vélo de montagne, le ski de fond ou la raquette, le Centre de plein air de Saint-Adolphe-d'Howard a de quoi vous convertir. Alléluia!

En passant par Saint-Adolphe-d'Howard et Sainte-Agathe-des-Monts, **le sentier de vélo de montagne La Canadienne** a tout pour combler les cyclistes québécois! Voilà certainement l'un des plus beaux sentiers de vélo de montagne balisé au Québec! Long de 16 kilomètres et logé en pleine forêt, il offre un niveau de difficulté assez élevé et des faux plats accidentés permettant quelques manœuvres acrobatiques.

En tout, le Réseau comporte une trentaine de kilomètres de sentiers pour **le vélo de montagne**. Tous de niveaux difficiles, très techniques, ils se méritent au prix d'efforts soutenus — en plus d'avoir le mérite d'éloigner la foule! Ici, donc, pas de balade pépère en file indienne pour communier! Entre chemin de croix et gâteau des anges!

Repères

www.stadolphedhoward.qc.ca
(819) 327-3519 • 1 866-237-5743.

Autres activités : *baignade, patin, cueillette de champignons.*

Location : *skis de fond, patins, raquettes.*

Hébergement : *refuge Charles D. Campbell, 30 emplacements de camping rustique, 3 tentes prospecteurs, 3 plates-formes.*

Accès : *5 $ 3 $ l'été, 8 $ pour la raquette / 10 $ pour le ski de fond. Gratuit pour les moins de 17 ans. (Carte de membres disponible)*

Services : *école de ski de fond, location de raquettes, de skis de fond et de patins; carte des sentiers, relais chauffé.*

Saison : *ouvert à l'année.*

Focus 

Famille : *Pour les familles en forme, une balade en raquettes sur le sentier Chevreuil (3,6 kilomètres) s'avère une belle incursion au cœur de la forêt, avec quelques beaux points de vue sur les montagnes environnantes.*

Expert : *Pour une longue randonnée en ski de fond, enchaînez avec les pistes suivantes : 17, 18, 25, 24, 3 et 2. Vous n'oublierez pas de sitôt ce mémorable circuit de 24 kilomètres, ne serait-ce qu'à cause des paysages… ou de vos courbatures le lendemain!*

Les randonneurs profiteront pour leur part de **cinq sentiers pédestres** qui totalisent un parcours de 30 kilomètres. Ponctués par de nombreux points de vue sur les montagnes, les lacs et le village, on revient sur ces sentiers de saison en saison, pour y découvrir les subtilités d'un paysage en constante mutation. Il est aussi possible de louer un **canot ou un kayak** au quai municipal.

L'hiver venu, le Réseau s'avère un paradis béni par la neige pour les vrais **amateurs de ski de fond**. Les 25 kilomètres de sentiers destinés au pas classique et les 50 kilomètres dédiés au **ski nordique** sont de niveaux intermédiaire et difficile. Très accidentés, souvent pentus en montée comme en descente, les parcours situés en pleine forêt offrent des défis de taille aux fondeurs expérimentés. Paysages féeriques en prime!

Les **raquetteurs** seront pour leur part ravis d'user leurs crampons sur **quatre circuits** montueux, totalisant 25 kilomètres. Histoire de pimenter les excursions, une sortie est prévue à chaque pleine lune. Rien de tel que de marcher dans la neige rendue bleutée par les rayons de la lune, sous un ciel constellé d'étoiles, et passer la nuit au refuge Charles D. Campbell ou dans les tentes prospecteurs.

En saison estivale, les campeurs de tout acabit piqueront leur tente (et un roupillon) à l'un des **30 emplacements de camping** du Réseau — près du village, (et de la route); ou encore mieux, sur l'une des trois plates-formes qui jouxtent le refuge. Et parce que tous sont égaux devant Dieu, les chiens sont admis, pardi!

© Michel Gagnon

Si l'enfer ressemblait à ça!

Dans une région encore sauvage, la forêt récréotouristique de la Montagne du Diable permet de reconquérir une belle intimité avec la nature. Sentiers peu fréquentés, authentiques refuges en bois rond et ruisseaux vivifiants font du séjour un vrai retour aux sources. À défaut de diable, il doit y avoir un ange!

Sur **80 kilomètres (pédestres) et 55 kilomètres (ski de randonnée nordique), les sentiers** s'enfoncent en boucles au cœur des bois et partent à l'assaut des principaux sommets des environs. **Deuxième sommet des Laurentides** après le mont Tremblant, la montagne du Diable culmine à 783 mètres. Un peu plus bas, il y a aussi Belzébuth (749 mètres) et celui du Garde-feu (756 mètres) qui contribuent à donner à la montagne sa forme allongée.

Ajoutez, à ces reliefs pulpeux, la latitude de Mont-Laurier et voilà que la saison de **ski** et de **raquette** s'allonge sensiblement. En effet, ici, c'est de la fin novembre à la fin avril qu'on se chausse pour les sports d'hiver. Déjà splendide en **été**, le décor devient féerique sous la poudreuse.

Pour tous les goûts

Au gré des visiteurs, les différents sentiers peuvent être combinés en fonction de leurs degrés de difficulté variables et de leur longueur, soit les circuits d'interprétation de deux ou trois kilomètres qu'on trouve près du départ, soit le sentier des sommets qui suit, pendant 22 kilomètres, la ligne de crête des montagnes.

Avec des dénivelés réels qui peuvent aller jusqu'à 550 mètres, les pistes proposent des défis intéressants sur tout le territoire. De quoi faire travailler les mollets pendant au moins trois jours! Construites intelligemment, elles passent par les principaux points d'intérêt de cette forêt mature, notamment celui de la Paroi de l'Aube, où le décor dégagé de la végétation boréale permet au regard d'embrasser les Laurentides à perte de vue.

Plus bas, dans les boisés constitués d'érablières à bouleaux jaunes et d'épinettes, dont certains spécimens atteignent les 200 ans, on trouve les animaux à fourrure et les cervidés typiques de la faune des Laurentides : loutres, visons et castors, ou encore chevreuils et orignaux.

Une petite saucette?

En redescendant des sommets, on peut rejoindre les berges du lac Windigo. De là, on emprunte des pontons de bois à travers la tourbière, puis on contourne lac jusqu'à la **plage municipale**. Le Windigo se traverse aussi en **canot**, mais il faut prévenir au départ pour que les embarcations nous attendent à cet endroit.

Pour la nuit, outre l'option du camping rustique, le territoire dispose de **six abris/refuges** placés à des endroits stratégiques, aux panoramas extraordinaires s'ouvrant sur les quatre points cardinaux. Au refuge Versant sud, on peut admirer une vue qui plonge jusqu'à la ville de Mont-Laurier et, au loin, jusqu'à l'Outaouais. Quant à celui Versant nord-ouest, il offre un panorama sur l'immensité bleutée du réservoir Baskatong. La beauté du paysage est éblouissante, mais demeurez vigilants; des légendes algonquines prétendent que l'endroit est hanté…

À quelques kilomètres à l'ouest de la Montagne du Diable, on peut accroître les plaisirs de la randonnée en les pimentant avec ceux du **kayak de mer**, dans l'**étendue encore sauvage du réservoir Baskatong.** Le Baskatong, c'est une petite mer intérieure artificielle de 320 kilomètres carrés, bordée par 2 800 kilomètres de berges naturelles. Au gré des coups de pagaie, le kayakiste découvrira, en alternance, une végétation de pins rouges et blancs, ainsi que plusieurs plages de sable fin. La forme étoilée du Baskatong se prolonge dans de nombreux bras qui s'étirent vers tous les horizons. Une fois qu'on s'aventure sur le bassin, formé lors de la construction du barrage Mercier, en 1927, on y découvre **une centaine d'îles** qui constituent de merveilleuses haltes pour la nuit. Enfin, le réservoir étant prisé par les pêcheurs, il faudra partager ses eaux tantôt calmes, tantôt mouvementées, avec des embarcations motorisée.

Repères

- *Les Amis de la montagne du Diable*
  www.montagnedudiable.com
  1 877 587-3882
- ***Hébergement :*** *six refuges et plusieurs emplacements de camping.*
- ***Saison :*** *les sentiers et les infrastructures sont accessibles à longueur d'année.*
- ***Pour prolonger le séjour :*** *l'été, une bonne option consiste à faire du kayak ou du canot-camping parmi les nombreuses îles du réservoir Baskatong. L'hiver, on peut compléter le séjour à l'accueil de ski de fond de Ferme-Neuve (40 km linéaires de pistes tracées).*
- ***S'y rendre :*** *de Montréal, environ 270 km. Autoroute 15 puis route 117 jusqu'à Mont-Laurier, et route 389 jusqu'à Ferme-Neuve.*

Petit train va loin!

© Tourisme Laurentides

À chaque année, de plus en plus de cyclistes viennent sillonner les routes des Laurentides, pour l'entraînement ou pour la simple découverte. S'ils sont nombreux à suivre le réseau routier, un nombre encore plus grand font la part belle aux célèbres itinéraires balisés de la région. Faites votre choix!

La « Vagabonde »

La MRC de Deux-Montagnes propose un réseau de pistes cyclables à la fois urbain et rural, parsemé des établissements de vignerons et de producteurs du terroir locaux. Pour la balade en famille comme pour le sportif en cuissard, le réseau de « La Vagabonde », d'une longueur de 48 km, permet de traverser d'est en ouest le territoire de Saint-Eustache à Saint-Placide. Le circuit est aussi relié au réseau cyclable de Laval par le barrage du Grand-Moulin situé à Deux-Montagnes et il rejoint la Route verte vers Argenteuil. La Vagabonde longe la rivière des Mille-Îles et le majestueux lac des Deux-Montagnes. Plusieurs points de vue près de l'eau ainsi que plusieurs aires de repos jalonnent la piste.

À partie de Saint-Eustache, une piste locale de 10 km visite le vieux Saint-Eustache. De Deux-Montagnes au Parc national d'Oka, un parcours familial de 10 km vous fait côtoyer le lac et trois haltes vous permettent d'admirer le paysage. Arrivé dans le parc, vous pouvez flâner le long des 8 km de circuit intérieur et même décider de vous baigner ou de vous faire dorer sur la plage. Ensuite, par la portion « circuit d'exploration », on rejoint la ville d'Oka, huit kilomètres plus à l'ouest. Là, un circuit plus sportif de 20 km démarre jusqu'à Saint-Placide puis vers Argenteuil.

Tourisme Laurentides • www.laurentides.com
1 800 561-6673
Renseignements : (450) 491-4444
www.basseslaurentides.com
Association des Vignerons du Québec
www.vignerons-du-quebec.com

« Le P'tit Train du Nord »

À la fin du 19e siècle, le **Petit Train du Nord** était le moteur de la colonisation des Laurentides. Cent ans plus tard, la voie ferroviaire est devenue une voie cyclable, et c'est maintenant à vélo que l'on s'approprie les paysages laurentiens. De Saint-Jérôme, 30 minutes au nord de Montréal, à Mont-Laurier, au nord de Tremblant, il y a 232 kilomètres à parcourir sur ce qui est, dans les faits, l'un des itinéraires cyclables les plus populaires en Amérique du Nord.

Au départ, le paysage est tissé de villages et de rivières bucoliques, et orné de chalets. Ici, la grande ligne droite domine. Plusieurs sections se perdent dans les feuillus et d'immenses rochers jalonnent le sentier. Une légère montée allant de Sainte-Adèle à

Ivry-sur-le-Lac culmine à Saint-Faustin pour ensuite descendre joyeusement sur 15 kilomètres. Autour de Tremblant se découvre un arrière-pays de style européen. Champs de culture et fermes d'élevage pittoresques font ensuite place à la forêt. Jusqu'à Mont-Laurier, celle-ci se fait de plus en plus dense. En descente faible mais constante, on aperçoit ruisseaux, rivières et lacs. Ici, la route est à nouveau constituée de lignes droites. Le circuit se fait habituellement du Nord au Sud! La piste est faite de poussière de pierres, de Saint-Jérôme à Labelle, et est asphaltée de Labelle à Mont-Laurier. Il faut considérer l'utilisation d'un vélo hybride ou, à tout le moins, d'un vélo de route chaussé de pneus pas trop étroits.

À l'ouest de l'axe du parc linéaire, une autre ancienne emprise ferroviaire accueille cette fois les cyclistes préférant l'intimité des sous-bois. Le **Corridor Aérobique** s'étend de Morin-Heights à Saint-Rémi-d'Amherst sur 58 kilomètres, entre forêts de feuillus, pinède, lacs et villages. À vos montures!

Duo de choix

Histoire de donner le ton, c'est le mont Blanc qui est le point de départ de ces deux randonnées. La première a les reliefs de « notre » mont Blanc; ne vous inquiétez pas trop. Attention à la seconde par contre, car elle a quelque chose du vrai...

Du mont Blanc au mont Tremblant

Voici un joli parcours d'environ **45 kilomètres**, très vallonné, partant du pied du mont Blanc, à Saint-Faustin. Traversez la 117 et prenez à droite (source providentielle à votre droite) et filez jusqu'au Lac-Carré. Au bout du village, on annonce le mont Tremblant (à gauche). Cette route mène au lac Supérieur, un des plus beaux sites des Laurentides. Gardez la gauche. Le chemin Duplessis (toujours à gauche) vous fait entrer aux abords du parc; c'est une route splendide épousant les méandres de la Diable.

Cette très belle section mène au village de Tremblant. De là, direction Saint-Jovite par la 327 jusqu'au, lac Ouimet. Après la traversée de Saint-Jovite, on peut revenir par la 117, mais on sera mieux inspiré si on prend la montée Kavanagh, après le Tim Horton's (à gauche), et on bifurque par le rang 6 (à droite), en longeant la pisciculture de Saint-Faustin. Cela vous conduit au village, à la source, à votre voiture... et à la perspective réjouissante d'un bon repas mérité!

Côtes en stock

Le vélo est un sport de souffrance ou un sport de paresseux, selon la pratique que l'on adopte. Voici une proposition de parcours (d'environ **125 kilomètres**) pour les adeptes de la première façon. C'est un parcours difficile et varié, longeant une multitude de lacs et traversant plusieurs lieux touristiques.

Attention, le départ du mont Blanc est fulgurant! S'étirer un minimum à la sortie de la voiture n'est pas une mauvaise idée, car la petite côte qui ouvre Le Chemin des Lacs (direction Sainte-Agathe), tout de suite à la sortie du stationnement, a la personnalité abrupte d'un réveille-matin. Mais consolez-vous, cette section très vallonnée, entre forêt mixte et petits lacs, est magnifique.

À la hauteur du Centre touristique et éducatif des Laurentides, vos talents de grimpeur seront mis à l'épreuve. Les lacs Manitou et Caribou défilent à votre gauche, puis voici Sainte-Agathe. Le chemin du Tour du Lac vous mène à la route 329, qui plonge au sud. Un parcours agréable contourne le lac, à Saint-Adolphe-d'Howard. On peut se baigner à la (très) petite plage (les Laurentides cèdent avec parcimonie au public les accès aux lacs), puis repartir vers Morin-Heights. À l'intersection de la 364, tournez à droite.

Ici, les paysages respirent : nous sommes loin des lieux touristiques. La montée insistante qui précède le village de Lac-des-Seize-Îles sera payée de retour : la descente est grisante! Soyez plus prudents dans celle de Weir, quelques kilomètres plus loin, car la courbe est dangereuse. Le beau territoire agricole entre Weir et Arundel donne l'occasion de souffler un peu sur les rares kilomètres de plat du parcours. À Arundel, dirigez-vous vers Huberdeau, où commence la merveilleuse section épousant les sinuosités de la rivière Rouge. De Brébeuf (très belle plage), la 323 vous mène à Saint-Jovite. De là, faites le petit détour par le rang 6 (sortie de la ville, après le Tim Horton's) et passez devant la pisciculture. En principe, de retour au stationnement, vous avez eu votre dose de montées!

Si vous craignez d'en manquer, sachez que le circuit en sens inverse, qui vous fait affronter les côtes de Weir et de Lac-des-Seize-Îles, est passablement plus difficile! Avis aux intéressés!

Accès de Montréal : Autoroute 15 (qui devient la 117), sortie à Saint-Faustin-Lac-Carré, Prendre la sortie 107 pour le Mont-Blanc

Carte détaillée des Laurentides : Certaines stations-service de la région en vendent. Ne vous en privez pas!

Repères

Découvrez sur le site des Hautes-Laurentides le parc linéaire « Le P'tit Train du Nord ». Une nouvelle brochure vélo de 16 pages est également disponible sur demande.

www.velo-hautes-laurentides.qc.ca
1 888 560-9988

www.laurentides.com • 1 800 561-6673

Autres pistes

© Inter-Centre Randonnée

Réserve faunique Papineau-Labelle

Partagée entre les régions des Laurentides et de l'Outaouais, la Réserve faunique Papineau-Labelle propose des paysages sauvages couvrant 1628 kilomètres carrés ainsi que **746 lacs** à quiconque désire quiétude et beauté. Les **fondeurs nordiques** ont droit à tout un terrain de jeu avec **120 kilomètres de hors-piste** qui les mènent d'un refuge à l'autre, en passant par l'ascension des monts Devlin (454 mètres) et Bondy (550 mètres). Le transport des bagages est offert.

En saison printanière ou estivale, les plans d'eau sont convoités par les amateurs de **canot et kayak-camping**. Des **circuits de lacs** reliés par de nombreux portages sont **tout indiqués pour ceux qui en sont à leurs premières expériences**. Il est recommandé à ceux qui tenteront la descente de 48 kilomètres de la rivière du Sourd de le faire avant le 24 juin. Les **randonneurs** ne sont pas non plus laissés pour compte avec **35 kilomètres de sentiers** dont des circuits d'interprétation de géologie et d'observation de la faune.

Située à 97 kilomètres de Gatineau et 190 kilomètres de Montréal. Un seul point d'entrée pour la longue randonnée à ski: l'accueil Gagnon, au nord de Duhamel.

Hébergement : 15 camps rustiques en hiver, de 4 à 15 places, et seulement 5 en été, de 6 à 8 places. Éclairage et cuisson au propane. Chauffage au bois (bois fourni). Transport des bagages en hiver uniquement. Une quarantaine de chalets confortables pour deux à huit personnes sont offerts aux pêcheurs, aux chasseurs et aux villégiateurs de mai à octobre.

Tarifs : À partir de 23.50 $ par nuit, par personne, pour un minimum de deux nuits.

www.sepaq.com
(819) 454-2011, poste 33

Base de plein air l'Interval (Sainte–Lucie–des–Laurentides)

Classé trois étoiles, ce centre de vacances quatre-saisons comprend 32 unités. Profitez d'une randonnée pédestre pour longer le lac sauvage niché au pied du Mont-Kaaikop.

Dénivelé : 330 m (mont Kaaikop).
Sentiers pédestres : cinq totalisant 24,5 km selon le GTO et 40 km selon le site internet de l'Interval (facile, intermédiaire, difficile).
Sentiers de ski de fond : 30 km de sentiers balisés non tracés et 10 km de sentiers tracés
Autre activité : 13 km de raquette hors-piste.
Location : skis de fond, raquettes.
Services : restauration (sur réservation), salle de fartage.
Hébergement : 25 sites de camping, 1 auberge, 4 chalets (été).
Saison : toute l'année.
Accès : adulte : 5 $; enfant : 3 $.
www.interval.qc.ca • (819) 326–4069

Camp Quatre Saisons

Le camp Quatre Saisons entretient un réseau de **sentiers** qui s'étend sur **85 kilomètres** de la Macaza à Labelle. Il y a de quoi user les crampons de ses raquettes à une heure et demie de Montréal. En partant du stationnement de la Cachée, où le camp a établi ses refuges, il faut compter environ 3,5 km pour joindre le sommet du mont Gorille. La forêt est superbe et la piste facile jusqu'à la moitié du parcours. Ensuite, la montée est plus exigeante. Une fois au sommet, depuis la cime de ses 545 m, le Gorille offre une vue plongeante sur le lac et le mont Tremblant.

www.campquatresaisons.com
(450) 435-5341 • (819) 686-2123

Information touristique générale

Tourisme Laurentides
1000, autoroute des Laurentides (sortie 51)
Saint-Jérôme (Québec) J5L 2S4
Courriel : info-tourisme@laurentides.com
www.laurentides.com
(450) 224-7007 • 1 800 561-6673.

Centre d'accès à la nature — UQÀM (Saint-Faustin)

Réseau pédestre de 30 kilomètres qui guidera les randonneurs vers des chutes et un canyon.
Dénivelé : 400 m.
Sentiers pédestres : cinq totalisant 30 km (intermédiaire, difficile).
Autres activités : baignade, ski de randonnée, raquette hors-piste.
Hébergement : 12 sites de camping, 3 chalets-refuges
Saison : toute l'année, chalets seulement fin de semaine en hiver.
Accès : gratuit.
www.uqam.ca/sports
réservations, informations (514) 987–3105
site (819) 688–3212
Aucun chien toléré sur le site

Centre de plein air Far Hills (Val–Morin)

Aux portes de l'hôtel (en rénovation) le réseau du Far Hills offre au skieur de promenade comme au skieur sportif des pistes parfaitement entretenues, dans un cadre enchanteur.
Étendue : 500 acres.
Sentiers de ski de fond : 30 km de pistes nordiques (15 km de pas de patin, 30 km de pistes classiques).
Sentier pédestre : 40 km. (entrée 5 $ adultes)
Autres activités : raquette hors-piste, vélo de montagne, canot (pas pendant les rénovations)
Location : skis de fond, raquettes, vélo de montagne.
Services : restauration (hiver seul.), salle de fartage, refuge chauffé, réparation vélo et ski de fond.
Hébergement : Hôtel Far Hills (en rénovation).
Saison : Été (15 mai-12 octobre) • Hiver (15 déc-15 mars)
Accès : Ski de fond • adulte : 11 $ (7 jours semaine); enfant : gratuit jusqu'à 18 ans
Vélo de montagne • adulte : 5 $ • Forfaits disponibles pour ski et vélo.
Hôtel : www.farhillsinn.com • (819) 322–2014
1 800 567–6636
Centre de plein air : www.veloskifarhill.blogspot.com
(819) 322-2834

Centre de ski de fond Gai-Luron (Saint-Jérôme)

Caché dans la forêt, ce centre est situé sur un site montagneux dans le secteur Bellefeuille de Saint-Jérôme. Pour une escapade d'une journée en nature à seulement 45 minutes de Montréal.
Dénivelé : 300 m.
Sentiers ski de fond : 30 km.
Sentiers de raquette : 6 km.
Location : skis de fond, raquettes, traîneaux pour enfants.
Services : réparation, restaurant, deux relais, salle de fartage.
Saison : ouvert de novembre à avril (selon les conditions).
Accès : frais d'entrée.
www.centredeskidefondgai-luron.com • (450) 224-5302

Centre touristique et éducatif des Laurentides (Saint–Faustin)

Ce centre met à profit la beauté naturelle des lacs, forêts et montagnes des environs. Ses 36 kilomètres de sentiers balisés sont très bien entretenus et si le cœur vous en dit, vous pourrez partager le savoir de naturalistes chevronnés.
Dénivelé : 200 m.
Sentiers pédestres : 8 totalisant 36 km (facile, intermédiaire, difficile).
Autres activités : canot, canot-camping, pêche.
Location : chaloupes, canots, kayaks, pédalos, kayaks doubles, rabaskas (12 personnes).
Services : boutiques, dépanneur sur le camping, musée de la faune.
Hébergement : 87 sites de camping aménagés, 15 pour le canot-camping et 50 sites rustiques.
Saison : mai à fin octobre.
Accès : adulte : 5,50 $; enfant (de 6 à 12 ans) : 2,50 $; étudiant : 3,50 $; âge d'or : 4,50 $; famille : 14 $.
www.ctel.ca • (819) 326–9072 • 1 866 326-9072

Club de ski des 6 Cantons, Rivière rouge (L'Annonciation)

En place depuis 1978, le réseau à été complètement réaménagé depuis 2005 et compte actuellement 60 kilomètres de pistes variées. Les investissements réalisés permettent de skier plus tôt en saison et d'offrir des pistes très bien entretenues. Cinq chalets et un tipi sont disponibles sur le site. Il y a également un relais d'accueil pour le fartage et les repas.
Sentiers de ski de fond : 44 km (facile, intermédiaire, difficile).
Sentier de raquette : 10 km.
Autre activité : 11 km de randonnée pédestre.
Hébergement : 5 chalets chauffés au bois et un tipi au chauffage propane
Saison : hiver.
Accès : adulte : 8 $ (ski de fond) et 5 $ (raquette); 16 ans et moins : gratuit. Des passes saisonnières sont offertes (40 $).
www.les6cantons.com
(819) 275–2577 (Plein air Haute-Rouge)

Parc d'Escalade et de Randonnée de la Montagne d'Argent (La Conception)

Le parc d'escalade et de randonnée de la Montagne d'Argent est un site exceptionnel à quelques kilomètres au nord de Saint-Jovite. On y trouve plus de 250 voies de grimpe de tous les niveaux, dont un tiers sont traditionnelles (sur coinceurs). Malgré l'omniprésence de l'escalade, les sentiers de randonnée sont également au menu et varient de facile à difficile. Des par-

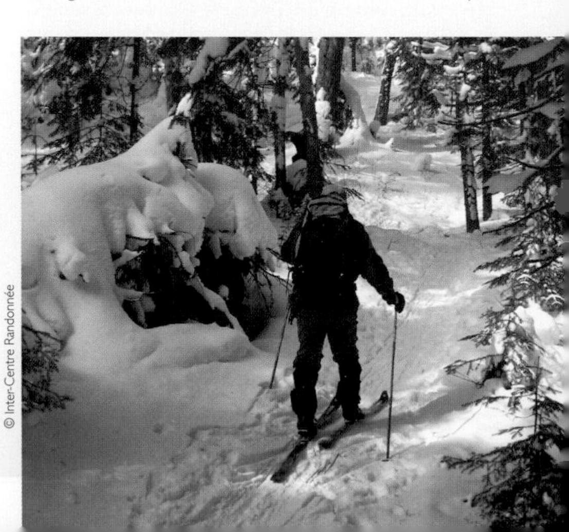

cours sauvages mais balisés vous conduiront au lac d'Argent, situé près du sommet de la montagne. Dès les premières neiges, question sécurité, on imposera les raquettes ou les bottes à crampons. Un refuge tout équipé d'une capacité maximum de 10 places est disponible sur le site.
Sentiers pédestres : 4 sentiers d'environ 16 km en boucle (difficiles).
Autres activités : escalade, escalade de glace, parapente, raquette.
Hébergement : un refuge (maximum de 10 places), 15 $ par nuit par personne (sauna inclus) + emplacements de camping complémentaires.
Saison : toute l'année.
Accès : 3 $ pour la randonnée, 6 $ pour l'escalade (été) et 7,50 $ pour l'escalade (hiver).
Frais de camping pour non-membre : 7,50 $
www.montagnedargent.com • (819) 429-0501

Escalade à Weir

Bien connu pour ses multiples voies techniques et difficiles, le site d'escalade Weir est probablement l'un des sites d'escalade les plus élitistes de la province. Équipé en bonne partie dans les années 70 et 80 par les pionniers de l'escalade au Québec, ce beau bloc de granite offre une douzaine de voies d'escalade sportives (dont la célèbre Black and White de 80 mètres), une quarantaine de voies traditionnelles et une trentaine de voies mixtes réparties sur sept secteurs. Il vaut mieux être bien équipé avant de s'y rendre.
Accès : de Montréal, prendre l'autoroute 15 Nord jusqu'à la sortie 60 à Saint-Sauveur. Au premier feu de circulation, tourner à gauche et au second feu (après le viaduc) tourner à droite sur la 364. Avant le village de Weir, tourner à droite sur le chemin Larose. Le stationnement est à 1 km plus loin, à côté de la station de Téléglobe. (135 km). Compter environ une heure et demie pour y arriver de Montréal.
Niveau : Avancé
À noter : L'accès au site est gratuit, mais il est obligatoire d'être membre de la FQME pour grimper à Weir. Le terrain appartient à Téléglobe Canada, et une de ses centrales produit un bruit de fond un peu désagréable…
Hébergement : Camping et feu interdit sur le site. Par contre, non loin des parois, le terrain de camping nature Morin-Heights dispose de 104 sites
(450) 227-2020

Parc de la Rivière Doncaster (Mont-Rolland)

Plus de 10 kilomètres de sentiers à plusieurs niveaux de difficultés et un accès direct au parc linéaire en sentier de niveau facile vous attendent. Le lieu dispose de tables à pique-nique et de toilettes sèches. On peut également y pêcher.
Dénivelé : 373 m.
Sentiers pédestres : 10 km (facile et intermédiaire).
Autres activités : raquette, pêche.
Location : cannes à pêche et raquettes.
Services : tables à pique-nique, refuges chauffés.
Saison : de mai à octobre ainsi que les week-ends en hiver.
Accès : pour les non-résidents : 4,75 $ (adultes) et 2 $ (enfants de 5 à 14 ans). Gratuit pour les enfants entre 0 et 4 ans et pour les résidents du secteur. Si vous voulez pêcher : 5 $.
(450) 229-6686.

Parc des Campeurs Sainte-Agathe-des-Monts

Ce centre compte plus de 47 kilomètres de sentiers de ski balisés et entretenus mécaniquement pour tous les calibres. Également accessible, 12 kilomètres de sentiers de raquette.
Sentiers ski de fond : 47 km de ski classique.
Sentiers de raquette : 12 km.
Autre activité : baignade.
Location : skis de fond, raquettes.
Services : salle de fartage, restaurant.
Hébergement : camping.
Saison : toute l'année.
Accès : 10 $/adulte, gratuit pour les 12 ans et moins. Raquette : 5 $. Étudiants (avec carte) :5 $.
www.parcdescampeurs.com • (819) 324-0482

Réseaux de ski de fond Morin-Heights et Corridor Aérobique (Morin-Heights)

La municipalité possède un réseau de sentiers de 150 kilomètres linéaires, dont 60 kilomètres sont tracés mécaniquement.
Sentiers de ski de fond : 60 km de ski classique, 85 km de pistes nordiques, 11 km de pas de patin (à ski Morin-Heights) (facile, intermédiaire, difficile).
Autres activités : vélo, raquette hors-piste.
Location : skis de fond (à la station de ski Morin-Heights).
Services : salle de fartage, cantine.
Hébergement : Auberge le Clos Joli et Gîte le Corps-y-Dort à proximité.
Saison : toute l'année
Accès : 9 $. Prix spéciaux pour les enfants et les groupes.
www.morinheights.com
(450) 226–1020 • (450) 226-3232 (hors saison)

Sentier national La Conception-Labelle

La section laurentienne du Sentier, surplombée par les pics érodés du mont Tremblant, emprunte de nombreuses pistes, notamment : les tronçons Héritage (13 kilomètres), Alléluia (22,7 kilomètres), L'Expédition (7 kilomètres) et Cap 360-mont Gorille (11 kilomètres). Ces sentiers montagneux demandent une bonne forme physique.
Sentiers pédestres : 53 km (facile, intermédiaire, difficile)
Nouveauté : Carte d'interprétation géomorphologique disponible : Fédération québécoise de la marche.
(514) 252-3157 • 1-866-252-2065
Hébergement : camping rustique.
Saison : été.
Accès : gratuit.
(819) 425-6289

Ski de fond Mont-Tremblant

Le réseau de 65 kilomètres linéaires s'étend sur plus de 25 kilomètres carrés entre la station Tremblant et le village de Saint-Jovite. Son cœur est le Domaine Saint-Bernard, un parc protégé de 600 hectares d'une beauté naturelle remarquable.
Étendue : 600 acres.
Sentier de randonnée pédestre : 2 km
Sentiers ski de fond : 70 km de pas classiques, 49 km de pas de patin.
Sentier de raquette : 18 km.
Autre activité : vélo.
Location : ski de fond, raquette.
Services : salle de fartage, boutique, restaurant.
Hébergement : Le Grand Saint-Bernard possède 20 chambres sobres de deux, trois ou quatre lits. Maximum de 56 personnes. Tipis avec foyer également disponibles.
Saison : toute l'année
Accès : 12 $ pour les adultes; prix spéciaux pour enfants et aînés. Raquette : 7 $.
www.skidefondmont-tremblant.com • (819) 425-5588

Jardin des glaciers

L'aventure maritime

Les derniers rayons de soleil frappent les parois rocheuses des falaises pour inonder le littoral d'une lumière rouge orangée. Ce paysage d'une rare beauté en a long à raconter, lui qui a été modelé par le passage des glaciers et la formation des mers anciennes. Et ce n'est là qu'une des pages de l'histoire glaciaire qu'est prêt à dévoiler aux aventuriers le Jardin des glaciers et son parc d'aventure maritime, le premier du genre au Québec.

Ouvert à l'été 2006, ce parc est situé sur le littoral du Jardins des Glaciers – un territoire de 40 kilomètres carrés – à huit kilomètres à l'est de Baie-Comeau sur la 138. Accessible par la **marche** et le **vélo de montagne** à partir de l'entrée du site, l'endroit permet de découvrir, par une multitude d'activités hautes en couleurs, des phénomènes glaciaires spectaculaires tels les cannelures glaciaires, les fjords et les canyons.

Entre ciel et mer

Les activités entre ciel et mer ne manquent pas dans ce parc d'aventure maritime qui se veut aussi un centre d'apprentissage sur la période glaciaire et les changements climatiques. Quoi de mieux pour admirer ces lieux particuliers que l'observation du haut des airs? Les **huit tyroliennes** proposées dans la Zone adrénaline s'élèvent au-dessus du lac Glaciaire ou de la baie du Garde Feu pour une balade sur une distance de près de 300 mètres! Grisé par le sentiment de liberté, il ne faut pas oublier de jeter un coup d'œil au travail effectué sur le paysage il ya des milliers d'années par ces colosses de glace.

Le parc offre aussi **deux *via ferrata*,** ces circuits aménagés à même la paroi rocheuse où se succèdent échelles, marches et passerelles. La *via ferrata* des mers, **la plus longue en Amérique du Nord** avec ses 1300 mètres, est une activité qui mérite le détour. Bien accrochés à la ligne de vie ancrée dans la roche, les plus aventuriers peuvent aller de l'Anse à Moreau jusqu'à la pointe Saint-Pancrace surplombant le majestueux Saint-Laurent là où les mammifères marins ont élu domicile. Les amateurs de grandes sensations peuvent aussi emprunter la *via ferrata* des cannelures (850 mètres) qui mène vers les cannelures glaciaires les plus significatives du parc et donne une vue imprenable sur le fjord Saint-Pancrace. Si on opte pour ces activités, il faut prévoir une journée complète ou encore, en version réduite, une demi-journée.

Avec **20 voies d'escalade** réparties en trois zones (la plupart surplombant les fjords et le fleuve), les adeptes de la grimpe ne sont pas en reste. Grâce à son histoire de glace, le Jardin des glaciers possède un potentiel peu commun pour la pratique du sport. Depuis l'été 2009, un mur d'escalade est érigé dans

Repères 

Le parc d'aventure maritime est ouvert de juin à septembre.

www.jardindesglaciers.ca
(418) 296-0182 • 1 877 296-0182

la Zone adrénaline, secteur lac Glaciaire. Un guide est présent pour assurer une formation minimale et sécurisée.

Et si l'envie vous prend de vouloir descendre sans monter, la descente en rappel est toute désignée. Le point de départ de l'activité se situe à la baie du Garde Feu à 60 mètres au-dessus du niveau de la mer. Le panorama y est magnifique et, comble du bonheur, il l'est tout au long de la descente!

À fleur de l'eau

Kayakistes, à vos pagaies! Les eaux côtières du Jardin des Glaciers et son littoral ont des trésors de paysages à faire découvrir. Les adeptes de la pagaie ne seront pas les seuls à jouer dans l'eau, car le petit rorqual, le phoque gris et le phoque commun en ont aussi fait leur site privilégié. En levant les yeux au ciel, les aigles pêcheurs et les pygargues à tête blanche vous salueront si vous avez l'œil aiguisé. Des colonies de grands hérons et de cormorans se sont aussi installées dans les parages. Bien installé dans un **kayak**, on trouve une façon tout appropriée de constater que les énormes glaciers d'antan ont laissé des traces marquantes sur le paysage encore aujourd'hui.

Niché entre d'immenses falaises qui le protègent du vent, le havre Saint-Pancrace est de loin la baie favorite des kayakistes. Cet étroit fjord qui s'enfonce dans les terres n'a pas de plage de sable pour accoster mais un long quai de bois qui mène à des roches plates. Une véritable oasis de paix attend le visiteur : chute d'eau dont l'imposante présence domine les lieux et petites cascades se jetant dans un bassin où il fait bon se rafraîchir les chaudes journées d'été. Et que dire des couchers de soleil quand les falaises se colorent d'une teinte orangée avant de disparaître dans la noirceur?

© Jardins des glaciers

Terre ferme

Pour ceux qui préfèrent avoir les pieds bien stables au sol, le Jardin des Glaciers offre **35 kilomètres de sentiers** qui mènent vers des paysages plus étonnants les uns que les autres, dont plusieurs (10) sites d'observation maritime. Envie d'une randonnée au bord de la mer? Le sentier qui relie la pointe Saint-Pancrace à l'anse à Moreau a de quoi séduire les randonneurs. Mais avant d'y accéder et de descendre au bord de l'eau, une marche de huit kilomètres à travers la forêt boréale offre quelques montées abruptes et des sentiers bien dégagés. L'arrivée sur la pointe est spectaculaire avec une vue de 360 degrés sur l'immensité du fleuve et les multiples cargos étrangers ancrés dans la baie des Anglais. La balade qui longe le littoral se fait sur un sol rocheux entrecoupé de petites anses de sable et de galets. Durant le parcours de 2,2 kilomètres, il n'est pas rare d'apercevoir rorquals et loups de mer qui batifolent au large. Selon les marées, certaines portions du trajet sont submergées; il est donc préférable de prendre des renseignements à l'accueil avant d'attaquer le sentier.

En pleine forêt boréale, se trouve aussi la Vallée des coquillages, un site unique au monde. Le site est une immense vallée constituée de bancs de coquillages accumulés après la fonte des glaciers. On y trouve un banc coquiller d'une hauteur de quinze mètres et composé à 90% de coquillages âgés de 8 000 ans. Des activités de fouilles, d'identification et d'interprétation au moyen d'un scénario d'interprétation interactif y sont offerts.

Camper

Le Jardin des glaciers offre aussi des **sites de camping rustique**. Certains sont situés à quelques pas du lac Glaciaire, d'autres bordent la zone côtière, offrant une vue panoramique sur le fleuve Saint-Laurent. Il est préférable de s'installer sur une des plateforme de bois pour ne pas endommager le territoire. Chacune d'elles peut accueillir une grande tente de deux à quatre personnes. Pour les aventureux peu équipés, il est également possible de faire la **location d'une yourte mongole ou d'une tente prospecteur**, toutes équipées.

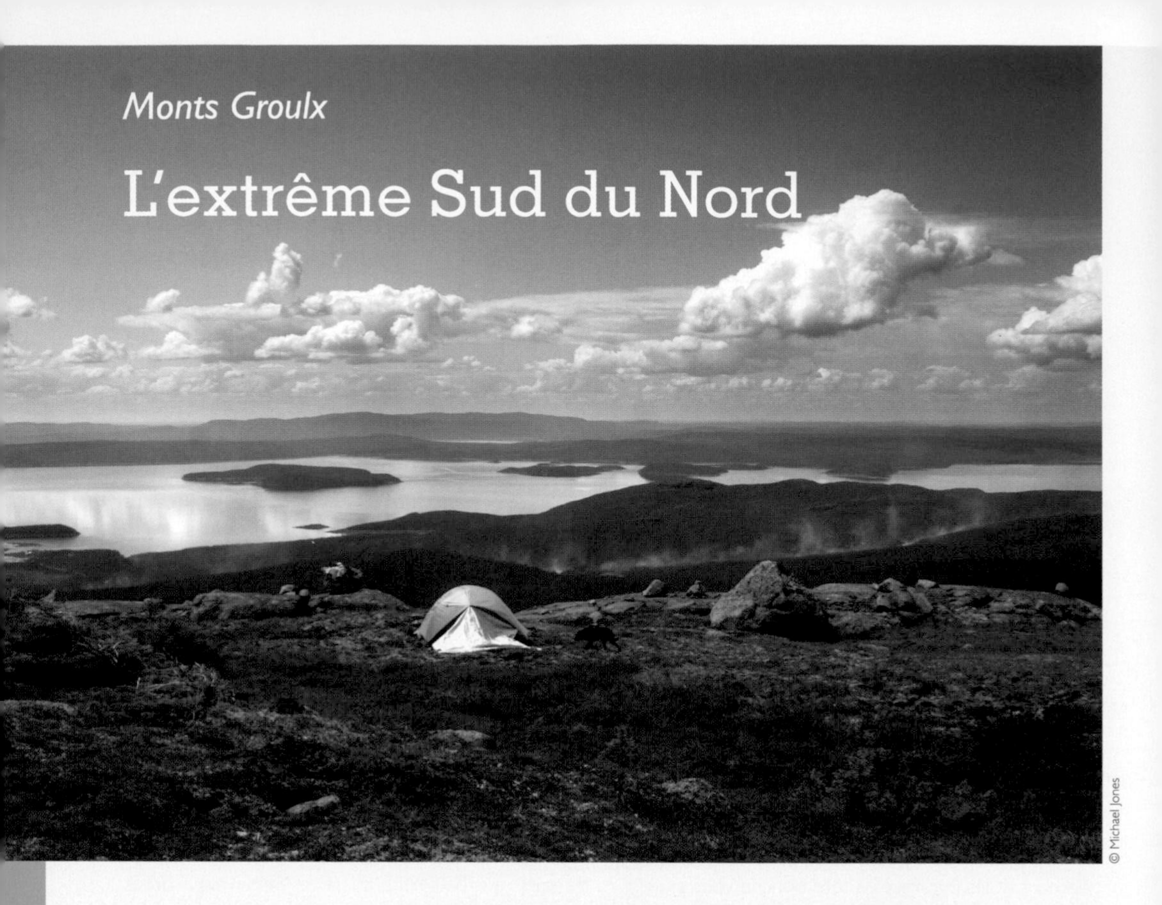

Monts Groulx

L'extrême Sud du Nord

© Michael Jones

Les monts Groulx s'adressent au coureur des bois qui sommeille en nous. Pas de préposés à l'entrée, ni de frais d'accès, de stationnement asphalté, de sentiers tracés et fléchés, mais plutôt **5 000 kilomètres carrés à parcourir en toute liberté.** Bien que depuis 2009, les monts Groulx soient protégés par la réserve de biodiversité Uapishka, on n'y sent aucune restriction. À l'aide d'une carte et d'une boussole, on devient ainsi maître de son destin. Complètement coupé du monde extérieur, on ne peut compter que sur soi-même. Seuls la toundra des plateaux, la taïga des vallées et le silence des lieux accompagnent les pas de l'explorateur, alors que la notion du temps semble se perdre au cœur de cette topographie indéfinie.

Troisième en importance au Québec en terme de superficie, le massif des monts Groulx compte plusieurs sommets élevés, dont le plus haut culmine à plus de 1 100 mètres. Située au-delà du 51e parallèle, cette contrée sauvage offre **un avant-goût du Grand Nord** : elle est la parcelle de terre arctique la plus au sud dans tout l'est de l'Amérique du Nord accessible par une route.

Repères

www.tourismemanicouagan.com
(418) 294-2876 • 1 888 463-5319

Association Les amis des monts Groulx
www.monts-groulx.ca
amisdesmontsgroulx@hotmail.com

Indispensable : *la carte « La route TransQuébec Labrador et les monts Groulx » vendue à l'ATR Manicouagan.*

Étendue : *5 000 km²*.

Dénivelé : *jusqu'à 1 104 m au sommet du mont Veyrier.*

Calibre : *pour randonneurs expérimentés et autonomes. Nécessite une très bonne forme physique.*

Des connaissances d'orientation avec carte et boussole, de survie en forêt et de secourisme en région éloignée sont essentielles.

Saison : *randonnée pédestre de la fin juin au début septembre. Ski nordique dès la fin d'octobre, jusqu'au début de mai.*

Bain mousseux pour les pieds

Dès la sortie de la voiture, on s'enfonce dans une forêt noire d'épinettes. Telles des sentinelles, elles semblent veiller sur les mystères de cette contrée sauvage. Un peu en retrait de la route, **le camp Nomade** (km 335) est la porte d'entrée d'une aventure hors norme.

Le premier arrêt vers la quiétude des hauts plateaux balayés par le vent est le lac Castor, qu'on atteint après une montée tranquille. Les sommets dénudés se montrent déjà le bout du nez. À la limite des arbres, les épinettes ne sont plus que de frêles squelettes, témoignant ici et là de la violence des éléments. Seul le lichen semble bien accepter son sort. Sa texture spongieuse donne à chaque pas une étrange impression d'apesanteur. Comme pour donner un aperçu de ce à quoi ressemble une marche sur la Lune, la vaste circonférence du lac Cratère du réservoir Manicouagan se révèle devant nous. Cette gigantesque cicatrice terrestre parfaitement circulaire date de 314 millions d'années!

Des cairns, pareils à de petits brigadiers de pierre, indiquent la voie à suivre jusqu'aux abords du lac Quintin. Puis, soudain, plus rien. Le sentier a disparu. Quelques traces de caribous, au mieux...

Les distances peuvent être trompeuses dans ce paysage encore pubère. Heureusement, la croupe du **mont Veyrier,** du haut de ses **1 104 mètres,** offre une visibilité incomparable à 360 degrés à la ronde, ce qui permettra de faire le point sur sa situation. Ne reste plus qu'à faire son choix parmi le copieux menu d'itinéraires que propose la carte...

Les dunes d'un désert blanc

Arrive l'hiver, et les monts Uapishka, nom que les Amérindiens avaient donné à ces montagnes blanches, se transforment en un véritable désert laiteux. Connues aujourd'hui sous le nom des Groulx en l'honneur d'un chanoine, ces vieilles formes arrondies font partie de l'héritage le plus ancien qu'ont laissé derrière eux les glaciers : le Bouclier canadien. Ces montagnes, recouvertes de neige plus de la moitié de l'année, prennent des allures de dunes de sable blanc. Seule ombre au tableau : la température qui peut chuter de quelques dizaines de degrés au-dessous de zéro sans crier gare, même en plein mois d'avril!

Extra!

Pendant longtemps les monts Groulx ont été le secret bien gardé de quelques amoureux de grands espaces et de solitude. La fréquentation augmente, et ses traces contrastent de plus en plus avec la quiétude originelle des lieux. Puisque les randonneurs sont responsables de la préservation de cette nature fragile et sauvage, chacun est invité à pratiquer les principes de l'éthique « sans trace ».

La Grande Corvée des monts Groulx *qui se déroule chaque année à la fête du Travail permet à chacun de contribuer à l'entretien des sentiers dans une ambiance conviviale. Y serez-vous l'année prochaine?*

Lorsque le ciel se dégage après une tempête, les arbres, recourbés sous le poids de la neige, ressemblent à des lutins blancs et rendent l'endroit féerique. Entouré de ce paysage, on se sent tout petit, tel un flocon de neige dans l'immensité blanche. Sur cette toile encore vierge, le skieur dessinera sa propre trace. Aucune balise, aucun signe de vie.

Le **lac Boissinot**, au pied du mont Jauffret, semble tout indiqué pour établir le **camp de base**. Ainsi, le lendemain, on pourra jouir de ces cimes sans le poids du sac sur le dos. Il faudra se relayer plusieurs fois pour ouvrir la trace, car une bonne dose de poudre recouvre leurs courbes plantureuses. Les efforts ne seront pas vains puisque, sur les crêtes de la **toundra**, les sommets se succèdent à perte de vue. Et si les montées sont exigeantes, les descentes, elles, sont grisantes.

Au fil des jours, on enchaînera tout naturellement la suite au creux des vallées, vers le mont Veyrier, pour y retrouver un autre havre de paix, un autre terrain de jeu. Puis, rassasié, on rejoindra la rivière Torrent par une série de petits lacs, pour suivre ses méandres au cœur de la forêt. On y cheminera avec circonspection, traversant délicatement **les ponts de neige**, au risque de se retrouver dans un bouillon glacé. C'est donc avec soulagement qu'on apercevra la route un peu plus bas, mais aussi avec une pointe de nostalgie au cœur.

© Marc Loiselle

Kayak de mer

L'embarras du choix

GRANDES-BERGERONNES

Bergeronnes est l'un des lieux les plus merveilleux de la planète pour rencontrer les **mammifères marins.** Quel autre endroit permet l'observation quasi continuelle de plus de cinq espèces passant à quelques mètres du rivage, et cela, à plus de 1200 kilomètres de l'océan? Bergeronnes, Cap-de-Bon-Désir, le camping du même nom ou celui du Paradis marin : ces noms évoquent plus un pèlerinage qu'une simple destination touristique. Les familles se contenteront peut-être d'y camper et de contempler le spectacle depuis le bord de la mer, mais nul besoin d'être un sportif ou d'avoir le pied marin pour tenter l'aventure en kayak de mer.

Alliant nature et découvertes, **cette partie du parc marin du Saguenay–Saint-Laurent** fait de l'observation son activité principale. À une vingtaine de kilomètres à l'est de Tadoussac, entre juin et octobre, le fleuve accueille une concentration impressionnante de mammifères marins. **Petits rorquals, bélugas, marsouins, rorquals communs et rorquals bleus** sont les plus communément observés. Il n'est pas rare d'y voir aussi le rorqual à bosse, le cachalot ou le dauphin à flanc blanc. Et bien sûr, **les phoques** qui, curieux, pointent souvent leur tête hors de l'eau quand ils ne se prélassent pas sur un rocher au soleil.

Camper au bord de l'eau est une expérience magique qui éveille les sens. Contemplation le jour, chant des baleines la nuit : un beau programme! D'autres choisiront le kayak de mer pour aller plus loin dans le flirt. Une bonne occasion de constater que ce sport s'intègre parfaitement au milieu et n'est pas toujours synonyme de courbatures.

Si vous souhaitez vivre pleinement l'expérience de l'observation des baleines, voici deux suggestions. D'abord, effectuer une visite de l'excellent **Centre d'interprétation des mammifères marins** (CIMM) de Tadoussac (des panneaux d'interprétation sont également présents sur les sites). On y apprend à connaître et à reconnaître les espèces qu'on rencontre en mer.

Ensuite, faire confiance à l'une des compagnies de kayak de mer locales et embarquer pour un ou – pourquoi pas – **plusieurs jours de randonnée côtière**. Car ici, pas de grande traversée à se faire exploser les bras, tout se passe à proximité de la rive. La présence immédiate des baleines, l'absence d'îles à visiter et le tempérament changeant du fleuve poussent le kayakiste à évoluer tranquillement le long des rochers.

Retenir son souffle

Une fois le b.a.-ba expliqué, le guide démontre qu'un kayak de mer se propulse sans trop d'effort. De toute façon, les trajets sont courts (une dizaine de kilomètres par jour) et l'accent est mis davantage sur la découverte que sur le sport lui-même. Le plus grand travail du guide, c'est d'inculquer les bonnes manières! Ici, on ne court pas après la première baleine rencontrée. Pour éviter le dérangement, un périmètre de 400 mètres doit être respecté.

Une fois embarqué, le kayakiste apprend à s'effacer et à attendre. Il se laisse pousser par le vent et guette. Les premières rencontres sont parfois rapides. On se fait remuer les entrailles par un souffle soudain : une dorsale vient de fendre l'eau et on sursaute. L'excitation fait oublier le paysage et on se découvre allergique au moindre bruit de bateau à moteur (heureusement, ils sont bien plus rares à Bergeronnes qu'à Tadoussac).

Focus

Famille : *Le site d'observation de Cap-de-Bon-Désir, le camping Bon Désir et le sentier polyvalent cyclable et pédestre entre le Paradis marin et le quai de Bergeronnes (12 kilomètres).*

C'est entre Bergeronnes et Les Escoumins qu'on a le plus de chances de rencontrer les mammifères en kayak. En pagayant sur ce chemin qui est le leur, il serait étonnant de n'en croiser aucun, à moins que le vent et les vagues ne rendent l'observation plus difficile. À Cap-de-Bon-Désir, à quelques mètres de la rive, le fleuve plonge à près de 100 mètres de profondeur et offre aux baleines un incomparable garde-manger. Confortablement assis dans son kayak, on glisse sur un gigantesque entonnoir de nourriture remontant le zooplancton et le phytoplancton des profondeurs. Et en choisissant une sortie à l'heure du souper – qui correspond, pour notre plus grand plaisir, à celle du coucher du soleil – on s'assure un souvenir inoubliable.

Ce n'est pas vraiment pour la beauté de la côte que l'on choisit de pagayer à Bergeronnes. Les trois souffles du petit rorqual avant de plonger, les ébats de la baleine à bosse, l'éventuelle visite du curieux béluga,

voilà les images qui incitent à tenter l'aventure. Et pour la prolonger, rien ne vaut une nuit en camping dans cet environnement de rêve. Le plus difficile? Choisir entre les trois terrains qui sont désormais disponibles. Étendu à flanc de rivage, dans un décor verdoyant parsemé de petits lacs, le **camping Bon Désir** offre des sites éparpillés et une vue plongeante sur le fleuve. Plus petit, le camping du Paradis marin reste l'un de ces endroits privilégiés où, loin de la foule et dans une ambiance de roc, on peut planter sa tente tout près de la mer et emporter le souffle des baleines dans son sommeil. Semblable, mais encore plus petit, le **camping de Mer et Monde Écotours** est directement aménagé en bordure de l'Estuaire du Saint-Laurent et vous permet d'admirer en toute quiétude les beautés naturelles de cet environnement. Mais chut! Il ne faut le dire à personne puisqu'il ne compte qu'une vingtaine de **sites sur plates-formes de bois** aménagées à même les rochers ou encore sur le sable...

REFUGE FAUNIQUE DE L'ÎLE-LAVAL

Située à une centaine de kilomètres à l'est de Tadoussac, dans la baie qui porte le même nom, l'île Laval est peut-être le **lieu de nidification d'oiseaux marins** le plus méconnu du Québec. C'est donc avec l'impression d'être un découvreur qu'on met son kayak à l'eau pour y associer navigation et ornithologie.

Avec une superficie de 31,5 hectares et 75 mètres d'altitude, l'île Laval abrite sur ses **falaises rocheuses** et escarpées une faune aquatique ailée très variée. C'est dans le souci de la préserver de la prédation humaine que **tout accès à l'île est interdit.** La balade en kayak de mer s'avère par conséquent le moyen le mieux adapté pour faire le tour de l'île et ainsi multiplier les découvertes.

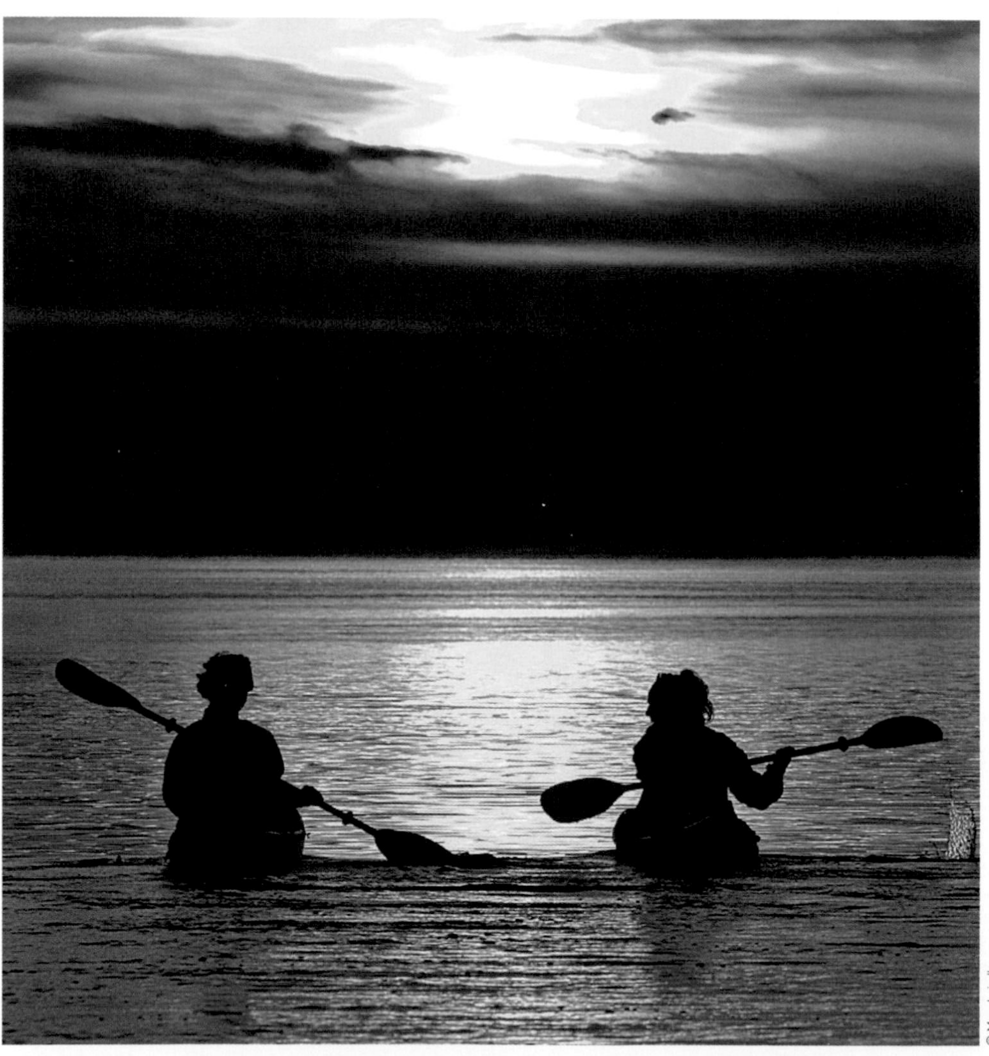

© Marc Loiselle

Le caractère fermé de la baie Laval en fait une **destination idéale pour donner ses premiers coups de pagaie.** On s'y trouve à l'abri du vent, et par conséquent, des vagues déferlantes. Avec un peu de chance, de petits pingouins et des kakawis pourraient aussi être du rendez-vous. Ouvrez grand les yeux!

RAGUENEAU

À près de 600 kilomètres de Montréal, sur la Côte-Nord, Ragueneau est un lieu très propice à l'observation des mammifères marins. Le terrain de jeu comprend **quatre îles** et une dizaine de récifs qui sertissent l'archipel. Et c'est à coups de pagaie qu'on rend visite à leurs habitants : plus de 5 000 cormorans, de sternes, de macreuses, de bécasseaux et de petits pingouins, pour ne nommer que quelques espèces parmi les 200 présentes. Les phoques sont aussi de la partie : il n'est pas rare de voir **de jeunes phoques** communs (ou loups marins) venir **taquiner le bout de sa pagaie.** Quant aux phoques gris découverts par la marée descendante, ils se rassemblent par dizaines sur les bancs de sable des récifs. Les entendre chahuter est un moment unique qui reste gravé dans les mémoires!

Repères

Mise à l'eau : *Quai de Ragueneau, à l'embouchure de la rivière aux Outardes*

Niveau : *Accessible aux néophytes et même aux familles. Le kayakiste plus expérimenté pourra laisser voguer son embarcation jusqu'au parc-nature de Pointe-aux-Outardes et même y passer la nuit en camping.*

Association touristique de Manicouagan

www.tourismemanicouagan.com
1 888 463-5319

Parc nature de Pointe-aux-Outardes

www.parcnature.com/parc
(418) 567-4227

Repères

Parc marin du Saguenay–Saint-Laurent
www.parcmarin.qc.ca
(418) 235-4703 • 1 888 773-8888

Centre d'interprétation et d'observation du Cap-de-Bon-Désir
www.pc.gc.ca • (418) 235-4703

Centre d'interprétation des mammifères marins (CIMM)
www.gremm.org • (418) 235-4701

Inventaire des mammifères marins observés dans le Saint-Laurent, actualisé chaque jour
www.baleinesendirect.net

Paradis marin : *Camping (101 sites), tipi, kayak de mer, plongée sous-marine*
www.paradismarin.com • (418) 232-6237

Camping Bon Désir (180 sites), Corporation touristique de Bergeronnes
www.campingbondesir.com • (418) 232-6326

Mer et Monde Écotours
Excursion de kayak de mer au coeur du parc marin du Saguenay-Saint-Laurent, 21 emplacements de camping rustique
www.mer-et-monde.qc.ca • (418) 232-6779

Kayak : *Pour des raisons de sécurité, les entreprises de kayak de la région n'offrent généralement pas la location de matériel, mais proposent plutôt des excursions guidées. Comptez environ 50 $ pour une demi-journée et de 80 $ à 100 $ pour une journée. Des sorties sont parfois proposées au coucher du soleil ou au lever du jour: magique!*

Mise à l'eau : Port de Forestville

Association touristique de Manicouagan
www.tourismemanicouagan.com

Autres pistes

Monts Severson (Fermont)

Atteignant 820 m, à quelques kilomètres à l'ouest de Fermont, les monts Severson offrent une vue magnifique sur la région de Caniapiscau. Six sentiers de niveau intermédiaire y traversent des zones de toundra et de taïga.
Dénivelé : 120 m.
Sentiers pédestres : 25 km.
Sentier de ski de fond : une piste de 7 km.
Autres activités : ski de fond et raquette hors-piste, escalade.
Services : relais information (carte des sentiers).
Hébergement : à Fermont; hôtel, gîtes et camping.
Saison : toute l'année.
Accès : gratuit.
www.caniapiscau.net • (418) 287–3506

Parc marin du Saguenay-Saint-Laurent (Les Bergeronnes)

Promontoire naturel célèbre pour l'observation des Baleines, ce parc englobe une grande partie de l'estuaire du Saint-Laurent et le fjord du Saguenay. On y trouve de nombreux musées d'activités d'interprétation de la nature (terrestre et marine), des activités archéologiques, etc.
Étendue : 1 245 km2.
Activités : activités d'interprétation de la nature ou d'archéologie ancienne (musée marin et centre d'observation Archée-Topo), randonnée pédestre ou à vélo, kayak, plongée sous-marine, navigation de plaisance…
Services : salles d'exposition, aires de pique-nique.
Hébergement : nombreuses possibilités à proximité.
Saison : toute l'année.
Frais : frais d'entrée.
www.parcmarin.qc.ca • (418) 235-4703 poste 0

Parc nature de Pointe-aux-Outardes

À 2 h 30 de Tadoussac, sur les rives du Saint-Laurent, le parc régional de Pointe-aux-Outardes permet d'observer des écosystèmes variés et un grand nombre d'espèces d'oiseaux migrateurs.
Sentiers pédestres : trois sentiers totalisant six km.
Autres activités : baignade, observation des écosystèmes, ornithologie.
Services : aires de pique-nique, tours d'observation.
Hébergement : camping sauvage.
Saison : été (juin à septembre).
Frais : frais d'entrée
www.virtuel.net/prpao • (418) 567–4226 • (418) 567–4227

Sentiers de la rivière Amédée (Baie-Comeau)

Ce réseau de ski de fond de 10 pistes (tous niveaux) longe et traverse plusieurs fois la rivière qui lui donne son nom, dans un décor vallonné et boisé. Un sentier de randonnée pédestre est également proposé.
Étendue : 32 km (longueur linéaire du réseau).
Sentiers de ski de fond : 11 pistes totalisant 62,6 km.
Sentier de randonnée pédestre : 3,2 km.
Autres activités : raquette hors-piste, vélo de montagne.
Location : équipement de ski de fond.
Services : salle de fartage, cliniques de ski et de fartage, petite restauration, initiation au ski.
Hébergement : deux chalets sur le réseau.
Saison : toute l'année.
Accès : 9 $/jour (moins de 12 ans : 4 $)
http://membres.multimania.fr/skiamede/
(418) 295-1818 • (418) 589-3288

Zec d'Iberville (Longue-Rive)

On y compte 239 lacs et plusieurs rivières qui invitent à faire l'une des deux descentes de rivière **en canot**. La descente de la **rivière Sault-au-Mouton** en **canot-camping** est l'un des attraits touristiques incontournables de la zec. Des **sentiers de randonnée pédestre** jalonnés de fruits sauvages (bleuets, fraises des bois, framboises) raviront les plus gourmands. Deux terrains de camping sont offerts et l'on peut aussi pratiquer le camping sauvage.
Services : Tables à pique-nique, trente rampes de mise à l'eau. Station-service, épicerie, dépanneur et centre d'information touristique à moins de 6 kilomètres de la zec.
Saison : Été (15 mai-23 octobre) et hiver.
Accès : Suivre la route 138 jusqu'au village de Longue-Rive (Sault-au-Mouton). Arrivé à cet endroit, prendre la rue Giroux, qui se trouve le long de la 138, et rouler durant environ 5 kilomètres pour se rendre au poste d'accueil.
www.zec-iberville.com
(418) 231-2937 • (418) 233-3253 (poste d'accueil)

Zec Labrieville (Forestville)

Dans ces grands espaces comprenant 200 lacs et six rivières, la pêche est à l'honneur, mais aussi le **canotage** sur les multiples plans d'eau, sans oublier les attraits naturels des **chutes et du lac Carter**. L'hiver venu (du 15 décembre au 15 mars), on y pratique aussi la **pêche blanche** (sur 150 lacs). Des **espèces protégées** comme le cougar et le loup peuvent y être observés, de même que de nombreux oiseaux de proie.
Services : Location de chaloupes et de remorques. Un camp pouvant recevoir six personnes est offert en location. Un chalet d'accueil avec dépanneur et poste de ravitaillement en essence est situé à l'entrée de la zec.
Accès : Plusieurs forfaits d'activités sont offerts, incluant les droits de passage. Située à 84 kilomètres au nord de Forestville, on rejoint la zec en empruntant la route 385, route asphaltée jusqu'au poste d'accueil.
Saison : La saison d'été débute fin mai et se termine mi-octobre.
www.zeclabrieville.zecquebec.com
877 677-9914 • (418) 665-9914

Zec de Forestville

Outre la chasse et la pêche, on y offre de nombreuses possibilités d'activités récréatives, dont la **descente de rivière en canot et en kayak**, et ce, sur un parcours de 52 kilomètres. De plus, des **sentiers de randonnée** sont praticables pour faire de l'observation des espèces fauniques et florales et prendre un bon bol d'air frais. L'hiver, une paroi de glace offre l'occasion de faire de l'escalade. Parmi les **attraits naturels qui valent le détour, on dénombre la** rivière Sault aux Cochons (chutes, parois rocheuses, falaises étroites), les chutes du lac Haut, de la rivière Laval, de la rivière Jeffrey, de la rivière Cassette et de la rivière Isidore, et de magnifiques marais.
Services : Neuf chalets au bord du Grand lac Cassette, et trois chalets de quatre personnes au lac aux Pins, à partir de 17,50 $ par jour/personne. Chaloupe incluse dans la location de chalet. Camping : 70 terrains semi-aménagés répartis sur trois sites, le lac Laval, le lac Bladder et le lac Yo-Yo. Le camping sauvage est possible à plusieurs endroits sur le territoire.

Information touristique générale

Association touristique régionale de Manicouagan
337, boul. Lasalle, bureau 304
Baie-Comeau (Québec) G4Z 2Z1
www.tourismemanicouagan.com
(418) 294-2876 • 1 888 463-5319

Saison : Ouvert toute l'année. Location de chalet de fin mai à début septembre.
Accès : De Québec, suivre la 138 est. L'enregistrement se fait au poste d'accueil situé au 41 route 138 est. Ensuite, on accède à la zec soit par la 385 nord après Forestville, soit par la rue Verreault. Elle se situe à environ dix kilomètres au nord de Forestville.

www.zecforestville.zecquebec.com • 888 587-0112

Zec Nordique (Les Escoumins)

La zec Nordique possède une **centaine de lacs** dont la superficie va de 32 à 390 hectares. Plusieurs **sentiers pédestres** permettent d'admirer la faune et la flore sauvages. Un site de **camping** se trouve à proximité du Petit lac Maclure. Les esprits aventureux se tourneront vers le **camping sauvage**, soit au kilomètre 44, soit au kilomètre 70.
Accès : Suivre la 138 est et, passé Tadoussac, continuer jusqu'à Les Escoumins. Emprunter la route forestière jusqu'au poste d'accueil de la zec (kilomètre 22 — 148, Saint-Marcellin Ouest), situé à 3,5 kilomètres au nord de la route 138. Il est ouvert de la mi mai à la troisième semaine d'octobre.
www.zecnordique.zecquebec.com • (418) 233-3062

Parc national du Canada de la Mauricie

Au rythme de la forêt

© Michel Julien

Le parc de la Mauricie pourrait se définir comme une vaste forêt, peuplée de mille et un conifères, bouleaux et érables, parsemée de nombreux lacs et ruisseaux déjouant tour à tour les méandres des collines. En plein cœur de la province, on découvre dans ce parc une nature omniprésente, à laquelle même le plus inexpérimenté des coureurs des bois ne saurait résister.

En 1970, cet imposant domaine prenait la vocation de parc national, mettant ainsi fin à 150 ans d'exploitation des ressources forestières et fauniques.

Grâce à la protection de ce précieux échantillon des Laurentides, une faune discrète, mais variée peut aujourd'hui vivre en toute tranquillité. Sur ce copieux plateau ondulé de collines, entrecoupé de vallées et paré d'une multitude de lacs, la vie s'écoule au rythme de la nature.

Le parc abrite 46 espèces de mammifères, dont l'orignal, l'ours noir, le castor du Canada et le loup de l'Est. Plus de 180 espèces d'oiseaux y ont été observées. En dépit de sa latitude plutôt nordique,

Extra

Vélo : *Un circuit d'une* ***trentaine de kilomètres*** *attend les adeptes de* ***vélo de montagne****. Les sentiers pédestres 3, 7, 8 et 9 font partie du réseau qui se partage la voie avec les cyclistes. Sur d'anciens chemins forestiers ou de petites routes en gravier, ces tracés longent plusieurs lacs, traversant de riches érablières depuis le camping de la Rivière-à-la-Pêche jusqu'aux abords du lac Édouard.*

La Promenade : *Cette route sillonne le parc sur 63 kilomètres, traversant le secteur Sud d'est en ouest et reliant ainsi les postes d'accueil de Saint-Jean-des-Piles et de Saint-Mathieu. Elle permet donc à l'automobiliste d'accéder à plusieurs sites propices à la pratique de la randonnée, du vélo ou du canot.*

le parc protège également six espèces de reptiles et 14 espèces d'amphibiens. Il englobe une partie du domaine vital d'une des plus grandes et des plus septentrionales populations de tortues des bois, qui se trouve sur la liste des espèces en péril. Parmi les 24 espèces de poissons inventoriées jusqu'ici dans les eaux intérieures du parc, seulement quatre sont indigènes. Les autres espèces présentes ont été introduites.

Bon nombre de ramifications permettent d'explorer les quatre coins du parc à pied. Sur ce territoire sauvage, la monotonie n'a pas cours. Au bout de quelques pas à peine, on tisse des liens étroits avec la nature, on s'imprègne des couleurs et des odeurs de la forêt, exubérantes en ces lieux paisibles.

Sur les sentiers des Deux-Criques et du Mekinac, les montées sont récompensées par des points de vue saisissants et les descentes accompagnent souvent des ruisseaux en cascade où l'on peut avoir le bonheur de se rafraîchir. À certains endroits, on apercevra la majestueuse rivière Saint-Maurice, troisième affluent en importance du fleuve Saint-Laurent, qui porte dans ses eaux et sur ses berges toute la mémoire de la Mauricie. En d'autres lieux, comme sur le sentier de la Cache, on pourra observer la faune et, à l'aide d'un télescope, se familiariser avec les petites habitudes des orignaux. Chaque détour réserve une surprise. Sur le sentier du Vieux-Brûlis, on se mesurera à des arbres de taille remarquable.

Depuis l'automne 1998, un sentier de longue randonnée entraîne les marcheurs aguerris dans les quartiers les plus reculés du parc. Le sentier Laurentien, du long de ses 75 kilomètres, parcourt l'arrière-pays du parc dans sa partie la plus nordique. Ce secteur sauvage n'est fréquenté par aucune route et représente un véritable défi à l'autonomie. À sens unique, les aménagements y sont réduits à leur plus simple expression, quelques passerelles enjambant les ruisseaux les plus importants, les autres devant être traversés à gué. Tout en montées et en descentes, le sentier enchaîne plusieurs petits sommets et pénètre dans les profondeurs de la forêt. La faune, peu dérangée par la présence humaine, y est très présente. Ainsi, il n'est pas rare, dans l'obscurité de la nuit, d'être réveillé par les appels de la chouette ou par les hurlements plaintifs d'une meute de loups.

Glisser sur l'eau

L'eau tranquille des nombreux lacs, miroitant sous les chauds rayons de l'été, fait du canot le mode de déplacement privilégié pour découvrir toute la portée de ce territoire gorgé d'eau. À la manière des Amérindiens et des coureurs des bois, on se laissera glisser dans les méandres de ces cours d'eau sauvages pendant quelques heures… ou quelques jours! Rien de mieux, en effet, que le canot-camping pour se retrouver en tête-à-tête avec la nature.

Focus

Famille : *accessible par la route Promenade, le lac Édouard est à la portée de toute la famille. On peut y canoter paisiblement, se rafraîchir par un plongeon dans ses eaux limpides, s'amuser sur la plage et même y camper. On peut jouer au détective le long d'un sentier d'interprétation du lac-Étienne où l'on pourra observer la faune à l'aide d'un télescope et répondre à maintes questions. Cette petite boucle de 1,5 kilomètre a tout pour satisfaire la curiosité des plus jeunes comme des plus vieux.*

L'hiver, on empruntera évidemment la Familiale (piste 11) pour se dégourdir en famille, une piste de ski de fond tout en douceur, qui fait à peine quatre kilomètres (lorsque la boucle est complète).

Débutant : *le lac Wapizagonke, long de seize kilomètres, est l'endroit idéal pour découvrir les plaisirs du canot-camping. D'un bout à l'autre du lac, on peut naviguer au bord de falaises vertigineuses entrecoupées de plages où l'on pourra se reposer. Aucun portage au programme. Et un choix de sites pour le camping sauvage qui plaira à toute la famille.*

L'hiver venu, on pourra se rendre à la halte du lac Isaïe par la piste 3, depuis le pavillon de services de Rivière-à-la-Pêche. Toujours en pente douce, la piste 6 mènera, de son côté, à la halte du Pimbina. Les deux parcours totalisent chacun une dizaine de kilomètres aller-retour, tout au plus.

Expert : *le sentier Laurentien: 75 kilomètres de randonnée. Sans compter les sentiers de ski de fond qui peuvent assouvir toutes les exigences des plus aguerris.*

S'étirant au fond de vallées encaissées, certains lacs prennent plutôt des allures de rivières. C'est le cas du lac Wapizagonke, sans doute le plus élancé du lot. À ses hautes parois rocheuses succèdent de belles plages de sable doré, invitantes. Mais, si ces dernières sont le repaire des flâneurs, la faune aquatique, elle, affiche une préférence pour ses baies marécageuses. Après un portage de 2,4 kilomètres, on verra ses efforts récompensés par le fabuleux jardin aquatique que représente le lac Anticagamac. On y fera la connaissance du garrot à œil d'or, du grand harle, du canard noir, du fuligule à collier et, bien sûr, du plongeon huard, fier représentant du parc national du Canada de la Mauricie. Ce magnifique plan d'eau est aussi fort apprécié de l'orignal. À coups de rame, on débouchera enfin sur la Rivière-Matawin, autrefois utilisée pour le flottage du bois, qui nous entraînera sans trop d'effort dans son mouvement vers d'autres horizons.

Repères

www.pc.gc.ca/mauricie
(819) 538-3232 • 1 888 773-8888

Info-Nature Mauricie: pour réservation des gîtes Wabenaki et Andrew
(819) 537-4555

CLD de Shawinigan
www.tourismeshawinigan.qc.ca
(819) 537-7249 • 1 888 855-6673

Étendue: *536 km², parsemés de nombreux lacs et circuits de canot-camping.*

Dénivelé: *entre 100 et 450 m.*

Sentiers pédestres: *plus de 100 km (de niveau débutant à expert), souvent partagés avec les cyclistes. À noter que le sentier Laurentien s'adresse aux randonneurs expérimentés avec une bonne connaissance des premiers soins et des techniques d'orientation.*

Sentiers de ski de fond: *80 km de pistes tracées, dont 34 km pour le pas de patin.*

Sentier de raquette: *boucle de 11 km du côté de Saint-Jean-des-Piles (stationnement du Mekinac).*

Autres activités: *vélo de montagne, canot et baignade.*

Hébergement: *gîtes Wabenaki et Andrew, 581 emplacements de camping semi-aménagés et 200 sites de camping sauvage. Possibilité de camping d'hiver.*

Location: *canots.*

Autres services: *centres d'accueil et d'interprétation, activités animées par des naturalistes (en canot rabaska, notamment), salle de fartage, rampes de mise à l'eau, casse-croûte, etc.*

Saison: *de la mi-mai à la mi-octobre pour les activités estivales et de décembre à mars pour le ski de fond.*

Accès: *par l'entrée Saint-Jean-des-Piles (autoroute 55, sortie 226) ou par l'entrée Saint-Mathieu (autoroute 55, sortie 217).*

Glisser sur la neige

Le parc national du Canada de la Mauricie, avec son impressionnant réseau de pistes de ski de fond, permet aussi de découvrir toute la quiétude des paysages hivernaux. Car, si la neige semble de plus en plus délaisser les centres urbains, ici, réchauffement de la planète ou pas, il n'y a pas de quoi s'inquiéter. Dès les premiers flocons, l'hiver s'installe en douce et, rapidement, occupe tout l'espace. Le chant du geai bleu, roi de la forêt, et de ses sujets, accompagne le pas tout au long de ces kilomètres de randonnée sous le soleil hivernal. Le grincement sourd des skis sur la neige cristallisée fait fuir les lièvres invisibles dans leurs habits blancs. Reste à espérer que ce bruit ne tire pas du sommeil les ours dans leur tanière!

Le choix de sentiers ne manque pas pour réveiller les muscles. Ainsi, on pourra partir du pavillon de services de la Rivière-à-la-Pêche pour faire le grand tour par les sentiers 10 et 9, qui longent le lac du Fou et le lac Édouard, pour ensuite rejoindre le sentier 7 et la rivière, qui murmure, emprisonnée sous les glaces. Physique? À peine…

Des haltes chauffées se trouvent le long des sentiers, sans oublier les copieux repas que l'on pourra se concocter, le soir venu, dans la chaleur des gîtes Wabenaki et Andrew, patrimoine hérité des clubs privés de chasse et pêche du siècle dernier. Bien sûr, le lendemain, après un tel festin, on aura un peu de mal à se remettre sur les planches, et les derniers kilomètres pour rejoindre la sortie de Saint-Gérard pourront parfois prendre des airs de montagnes russes. Histoire de s'épargner certaines descentes abruptes, on peut toutefois couper sur le lac gelé. Souvent balayé par le vent, celui-ci nous fera vite comprendre tout le sens d'un pas de «patin»!

Sentier Laurentien

Long de 75 kilomètres, ce sentier linéaire traverse le parc national de la Mauricie et mène dans l'arrière-pays de la région. Du stationnement de la Rivière-à-la-Pêche jusqu'au stationnement du Passage, une multitude de lacs et de ruisseaux ajoutent une note aquatique aux charmes de ce parcours accidenté.

Saison: de juin à octobre

Hébergement: Neuf sites de camping espacés de 7 à 10 km.

Parc de la Rivière-Batiscan

Pour la famille et les sportifs

S'étalant sur le territoire de trois municipalités (Sainte-Geneviève-de-Batiscan, Saint-Stanislas et Saint-Narcisse), le parc de la Rivière-Batiscan est une destination estivale très prisée par les **cyclistes** et les **familles**. La particularité première du site, c'est la beauté du paysage: les sentiers longent la rivière, et des passerelles de bois traversent les rapides et les terrains trop accidentés.

L'attrait familial du parc tient à la présence de sentiers accessibles qui, sillonnant le décor enchanteur des berges de la rivière Batiscan, en font une destination de choix pour les jeunes randonneurs. Ils font également la joie des adeptes de **vélo de montagne** de tous les niveaux qui désirent se laisser enivrer par des courbes rapides, sans toutefois se casser la tête (ni les jambes!) avec d'interminables montées ou des descentes d'enfer. Si les cyclistes augmentent la vitesse, les courbes sembleront plus serrées qu'elles ne le paraissaient au premier abord. Le rythme assez infernal auquel celles-ci s'enchaînent est surprenant. Les sentiers du parc favorisent les cyclistes qui aiment mouliner et négocier les virages à haute vitesse plutôt que les amateurs de pistes de type «*trial*» (sorte de course à obstacles où l'équilibre joue pour beaucoup). Frissons garantis! Autre particularité très agréable: la **baignade**. On se déniche un petit coin tranquille et hop! Les rapides sont encore plus magiques quand on les voit de l'intérieur…

Pour les inconditionnels de sensations fortes, Via Batiscan est la dernière nouveauté du parc. Grimper aux arbres, franchir des chutes suspendu à une **tyrolienne** et parcourir une paroi rocheuse le long d'une *via ferrata*: un parcours aventure en hauteur pour une bonne dose d'adrénaline dans un environnement totalement sécurisé. Réservations obligatoires.

Les adeptes de **kayak de rivière** auront de bons défis à relever durant la période de crue des eaux en affrontant les rapides du secteur Murphy. Quant aux amateurs de **kayak de mer**, ils se plairont à pagayer sur le plan d'eau du secteur Barrage.

Vingt-cinq kilomètres de sentiers de **randonnée pédestre**, classés de niveau facile à intermédiaire, sont répartis sur 21 sentiers dont 16 se partagent avec le vélo de montagne. La plupart des sentiers longent la rivière Batiscan, à l'exception du sentier du Portage qui s'enfonce en forêt pour aller rejoindre directement le secteur de la chute Murphy. Près de l'accueil, dans le secteur du Barrage, on peut observer le plus ancien barrage hydroélectrique de la Mauricie. Un des bâtiments est même classé monument historique. Il est également possible de faire du canot sur le plan d'eau de deux kilomètres de long, qui est situé entre la chute des Ailes et le barrage hydroélectrique.

Le parc est fermé durant l'hiver et le stationnement n'est pas déblayé. On sait par contre que les sentiers sont toujours là (!) et que certains malins en profitent pour y pointer le bout de leurs raquettes…

Repères

200, chemin du Barrage, Saint-Narcisse (Qc)

www.parcbatiscan.com • www.viabatiscan.com (418) 328–3599

Et quoi encore?

- Vous avez envie de ***taquiner le brochet****, l'achigan à petite bouche ou la barbue de rivière? Sachez qu'il est permis de pêcher dans le plan d'eau situé entre la chute des Ailes et la Grande Chute, dans le secteur du Barrage.*

- Inauguré au printemps 2010, le Sentier national des Chutes Notre-Dame-de Montauban et du Mont Otis fait découvrir le parc Mékinac de la rivière Batiscan. Plusieurs itinéraires permettent d'atteindre le sommet du Mont Otis qui culmine à 325 mètres. Une carte des sentiers est disponible à la Coopérative de Solidarité de Développement local de Notre-Dame-de-Montauban.
(418) 336-2247 ou (418) 336-3259

Hébergement: *30 sites de camping rustique, 140 sites semi-aménagés (2 ou 3 services).*

Autres options: *passer une ou deux nuits sous une* ***tente prospecteur*** *dans le village de toiles du parc de la Rivière-Batiscan ou dans une yourte dans le secteur Murphy.*

Location: *canots.*

Saison: *fermé en hiver.*

Chiens: *admis en laisse.*

Focus

Famille: *C'est dans le secteur du Barrage que l'on trouve le plus grand nombre de sentiers uniquement réservés aux marcheurs. Des visites guidées des installations d'Hydro-Québec sont offertes en période estivale.*

© Tourisme Mauricie

La Saint-Maurice au fil de l'eau

Haut lieu de la Classique Internationale de canots qui a lieu chaque été depuis plus de 75 ans, la rivière Saint-Maurice fait partie des trois affluents majeurs du Saint-Laurent. Avec ses nombreuses possibilités d'excursions, elle fera le bonheur des amoureux de la pagaie.

Idéale pour les débutants ou les intermédiaires, la section entre La Tuque et Grandes-Piles coule en pente faible sur 120 kilomètres. Le parc municipal Dumoulin, situé à un kilomètre de Saint-Roch-de-Mékinac, offre une mise à l'eau gratuite et toute proche, pour une excursion sur une des plus jolies sections de la rivière. Exit Nature propose d'ailleurs plusieurs itinéraires de randonnées guidées en **kayak, canot et rabaska** ainsi qu'un service de navette.

Pour les plus aventureux, une **expédition de six ou sept jours** permet une descente de Windigo à Trois-Rivières. Une première section, de Windigo à La Tuque, traverse un territoire plus sauvage en deux ou trois jours. Des portages raisonnables permettent de franchir les barrages hydroélectriques. Lorsque le niveau d'eau baisse, les rives dévoilent de nombreuses plages donnant l'occasion de s'arrêter. À partir de La Tuque, la rivière suit fréquemment la route et le bruit occasionnel des camions peut déranger. Par contre, il est facile de se ravitailler ou de trouver un abri en cas de besoin. Dans les environs de Grandes-Piles, on peut observer le grand vautour à tête rouge et plusieurs autres oiseaux sur la route (aigle à tête blanche, aigle pêcheur, grand héron, martin-pêcheur...), ainsi que des castors. Muni d'un permis, on peut aussi taquiner la truite par endroits et tenter de poêler un brochet ou un doré. La beauté de ce mini Saguenay offre une excellente initiation aux novices puisqu'on y rencontre un courant constant; rien de plus décoiffant qu'un R-I.

Pour découvrir le Mékinac et son lac, il faut se diriger à l'est de la rivière Saint-Maurice et de sa réserve faunique en direction de Saint-Joseph-de-Mékinac. Ce hameau de 300 âmes se cache derrière lacs et monts sur le territoire de Trois-Rives. Dans ce coin rural «de bout du monde», l'accueil et l'épicurisme se cultivent autour de tablées généreuses, où il fait bon refaire le monde loin des cités frénétiques. Ici, la route goudronnée s'arrête au bout du village et c'est sur un chemin de gravier que se dévoile le cœur du pays Mékinac. Après environ cinq kilomètres, la voie cabossée se sépare à la hauteur de l'entrée du **camping communautaire municipal Mis Mek**. Sous les pins et les feuillus, une trentaine d'emplacements au bord de rives jaunes offrent un panorama sur l'ancien fjord de la mer de Champlain: le lac Mékinac.

D'une longueur de 18 kilomètres, il plonge jusqu'à 150 mètres de profondeur et sa largeur varie de deux à onze kilomètres. Les rives du côté est sont sauvages et présentent des falaises abruptes laissant entrevoir des cavités creusées dans la roche et dans le ciel. Les plus expérimentés essayeront une balade guidée en **kayak de mer**, rythmée par des explications sur l'histoire géologique du «petit fjord» empreint de la culture des Premières Nations. La randonnée au bout du lac mène jusqu'au cap à l'Aigle, promontoire rocheux exceptionnel (possibilité de camper au pied). Aller-retour: 28 kilomètres environ.

Il est également possible de s'initier à **l'eau vive** sur la rivière Mékinac. Celle-ci coule sur 24 kilomètres depuis le petit barrage en aval du camping Mis Mek. Sa pente régulière, sa hauteur d'eau rarement très profonde et ses petits rapides de **RI à RIII** en font un cours d'eau parfait pour l'apprentissage de cette technique. Hautes eaux à privilégier.

Plages dorées, falaises ornées de cèdres rebelles, sentiers moussus et grands feuillus menant à des chutes fraîches et riantes: la réserve du Saint-Maurice offre un paysage magnifique pour la **randonnée** et le **canot**. Du Tousignant au Souci en passant par le «balnéaire» Normand, les lacs de cette réserve faunique suggèrent une mine d'idées d'excursions d'un à cinq jours.

Et pour ceux qui n'aiment pas se mouiller, La Terre de l'Ancêtre propose plus de 80 kilomètres de **sentiers municipaux forestiers** pouvant être parcourus à cheval, **à vélo de montagne ou à pied**. Et cela, grâce à un couple passionné de chevaux qui a choisi d'ouvrir ses terres aux amoureux de nature, d'authenticité et d'équitation. Des cartes topographiques et l'hébergement sont disponibles sur place. Restauration à moins de 2 km. Renseignements: (819) 646-5526.

Repères

www.tourismemauricie.org • 1 800 567-7603

Région du Haut-Saint-Maurice
www.tourismehsm.qc.ca • 1 877 424-8476

Réserve faunique du Saint-Maurice
www.sepaq.com • 1 800 665-6527

Municipalité de Trois-Rives/
Mis Mek Communautaire
www.trois-rives.com
(819) 646-5337 ou (819) 646-5442

Location: *Eau Quai Saint-Maurice*
(819) 523-7681

Niveau: *Randonnée en eau calme accessible à tous. Il n'y a qu'à certains endroits, dans la première section et à Grandes-Piles, où vous pourrez rencontrer des couloirs de vents, mais le courant vous permettra de couvrir de bonnes distances.*

Randonnées guidées: *Exit Nature*
www.exitnature.com • (418) 336-3259

Informations sur le débit d'eau:
www.myosis.ca

Plus l'été avance, plus le niveau d'eau baisse, donnant ainsi accès à de belles plages et à de petites îles. ***La consommation d'eau n'est pas conseillée.***

Pour se rendre à Windigo: *à partir de Trois-Rivières, prendre la 55, direction nord. La 55 devient la route 155. Suivre cette route jusqu'à La Tuque. Une fois à La Tuque, prendre la rue Saint-François à droite, et la suivre jusqu'à la rue Bostonnais (à gauche). Se rendre jusqu'à la fin de cette rue et suivre les indications pour La Croche. Après 28 kilomètres, vous arriverez à la route forestière 10: la suivre sur 53 kilo-mètres (gros panneau l'indiquant) et tourner à gauche à l'embranchement. Suivre les indications de la pourvoirie Windigo.*

Ouverture: *du dégel au gel.*

Explorer l'arrière-pays

L'été, les montagnes verdoyantes et le bleu de la rivière offrent une féerie inimaginable. L'hiver, le long manteau blanc éclabousse de lumière. Découvrir le Haut-Saint-Maurice, c'est plonger au coeur de la nature riche et sauvage du Québec.

Canotage en libre service

Le réservoir Blanc stupéfie par son gigantisme et sa magnificence. Cette retenue artificielle de **82 kilomètres carrés** dessine un arc d'eau qui remonte jusqu'au barrage Rapide-Blanc, dressé à 20 kilomètres à l'est de la pointe où il est possible d'effectuer une mise à l'eau. Seul le son des pagaies fendant l'eau rythme les randonnées aquatiques qui peuvent durer plusieurs jours.

Le paysage porte encore **les stigmates de l'époque de la drave**: les rives sont jonchées çà et là de troncs et de branchages blanchis d'avoir trop flotté et séché. **Îles et îlots** émergent à l'horizon jaunissant piqué d'une ligne centrale de végétation: parfaits pour établir le camp...

On peut voyager dans le Haut-Saint-Maurice des jours et des jours en ayant l'impression d'être seul dans ce paradis. Pour l'évasion ultime, optez pour **le transport en train**, avec ou sans votre embarcation! Depuis Montréal ou La Tuque, il suffit de quelques heures pour rejoindre le réservoir Blanc.

Repères

www.tourismehsm.qc.ca* • *819 523-8200

L'entreprise Eau Quai Saint-Maurice, basée à La Tuque, offre un service de location de kayak et un service de navette pour les plus indépendants.

www.eauquai.com* • *(819) 523-7681

Des cartes guides et des relevés permettent aux amateurs d'identifier les rapides, les niveaux de difficulté, les portages et les sites de camping de certaines rivières.

www.canot-kayak.qc.ca et
www.federationkayak.qc.ca

***Via Rail** offre le transport aux adeptes du plein air sauvage avec son service d'arrêt sur mesure et la possibilité de transporter tout son matériel, même un canot!*

www.viarail.ca

Visions panoramiques

Entre vallées et falaises, **le sentier de randonnée pédestre Haute-Mauricie** joue à cache-cache avec la rivière St-Maurice. Tantôt panoramique, tantôt enfoncé dans la forêt, ce sentier méconnu sillonne un territoire au relief accidenté et aux paysages variés. Situé sur les rives ouest de la rivière, le sentier totalise **47 kilomètres** au départ de La Tuque jusqu'aux portes de Rivière-aux-rats. La durée du trajet varie de **trois à cinq jours**. En hiver, une portion de **neuf kilomètres** est aménagée pour le **ski hors-piste ou la raquette**. Un **refuge** construit au camping du Lac-en-Coeur permet un séjour avec coucher. Trois accès à la rivière permettent également d'effectuer des séjours plus courts en bénéficiant du service de navette par bateau. Il est toutefois conseillé de s'informer avant le départ de l'état du sentier auprès du bureau d'information touristique.

Repères

Hébergement : *quatre sites de camping rustique avec plate-forme et un refuge, le tout sur réservation obligatoire.*

Services : *carte topographique du sentier, très détaillée, de Kilomètre Zéro, et navette fluviale 1 866 523-8134*

www.tourismehsm.qc.ca
819 523-8200 • 1 877 424-8476

Et pourquoi pas le vélo?

Le vélo de montagne demeure l'un des sports privilégiés pour sortir des sentiers battus dans le Haut-Saint-Maurice. **Quatre-vingt-dix kilomètres de sentiers aménagés** par le club Mauricycle permettent aux amateurs de sensations fortes de pénétrer dans les forêts sur deux roues sans pour autant perdre le Nord. Accessibles gratuitement, ils offrent un décor où chacun appréciera la flore, la faune et l'histoire du Haut-Saint-Maurice.

Carte du circuit gratuite au bureau d'information touristique.

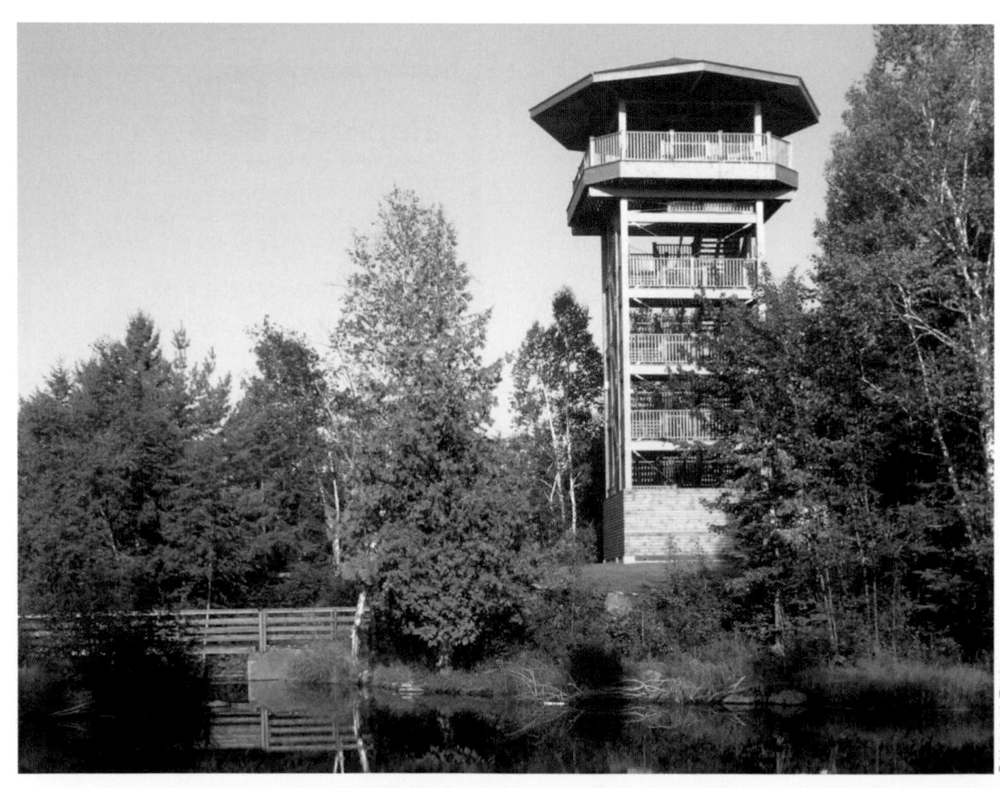

Autres pistes

Circuits-vélo en Mauricie

Entre Trois-Rivières et le parc national de la Mauricie, la **Route verte** traverse la vallée de la rivière Saint-Maurice, un territoire peu accidenté, agréable à explorer à vélo. On trouve au centre-ville de Trois-Rivières tous les services nécessaires au cycliste. Il est aussi possible de partir de Maskinongé et de se rendre jusqu'à Sainte-Anne-de-la-Pérade en empruntant la 138, dont les accotements sont asphaltés. Cette route patrimoniale, qui est aussi le **chemin du Roy,** traverse les jolis villages de Champlain et de Batiscan, et enjambe les rivières Batiscan et Sainte-Anne sur des ponts étroits.

La **Tournée des lacs** est également un circuit très intéressant. Il évolue principalement en milieu rural et forestier. De Shawinigan, il emprunte des voies secondaires sur une soixantaine de kilomètres, traversant les municipalités de Saint-Mathieu et de Saint-Élie avant de regagner son point d'origine. Sur le parcours, le randonneur à vélo longe plus d'une demi-douzaine de plans d'eau. Il les côtoie les uns après les autres, et les surplombe à l'occasion. L'ensemble présente un dénivelé variable.

Réserve faunique Mastigouche

La Réserve faunique Mastigouche se vit sur un air d'été pour les amateurs de plein air : d'abord en canot, sur l'un des 417 lacs ou l'une des 13 rivières que comporte la réserve de 1553 kilomètres carrés, ou à pied, sac bien attaché au dos.

En mai, alors que la fonte des neiges a gonflé la Rivière du Loup, il est possible de descendre la rivière en kayak. Quand l'eau se tarit à la rivière, on s'oriente plutôt vers les lacs Au Tonnerre, Saint-Bernard et Sans Bout pour des circuits de canot-camping, dont l'un est familial. Il est aussi possible de faire du kayak de mer sur les plus grands plans d'eau tels que le lac Sorcier ou le Grand lac des Îles.

À 145 kilomètres au nord-est de Montréal, la réserve faunique Mastigouche offre quatre sentiers de courte randonnée pédestre : les six Chutes, de la Falaise, le Chicot et le St-Bernard.

Hébergement : une quarantaine de chalets confortables et tout équipés (groupes de 2 à 12 personnes); secteur Catherine (par Mandeville), 3 refuges loués en formule communautaire et 3 camps rustiques loués en exclusivité; secteur Bouteille (par St-Zénon), 2 camps rustiques; secteur des Pins Rouges (par St-Alexis-des-Monts), 5 camps rustiques. Tous ces chalets, refuges et camps rustiques sont ouverts en été et en automne.

Saison : de mai à octobre

Tarifs : à partir de 23,50 $ par nuit, par personne.

(819) 265-2098 ou (819) 265-6055
(accueil des Pins Rouges, mai à octobre)

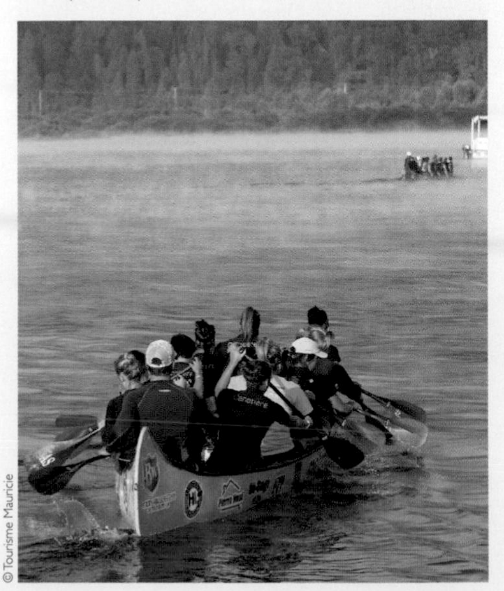

© Tourisme Mauricie

Information touristique générale

Tourisme Mauricie
795, 5e Rue, local 102
Shawinigan (Québec) G9N 1G2
www.tourismemauricie.com
(819) 536-3334 • 1 800 567-7603

Réserve faunique du Saint-Maurice

Situé au nord du parc national de la Mauricie, ce territoire, principalement réputé pour la pêche, offre désormais un grand nombre d'activités de plein air. Parmi celles-ci, on retrouve, l'été, le canot-camping avec un parcours de 32 kilomètres sur les lacs Tousignant, Soucis et Normand. Plus de 40 km de sentiers sont aménagés pour la randonnée pédestre dont le degré de difficulté varie de facile à intermédiaire. Découvrez les chutes, une tourbière et de magnifiques points de vue.

Période : de mai à octobre

Hébergement : huit refuges de quatre à six places, situés près des lacs et sentiers. Ils sont équipés de lits avec matelas, d'une table, de chaises, d'un éclairage au propane, d'un poêle à bois et d'une toilette sèche. Les refuges sont à une distance les uns des autres variant entre 12 et 20 kilomètres. Chalets en été : 27 chalets tout équipés (douche, réfrigérateurs, cuisinière, vaisselle).

Tarifs : Refuges : 23,50 $. Possibilité de réservation exclusive. Chalets: de 35,75 $ à 54,75$ par nuit, par personne (incluant une embarcation par chalet).

www.sepaq.com • (819) 646-5687

Le Baluchon (Saint-Paulin)

À partir de l'édifice d'accueil, les visiteurs d'un jour ont accès aux sentiers aménagés qui longent la rivière et les mèneront à travers les bois. L'été, une pièce de théâtre est présentée en rivière durant laquelle les spectateurs pagayent à bord de rabaskas pour suivre l'intrigue de la pièce.

Étendue : 26 km.

Dénivelé : 200 m.

Sentiers pédestres : sept totalisant 23 km (facile, intermédiaire).

Sentiers de ski de fond : six totalisant 23 km (facile, difficile).

Sentiers de raquette : trois totalisant 23 km (facile, difficile).

Sentiers de vélo de montagne : six totalisant 23 km (facile, difficile).

Autres activités : patinage (trottoir de glace de cinq km aménagé sur la rivière du Loup), équitation, promenade en carriole et en calèche, *géocaching*, kayak, canot, traîneau à chiens, pêche blanche, glissade, cabane à sucre, théâtre en rivière, yoga en groupe.

Location : skis, patins, GPS, raquettes, canots, kayaks, vélos.

Services : restauration (produits du terroir), salle de fartage.

Hébergement : quatre auberges, un SPA, un chalet.

Saison : toute l'année.

Accès aux sentiers : 6,95 $ (taxes en sus) par personne en semaine et 9,95 $ (taxes en sus) par personne le week-end.

www.baluchon.com • (819) 268-2555• 1 800 789-5968

Domaine de la Forêt Perdue (Labyrinthe)

Quel plaisir que de se perdre dans les courbes de ce labyrinthe et d'y pratiquer son orientation. Durant la saison estivale, les randonnées pédestres peuvent être agrémentées d'une chasse au trésor en forêt, d'une observation du parc animalier ou encore d'une visite guidée dans le merveilleux monde des abeilles. En hiver, les sentiers pédestres sont transformés en une longue patinoire, à parcourir en patins.

Sentiers pédestres : 12 km.
Autre activité : patinage sur les sentiers glacés en hiver et pêche blanche.
Location : patins et traîneaux à glace.
Services : casse-croûte en saison hivernale (ouvert tous les jours).
Hébergement : typiquement familial, en style gîte ou condo.
Saison : ouvert à l'année.
Accès : l'accès aux sentiers est relié à l'achat d'un produit de base de la ferme vendu au coût de 12 $ par adulte et 10 $ pour les enfants (tarifs de groupe : 1 $ de rabais, groupe scolaire 7 $ chacun).

www.domainedelaforetperdue.com
(819) 378-5946 • 1 800 603-6738

Parc des chutes de la Petite Rivière Bostonnais (La Tuque)

Les sentiers pédestres vous guideront au coeur de la forêt du parc où vous pourrez découvrir la faune du Haut-Saint-Maurice et admirer une chute de 35 mètres, parmi les plus hautes du Québec.

Sentier pédestre : environ 3 km.
Autres activités : patinoire à l'ancienne, glissoire, raquettes, circuit du coureur des bois. Tour d'observation de la rivière Saint-Maurice et de la chute de la Petite rivière Bostonnais, centre d'interprétation de la nature (animaux naturalisés).
Location : raquettes.
Services : espaces de pique-nique, terrasse couverte pouvant accueillir 60 personnes, aire de feu et bureau d'information touristique
Saison : toute l'année.
Accès : entrée et activités gratuites.

www.tourismehsm.qc.ca • (819) 523-5930

Parc de l'île Melville (Shawinigan)

Les sentiers pédestres longent la rivière Saint-Maurice, qui traverse le parc. Au printemps, la rivière se voit libérée de ses entraves hydroélectriques et offre dans sa descente un spectacle étourdissant de bruine et d'écume. Possibilité d'observer des cerfs de Virginie près du kiosque touristique.

Étendue : 120 hectares.
Sentiers pédestres : deux sentiers totalisant 15 km (facile, intermédiaire).
Autres activités : vélo de montagne, ski de fond, raquette hors-piste, canot, kayak, circuit d'aventure d'arbre en arbre.
Location : canots, kayaks, vélos.
Services : dépanneur.
Hébergement : 144 sites de camping, auberge de jeunesse-famille.
Saison : été (auberge sur réservation durant l'hiver).
Accès : accès gratuit au parc. Accès payant au camping (visiteurs).

www.ilemelville.com • (819) 536-7155

Archipel du lac Saint-Pierre - Kayak de mer

C'est à travers des champs de quenouilles, de sagittaires et de rubaniers que doit s'orienter le kayakiste pour naviguer entre la centaine d'îles qui constellent le lac Saint-Pierre. Il faut dire que si l'endroit est idéal pour les oiseaux, les amphibiens et les reptiles, il l'est également pour celui qui désire découvrir les joyaux de ce milieu aquatique classé réserve mondiale de la biosphère par l'UNESCO depuis juin 2001.

Au gré des chenaux qui relient les îles entre elles, il fait bon s'aventurer dans des couloirs parfois plus étroits, entre les joncs et les nénuphars qui enjolivent la surface de l'eau. La flore abonde et il se dégage des prairies humides une fraîcheur rédemptrice. Dernier bassin d'eau douce du fleuve, le lac Saint-Pierre inonde littéralement les basses terres du Saint-Laurent, au printemps, quand sa superficie passe de 480 à 660 kilomètres carrés.

Ici, même lors d'une sortie en solitaire, on ne se sent jamais seul : le héron prédomine dans les chenaux attenants à la Grande Île, où l'on retrouve la plus importante héronnière en Amérique du Nord. Situé à 45 minutes de Montréal, l'archipel du lac Saint-Pierre s'étend de Saint-Joseph de Sorel au pont de Trois-Rivières, entre Sorel et Berthierville. Il s'agit donc d'une destination idéale pour une excursion d'une journée.

Mise à l'eau : Par Saint-Barthélemy ou au camping du Chenal-du-Moine. Il est préférable de se munir d'une carte.
Niveau : Destination éclair idéale pour la famille et le débutant. La partie nord de l'archipel est sans conteste la plus intéressante à parcourir.

Association touristique régionale de la Mauricie
www.tourismemauricie.com • 1 800 567-7603

Zec Chapeau-de-Paille

Du nom du lac et du ruisseau Chapeau-de-Paille situés au nord de son territoire, ce lieu de villégiature, ouvert de mai à novembre, propose plusieurs activités de plein air dont la randonnée pédestre, le canot-camping et le kayak. Il est possible de faire de la marche dans des sentiers non aménagés. Pour les amateurs de canotage, la plupart des lacs ont été dotés d'un accès défriché, facilitant la promenade jusqu'aux lacs et on trouve des sites de camping dans certains lieux aménagés.

Services : Location de canots à environ dix kilomètres de la zec. À proximité (environ un kilomètre), on trouve une station-service, une épicerie, un dépanneur et un bureau d'information touristique. Tarification camping : selon le séjour choisi, la tarification se situe entre 5,75 $ par nuit et 180 $ pour un séjour prolongé.
Saison : Les activités de la zec se déroulent de la mi-mai à la fin novembre.
Accès : 582, 4e Rue, Shawinigan (droit d'accès de 9 $)

www.zecchapeaudepaille.zecquebec.com • (819) 537-7168

© Auberge Le Baluchon

Zec Kiskissink

Sur un territoire de près de 830 km², on trouve 120 lacs, un circuit de **canot-camping** et plusieurs **sentiers de randonnée**. La villégiature s'y pratique **en chalet et en camping** sur les nombreux sites aménagés à cet effet. Un circuit d'environ 50 kilomètres de **canot-kayak** vogue sur les lacs Ventadour, l'Escarbot, Kiskissink et Grand Bostonnais.

Services : Location de chalets et de sites de camping aménagés, semi-aménagés et rustiques. Location de chaloupe, canot, kayak et pédalo.

Saison : Mai à octobre.

www.zeckiskissink.zecquebec.com • (418) 348-9356

Zec Jeannotte

La zec Jeannotte est un territoire sauvage de 324 kilomètres carrés, situé entre Rivière-à-Pierre et La Tuque. La randonnée, le canotage, la cueillette de petits fruits y sont à l'honneur.

Services : Location d'embarcations sur certains plans d'eau (20 $). La zec a aménagé un terrain de camping de 32 sites avec un service d'alimentation en eau non potable et un service d'égout, deux terrains de camping rustique totalisant quinze sites et quatre emplacements pour tentes.

Saison : Du 8 mai au 25 octobre.

Accès : Par la route 367 via la réserve faunique de Portneuf secteur ouest, à l'accueil Vermillon, ou par la route 155 à La Tuque via la zec de la Bessonne à l'accueil Wayagamak. On peut aussi accéder au territoire en train (ligne Montréal-Lac-Saint-Jean).

zecjeannotte.zecquebec.com • (418) 626-9950
Poste d'accueil Vermillon : (418) 323-2050 p. 125
ou (418) 476-5395

Zec Tawachiche

À moins d'une heure de route de Trois-Rivières, la zec offre aux amateurs de plein air un territoire de 318 kilomètres carrés sur lequel s'entrelacent quatre rivières et 128 lacs, dont la majorité sont facilement accessibles en véhicule. Les amateurs d'observation de la faune seront comblés : la rivière Aux-Eaux-Mortes est une aire de concentration d'oiseaux aquatiques, caractérisée aussi par la présence de nombreux orignaux. Observation de la nature, canot, promenade en forêt, sont les activités de prédilection.

Services : Trois chalets logeant six personnes par chalet sont offerts en location, camping sauvage, camping saisonnier ou courts séjours. Location de chaloupes et de canots sur place.

Accès : Début mai à la fin d'octobre. 202, chemin Tawachiche Lac-aux-Sables.

www.zectawachiche.zecquebec.com • (418) 289-2059
poste d'accueil (418) 289-4050

Réserve nationale de faune du lac Saint-François

Rencontre avec un marais

À 40 kilomètres en amont de Valleyfield, cette destination a été rebaptisée affectueusement «Everglades du Québec» par ses mécènes. Un parfum de nature, humide et boisé, réveille les sens dès l'arrivée. Au cœur de cet écosystème protégé, la grande ville semble bien loin. Pourtant, ce **territoire sauvage de 1350 hectares**, n'est qu'à une heure et demie de Montréal. Paradis du botaniste, qui appréciera la diversité végétale et la présence d'une quarantaine de plantes rares, la réserve de faune du lac Saint-François est aussi un lieu de détente et de découverte qu'il est possible de découvrir **à pied ou à vélo**.

Pour plonger au cœur des marais et découvrir la faune et la flore, rien ne vaut le **canot ou le kayak**. On peut jouer les explorateurs solitaires, mais une randonnée avec un guide naturaliste sera l'occasion de mieux découvrir les mystères de ces milieux naturels souvent méconnus.

Au départ, le premier chenal est étroit et peu profond. Au fur et à mesure que l'on s'enfonce dans les méandres de la réserve, les coups de pagaie se font plus discrets. Seuls quelques cris sourds de ouaouarons signalent bruyamment la présence de vie animale. Dans le marais, les amphibiens règnent en maîtres: grenouilles et crapauds se partagent le territoire au milieu des fleurs blanches de la grenouillère. Ces humbles bêtes côtoient aussi quelques plantes carnivores qui se régalent de petits insectes. Au détour, dans un bruissement d'ailes, un grand héron s'envole. Il s'éloigne pour rejoindre les siens et les avertir de notre présence par deux coups de queue.

La nature a aussi pourvu la réserve de quelques îles qui invitent à la pause. Créés par la dernière glaciation, des monticules se sont transformés en îlots quand l'eau s'est installée ici. Après une petite visite qui nous aura fait découvrir de nouveaux spécimens de plantes, l'exploration se poursuit sur le lac Saint-François, où habitent de nombreux canards et cormorans, dignes représentants de la sauvagine. Le lac s'étend sept kilomètres plus loin, de l'autre côté de la frontière, aux États-Unis.

De retour à l'accueil après deux heures de découvertes aquatiques, rien ne vaut une promenade dans un des **circuits d'interprétation**. Outre les sentiers dans les boisés, des trottoirs de bois et des passerelles permettent de s'enfoncer au cœur des marécages. Repaires des moustiques en été, il vaut mieux réserver ces sentiers à une promenade printanière ou automnale... Enfin, pour couronner la visite, la **tour d'observation**, perchée à 15 mètres de haut près du centre d'accueil, offre une tout autre perspective. On y surplombe le marais, mais la vue porte jusqu'à la chaîne des Adirondacks.

Repères 

www.amisrnflacstfrancois.com
(450) 264-5908 *- de mai à octobre (en saison) • En tout temps:* ***(450) 370-6954*** *(boîte vocale).*

Sentiers: *réseau d'environ 15 km constitué de plusieurs boucles. L'une d'entre elles mène à une passerelle de 250 mètres. S'y ajoutent 600 mètres de trottoirs de bois dans les marais. Plusieurs sentiers sont accompagnés d'un autoguide d'interprétation.*

Parcours nautiques: *16 km de canaux*

Autres services: *location de canots, rampe de mise à l'eau pour les embarcations sans moteur et pagayeurs autonomes, randonnées guidées en canot rabaska, randonnée pédestre guidée, observation des oiseaux aquatiques. Forfaits guidés en canot rabaska et nuitée dans les îles amérindiennes d'Akwesasne, forfaits guidés en kayak de mer.*

Saison: *toute l'année (poste d'accueil ouvert de mai à octobre pour les randonnées guidées).*

Accès: *gratuit pour la randonnée pédestre.*

S'y rendre: *emprunter la 132 depuis la rive sud en direction de Dundee. À partir de Saint-Anicet, suivre les panneaux indicateurs qui mènent environ 15 km plus loin, au chemin de la Pointe-Fraser.*

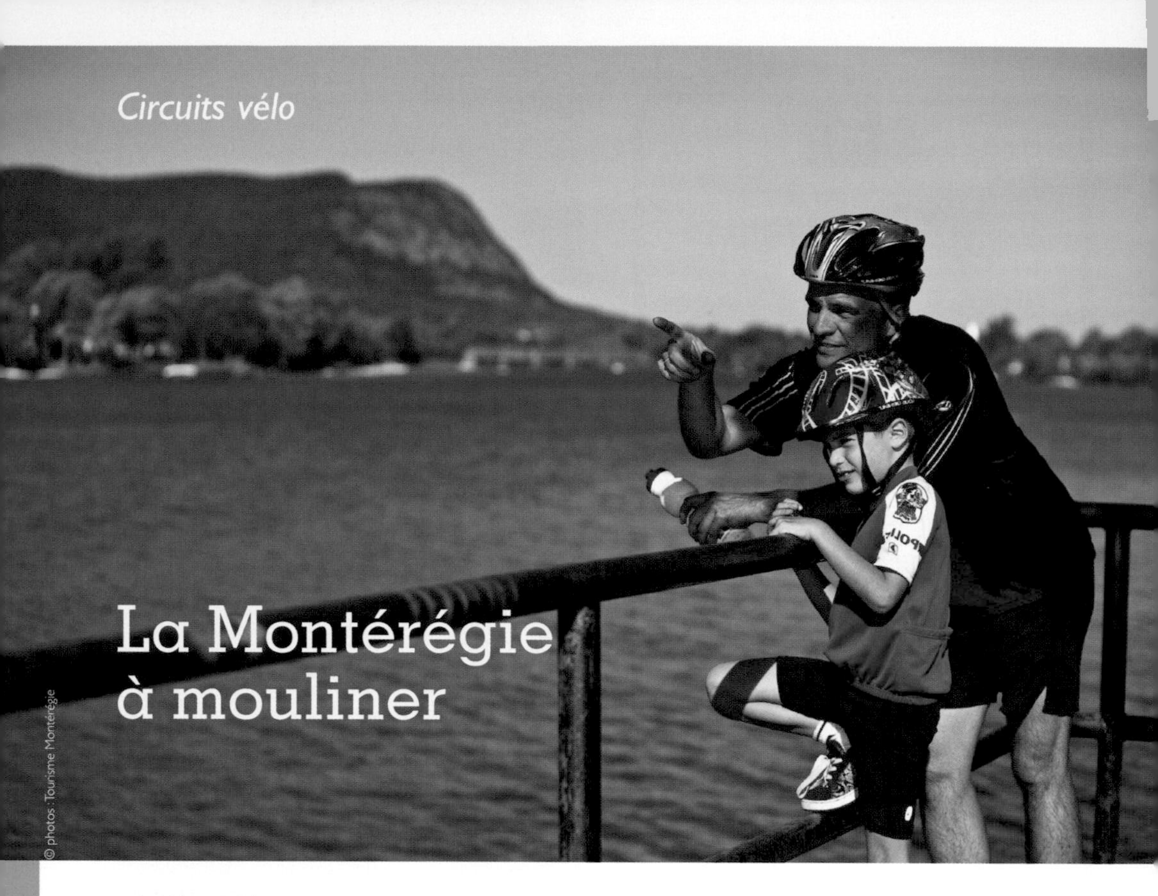

La Montérégie à mouliner

La Montérégie se targue d'être la plus grande région vélo du Québec. C'est sans doute vrai, puisqu'on y trouve plus de 2 000 kilomètres de voies cyclables, d'asphalte et de poussière de pierre, qui empruntent soit d'anciennes voies ferrées, soit des chemins de halage, soit des routes peu fréquentées. Sur une telle longueur, vous trouverez évidemment de tout: sites historiques, cours d'eau, paysages champêtres. Plusieurs municipalités possèdent également leur propre réseau cyclable qui, souvent, rejoint la **Route verte** à certaines jonctions.

La **piste cyclable Soulanges**, autre circuit intéressant, offre une charmante randonnée aux paysages enchanteurs. Ce superbe sentier entièrement asphalté longe le Canal de Soulanges avant de se perdre à travers bois et champs. La **Montérégiade** de son côté relie les régions de la Montérégie et des Cantons-de-l'Est. Les délicieuses odeurs des vergers ne manqueront pas de vous faire descendre de votre vélo! Finalement, le **circuit de la Vallée des Forts** vous transportera dans l'histoire, car la vallée a été témoin des tentatives d'invasion des Américains au XIXe siècle.

LONGUE RANDONNÉE - 165 KM À VÉLO

Départ immédiat

Sortir son vélo et ses sacoches devant chez soi et partir pour une fin de semaine de cyclotourisme est un luxe que les citadins pensent rarement pouvoir s'offrir. Pourtant, avec innombrables kilomètres de parcours cyclables, la Montérégie se prête bien au jeu. Une fois la zone urbanisée traversée, la campagne dévoile ses charmes. Au départ du pont Jacques-Cartier, cette boucle de 165 kilomètres met le cap au sud sur plusieurs pistes cyclables et routes de campagne, pour un parcours plat et tranquille.

Jour 1:

Montréal - Saint-Paul-de-l'Île-aux-Noix, 85 km

Pour humer l'air «pur», il vous faudra attendre Carignan, après avoir pédalé une vingtaine de kilomètres sur la Montée du Fort Chambly et longé des pylônes électriques - entrée en matière peu bucolique - mais cela vous permet néanmoins d'éviter la circulation automobile.

De Chambly, vous longerez le canal et ses écluses jusqu'à Saint-Jean-sur-Richelieu. Ici, on dirait les Pays-Bas! Pour un pique-nique champêtre, attendez au 44e kilomètre (tables, verdure, rivière). À partir de St-Jean, sur **l'axe cyclable Vallée-des-Forts**, vous vous enfoncerez dans les petites routes de campagne, à travers des champs de maïs. Pourquoi ne pas dormir à St-Paul-de-l'Île-aux-Noix et visiter le lieu historique national du Fort Lennox? Il est situé sur une île que vous atteindrez en traversier.

Jour 2:
Saint-Paul-de-l'Île-aux-Noix - Montréal, 80 km

Petites routes tranquilles et belle vue sur les sommets américains, Montréal et ses gratte-ciel: voilà le menu de la deuxième journée. Sans oublier les maisons coquettes du village de St-Valentin et la rareté des voitures! Pourquoi ne pas en profiter pour vous arrêter prendre une mistelle de fraise aux «Fraises Louis Hébert» et visiter le tout nouveau Centre d'interprétation de la fraise? À Candiac, le grand parc «La Promenade», au bord de l'eau, est un lieu agréable pour faire une pause aux deux tiers du parcours. Et s'il fait chaud, vous pourrez aller vous baigner au Récré-O-Parc de Ste-Catherine.

Itinéraire détaillé du jour 2: de St-Paul, suivez ces indications (ces routes diffèrent de celles apparaissant sur les cartes de Tourisme Montérégie):

- Quittez St-Paul par la 63e avenue (aussi appelée 4e ligne).
- À St-Valentin, continuez tout droit passé la traverse de chemin de fer.
- Tournez à gauche sur la Route 221, et environ 1 km plus loin, à droite sur le rang de la Grande Ligne du Rang Double.
- À Napierville, à gauche sur St-Jacques (feu) et à droite sur le Chemin des Patriotes Nord.
- À L'Acadie, sur le chemin du Clocher, tournez à droite pour voir l'église, sinon à gauche vers votre prochaine destination: Saint-Philippe. Pour cela, allez jusqu'au bout du chemin du Clocher (gardez votre droite au Y) et tournez à gauche sur le Rang du Ruisseau des Noyers.
- Ensuite, pour apprivoiser la banlieue en douceur, tournez: à droite sur Montée St-Claude, à gauche sur Montée Signer, à droite sur Rang St-Marc, à gauche sur Montée Monnette, à droite sur Rang St-André.
- Après le viaduc de la 30, bienvenue à Candiac! Continuez jusqu'à la rue Barcelone (droite), puis au boulevard Montcalm (gauche). Au bout de celui-ci, tournez à gauche pour rejoindre la piste cyclable vers Ste-Catherine.

Extra

Il est possible de prolonger ce trajet via le ***Sentier du Paysan (26 km)****, qui va de Lacolle à Sainte-Clotilde-de-Châteauguay. De là, inspirez-vous du* ***Circuit d'Hemmingford*** *proposé par Tourisme Montérégie.*

Autre option: suivre ***l'axe Vallée-des-Forts*** *jusque dans l'état de New York et pédaler sur les* ***îles tranquilles du lac Champlain****.*

Info: ***www.champlainbikeways.org***

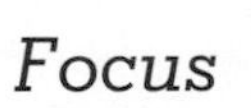

Focus

Famille: *Pour écourter ce trajet, rejoindre l'Acadie en empruntant les 9,5 premiers km du Circuit Chemin de l'Acadie. À souligner: jeux pour enfants et plage au camping Grégoire, à Lacolle.*

Repères

Le site internet de Tourisme Montérégie consacre un section entière au cyclotourisme (36 itinéraires proposés) avec de nombreuses cartes en ligne ou à commander en version papier: ***www.tourisme-monteregie.qc.ca***
1 866 469-0069

Autres pistes

Canal de Chambly (Chambly)

Le canal de Chambly est situé sur la rivière Richelieu et se compose de neuf écluses qui permettent de contourner les rapides de Chambly. Les visiteurs y découvrent un environnement historique et naturel. Cyclisme, patinage et promenade sont au menu.

Sentier pédestre : 20 km.
Autres activités : patin, exposition sur l'histoire du canal de Chambly et observation des écluses manuelles du Québec.
Services : réparation de vélo, restauration, épicerie à proximité.
Hébergement : à proximité (Chambly et Saint-Jean-sur-Richelieu).
Saison : toute l'année.
Accès : selon les activités choisies; 4 $ pour le stationnement.
www.pc.gc.ca/canalchambly • 1 888 773-8888.

Centre Notre-Dame-de-Fatima (Notre-Dame-de-l'Île-Perrot)

Un rendez-vous avec la nature sur les sentiers de randonnée, de ski de fond et de raquette. Services d'hébergement et de restauration pour les groupes seulement, avec réservation obligatoire.

Étendue : 35 ha.
Sentiers de ski de fond : huit totalisant 25 km (facile, difficile).
Sentier de raquette : 2 km.
Autre activité : randonnée pédestre, glissades sur tubes, patinoire couverte.
Location : skis de fond, raquettes.
Services : accueil chauffé (hiver).
Hébergement : quatre chalets, une auberge.
Saison : toute l'année.
Accès : tarifs à la saison ou à la journée.
www.centrendfatima.com • (514) 453-7600.

Parc régional de Saint-Bernard (Saint-Bernard-de-Lacolle)

Patin, glissade et 18 kilomètres de sentiers de ski de fond de niveau facile à difficile sont au programme en hiver pour ce parc régional. En été, on y pratique la randonnée pédestre.

Information touristique générale

Tourisme Montérégie
2001, boul. de Rome, 3e étage,
Brossard (Québec) J4W 3K5
www.tourisme-monteregie.qc.ca
(450) 466-4666 • 1 866 469-0069

Étendue : 210 ha.
Sentiers de ski de fond : neuf totalisant 18 km.
Autres activités : randonnée pédestre, patin, glissade.
Services : restauration.
Saison : toute l'année.
Accès : frais d'entrée.
www.parcregionalst-bernard.com
(450) 246-3348 • (450) 246-2598.

Refuge d'oiseaux migrateurs des îles de la Paix (Beauharnois)

Au premier regard, on doute de leur présence. Au milieu du lac Saint-Louis, les îles sont si planes qu'elles semblent irréelles. Il faut s'approcher en kayak pour confirmer leur existence et celle d'un marais en leur centre. En périphérie, dans les zones où l'eau est peu profonde, des nénuphars jaunes, des nymphéas, des bidents discoïdes et autres belles-angéliques émergent de toutes parts. Le ton est donné. Il s'agit bien d'un mirage!

Parmi les 1 115 hectares (121 hectares terrestres et 994 hectares aquatiques) qui constituent la superficie des îles de la Paix, une faune ailée diversifiée s'offre au regard des pagayeurs. Les amateurs d'ornithologie seront comblés.

Mise à l'eau : Par les parcs riverains contigus aux îles de la Paix
Infos : Service canadien de la faune
http://lavoieverte.qc.ec.gc.ca

Terre de démesure

Parsemée de lacs et de rivières, cette immense portion de territoire n'est pas sans rappeler la mythologie du coureur des bois, à l'époque de la traite des fourrures avec la Compagnie de la Baie d'Hudson. Depuis, plusieurs villages ont vu le jour, voués à l'exploitation des ressources naturelles, abondantes dans la région. D'autres villages ont disparu, mais le même sentiment de liberté reste présent face à la grandeur des éléments lorsque, par la route du Nord, on pénètre dans **les profondeurs de la forêt boréale**.

À Chibougamau, on voit s'éloigner les dernières traces de la civilisation sous un treillis d'épinettes noires, de pins blancs et de peupliers. Tissée à même le lichen, cette cloison protège les trésors d'un sous-sol riche en minerais, mais aussi les secrets d'une faune généreuse, où lièvres, visons, hermines, loutres, martres, lynx, renards, loups, carcajous, ours noirs, orignaux et caribous jouent à cache-cache au gré des saisons.

Bien qu'il représente une ressource forestière et minière grandiose, le territoire de la Baie-James est avant tout une énorme réserve d'eau. **Les réserves fauniques Assinica et des Lacs-Albanel-Mistassini-et-Waconichi** constituent une véritable mer intérieure, idéale pour les **amateurs de pêche et de kayak**. Atteignant les 176 kilomètres lorsqu'il s'étale de tout son long, et parfois jusqu'à 20 kilomètres de large, le lac Mistassini est **la plus grande étendue naturelle d'eau douce au Québec**. Ses côtes dentelées laissent au passage de nombreuses îles à explorer.

Outre ses remarquables étendues d'eau notoires, le territoire de la Baie-James recèle d'autres trésors, moins connus ceux-là. C'est le cas des **monts Otish**. Des démarches sont depuis longtemps en cours pour **en faire un parc provincial**, qui pourrait regrouper la rivière Témiscamie et les lacs Albanel et Mistassini. Culminant à plus de 1 000 mètres au-dessus de l'horizon, ces sommets enneigés une bonne partie de l'année dominent la région, faisant office de frontière naturelle entre la Baie-James et ses voisins, la Côte-Nord (Manicouagan) et le Saguenay–Lac-St-Jean. Depuis ce poste d'observation élevé, les **randonneurs** peuvent apercevoir, au creux des vallées, des lacs aux tons

Infos

Sylvain Roberge, basé à Chibougamau, fournit le service de navette jusqu'à différents points d'embarquement de la rivière, la location de canot si nécessaire ainsi que cartes et infos utiles pour des expéditions organisées de façon autonome sur la Rupert. ***(418) 748-4910.***

de bleu et de vert, rappelant les eaux turquoise du lac Louise, en Alberta. En hiver, ces cimes sculptées dans le roc accrochent tous les nuages qui croisent leur chemin pour récompenser **les rares skieurs de randonnée** qui osent s'y aventurer d'une bonne dose de neige fraîche où les traces restent toujours à faire.

Histoire de redescendre sur terre, on peut aussi emprunter la route de la Baie-James pour partir à « la conquête de l'Ouest ». Au kilomètre 6, le bureau d'information touristique de Matagami accueille tous les visiteurs sans exception. Un peu plus loin, au kilomètre 10, un sentier sauvage permet d'atteindre le sommet du **mont Laurier**, véritable belvédère sur la forêt boréale et toute sa splendeur, sans oublier le lac Matagami, dont les plages de sable doré invitent autant les randonneurs que les **kayakistes** qui y pataugent à la détente sous le chaud soleil estival de la Jamésie.

Mais ce n'est pas tout! En matière de **lacs et de rivières,** la région de la Baie-James est intarissable. La rivière Rupert, entre autres, avec ses rapides de gros calibre qui se jettent dans la grande baie, ravira les **mordus d'eau vive**.

La baie James elle-même, une fois la saison froide venue, se fige sous les glaces, au plus grand plaisir des explorateurs qui se lancent chaque année dans une **longue traversée à skis** de ce plancher flottant aux allures polaires.

Comme si ce n'était pas assez, on a cru bon d'inonder d'immenses territoires, pour ainsi assurer la survie de cette ressource précieuse qu'est l'électricité pour l'homme moderne. Passer sous silence **des installations hydroélectriques monumentales** comme le complexe La Grande reviendrait pour ainsi dire à parler de Paris sans mentionner la tour Eiffel. Un **sentier pédestre aménagé** le long du complexe Robert-Bourassa (LG2) permet d'admirer le génie québécois. Taillé à même le Bouclier canadien, l'évacuateur de crues, que l'on a surnommé « **l'escalier du géant** », surprend par sa majesté.

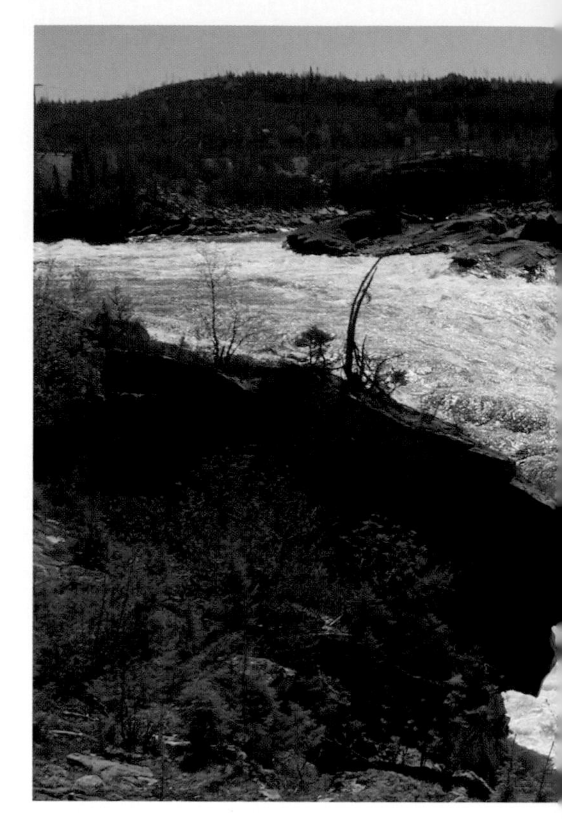

Du haut du barrage, équivalent à un immeuble de 53 étages, le portrait est complet. Mais c'est en **canot** ou en **kayak de mer** que se dévoile l'ampleur de ce que l'on pourrait presque appeler « La Création ». Sur le réservoir **La Grande 3,** des kilomètres et des kilomètres d'eau retenue prisonnière s'ouvrent devant la proue du pagayeur, qui ne trouvera son repos que le septième jour…

Région de Matagami : seuls au monde

Bienvenue au kilomètre zéro de la Baie James! C'est ici que commence l'aventure, car Matagami est le dernier point de civilisation avant des **kilomètres carrés de désert boisé. Kayak, rando ou vélo** - quel que soit le moyen, le terrain de jeu est si vaste qu'on ne sait plus où commencer l'exploration! Mais puisqu'il le faut, rendez-vous au Kilomètre 37, où **le camping du lac Matagami offre un débarcadère** vers ce lac méandreux où viennent boire les orignaux et que sillonnent les dorés. Au kilomètre suivant, on trouve une rampe de mise à l'eau pour la **rivière Waswanipi**, qui mène au lac Olga et à la chute Rouge.

Pour se dégourdir les jambes, la **Zone récréative du lac Matagami** se compose de plus de **60 kilomètres de sentiers** de diverses natures. Le plus connu est celui menant au Mont Laurier (altitude de 480 mètres).

Les amateurs de vélo de route pourront réaliser une longue randonnée de **630 km menant de Matagami à Radisson**. Le bureau touristique de Matagami offre la location de vélos, tout comme de kayaks et de canots. Ceux et celles qui préfèrent le **vélo de montagne** se lanceront comme des fanatiques sur les **40 kilomètres de sentiers défrichés** autour de la municipalité.

La rivière Rupert : Un trésor détourné?

Large comme un fleuve, puissante comme le tonnerre, belle comme un matin d'été ensoleillé, c'est la rivière Rupert. Prenant sa source dans le lac Mistassini, elle s'étend sur une longueur d'environ **560 kilomètres pour se rendre jusqu'à la baie James**. Située au nord du 50e parallèle en plein cœur du territoire cri, elle est **parsemée de rapides RI et RII**, ainsi que de **nombreux autres, infranchissables**. Plusieurs portages, qui ont été empruntés pendant des siècles par les Cris, sont existants, bien que parfois durs à repérer. Nul besoin d'être un expert pour pouvoir descendre la Rupert, même si certains pagayeurs s'y étant déjà frottés affirment que « près de cette masse d'eau, la roche tremble! »

Cependant, à 314 kilomètres de son embouchure, 71 % des eaux de la Rupert ont été **dérivées vers les centrales** Eastmain-1-A et de la Sarcelle dans le cadre d'un très ambitieux projet hydroélectrique. Ce dernier comprend notamment quatre barrages, soixante-quatorze digues et un tunnel d'une longueur de 2,9 km qui fera passer la dérivation de la Rupert sous un lac plus au nord.

Selon Hydro-Québec, **la navigabilité de la Rupert et les habitats des poissons seront préservés** grâce à huit ouvrages hydrauliques dont quatre étaient déjà érigés au moment d'écrire ces lignes. Des installations de portage, des estacades et des panneaux de signalisation ont été ajoutés et on évalue l'idée d'aménager des sentiers. Par contre, il n'est pas conseillé de naviguer sur la partie de la Rupert qui a été dérivée.

Repères

Tourisme Baie-James
1252, Route 167 Sud C. P. 134
Chibougamau (Québec) G8P 2K6
www.tourismebaiejames.com
1 888 748-8140 • (418) 748-8140

Tourisme Eeyou Istchee
www.creetourism.ca
(418) 745-2220 • 1 888 268-2682

Bureau touristique de Matagami
www.matagami.com • (819) 739-4566

Camping du lac Matagami
(819) 739-8383 • 1 (819) 739-2030
(hors saison)

Autres municipalités :
www.villedechibougamau.com
(418) 748-2688
www.villedechapais.com
(418) 745-2355 • (418) 748-8140
www.lebel-sur-quevillon.com • (819) 755-4826

Les monts Otish sont accessibles en skis, en raquettes ou à pied. Toutefois, il est recommandé de faire appel à un guide qui connaît bien ce territoire sauvage. Il faut d'abord s'y rendre en avion ou en hélicoptère, en attendant le prolongement de la route 167 à partir de Chibougamau. Contactez Tourisme Baie-James ou encore Tourisme Eeyou Istchee.

Focus

*Au moment d'aller sous presse, on annonçait l'ouverture, pour l'automne 2010, de l'**Écolodge Matagami**, un ambitieux complexe récréotouristique proposant hébergement, activités de plein air, guides et même nolisement d'avions.*
www.ecolodgematagami.ca

Splendeurs sauvages

© Heiko Wittenborn

Froid, banquise, toundra, isolement et inaccessibilité sont des mots qui dépeignent avec justesse les rigueurs du Grand Nord québécois. Mais n'utiliser que ces derniers serait faire preuve d'un manque de connaissances. Féerie, immensité, aurores boréales et émotions sont aussi synonymes de ce que l'on peut trouver en explorant cette terre sauvage. Au-delà du 55e parallèle, une étendue qui couvre le tiers de la province ne demande qu'à se laisser apprivoiser; bienvenue au Nunavik !

Même si l'homme blanc est venu s'immiscer dans ce vaste territoire, les véritables maîtres des lieux restent les Inuit. Premiers à arpenter l'immensité de ce froid pays qu'est le nôtre, ils ont su exploiter avec ingéniosité les ressources de cet environnement hostile pour assurer leur survie. Héritiers de riches traditions culturelles, ils partagent volontiers leur complicité avec la nature avec qui veut bien épouser leur mode de vie ancestral.

L'été, c'est en **kayak** que l'on peut parcourir les cours d'eau en leur compagnie, tandis que **l'hiver** il faut tracer son chemin dans la neige en **ski** ou en **raquettes**, ou tiré par des **chiens de traîneau**, sur lequel on transporte le nécessaire à ces escapades dans le temps. Alors que l'on met les pieds dans des *kamiik* (sorte de bottes en peau de phoque), c'est dans un tout autre monde que l'on se laisse glisser. Un monde sans taches, sans bruit, où les tracas du quotidien n'existent plus. Il ne reste plus qu'à se contenter de vivre, d'apprécier le moment présent et d'ouvrir les yeux devant ce que la nature a de plus beau.

Le soir venu, **sous la tente ou dans l'igloo**, construit des propres mains de notre hôte, confortablement installé sur un lit de sapinage ou une fourrure de caribou, repu après un bon repas traditionnel autour du feu près duquel une femme tanne une peau de bête, on se laisse doucement bercer par les histoires d'un aîné sculptant la pierre à savon, avant de s'endormir à la lueur de la flamme du *qulliq* (lampe traditionnelle inuite), la tête pleine de légendes.

Pour les Inuit, la terre n'appartient à personne. Le Nunavik est le royaume incontesté de l'ours polaire, du phoque et du bœuf musqué, et le repaire du plus grand troupeau de caribous au monde. Ici, les animaux terrestres peuvent encore errer dans les vastes étendues de la toundra sans être perturbés par l'activité humaine. Dès les premiers pas hors du va-et-vient de Kuujjuaq, la « métropole » nordique, le dépaysement est total. Les arbres ne sont plus que l'ombre d'eux-mêmes et rampent au sol.

Bordé à l'ouest par la baie d'Hudson, au nord par le détroit d'Hudson et à l'est par la baie d'Ungava, le Nunavik n'est plus qu'un **désert blanc** lorsque l'hiver vient s'y installer. Le ciel se mêle à la terre pour ne former plus qu'un horizon sans fin. Les précieux rayons de soleil cèdent leur place au spectacle ensorcelant des aurores boréales, qui continuent d'illuminer le ciel arctique de leurs couleurs chatoyantes longtemps après la tombée du jour.

L'été, les fleurs sauvages bourgeonnent en une profusion de coloris, et une nuée d'oiseaux migrateurs revient égayer la région de son hymne à la vie. Tout redevient alors possible : suivre les traces laissées par les caribous en **vélo de montagne**, se balader en **kayak de mer** parmi les icebergs ou dans les eaux glaciales des fjords qui ornent la côte. Du morse bien dodu au jovial béluga, tous sont au rendez-vous, et parfois même le mystérieux narval. Les multiples rivières qui serpentent la nature sauvage du Nunavik offrent aussi d'innombrables possibilités à qui n'a pas peur de se mouiller, que ce soit en **canot** ou en **kayak de rivière**.

Les collectionneurs de vagues seront aussi heureux d'apprendre que le bassin aux Feuilles, sur le bord duquel est planté le petit village de Tasiujaq, rivalise avec la baie de Fundy, au Nouveau-Brunswick, lorsqu'il est question des plus **grandes marées** au monde. Des mesures jamais égalées de 16.89 mètres y ont été prises, dépassant la barre jusque-là fixée à 16.74 mètres.

Encore plus au Nord, sur le toit du Québec, le **cap Wolstenholme** saura aussi charmer les amateurs de **kayak de mer** friands de nature grandiose. Se dressant à environ 30 kilomètres au nord-est d'Ivujivik —**le village le plus septentrional de la province**—, ses **hautes falaises** de plus de 300 mètres se jettent directement dans la mer du détroit d'Hudson, révélant à chaque détour des fjords spectaculaires. Battues par les vents, les parois vertigineuses du cap Wolstenholme et des îles Digges qui lui font face abritent aussi l'une des plus grandes colonies de guillemots de Brünnich au monde, soit pas moins de 600 000 de ces petits pingouins.

Repères

Association touristique du Nunavik
www.nunavik-tourism.com
(819) 964-2876 ou 1 888 594-3424

Vous pouvez aussi visiter le Centre d'information du Nunavik à Québec
(418) 522-2224
1204, Cours du Général de Montcalm

Parcs Nunavik
www.parcsnunavik.ca

- *Lorsqu'on s'aventure au cœur d'un territoire encore inapprivoisé comme le Nunavik, il est fortement recommandé d'être accompagné d'un guide local, les Inuit connaissant mieux que quiconque ces terres sauvages et leurs sautes d'humeur climatiques, sans compter la saveur culturelle qu'ils viendront ajouter à l'expérience.*

Aventures Inuit
(514) 457-9371 ou 1 800 363-7610

- *Pour s'y rendre : First Air offre des vols quotidiens depuis Montréal jusqu'à Kuujjuaq.*

www.firstair.ca • 1 800 267-1247

- ***Air Inuit** offre aussi des vols depuis Montréal et assure la liaison entre les 14 villages du Nunavik.*

www.airinuit.com • 1 800 361-2965

- ***Hébergement :** La Fédération des coopératives du Nouveau-Québec (FCNQ) possède des hôtels presque tous les villages du Nunavik.*

(514) 457-3294 • 1 866 336-2667.

- ***Voyages FCNQ** est l'agence officielle pour tout déplacement au Nunavik.*

www.avantagevoyage.ca/fcnq
(514) 457-2236 ou 1 800 463-7610

Les Pingualuit : un premier parc national au Nunavik

En 2002, les dirigeants Inuit ont conclu une entente avec le gouvernement du Québec pour développer un réseau de parcs, afin de protéger les richesses uniques que possède le Nunavik.

Les Inuit n'étant pas du genre à se pavaner pour faire étalage de leur patrimoine, la beauté naturelle du décor dans lequel ils se contentent de survivre depuis la nuit des temps s'en charge pour eux. Et lorsqu'il s'agit d'épater la galerie, c'est le **cratère du Nouveau-Québec**, que les Inuit préfèrent appeler **Pingualuit**, qui remporte la palme. Cet auguste lieu fût donc le premier des parcs nationaux québécois à être créé au Nunavik en 2004. Comprenant non seulement le rare phénomène qu'est le cratère, mais aussi un échantillon représentatif du milieu naturel du plateau de l'Ungava, sans oublier la rivière de Puvirnituq, le parc national des Pingualuit a officiellement ouvert ses « portes » en novembre 2007 et accueille depuis des visiteurs prêts à l'aventure.

Situé à 88 kilomètres au sud-ouest de Kangiqsujuaq, le lac circulaire du cratère, d'un diamètre de 3,4 kilomètres et d'une profondeur de 267 mètres, dont la pureté de l'eau est reconnue de par le monde, a été formé par la chute d'une météorite, il y a de cela environ 1,4 million d'années. **Unique au monde**, ce site d'une beauté incomparable vaut à lui seul le déplacement vers la région nordique.

L'été, on s'y rend habituellement à tire-d'aile, sur des **vols nolisés** spécialement pour le parc, à moins d'avoir envie d'user ses souliers sur plusieurs miles de terrain plat, après avoir fait une ascension des plus gratifiante au cœur des montagnes qui enlacent Kangiqsujuaq, le village d'accueil du parc. Une fois sur place, on se hâtera de monter pour aller se perdre dans le regard bleuté du lac des Pingualuit, qui semble nous contempler depuis son nid au cœur du cratère. La divinité des lieux est telle qu'on se croirait au paradis ! Le voisinage est d'ailleurs témoin d'un acte digne de la Création chaque année au mois de juin, alors que des milliers de caribous s'y rendent pour donner naissance à leurs petits.

Histoire de reposer ses membres inférieurs et de mettre à profit leurs supérieurs, on pourra troquer ses bottes de marche pour une rame ou une pagaie et apprécier toute la quiétude des lieux en **canot** ou **kayak** sur l'un des nombreux lacs à proximité, excepté, bien sûr, celui du cratère, dont on ne voudrait pas souiller la beauté immaculée. Et si nos jambes ont à nouveau envie de bouger, il faut absolument faire le détour vers **la rivière de Puvirnituq, nichée au creux d'un fabuleux canyon**, un contraste agréable à tout ce calme plat. Le soir venu, on pourra planter sa tente à distance du cratère qui veille de son œil de cristal sur ses invités, ou encore profiter du luxe des refuges qui se prosterne à ses pieds.

Une fois la saison froide venue et les cours d'eau figés, les plateaux menant au cratère se transforment en véritable sentier hivernal, parsemé de quelques refuges des plus modernes –un beau défi pour les **skieurs de randonnée**, sinon une balade en traîneau à chiens des plus mémorables. À contempler du haut le cratère et son lac recouverts d'un manteau blanc, on se croirait sur la lune. On peut facilement se rendre au sommet du cratère à pied, les **raquettes** n'étant utiles que pour la descente en pente raide qui mène au lac gelé, pas moins de 400 mètres plus bas. Une journée parfaite au paradis se terminera sous un ciel illuminé de millions d'étoiles, avec lesquelles des aurores boréales dansent une valse des plus entraînantes.

Les monts Torngat : frontière entre le Nunavik et le Labrador

Les monts Torngat sont vus par les Inuit comme le repère des mauvais esprits. Se dressant à l'extrême droite du Nunavik, cette contrée hostile, patrie des neiges éternelles et véritable paradis pour les randonneurs aguerris, est peuplée d'un cortège d'auges et de cirques glaciaires, de vallées suspendues et de fjords à n'en plus finir. Sa plus haute cime, le **mont D'Iberville**, monte la garde, comme pour protéger les âmes pures qui osent s'aventurer sur ces terres occultes. Du haut de ses 1646 mètres, il est aussi le plus haut sommet du Québec, une des raisons pour laquelle ce coin de pays sera, lui aussi, bientôt sacré parc national, si l'on arrive à en chasser les fantômes qui le hantent...

En remontant la rivière Koroc au départ de Kangiqsualujjuaq, on se retrouve vite nez à nez avec cette barrière montagneuse, qui marque la frontière entre la péninsule d'Ungava et le Labrador. Au creux de la vallée de la rivière Koroc (ou Kuururjuaq en inuktitut), les quelques pistes qui sillonnent la taïga, **ultime défi** pour les inconditionnels du **vélo de montagne**, offrent un contraste saisissant avec les crêtes dénudées environnantes. Et pour peu que l'on troque les bottes de marche pour des **chaussons d'escalade**, les sommets en aiguille réservent un panorama imprenable sur toute la chaîne de montagnes, la plus haute à l'est du continent.

Bien que l'été et son soleil de minuit soit une saison fort appréciée des randonneurs, le court **printemps** n'en demeure pas moins un « must » pour les **traversées à skis**. Tandis que les températures se font plus clémentes après le long hiver arctique, la neige reste encore très présente et les moustiques, eux, ne sont pas encore de service. La nature s'éveille doucement et il n'est pas rare de croiser des traces de renards ou de loups arctiques sur son chemin, ou encore d'apercevoir une horde de caribous en train de paître dans le canyon,. Au royaume de *Nanuq*, l'ours polaire, il faudra par contre faire preuve de prudence, car ceux-ci ne sont pas aussi gentils qu'ils en ont l'air…

Mers intérieures

Le territoire des lacs Guillaume-Delisle et à l'Eau-Claire, tous deux situés près du village d'Umiujaq, aux abords de la baie d'Hudson, aura lui aussi l'honneur de porter la bannière de « Parc national du Québec » dans un avenir prochain. Ce parc, présentement au stade de projet, et que les Inuit ont nommé Tursujuq, deviendra alors le plus grand parc de la province et, par le fait même, une destination de choix pour les fervents de **canot** et de **kayak.**

L'immense plan d'eau saumâtre de 712 kilomètres carrés qu'est le **lac Guillaume-Delisle**, où viennent barboter phoques et bélugas, n'est séparé de la baie d'Hudson que par un étroit passage de 5 kilomètres de long aux allures de canyon, qu'on appelle « le Goulet » (Tursujuq en inuktitut). Le golfe prend place au creux de plateaux escarpés de 365 mètres qui sont, dans les faits, les **cuestas** les plus élevées de la province, pouvant offrir de surprenants points de vue aux randonneurs en quête de sensations fortes.

Dans le même voisinage, le **lac à l'Eau-Claire**, constitué de deux bassins formés par un impact météoritique double, atteint les 1243 kilomètres carrés, une superficie qui en fait le deuxième plus grand lac naturel du Québec. Et ce n'est pas tout; cette immense piscine est aussi la propriété privée d'une population de phoques bien nantis, chose très singulière pour une nappe d'eau douce.

© Heiko Wittenborn

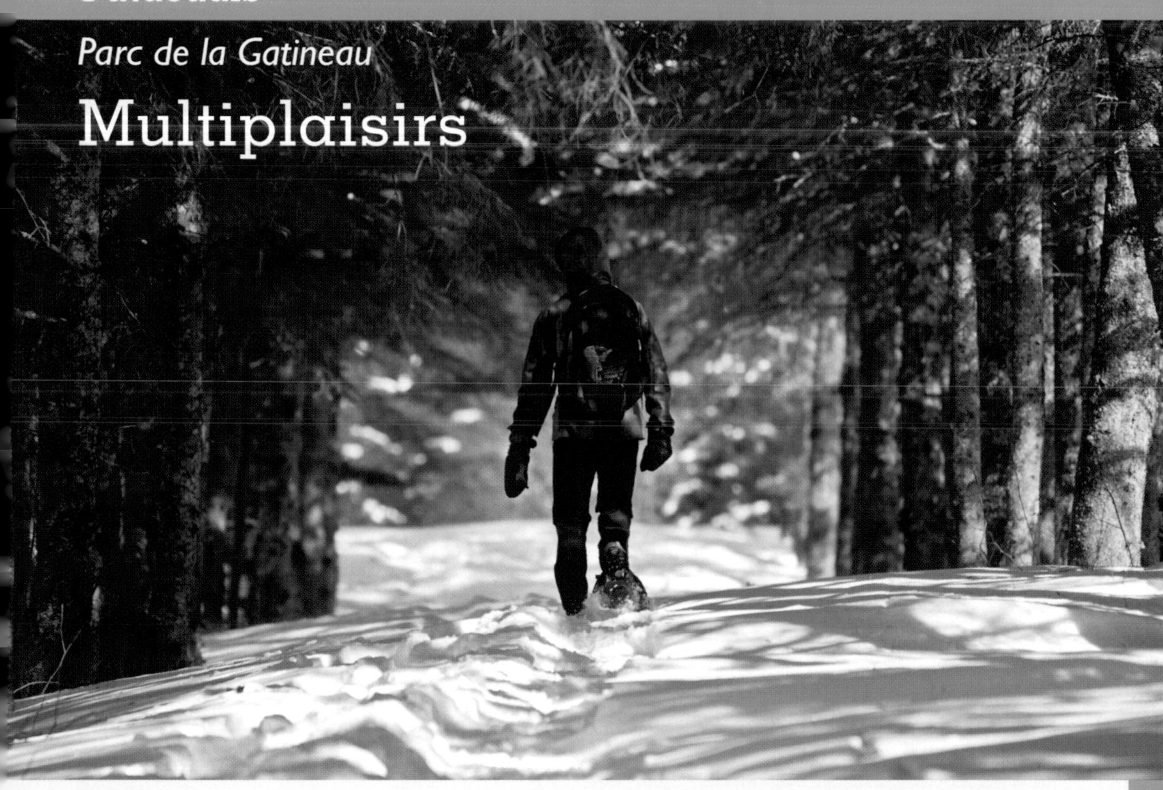

Parc de la Gatineau

Multiplaisirs

On fait presque tout dans le parc de la Gatineau. Ce territoire vallonné de 361 kilomètres carrés compte assez de lacs et de sentiers pour qu'on puisse s'y occuper pendant des semaines. Destination de rêve pour le ski de fond, le parc se prête tout autant à la randonnée, au vélo de montagne et à la spéléologie qu'à la raquette.

Le réseau de **ski de fond** du parc de la Gatineau est reconnu comme l'un des plus importants centres en Amérique. Avec près de **200 kilomètres de sentiers** entretenus (dont 150 sont tracés), les skieurs ont l'embarras du choix! Chaque sentier prend la forme d'un petit voyage dans lequel on croisera tantôt un ruisseau, puis un bout de forêt particulier ou encore une construction, telle l'ancienne tour à feu. Forêts, promontoires, pistes ondulées ou plates, montées et descentes, le parc comble les fondeurs de tout niveau.

Au départ de Kingsmere, une montée fastidieuse mène sur la piste 1. Certains, tout en sueur, regretteront peut-être d'être venus là. Mais une fois là-haut, on a accès au cœur du réseau, dont la piste 1 est en quelque sorte la colonne vertébrale. De légères montées suivent inlassablement les descentes sur près de 20 kilomètres. De la piste 1 partent et arrivent une multitude de **sentiers très diversifiés**. Près du relais Huron, un embranchement mène au sentier 3. Vallonné, étroit, celui-ci est intime et très rythmé. Le retour peut se faire par la promenade Fortune, laquelle longe un marais endormi.

En empruntant les sentiers 5, 15 puis 35 depuis le stationnement 1, on arrive à un très beau point de vue sur le lac Pink, la ville d'Ottawa et ses édifices parlementaires.

Le parc de la Gatineau comprend au-delà de **100 kilomètres** de pistes aménagées pour le **ski de patin**. Durant la saison hivernale, les principales routes du parc sont fermées à la circulation automobile, ce qui permet d'y damer des pistes de cinq mètres de large. Ces autoroutes de neige donnent aux débutants en ski de patin tout l'espace nécessaire pour trouver leur équilibre sans être dérangés par les skieurs plus expérimentés.

Ceux qui trouvent que ce n'est pas suffisant et qui ne sont pas intimidés par le froid peuvent planter **tente et raquettes** (ou skis) près du lac Philippe. L'endroit offre un contact privilégié avec une nature enfouie dans un silence de neige. **Huit sites de camping** où se trouvent bois, toilettes sèches et abris ouverts attendent les intrépides. Des pistes entretenues sont accessibles de cet endroit, dont les pistes 50, 54 et 55. Ceux pour qui la chaleur est un confort minimum opteront plutôt pour l'un des **quatre refuges ou trois yourtes**. Le réseau comprend également

neuf relais de jour où les skieurs peuvent manger et se réchauffer devant un poêle à bois.

La **raquette** et le ski hors-piste offrent eux aussi de belles possibilités. Surtout situés dans le secteur nord, près du lac Philippe, les **45 kilomètres de sentiers** de raquette comptent sur leur parcours quelques haltes où attendent des bancs et même un emplacement pour faire un feu. De plus, il est permis aux batteurs de neige de circuler librement hors des sentiers (avec cartes et boussoles!). Quant au ski hors-piste, on le pratique sur de longs et étroits cordons de neige non travaillés totalisant **45 kilomètres**.

Le parc n'est pas plus ennuyeux l'été. La **randonnée pédestre** peut être pratiquée sur plus de **165 kilomètres**; 90 de ceux-ci sont partagés par les randonneurs et les cyclistes, tandis que les 75 autres sont réservés aux marcheurs. La majorité des sentiers pédestres peuvent être parcourus en une journée. Celui de la chute de Luskville par exemple (5 kilomètres) grimpe jusqu'au sommet de l'escarpement d'Eardley, cette imposante paroi qui fait 30 kilomètres de long. La chute, impressionnante surtout au printemps, se trouve à la base.

À la portée de la majorité des pédaliers, les adeptes de **vélo de montagne** peuvent profiter de 90 kilomètres de sentiers partagés avec les randonneurs. Ces sentiers sont roulants et assez rapides. On y trouve beaucoup de montées et de descentes, si bien que par moments, on se croirait sur des montagnes russes. Les parcours sont sans excès, et somme toute pas trop techniques. Quelques cailloux, quelques bonnes pentes, quelques racines et quelques trappes de boue, c'est tout. D'ailleurs, ceux qui aiment les côtes prononcées peuvent prendre le départ à Wakefield par la piste 52, puis prendre la 50 et la 36 (arrivée au lac Meech). C'est un parcours enlevant qui offre de beaux points de vue et de quoi s'échauffer les mollets à souhait! Les sentiers qui partent du centre-ville de Gatineau et qui aboutissent au lac Pink sont des incontournables.

Focus

Famille: *Au lac Philippe, la* **caverne Lusk** *épatera les enfants et ados en quête de nouvelles découvertes. Creusée dans le marbre, cette caverne, âgée de plus de 12 500 ans, renferme 400 mètres de galeries. La partie nord est suffisamment vaste pour demeurer debout. Elle a même quelques puits de lumière qui créent des effets surprenants sur la paroi de marbre blanc. Pour explorer l'autre section, il faudra avoir avec soi des vêtements de rechange et une lampe frontale. Le plafond est bas, et le niveau d'eau assez élevé par endroits.*

Débutant: *Le lac la Pêche offre plusieurs sites de canot-camping. Comme il ne nécessite aucun portage, ce lac permet une expérimentation facile et agréable.*

Expert: *Les skieurs de fond qui cherchent des sentiers de haut calibre trouveront un site d'entraînement et de compétition situé près du Camp Fortune. Cette difficile boucle de 5 kilomètres, damée pour le pas de patin, est ouverte au public. Les pentes y sont abruptes et les virages viennent rapidement! En été, les cyclistes de compétition peuvent aussi utiliser les sentiers aménagés à cette fin à Camp Fortune. Informez-vous à l'accueil du parc pour vous y rendre.*

Repères

www.capitaleducanada.gc.ca/gatineau
(819) 827-2020 • 1 800 465-1867

Autres activités: *Randonnée, baignade, canot, kayak, vélo de route, patin à roues alignées, raquette, ski alpin, planche à neige.*

Location: *Canots, kayaks, pédalos, vélos, raquettes (et skis au Relais plein air).*

Autres services: *Douches, dépanneur. Salle de fartage (au Relais plein air).*

Camping et hébergement: *En été, 323 emplacements de camping, 2 yourtes et un refuge. L'hiver, 8 sites de camping, 4 refuges et 3 yourtes. Autres possibilités d'hébergement à proximité.*

Saison: *Ouvert à l'année*

Le parc national de Plaisance est situé au coeur de la rivière des Outaouais entre les municipalités de Montebello et de Thurso. Il est constitué d'un **réseau d'îles et de presqu'îles** et par conséquent, 65 % de sa superficie est composé d'eau. Cela fait du parc un joueur important au niveau de la **protection des milieux humides au Québec**.

Riche et diversifié, ce petit parc de 28,1 km² est l'hôte de plus d'une centaine d'oiseaux nicheurs et c'est plus de 250 espèces différentes qui ont été officiellement répertoriées jusqu'à maintenant. Reconnu comme un haut-lieu de l'ornithologie dans l'est du Canada, le parc abrite par ailleurs une très grande diversité au niveau des mammifères, des amphibiens et des reptiles, dont trois espèces de tortues : la tortue serpentine, la tortue peinte et la tortue géographique.

À pied

8 km de sentier d'observation permettent de prendre conscience de la diversité d'habitats et de la faune qu'habrite le parc. En vedette : le sentier de la Zizanie-des-Marais, **un sentier flottant** qui avance au coeur d'un marais sur plus de 300 m.

À vélo

L'amant de la nature à vélo sera enchanté par les **26 km de sentiers cyclables** qui permettent de parcourir, en peu de temps, le parc en entier. Ils mènent aussi à deux tours d'observation.

La navette «Weskarini» peut accueillir 40 cyclistes ainsi que les vélos. Ce ponton fait la navette trois fois par jour, en haute saison, et il permet de relier les sentiers cyclables de deux secteurs aux paysages différents, le secteur des Presqu'îles et celui de Thurso.

Sur l'eau

Les multiples baies de la rivière des Outaouais sont propices à la **randonnée en canot ou en kayak**. Ces embarcations légères vous permettront d'aller explorer les nombreux milieux humides du parc. La rivière de la Petite Nation, qui coule doucement sans rapide à franchir, est facilement navigable et permet une belle balade jusqu'aux chutes de Plaisance. La vue des chutes récompensera les efforts exigés lors de la petite remontée du courant. Le retour sera tout aussi agréable et sans effort! Point de départ : le centre de découverte et de services.

Le secteur des chutes de Plaisance est géré par un organisme à but non lucratif. Pour y accoster en embarcation, un droit d'accès peut être exigé.

Repères

www.parcsquebec.com
(819) 427-5334 • 1 800 665-6527

Autres activités: *Randonnée, baignade, canot, kayak, vélo de route, patin à roues alignées, raquette, ski alpin, planche à neige.*

Hébergement: *135 emplacements de camping aménagés avec ou sans services. Piscine. Prêt-à-camper dans l'une des 13 tentes Huttopia avec électricité, ou encore dans une des 2 tentes-roulotte tout équipées. Une maison (ancienne maison de ferme) tout équipée, avec électricité. Elle peut accueillir huit personnes. Six yourtes toutes équipées, à l'électricité et au propane. Elles peuvent accueillir 6 personnes.*

Location: *canot et de kayak (secteur des Presqu'îles seul.), vélo.*

Autres services: *Activités de découverte animée par les gardes-parc naturalistes. Les moyens sont diversifiés: randonnées guidées à pied, à vélo ou en canot rabaska.*

Tours de manivelle en Outaouais

La région de la capitale du Canada offre aux cyclistes un vaste réseau cyclable. Plus de **170 kilomètres de sentiers récréatifs** relient de superbes espaces naturels, des parcs, des rivières, des belvédères et des jardins fleuris à des musées et aux principales attractions de la région de Gatineau et d'Ottawa. Les sentiers sont destinés au cyclisme et à plusieurs autres activités, comme la marche, la course à pied et le patin à roues alignées. Les services de restauration sont nombreux et il est même possible de louer des vélos à proximité. Pas surprenant que le **Sentier de la capitale** soit désormais aussi populaire!

Le **Cycloparc PPJ** est une piste cyclable de **92 kilomètres**, qui serpente entre la rivière des Outaouais et le plateau laurentien, empruntant l'ancienne voie ferrée du Pontiac Pacific Junction (PPJ), démantelée dans les années 1980. Piste intégrée à la Route verte, son revêtement de poussière de roches et son relief plat (4% de dénivellation sur tout le parcours), permettent de découvrir les petits villages de la région. Tourbières, champs agricoles à perte de vue et panoramas sur la rivière des Outaouais sont au programme.

Tout au long de la piste reliant Bristol à l'Isle-aux-Allumettes, des aires de repos équipées de tables de pique-nique et de toilettes sèches ont été aménagées. Le Pontiac dispose même d'un service de navette, à réserver d'avance. Le grand luxe!

Pédaler hors des sentiers battus

Pour pédaler à travers campagnes et villages champêtres de la Vallée-de-la-Gatineau, ce n'est pas le choix qui manque! Tracée sur une ancienne voie ferrée, la **véloroute des Draveurs** vous fera découvrir une contrée baignée de plusieurs lacs et regorgeant de paysages pittoresques. Cette piste cyclable régionale garantit **69 kilomètres** de plaisir sur une poussière de pierre entre les municipalités Low et Messines. Les cyclistes se délecteront aussi le long de **quatre circuits bucoliques** conçus sur des routes secondaires peu achalandées: le circuit Grand-Remous (83 kilomètres), le parcours Bouchette–Sainte-Thérèse (62 kilomètres), celui de Gracefield–Blue Sea–Cayamant (85 kilomètres ou pédalez seulement le tour du lac Blue Sea en 25 kilomètres) et finalement le circuit Lac-Sainte-Marie (40 kilomètres).

Bureau d'information touristique sur la Vallée-de-la-Gatineau
www.lespacedesdecouvertes.com • 1 866 441-2295

Repères

Cycloparc PPJ
www.cycloparcppj.org • 1 800 665-5217

Pour en savoir plus sur la région de la Capitale et sur l'Outaouais:

www.capitaleducanada.gc.ca/velo
1 800 465-1867

www.tourisme-outaouais.org
1 800 265-7822

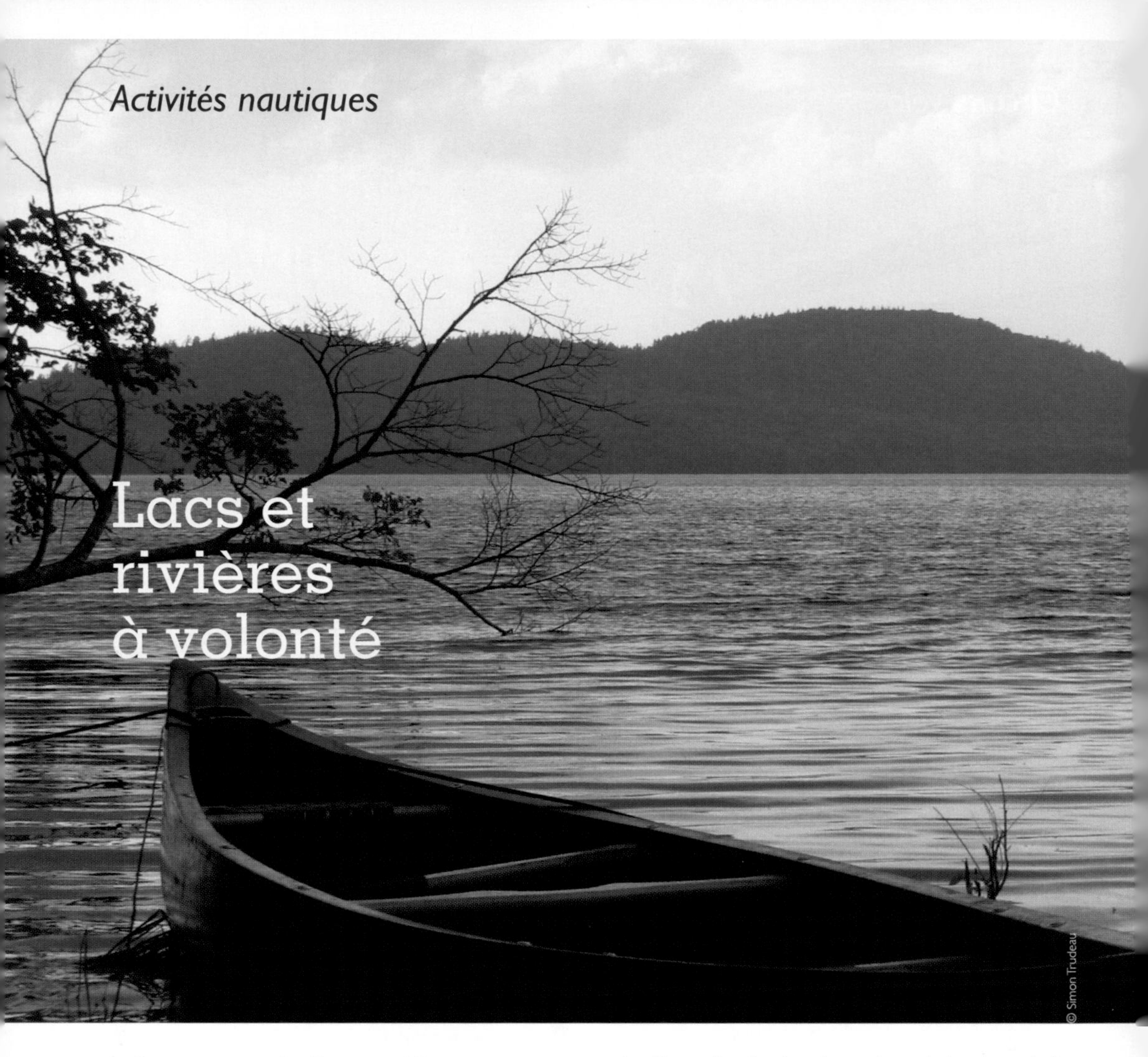

© Simon Trudeau

Lacs et rivières à volonté

Le réservoir du Poisson Blanc

Montagnes, îles mystérieuses, cavernes perdues et plages secrètes… Les paysages qui baignent les contours du réservoir Poisson Blanc inspirent le cœur des pagayeurs explorateurs, en canot ou kayak de mer. À mi-chemin entre Gatineau-Ottawa et Mont-Laurier (et à deux heures de Montréal en voiture), le lac devenu réservoir en 1928 s'étend entre la rivière du Lièvre et la Gatineau, sur 38 kilomètres de long et d'une largeur pouvant atteindre de 7 à 8 kilomètres.

Plusieurs lacs interreliés à l'aide de sentiers de portage se déploient en **l'un des plus importants réseaux de canot et de kayak d'eau douce au Québec**. Près d'une **cinquantaine d'emplacements de camping rustique** sont aménagés sur ces berges et sur les rives de certaines des îles, dont on estime le nombre à plus de 80! Le secteur nord du réservoir fait désormais partie du parc régional du Poisson Blanc qui compte 36 emplacements de camping rustique dont certains sont gratuits. Il y a aussi une douzaine de sites de camping libres d'accès dans la partie sud du réservoir, à l'extérieur du parc. Qu'on accède au réservoir par le sud, via la Base de plein air Air-Eau-Bois, ou par le nord à l'accueil du parc régional, on peut y louer des canots. En eau calme, la randonnée sur l'eau est accessible à la plupart des gens, mais le lac devient difficile à naviguer lors de grands vents. Plus l'été avance, plus le niveau d'eau baisse (il peut varier de 3 mètres) et donne accès à de belles plages. L'eau est d'une température propice à la baignade dès la mi-juin!

Pagayer sur le lac des Trente-et-Un Milles

À 45 minutes de la forêt de l'Aigle, le superbe lac des Trente-et-Un Milles étale tout en longueur ses eaux claires, parsemées d'îles et d'îlots où des cèdres accrochent leurs racines. Ses rives aux paysages boisés dévoilent des attraits géologiques surprenants. Possibilités de randonnées de plusieurs jours.

L'immense lac, qui mesure en fait 21 kilomètres (c'est avec le lac Pémichangan, son voisin, qu'ils totalisent

31 milles) est un trésor caché dans la région de l'Outaouais. Très peu exploité, ce lac gagne à être connu pour la limpidité de son eau, son caractère préservé et une pêche abondante! La SAGE (Société d'aménagement et de gestion environnementale), qui regroupe des intervenants des cinq municipalités entourant le lac, a aménagé une vingtaine d'emplacements de camping rustique, la majorité sur des îles, pour faciliter le camping et préserver la beauté des lieux. Une tarification de 10$ par site et par soir s'applique.

À la municipalité de Bouchette – d'où il est possible de commencer son périple sur le lac –, on peut se procurer une carte du lac, de ses îles et de ses baies. *www.apl31milles.ca* • *(819) 465-2555*

Se rincer à grande eau

Baignée de nombreux cours d'eau, l'Outaouais est une région idéale pour faire des descentes de rivières mémorables. En rafting, en canot, en kayak et même en luge d'eau, des émotions fortes à la détente familiale, vous n'aurez que l'embarras du choix. Les rivières Rouge, Gatineau et des Outaouais comportent des rapides de classe supérieure, tandis que la rivière Petite-Nation est l'endroit idéal pour s'initier aux joies de l'eau vive.

La rivière Gens de Terre, elle, vous transporte aux limites nord de la région. La première section offre un relief discret qui évolue dans un milieu sablonneux où des élargissements forment des lacs de tailles variés. La deuxième, pour experts seulement, présente un volume d'eau sportif et de fréquents portages, et propose un environnement sauvage et un superbe canyon. Le débit de la rivière est contrôlé par un barrage et peut varier rapidement et considérablement. Il est impératif de vérifier auprès de Canot-camping La Vérendrye le débit projeté au moment de votre visite afin d'évaluer le niveau de difficulté du parcours.

Repères

www.parcdupoissonblanc.com
(819) 767-2999

Sentiers pédestres: *7 kilomètres*

Location: *canots et kayaks de mer*

Hébergement: *camping rustique à 15$ la première nuit et 5$ les nuits subséquentes (12 sites avec réservation en ligne, 16 sites gratuits pour les petits groupes et huit sites gratuits pour les grands groupes).*

Stationnement et rampe de mise à l'eau pour les embarcations non motorisées.

Pour s'y rendre: *à partir de Gatineau, rendez-vous sur la route 307 nord et continuez jusqu'au chemin de la Lièvre Nord qui change de nom pour Val Ombreuse. Rendu à Notre-Dame-du-Laus, continuez vers le nord sur le chemin du Poisson Blanc et bifurquez à gauche sur le chemin de la Truite pour atteindre le bord de l'eau. À partir de Montréal, empruntez l'autoroute 15 nord, la 50 ouest, la 148 ouest, et la 50 ouest pour continuer sur la 309 nord jusqu'à Notre-Dame-du-Laus.*

Base de plein air Air-Eau-Bois

www.aireaubois.com • *1 800 363-4041*

Sentiers pédestres: *15 kilomètres*

Vélo de montagne: *30 kilomètres*

Autres activités: *camping, camp de vacances, baignade*

Location: *canots et équipement de camping.*
Rampe de mise à l'eau de la municipalité de Bowman.

Hébergement: *auberge, gîte, cabanes rustiques, dortoirs, camping (informez-vous pour être situés à l'écart du camp des jeunes)*

Saison: *avril à octobre.*

Pour faire durer le plaisir: *de courts portages (de 150 à 200 m) permettent de rejoindre les petits* **lacs Ohara** *et du* **Missionnaire**, *qui prolongent agréablement l'excursion.*

Aventures Château Logue

Location de canots, kayaks ou vélos (il n'y a pas de service de transport pour se rendre au lac des Trente-et-Un milles, mais le site a un accès direct sur le rivière Gatineau)
www.aventures-chateaulogue.com
1 877 474-4848

Aquaventure Petite-Nation

École de kayak et de canot de rivière située sur les bords de la Petite-Nation. Louez-y de l'équipement (canots, kayaks, etc.)
www.aquaventure.ca • *(819) 983-3765*
Canot-camping La Vérendrye: (819) 435-2331

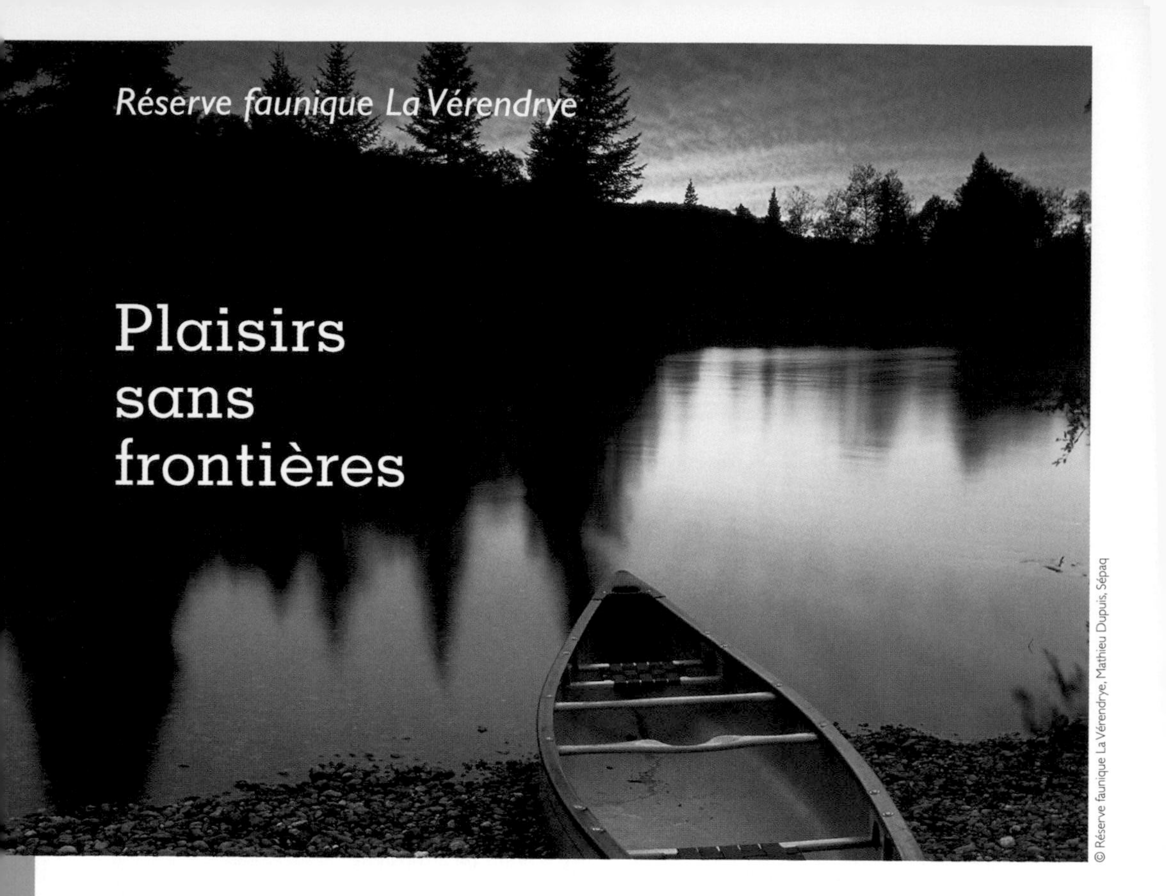

Réserve faunique La Vérendrye

Plaisirs sans frontières

© Réserve faunique La Vérendrye, Mathieu Dupuis, Sépaq

Prétendre que la réserve faunique La Vérendrye est **un paradis pour les amateurs de canot-camping et de kayak de mer** est un euphémisme. Avec plus de 4 000 lacs et rivières reliés par 800 kilomètres de routes canotables, et disséminés sur un territoire sauvage faisant près de 13 000 kilomètres carrés (la moitié de la superficie de la Belgique!), il serait difficile de demander plus. Et pourtant, il y a plus.

Perché à 60 kilomètres au nord de Mont-Laurier, on se trouve en plein Bouclier canadien. Ici, le terrain est remarquablement plat, un relief qui a favorisé la création de lacs imposants. La plupart des plans d'eau présentent des contours fort intéressants, baignent de nombreuses îles et proposent des **plages de sable isolées**.

En plusieurs endroits, l'érosion a sculpté dans la masse rocheuse des passages en eau vive ainsi que des **rapides de classe I à VI**. Rien de suffisant pour une descente en rafting, mais tout ce qu'il faut pour donner du piquant à certains tracés et imposer des portages.

La quantité et la diversité des circuits sont telles que seul le temps dont on dispose limite la durée du séjour. À l'accueil Le Domaine, Canot-camping La Vérendrye (partenariat entre la Sépaq et la Fédération québécoise du canot et du kayak) offre un service d'information sur les parcours canotables et la location d'équipement. On y trouve une salle de cartographie où les cartes de tout le territoire sont disponibles.

Le Domaine est situé en bordure du lac Jean-Péré, le point de départ le plus accessible et le plus populaire. De là, trois circuits en boucles s'offrent à vous. Pour un rythme de vacances, on doit compter de dix à quinze kilomètres par jour. **Les lacs Jean-Péré, Antostagan et Poulter** sont reconnus pour leurs belles plages, mais ils sont aussi **les plus fréquentés**. Cartes et boussoles doivent être dans le paquetage, car il devient parfois difficile de trouver son chemin entre la multitude d'îles et de baies.

Ces circuits comptent de **très nombreux campings** : sur des plages, sur des pointes rocheuses, sous les pins, sur des îles. Il n'y a pas de réservations à faire pour les emplacements : on les occupe selon la disponibilité. En général, chaque emplacement peut recevoir de une à cinq tentes. Une règle restreint cependant l'usage d'un emplacement à une seule nuit (exception faite des sites de camping fixe sur lesquels il est autorisé de camper jusqu'à quatre nuits consécutives), afin de permettre à tous de profiter des plus beaux terrains.

Les amateurs de **rivières** pourront se régaler dans la partie nord de la réserve sur la Chochocouane

Repères

Canot-camping La Vérendrye

www.sepaq.com
819) 438-2017 (secteur Outaouais)
(819) 736-7431 (secteur Abitibi-Témiscamingue)

www.canot-kayak.qc.ca
(819) 435-2331 (mi-mai à mi-septembre)
(514) 252-3001(hors saison – Fédération québécoise du canot et du kayak)

- *Pour camper sur tous les circuits de canot-camping de la réserve faunique, vous devez obligatoirement avoir en votre possession un droit d'accès pour le canot-camping que vous pouvez acquitter à la base de services localisée au Domaine.*
- ***Étendue** : 12 589 km²*
- ***Hydrographie** : 4 000 lacs et rivières*
- ***Parcours canotables** : 800 km*
- ***Sentiers pédestres** : 7,3 km de niveau facile*
- ***Location** : canots, kayaks de mer, équipement de camping, chaloupes, moteurs.*
- ***Forfait clé en main** : Canot-camping La Vérendrye offre des forfaits « aviron en main » pour environ 80 $ par jour.*
- ***Autres services** : animateurs, location de chalets, restaurant et poste d'essence ouverts 24 heures, dépanneur, service d'ambulance, buanderie, douches, boutique (accessoires de camping, cartes-guide, bois de foyer), base d'hydravion.*
- ***Services de navette** : transport de personnes et d'embarcations sur tout le territoire de la réserve faunique.*
- ***Camping et hébergement** : 500 emplacements de canot-camping, 227 emplacements de camping aménagés, 44 sites de camping rustiques et semi-rustiques, 35 chalets et 3 résidences.*
- ***Autres activités** : courtes randonnées pédestres, sentiers d'interprétation, baignade et aires de jeux, escalade, observation de la faune, pêche au doré et au grand brochet du Nord, cueillette en forêt.*
- ***Transports en commun** : la Réserve faunique est accessible quotidiennement par autobus de Montréal, d'Ottawa et de Rouyn-Noranda.*
- ***Saison** : de mai à septembre.*

(132 kilomètres en boucle). C'est une très belle rivière à canoter, comportant peu de difficultés. Il y a un très beau seuil en aval du lac Rocau. Avec ses grosses roches plates, c'est un endroit idéal pour la baignade et un lieu exceptionnel pour le camping. On peut aussi accéder à la tête de la Dumoine (150 kilomètres) et de la Coulonge (275 kilomètres), rivières qui se jettent dans l'Outaouais. L'Outaouais supérieure offre, elle aussi, de belles possibilités de descente.

La période pour **le canot-camping** s'étend de la mi-mai à la mi-septembre. Durant ces quatre mois, on assiste quasiment au passage de trois saisons. Au mois de mai, il peut y avoir encore des bancs de neige sur les bas-côtés de la route et de la glace dans certaines baies. Les bourgeons ne sont pas encore éclos. En juin, difficile de ne pas le sentir, c'est le mois des moustiques, des brûlots, des mouches noires : toute la panoplie est sur place. En juillet, enfin, c'est l'été. L'eau est plus chaude, mais il y a aussi plus de monde. Avec le mois d'août reviennent les nuits plus fraîches ou même froides, et quelques arbres sont déjà rouges. Le matin, le lac est couvert de brume; tout est humide au lever. C'est aussi le mois des vents et la progression est difficile sur les grands lacs. À la fin de septembre, la réserve s'endort pour l'hiver.

Focus

***Famille :** Trois campings aménagés offrent une vaste gamme de services. Au camping du lac de la Vieille, des embarcations sont en location. Une plage de sable et un terrain de jeu attendent les enfants. Le sentier d'interprétation La Forêt mystérieuse est situé à proximité. Il explore plusieurs thèmes, dont la création d'une tourbière. Autre sentier, celui des chutes du lac Roland, où l'on trouve les vestiges de l'activité des draveurs.*

***Débutant :** Des cours d'initiation au canot sont offerts. Plusieurs circuits ont été aménagés et balisés afin de plaire aux débutants. Ceux de Jean-Péré (24 kilomètres) et d'Antostagan (34 kilomètres avec légers rapides) se parcourent en deux ou trois jours.*

***Expert :** Le circuit Rivière Gens de Terre : circuit linéaire de 64 kilomètres (18 RI, 1 RI-II, 21 RII, 5 RII III, 4 RIII, 2 RIV, 3 RV, 1 RV VI, 1 SIII, 1 SIII IV, 1 SIV, 2 SV, 1 chute) et un maximum de 17 portages pour un total de cinq kilomètres. Le portage pour passer la chute est périlleux. Circuit non aménagé, non entretenu et sans signalisation. Obstacles fréquents et passage non assuré. Voilà quatre jours de sueurs…ou de plaisirs!*

Autres pistes

Forêt de l'Aigle (Maniwaki)

La forêt de l'Aigle s'étire le long des 70 kilomètres de la rivière éponyme, au sud-ouest de la petite ville de Maniwaki, dans la vallée de la Haute Gatineau. Autrefois place forte de l'industrie forestière, elle est gérée depuis 1996 selon le concept de « forêt habitée », qui cherche à valoriser durablement le sylvestre territoire au profit des communautés locales dans des perspectives sociale, biologique et récréotouristique.

Activités : parcours aérien d'aventure, canot-camping

Hébergement : dortoir de 12 lits, 4 chalets (dont un rustique), un refuge et plusieurs emplacements de camping

Location : canots et kayaks

Forêt de l'Aigle
www.cgfa.ca • 1 866 449-7111

Portail touristique de la vallée de la Gatineau
www.vallee-de-la-gatineau.com

La Base de plein air Air-Eau-Bois (Denholm)

Air-Eau-Bois vous accueille avec chaleur, attention et dynamisme pour vous faire vivre une expérience nature extraordinaire.

Étendue : 120 ha.

Dénivelé : 400 m.

Sentiers pédestres : neuf sentiers totalisant 65 km (facile, intermédiaire, difficile).

Autres activités : vélo de montagne, baignade, canot-camping, escalade en paroi naturelle, randonnée pédestre, piste d'hébertisme, tir à l'arc.

Location : canots et équipement de camping.

Services : hébergement, restauration, rampe de mise à l'eau, stationnement.

Hébergement : auberge, gîte, cabines rustiques, dortoirs, camping.

Saison : avril à octobre.

Accès : à partir de 8 $/jour pour les adultes (accès aux s entiers pédestres, à la plage et au bloc sanitaire).
www.aireaubois.com
(819) 457–4040 • 1 800 363–4041.

Centre touristique de la Petite-Rouge (Saint-Émile-de-Suffolk)

Le Centre touristique la Petite Rouge, situé sur une presqu'île entre Montebello et Tremblant, est le lieu tout désigné pour des vacances uniques en famille ou entre amis sur un site enchanteur. En été, les vacanciers en hébergement peuvent profiter de la plage privée et des équipements (canots, kayaks, pédalos). Les gens de passage peuvent s'adonner à la randonnée pédestre ou s'attaquer aux sentiers en vélo hybride. En hiver, ski de fond, raquette et glissade sur tubes vous attendent!

Étendue : 405 ha.

Dénivelé : 350 m.

Sentiers de ski de fond : cinq totalisant 25 km (facile, intermédiaire, difficile).

Sentier de raquette : cinq km.

Autres activités : canot, kayak, pédalo, rabaska, volley-ball, baignade, vélo, pétanque, jeu de galets, jeu de fer, basket-ball, tennis, patin, glissade sur tubes, interprétation de la nature.

Information touristique générale
Tourisme Outaouais
103, rue Laurier
Gatineau (Québec) J8X 3V8
www.tourismeoutaouais.com
(819) 778-2222 • 1 800 265-7822

Location : skis de fond, raquettes.

Services : cafétéria (repas à heure fixe).

Hébergement : 12 chalets totalisant 52 chambres.

Saison : toute l'année.

Accès : En hiver, laissez-passer journaliers pour le ski de fond disponibles à partir de 8 $/personne, forfaits avec hébergement et repas également disponibles. Durant les autres saisons, accès aux sentiers pédestres et de vélo à 4$/jour.
www.petiterouge.com
(819) 426–2191 • 1 888 426–2191.

Chutes Coulonge

Constituant le site naturel le plus spectaculaire du Pontiac, la rivière du même nom se précipite dans une crevasse de 48 mètres, formant ensuite un canyon de plus de 1 000 mètres. Parc aérien avec tyroliennes, sentier en fer longeant une façade rocheuse (Via Ferrata), courts sentiers de randonnée pédestre, belvédères et ponts permettent de jouir du décor. Riche en histoire, la Coulonge a servi à la drave pendant plus d'un siècle. Une vieille glissoire à billots, encore visible, permettait d'acheminer le pin blanc vers la rivière des Outaouais.
www.chutescoulonge.qc.ca • (819) 683-2770.

Parc régional de Pontiac (Bristol–L'Isle-aux-Allumettes)

Pour vous permettre de découvrir le Pontiac en toute tranquillité et d'apprécier la richesse de notre faune et de notre flore, les concepts de piste cyclable et de parc naturel ont été mariés pour créer le Cycloparc PPJ. Un parc naturel est élaboré autour d'une ancienne voie ferrée, le Pontiac Pacific Junction (PPJ), converti en piste cyclable désormais intégrée dans la Route verte. Cette même piste conserve intact les attraits naturels qui en font sa richesse. Les amateurs de canot-camping pourront en découdre avec les rivières Noire et Coulonge, réputées pour leur côté sauvage et leurs plages de sable. On peut y pratiquer des expéditions, d'une demi-journée à 14 jours!

Sentier pédestre : 92 km (linéaire).

Autre activité : vélo hybride ou de montagne, canot-camping, rafting, visites culturelles et patrimoniales des villages pontissois.

Location : location de vélos à proximité.

Services : navette gratuite du chemin Wyman (Bristol) à l'Isle-aux-Allumettes, aires de détente (supports à vélo, toilettes, tables de pique-nique, poubelles), restauration, épicerie.

Hébergement : camping sauvage, gîtes, auberge.

Saison : été et automne.

Accès : gratuit.
www.cycloparcppj.org
(819) 648–2186 • 1 800 665–5217.

Rapides du Rocher Fendu

Les rapides du Rocher Fendu forment un archipel d'îles sauvages, séparées par une multitude de chutes et de rapides (I à V) sur la rivière des Outaouais, considérée comme l'une des meilleures destinations de rafting en Amérique du Nord. Les téméraires peuvent s'y aventurer avec leur kayak ou profiter des descentes en rafting ou en luge d'eau.

Excursions :
Horizon X : *www.horizonx.ca • 1 866 695-2925 (rafting, cours de kayak, expéditions).*
Rafting Momentum : *www.raftingmomentum.com • 1 800 690-7238.*

Esprit : *www.whitewater.ca • 1 800 596-7238.*

Aventures souterraines et aériennes

Entrez dans les entrailles de la terre à la caverne Laflèche! Les spéléologues vous guideront à travers un dédale de galeries et de grottes en vous expliquant l'évolution géologique et biologique de la région. Aux alentours de la caverne, essayez le parcours aérien ou découvrez le paysage du territoire des Collines-de-l'Outaouais en randonnée pédestre.
www.aventurelafleche.ca
1 877 457-4033 • (819) 457-4033

Escarpement d'Eardley (Outaouais)

Méconnu par les grimpeurs de l'Est de la province, cette petite oasis de roc possède bien des atouts pour plaire aux aficionados de la grimpe : des fissures et voies de tous les niveaux et une vue imprenable sur la région. Auparavant tolérée sur plus de 300 voies, la Commission de la capitale nationale a concentré et officialisé, en 2010, la pratique de l'escalade à quatre parois et 43 voies. Le but? Protéger l'écosystème de l'escarpement d'Eardley, l'un des plus riches et des plus fragiles du parc de la Gatineau. Tant l'escalade sportive que traditionnelle s'y pratiquent, mais l'escalade de glace est interdite.

Accès : quatre parois sont ouvertes aux grimpeurs (Home Cliff, Down Under, Eastern Block et The Left Twin). Pour se rendre près de l'escarpement, emprunter la 148 Ouest en direction de Luskville et référez-vous au guide pour trouver le stationnement approprié.

Zec St-Patrice (Fort-Coulonge)

Ce vaste territoire, qui couvre environ 1 300 kilomètres carrés et compte plus de 250 lacs, offre un terrain de jeu infini. Outre son potentiel reconnu pour la pêche, on y pratique le canotage sur la rivière Noire et l'observation de la faune. En effet, on y retrouve un couvert forestier propice, entre autres, à l'habitat de l'orignal, du cerf de Virginie, de l'ours noir et de la gélinotte huppée.

Services : Deux postes d'accueil

Saison : Été (mi mai), automne (fin octobre) et hiver

Tarifs : Forfait journalier, saisonnier et familial

Accès : 228, route 148, Fort-Coulonge
www.zecstpatrice.zecquebec.com • (613) 635-2866

Zec Pontiac (Gracefield)

Chevauchant la région de Pontiac et la Vallée-de-la-Gatineau, la zec Pontiac offre la possibilité de pratiquer plusieurs activités de plein air en milieu sauvage. Le canot-camping, la randonnée pédestre, la cueillette de fruits sauvages (mûres, framboises, bleuets) et l'exploration des nombreux plans d'eau en kayak de mer sont d'autres activités oxygénantes que l'on pratique sur ce magnifique territoire de 1 200 kilomètres carrés parsemé de plus de 300 lacs. Les lacs David et Pythonga sont bordés de très belles plages où il fait bon se prélasser ou allumer un bon feu de camp. La nuitée en camping, rustique ou semi-aménagé, en refuge ou en chalet, offrent un séjour paisible.

Services : Circuits de canot-camping et kayak de mer, kayak de mer en location, sites de camping (cinq terrains semi-aménagés), de refuges (cinq) ou de chalets (trois).

Saison : Du 2e vendredi de mai au 3e vendredi de novembre.

Accès : Plusieurs secteurs sont accessibles en automobile.
www.zecpontiac.com • (819) 463-3183

Zec Rapides-des-Joachims

Principalement accessible par l'Ontario, et à seulement 30 minutes du village de Rapides-des-Joachims, cette zec offre un cadre spectaculaire pour son site des Grandes Chutes sur la rivière Dumoine, très pittoresque. Quelque 250 lacs et sept rivières sont dispersés çà et là pour le canotage que l'on pratique également sur la rivière Dumoine. La randonnée pédestre est l'autre activité de prédilection de ce territoire de l'Outaouais de près de mille kilomètres carrés. En chemin, une dégustation de fraises des bois, framboises ou bleuets s'impose.

Hébergement : camping rustique (aucun service)

Saison : Accessible de mai à fin octobre, tarif journalier, saisonnier ou annuel.

Accès : Depuis Hull/Ottawa, prendre la route 17 de la province de l'Ontario jusqu'à Deepriver. Quelques kilomètres plus loin, suivre l'indication Province de Québec (Rapides-des-Joachims). Arrivé au village, suivre les indications pour se rendre au poste d'accueil.
www.zecrapidesdesjoachims.zecquebec.com
(613) 586-2635

Zec Bras-Coupé-Désert

Cette zec dévoile de superbes chutes, plages de sable, vues panoramiques spectaculaires et rapides pouvant atteindre le niveau R4. En effet, les adeptes de sensations fortes se lanceront sur le circuit de kayak de rivière ou de canot-camping dont les rapides s'échelonnent de R1 à R4. Il est également possible d'effectuer une descente en canot de deux à cinq jours, sur un parcours qui débute au lac Gagamo et qui se poursuit dans la rivière Ignace, le lac Croche, le lac Désert, le lac Rond, pour se terminer dans la rivière Désert.

On y séjourne en camping, ou dans un chalet rustique très chaleureux situé au bord du lac à la Tortue.

Services : Location de chaloupe à 11,50 $/jour, de canot à 25 $/jour et de kayak à 30 $/jour. Canot-camping : 7 $/jour/personne.

Camping : 260 sites semi-aménagés, 100 sites rustiques et camping sauvage illimité (tente et bagages). Chalet en location : tout équipé pour huit personnes, différents types de forfaits offerts (forfait Week-end du vendredi au lundi, forfait Repos quatre jours et quatre nuits du lundi au vendredi, forfait Vacances familiales pour deux adultes et deux enfants, six jours et six nuits, du lundi au dimanche).

Saison : mai à novembre.
www.zecbrascoupedesert.zecquebec.com
(819) 449-3838 • (819) 441-3991 (poste d'accueil Tortue)
(819) 438-2549 (poste d'accueil Tomasine)

Parc national du Saguenay et parc marin du Saguenay–Saint-Laurent

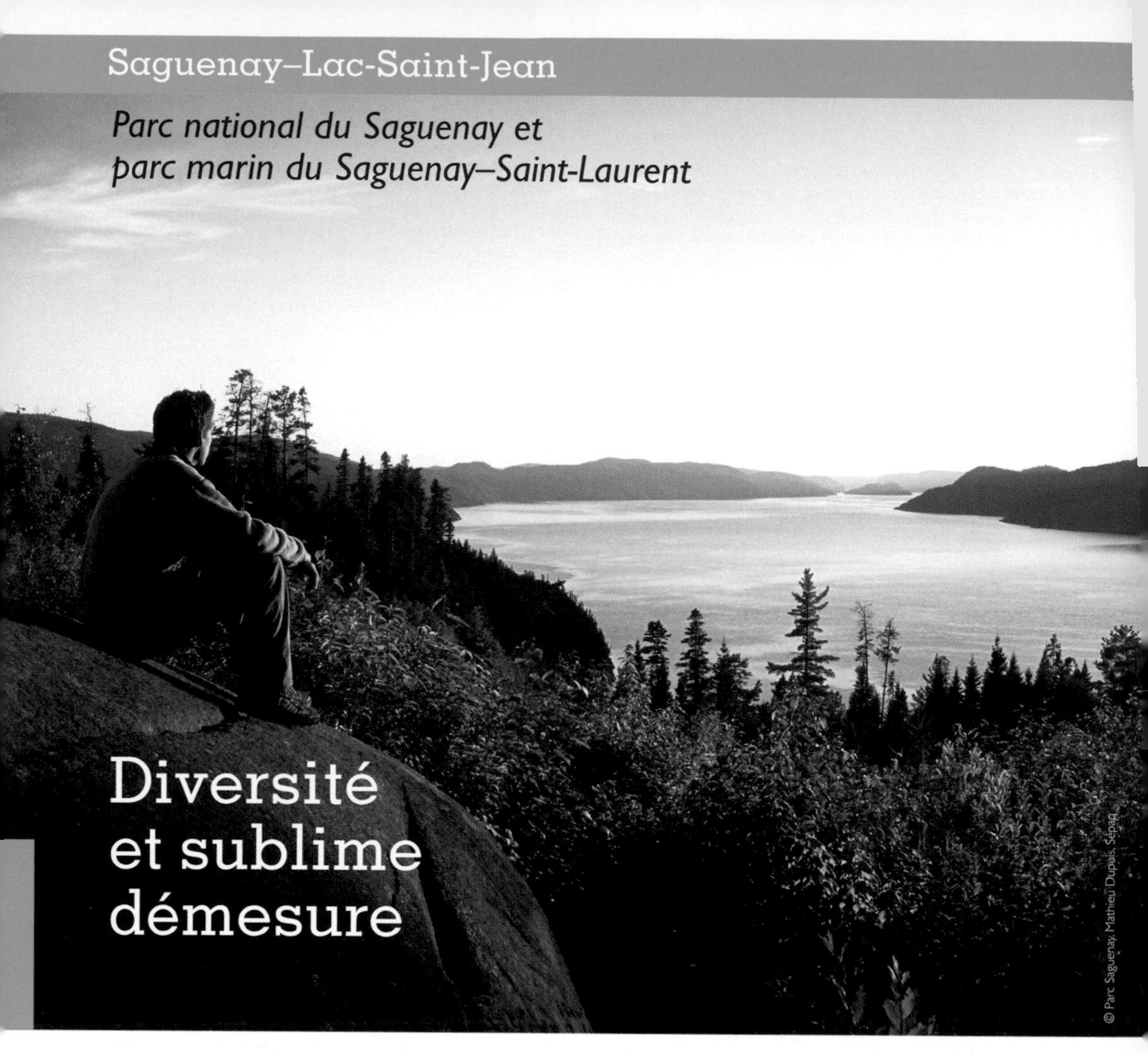

Diversité et sublime démesure

© Parc Saguenay, Mathieu Dupuis, Sépaq

Sous les yeux, un fjord profond de 275 mètres où le béluga et le phoque se côtoient. Derrière soi, une forêt illimitée abritant l'orignal, le loup et l'ours. Drôle de sensation que de se promener sur cette frontière, entre deux univers si différents et pourtant si proches. Bienvenue au pays de la diversité et de la démesure!

Situés de chaque côté du fjord du Saguenay, le parc national du Saguenay et le parc marin du Saguenay–Saint Laurent s'étendent sur 319,3 kilomètres carrés divisés en trois secteurs. Le secteur de La Baie-Éternité est réputé pour la hauteur de ses falaises, tandis que le secteur de La Baie-Sainte Marguerite est le plus bel endroit qui soit pour observer le béluga depuis la terre. Enfin, le secteur de La Baie-de-Tadoussac, carrefour du fjord du Saguenay et de l'estuaire du Saint-Laurent, quant à lui, est un lieu de rencontre privilégié avec les oiseaux migrateurs et le petit rorqual.

Pour aller au-delà de ces trois pôles, il faut prendre le temps de s'égarer dans les petits villages témoins des commerces d'antan, de flâner au bord de l'eau et de s'émerveiller au sommet des escarpements. Le **kayak de mer**, la **randonnée pédestre**, le **ski nordique** ou la **raquette** permettent de découvrir pleinement le cœur de cette nature si spectaculaire.

Plusieurs sentiers de **courte randonnée** permettent à un très large public de profiter de quelques-uns des plus beaux attraits du parc, et ce, dans les trois secteurs. Le sentier de la Statue, à Rivière-Éternité, est certainement l'un des plus populaires grâce à la qualité de son aménagement. Sept kilomètres d'ascension vers Notre-Dame-du-Saguenay, qui bénéficie d'un point de vue imprenable sur le cap et la baie Éternité ainsi que sur le fjord.

Un passage au centre de découverte et de services permet aussi de bien mesurer la chance d'une telle rencontre avec ce mammifère attendrissant et fragile. Dans le secteur de La Baie-de-Tadoussac, à proximité de Tadoussac, un sentier d'auto-interprétation de

700 mètres mène à la pointe de l'Islet, au confluent du fjord du Saguenay et du Saint-Laurent. Cette randonnée vous permettra de faire une observation terrestre très rapprochée des mammifères marins. À partir du centre de découverte et de services de la Maison des Dunes, deux sentiers vous permettront d'observer, et ce, surtout à l'automne, des oiseaux migrateurs, dont une douzaine de variétés de rapaces.

100 kilomètres dans le fjord

Du sud au nord du fjord du Saguenay, 100 kilomètres de sentiers jalonnent le parc. Il s'agit en fait d'un seul et même sentier divisé en plusieurs tronçons distincts, tantôt au bord de l'eau, tantôt au sommet des falaises. Entre hauteurs et ras de l'eau, la rive sud est plus variée. La section nord est plus escarpée et offre les paysages les plus spectaculaires, mais aussi les plus importants dénivelés. Toutefois, les charmes du parc ne se limitent pas à ses points de vue. Plus à l'intérieur des terres, le panorama et l'ambiance offerts par certains refuges et campings sont aussi de grands moments.

À l'intérieur du parc national du Saguenay, le secteur de La Baie-Éternité propose des sorties de **kayak de mer** à la journée ou sur plusieurs jours. Bien sûr, les eaux de la rivière foisonnent aussi de nombreux kayakistes embarqués plus en amont, mais la baie constitue un point de départ idéal pour un périple de plusieurs jours vers Tadoussac.

En **hiver**, le parc propose 32 kilomètres de parcours pour la randonnée en **ski nordique** et en **raquettes**.

Repères

www.parcsquebec.com
1 800 665-6527 • (418) 272-1556

Hébergement: *10 chalets (Baie-Éternité), 5 refuges (3 sur le sentier Le Fjord, 2 sur celui des Caps), 1 camp rustique, 17 sites de camping rustique (souvent sur plate-forme) répartis sur les deux rives. Un camping aménagé (106 emplacements à Baie-Éternité) incluant 7 prêt-à-camper en tentes Huttopia.*

Randonnée pédestre: *réseau de plus de 100 km pour la courte et la longue randonnée (jusqu'à 9 jours en passant d'une rive à l'autre par une navette nautique).*

Ski nordique et raquettes: *32 km de sentiers balisés, mais non tracés du côté sud.*

Accès universel: *à Baie-Sainte-Marguerite, un sentier de 3 km est accessible aux personnes à mobilité réduite et aux poussettes.*

Interprétation: *le parc compte 3 centres de découverte et de services. À Baie-Sainte-Marguerite, l'exposition permanente présente le béluga et son habitat. À Baie-Éternité, on découvre les étapes de la formation du fjord du Saguenay et la mystérieuse faune marine qui l'habite. Et dans le secteur de La Baie-de-Tadoussac, l'exposition permet de comprendre le jeu des forces naturelles qui ont façonné l'embouchure du fjord du Saguenay.*

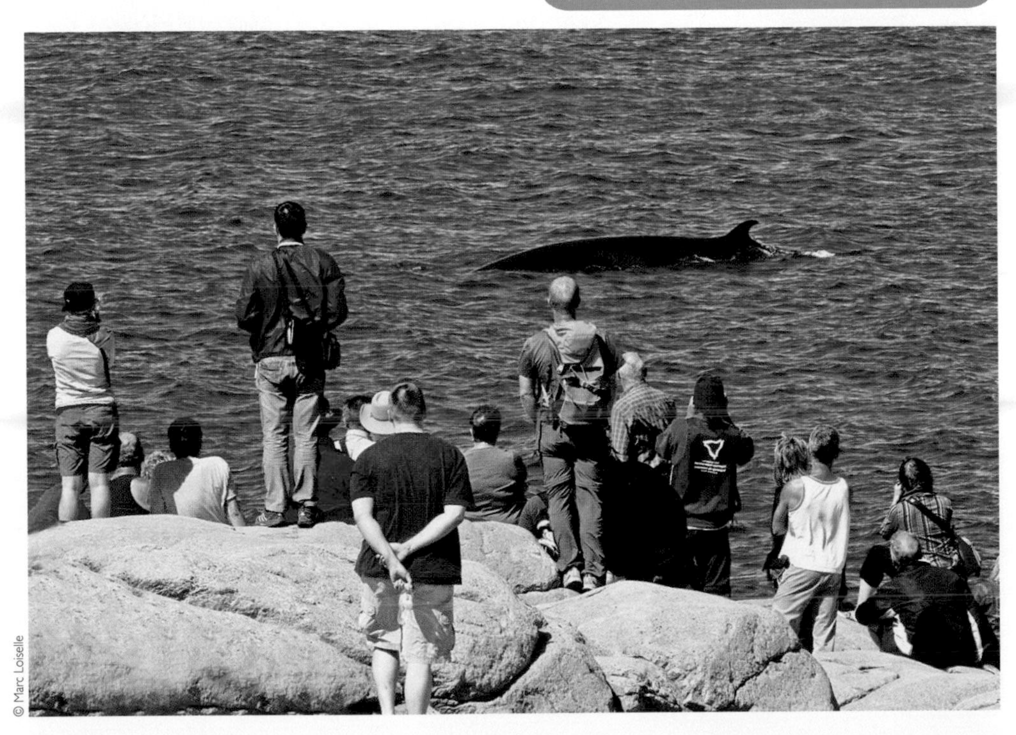

© Marc Loiselle

Le secteur des Caps propose des sections différentes de celles que l'on sillonne l'été : très sauvages, les sentiers courent davantage à l'intérieur des terres entre Rivière-Éternité et L'Anse-Saint-Jean. Destinés aux randonneurs de niveaux intermédiaire et avancé, ils représentent un bon défi dans des conditions météo souvent difficiles. Deux refuges jalonnent le parcours, dont les grands moments restent la vue sur les magnifiques lacs Allard, Travers et de la Chute ainsi que le point de vue sur le lac du Marais. Le sentier charme aussi par les quelques jolis points de vue sur le fjord. Été comme hiver, dans le creux des vallées comme au sommet des montagnes, le parc est décidément une question de points de vue...

Focus

Famille : *Le belvédère de la baie Sainte Marguerite s'avère un site unique pour observer les bélugas en famille. Plusieurs activités de découvertes permettent aux petits et aux grands d'être en interaction avec les gardes-parc. Il est même possible de s'y rendre avec une poussette !*

Expert : *Deux autres sections hors-piste sont accessibles aux randonneurs à skis. Situées en dehors du parc, elles totalisent 100 kilomètres de parcours difficile offrant en récompense de superbes paysages, dont les « murailles », spectaculaires falaises lisses qui miroitent au soleil.*

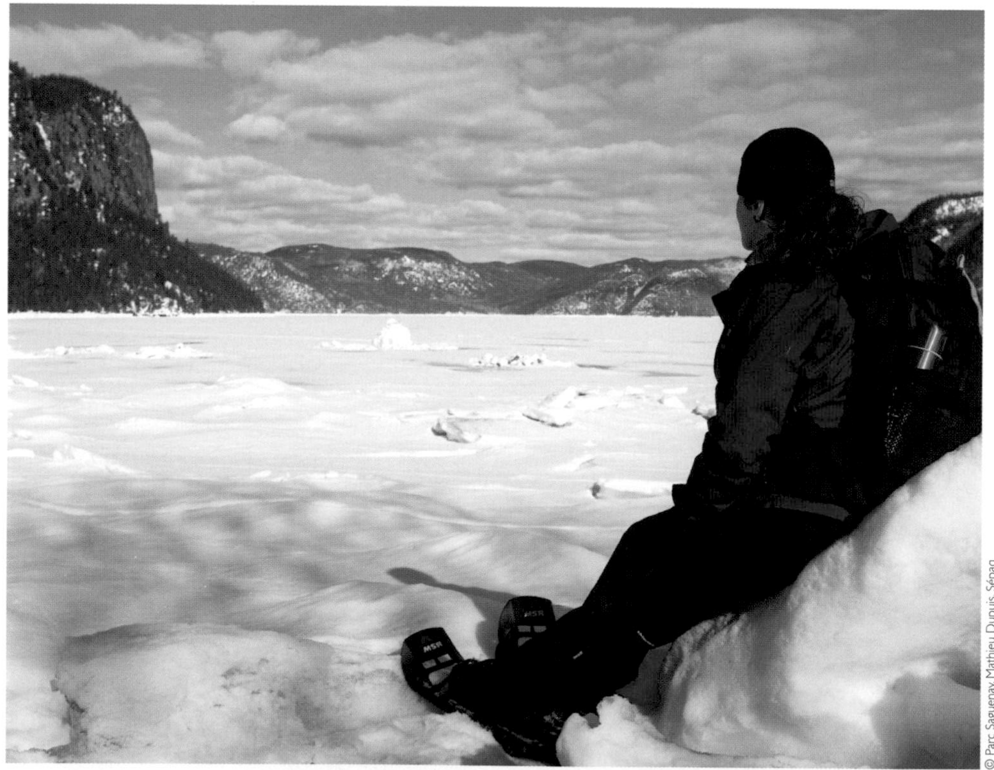

© Parc Saguenay, Mathieu Dupuis, Sépaq

Parc national des Monts-Valin

Histoires de fantômes

© Parc-Monts-Valin, Mathieu Dupuis, Sépaq

De la neige à profusion, une véritable collection de points de vue spectaculaires, des sommets dénudés nous faisant imaginer la toundra, des fantômes et des momies en prime! Nous ne sommes pas à Disneyland mais au parc national des Monts-Valin, à 30 kilomètres de Chicoutimi: 154 kilomètres carrés de vallées profondes et de collines abruptes où l'on se sent, été comme hiver, dans l'ambiance d'une expédition pionnière.

Ce parc ne fait vraiment pas partie de ceux qui hibernent en attendant les populaires activités estivales. Les monts Valin font en effet partie des grands sanctuaires de la pratique de la **raquette** et du **ski nordique**: jusqu'à 5,5 mètres de précipitation de neige annuellement, un record au Québec! L'été, toute cette blancheur se transforme en lacs et rivières que l'on parcourt en canot.

Les plus sportifs préféreront sûrement les hauteurs du parc (**plusieurs sommets de plus de 900 mètres**), notamment les pics Dubuc et de la Hutte, qui dominent le paysage. Les familles ne sont cependant pas condamnées à «coller» au fond de la vallée. Plusieurs sentiers de courtes randonnées leur permettent d'accéder à de jolis points de vue. Le paysage s'admire aussi sur l'eau, depuis les paisibles méandres de la rivière Valin ou du belvédère du Mirador.

Le parc national des Monts-Valin doit sa vocation **nordique** et son côté sauvage à un terrain naturellement accidenté que la direction du parc désire conserver avec un minimum d'aménagement. Les sentiers de ski nordique et de raquette sont tous balisés, et des itinéraires de un à plusieurs jours s'adressent à un public rodé à la pratique ou accompagné d'un guide. Le parc conseille des distances moyennes de sept kilomètres par jour, histoire de prévoir la progression lente dans une neige profonde mais aussi de profiter des innombrables courtes balades qui gravitent autour des refuges. Des services de transport de bagages, de navette de personnes et de ravitaillement sont disponibles dans le but d'agrémenter l'expérience de la longue randonnée.

En **raquettes ou en skis nordiques**, la randonnée a donc des parfums d'expédition. Il existe cependant quelques courts sentiers de raquette qui donnent rapidement accès à de magnifiques panoramas. Le sentier de la Tête de chien en est un: linéaire de 3,5 kilomètres, il rejoint en 1,5 kilomètre un premier belvédère pour ensuite filer vers un superbe point de vue sur le Piedmont et l'étang Bélanger.

Un peu plus près du ciel, le paysage tourne à la magie dans la section qui relie le pic de la Hutte à la vallée des Fantômes. Ces fantômes ne nous hantent que par leur beauté. À certains endroits, des quantités considérables de neige s'accumulent sur les arbres protégés du vent, et les conifères — certains âgés de 90 ans — disparaissent complètement, ensevelis sous la neige. À partir de 900 mètres, les gouttelettes des nuages enveloppent les sommets et givrent la végétation qui se transforme alors en « momies ». De formes étranges, elles achèvent de plonger la randonnée dans une ambiance onirique. Sur les plateaux sommitaux dénudés (entre 800 et 900 mètres d'altitude), la vue sur le fjord du Saguenay, voisin du parc, complète l'enchantement du périple.

Le parc offre également un réseau de 12 kilomètres de pistes de **ski de fond** pour le pas classique. Progressant dans les sous-bois au pied de la montagne, la « 12 kilomètres » est plutôt réservée aux skieurs aguerris. Les débutants apprécieront quant à eux les boucles plus faciles de deux à sept kilomètres dans la forêt boréale.

Randonnée et eau

Quand fantômes et momies se sont évaporés dans les cieux, il est temps de sortir les **canots**. Le faible courant de la rivière Valin permet de la remonter comme de la descendre. Le centre d'interprétation et de services du parc est situé juste au milieu des 10 kilomètres canotables, et l'on trouve un camping rustique à chaque extrémité. Il est possible aussi de pagayer sur le lac Martin-Valin, où le passage de lac en lac par de petits rapides met le visiteur dans la peau d'un trappeur à travers la pure forêt boréale. La pêche à l'omble de fontaine (truite mouchetée) est possible sur tous ces cours d'eau.

Le parc dispose, pour le **marcheur**, de plusieurs sentiers de courtes randonnées qui accèdent à toute une collection de points de vue. Depuis le centre d'interprétation, un sentier linéaire de 1,5 kilomètres, Le Mirador, est à découvrir. Il offre un point de vue imprenable sur la montagne, l'étang Bélanger et la rivière Valin. Autre bonne option pour la famille : monter en auto (10 kilomètres) jusqu'au départ du sentier du pic de la Hutte qui, après 1,2 kilomètres de marche, mène à l'un des sommets les plus hauts du parc (910 mètres). Par le même sentier, il est possible de faire une boucle de six kilomètres jusqu'au pic du Grand Corbeau. Réservé aux marcheurs de niveau intermédiaire, ce chemin étroit et sauvage aboutit à une plate-forme de décollage dédiée aux parapentistes.

Il est désormais possible aussi de relier la Tête de chien (sentier décrit plus haut pour la balade en raquettes) au pic de la Hutte. Environ neuf kilomètres qui offrent une grande diversité d'angles de panorama et qui donnent l'impression de changer constamment de décor. Rien de mieux pour se changer les idées et oublier les fantômes du quotidien...

Focus

Famille : *Canot sur la rivière Valin. Courtes randonnées à pied (1,5 à 9 kilomètres) qui donnent accès à de superbes points de vue.*

Expert : *Un paradis pour les adeptes de longues randonnées en skis nordiques ou en raquettes. Parapente sur le pic du Grand Corbeau (pratiquants autonomes seulement).*

Repères

www.parcsquebec.com
1 800 665-6527 ou (418) 674-1200

Étendue : *154 km^2.*

Altitude maximale : *980 m.*

Altitude à la base : *320 m.*

Sentiers : *12 km pour le ski de fond et la randonnée pédestre, 70 km pour le ski nordique et la raquette. À l'automne 2010, un sentier de longue randonnée estivale reliant le centre de découverte et de services au lac Martin-Valin sera complété.*

Autres activités : *télémark dans les sentiers de ski nordique, pêche en forfait avec hébergement ou à la journée, et activités de découvertes de la faune et la flore (par exemple le rallye des fantômes – sortie d'interprétation nocturne guidée en hiver – ou la randonnée autoguidée en canot).*

Location : *raquettes, sacs de couchage, matelas de sol, peaux de phoque en hiver ; canots et chaloupes en été.*

Hébergement : *4 refuges (un durant l'été), un camp rustique (quatre en hiver, trois chalets deviennent des camps rustiques), sept chalets, trois sites de camping rustique, un camping de groupe et des igloos.*

Autres services : *salle de fartage chauffée avec tréteaux et fers, deux relais dont un dans la vallée des Fantômes, ainsi qu'un relais de ski de fond chauffé. Transport en véhicule sur chenille pour accès rapide aux sommets en hiver, transport de bagages et ravitaillement.*

Un relais au pic de la Hutte sera construit à l'été 2010.

Protégé par le parc national du Saguenay et le parc marin du Saguenay-Saint-Laurent, le fjord offre un dépaysement total aux kayakistes. Le charme incomparable des sites de camping, les rencontres magiques avec les bélugas, les majestueuses parois... riches sont les souvenirs après une visite en ces lieux. Ce n'est qu'à la pagaie que l'on peut vraiment vivre la beauté de ce corridor étroit, dont la partie la plus encaissée s'étend sur près de **100 kilomètres**. Attraction phare du Québec, le fjord continue à surprendre ses plus fidèles visiteurs.

Surprenant, ce fjord, même les hommes qui le côtoient n'ont pas encore percé tous ses mystères. Les courants, la météo, et les rencontres qu'on y fait, le rendent imprévisible.

Géographiquement parlant, le fjord du Saguenay se divise en trois bassins distincts entre Saint-Fulgence, à quelques kilomètres de Chicoutimi, et le haut-fond du Prince supportant le phare La Toupie, un peu au-delà de l'embouchure avec le Saint-Laurent. Très visibles sur une carte marine, ces trois bassins se remplissent à chaque marée, ce qui expliquerait en partie la puissance de certains courants par endroits. De dix mètres de profondeur vers Saint-Fulgence, le fleuve plonge à plus de 270 mètres près de Cap-Éternité.

Six jours sur le Saguenay

Embarquement pour la descente du fjord. Entre Saint-Fulgence et Tadoussac, les **100 kilomètres se parcourent en quatre à six jours**. Il existe de nombreuses possibilités d'embarquement le long du fleuve, ramenant le parcours à deux ou trois jours si désiré. La **première section** de 25 kilomètres mène à Sainte-Rose-du-Nord. Cette mise en bouche est plus naturellement fréquentée par les gens en provenance de Chicoutimi. Elle est facile, car protégée des vents par le cap de l'Est. L'eau y est aussi plus chaude qu'en aval.

Le vrai dépaysement ne commence qu'à Sainte-Rose-du-Nord, un joli et pittoresque petit village composé de trois anses. Là, il est possible de camper à la fin de la première journée. La **deuxième section**, longue de quinze kilomètres, mène à la belle plage et au camping de la baie Trinité. Le paysage devient de plus en plus escarpé. Paradoxalement, ce n'est pas cet impressionnant encaissement qui charme le plus les kayakistes. Sur les douze kilomètres de la **troisième section** menant jusqu'à Baie-Éternité, on progresse sur un corridor en ligne droite entre les plus hautes parois du fjord. Le vent circule librement et peut être fort. Autrefois, le bateau d'un voyageur de commerce qui passait par là fut pris dans une tempête. Il promit alors d'ériger une statue de la Sainte Vierge Notre-Dame-du-Saguenay s'il se sortait indemne de ce grain... La statue veille aujourd'hui sur les sommets de la baie Éternité.

L'arrivée dans la baie ramène dans un monde plus fréquenté. Les bateaux de touristes s'y arrêtent pour rendre visite à la Vierge. Il est toujours intéressant de profiter de cette halte pour visiter le Centre d'interprétation et de services du fjord.

Crescendo

Les guides en kayak sont unanimes: la descente du fjord est comme une suite logique. Plus on progresse et plus le paysage est beau. La **quatrième section**, longue de quinze kilomètres, mène à L'Anse-Saint-Jean. De là, il est possible de continuer la descente pendant six kilomètres jusqu'à Petit-Saguenay.

La **cinquième partie** de la descente fait découvrir les îles du Saguenay. Sur les dix kilomètres reliant Petit-Saguenay à la baie Sainte-Marguerite, on se promène entre les hauteurs de l'Île Saint-Louis et la caverne cachée de La Petite Île.

Quant à la baie Sainte-Marguerite, on est partagé entre l'exaltation d'une rencontre unique et la volonté de protéger ce spectacle si fragile. Car c'est ici que l'on observe la plus grande concentration de **bélugas**. Le matin, on peut compter jusqu'à une trentaine de ces mammifères qui semblent avoir choisi le lieu pour jouer ou s'y reposer. Pour des raisons de protection, une distance d'approche de 400 mètres doit être maintenue entre l'embarcation et les bélugas. On suggère de les observer depuis l'Anse au Cheval (en face de la baie).

La blancheur éclatante des mammifères ne doit pas non plus faire oublier le charme de la baie Mill, sa superbe plage et ses jolis campings peu fréquentés. On est en présence d'un petit village qui fut autrefois témoin de la colonisation du fjord, qui a débuté vers 1840.

La **sixième et dernière section** est le plus souvent parcourue en deux jours. Trente kilomètres à flirter avec les parois rocheuses des falaises, à observer leurs couleurs et leurs dessins, à écouter le grognement étrange des bélugas. Ici aussi, les campings aménagés comme celui de la Pointe à Passe-Pierre s'intègrent superbement au décor.

Avant de mettre fin à ces journées de décrochage avec la civilisation, il est encore temps de flâner dans l'Anse de Roche, près de Sacré-Cœur, et de se laisser aller au charme de la marina et des petits chalets aux alentours. Quelques autres parois vertigineuses et c'est l'arrivée dans le Saint-Laurent. Selon les marées, ce passage est presque à considérer comme un franchissement de rapides. Avec un peu de chance, avant de terminer dans la baie de Tadoussac, un dernier moment intense nous attend: la présence d'un petit rorqual en plein repas!

Repères

www.parcsquebec.com
1 800 665-6527 ou (418) 674-1200

Différents parcours *d'une journée et plus sont possibles à partir du Cap-Jaseux, de Rivière-Éternité, de L'Anse-Saint-Jean, de l'Anse de Saint-Étienne et de Tadoussac.*

Sécurité et navigation: *Le fjord présente de véritables conditions de mer. Les courants sont forts et imprévisibles, et la météo est capricieuse. Les kayakistes autonomes doivent donc prendre toutes les précautions nécessaires avant de partir. La carte de randonnée nautique (6 $) indique notamment les kilométrages précis et les marées.*

Suivez le guide! *Si vous n'avez pas un excellent niveau en kayak, il est fortement recommandé de faire une excursion guidée avec un des membres accrédités de l'association Aventure Écotourisme Québec.*
www.aventure-ecotourisme.qc.ca

Association touristique du Saguenay-Lac-Saint-Jean.
www.bleuvacances.ca • 1 800 463-9651

Réservation d'emplacements de camping rustique
www.parcsquebec.com • 1 800 665-6527 ou (418) 272-1556

Parc marin du Saguenay–Saint-Laurent
www.parcmarin.qc.ca • 1 800 773-8888

Le fjord du Saguenay
www.fjordsaguenay.com

Infos météo: *(418) 235-4771*

Sentier des Murailles

Les grandes murailles du Saguenay

© Emmanuel Chaillon

C'est l'un des derniers venus des sentiers de **longue randonnée hivernale**. Méconnues pendant de nombreuses années, Les Murailles ont longtemps été visitées par quelques assoiffés d'expéditions extrêmes. Près de 15ans ont passé, le sentier a conquis plusieurs adeptes et continue de charmer ses fidèles. En plein cœur des paysages accidentés du Bas Saguenay, ses 100 kilomètres dévoilent Les Murailles sous tous ses angles. Du fond des vallées au bord des parois, en **ski nordique** ou en **raquettes**, il y a matière à se concocter des parcours de tous niveaux. À découvrir… ou à revisiter !

Le lac Emmuraillé, d'une longueur de deux kilomètres, porte bien son nom: étroit et encadré de parois rocheuses infranchissables, il a pour seules issues ses deux extrémités. C'est près de l'une d'elle que trône le **refuge**: somptueux endroit fait de bois rond débité sur place où il fait bon s'arrêter. Au matin, le lac nous invite à une dernière visite pour embrasser du regard ses parois ensoleillées. Puis, changement de décor: nous nous enfonçons dans le bois pour longer une rivière. Le soleil qui tente de percer entre les arbres dégarnis vient illuminer les formations de glace sur les bords du ruisseau. Magique…

Un défilé de paysages toujours renouvelés: c'est cela, le sentier Les Murailles. Ici, un lac gelé bordé de formes étranges de neige soufflée et glacée par le vent, là un point de vue sur l'immense arrière pays sauvage. Ailleurs, au lac Cardinal, c'est un **cirque glaciaire** qu'on découvre à mesure qu'on descend jusqu'à lui et sa vallée sinueuse où règnent et se régénèrent les bouleaux jaunes centenaires. Cascades de glace, traces de lapins, d'orignaux ou d'autres animaux non identifiés apportent aussi leur lot de plaisir aux yeux. Et pour encadrer ces décors, tout au long du sentier, les parois rocheuses se laissent apprécier tantôt depuis leurs pieds, tantôt depuis leurs sommets. Amateurs d'escalade de glace, n'oubliez pas votre matériel !

Sommets et tentes prospecteurs

Gestionnaire du sentier Les Murailles depuis neuf ans, la Coop Quatre Temps rénove un à un les hébergements du sentier. Fières de sa renommée acquise entre autres grâce au confort de ses authentiques lits brêlés, Les Murailles sont restées fidèles aux tentes prospecteurs. Une conception renouvelée leur donne un look cathédrale et permet une capacité améliorée de huit personnes.

La tente du mont Édouard, lieu culte des « **télémarkistes** » et berceau de la poudreuse, est facilement accessible à partir du pied de la montagne. À deux bonds de belette de votre couche, les pentes soyeuses sont à vous avec vue sur le village de L'Anse-Saint-Jean et sa réputée rivière à saumons. En passant par le sommet (11 km) ou par le plus court sentier qui ne nous oblige pas à remonter (7 km), on dévale la face cachée d'Édouard et subitement, entre les vallons apparaît le lac Tout Nu et sa tente, elle aussi revitalisée. Vous êtes seul au monde…

De ce petit lac aux anecdotes salées, on se dirige vers la tente Cardinal. Encore ici, vos cris et lamentations n'auront point d'échos, sauf peut-être une rafale tournoyante vous confirmant votre progression sur un plateau dont l'altitude se situe entre 600 et 700 mètres. La distance pour ce tronçon est de huit kilomètres.

Le camp Dagenais permet de faire des **excursions de cinq nuitées**! Il a fière allure, cramponné à un versant dont l'ascension donne du fil à retordre en fin de parcours. Pratiquement abandonné parmi les escarpements, il offre une vue spectaculaire sur un « champ de montagnes ». Ce petit bijou au cachet rustique et festif accueille confortablement une douzaine de personnes à l'étage. On y accède à partir du village de Petit-Saguenay par une **randonnée** de 10 kilomètres, tronçon caché et peu utilisé ponctué de quatre belvédères dont le vertigineux Cap à Donjean. Et si le lendemain le flegme de redescendre venait à nous envahir, un raccourci de 4 kilomètres permet d'atteindre la sortie sans trop de douleur.

Dans les noms de lacs ou de rivières, comme dans les paysages, Les Murailles sont partout. Formations géologiques comparables, en miniature, à celle qui a créé le lit du fjord, elles donnent au Bas Saguenay ses décors escarpés. Et le fjord, direz-vous? Ne comptez pas l'apercevoir depuis Les Murailles: il ne fait pas partie de ces vallées…

À chacun son parcours

En plus d'être beau et diversifié, ce sentier est doté d'un avantage majeur: tout en étant très sauvage, il demeure accessible en plusieurs points. Ainsi, on peut le découvrir partiellement le temps d'une fin de semaine et choisir une portion selon son niveau. Car ici, il y a de tout: du plus facile et confortable (quelques kilomètres avec ou sans relief pour rejoindre l'un des deux refuges par leur accès le plus rapide) au plus aventureux (des dénivelés de quelques centaines de mètres, avec coucher en tentes prospecteur).

Il faut toutefois garder en tête qu'en hiver, la difficulté d'un sentier non tracé est très variable. Elle dépend des conditions météorologiques, de la quantité de neige accumulée et du passage ou non d'autres groupes qui l'auront tracé ou tapé avant vous. Malgré l'interdiction des motoneiges sur le sentier, il arrive tout de même qu'elles l'empruntent. Aussi désagréable que puisse être leur passage, leurs traces facilitent le nôtre.

Autant le savoir: ce sentier est presque un classique hivernal. Réservez tôt!

© Emmanuel Chaillon

Repères

Sentier Les Murailles

www.coop4temps.com/murailles/index.htm (418) 272-1110

Carte disponible dans le site Internet.

Longueur: *100 km linéaires de sentiers balisés non tracés, avec boucles techniques optionnelles, auxquels peuvent s'ajouter les 30 km du sentier des Caps du parc national du Saguenay (www.fjordenhiver.com). Distance maximale entre deux hébergements: 17 km.*

Hébergement: *Camp Dagenais (12 places), 3 tentes prospecteur (7-8 places) et refuge du lac Emmuraillé (12 places), d'autres projets devraient voir le jour prochainement.*

***Transport** de véhicules offerts.*

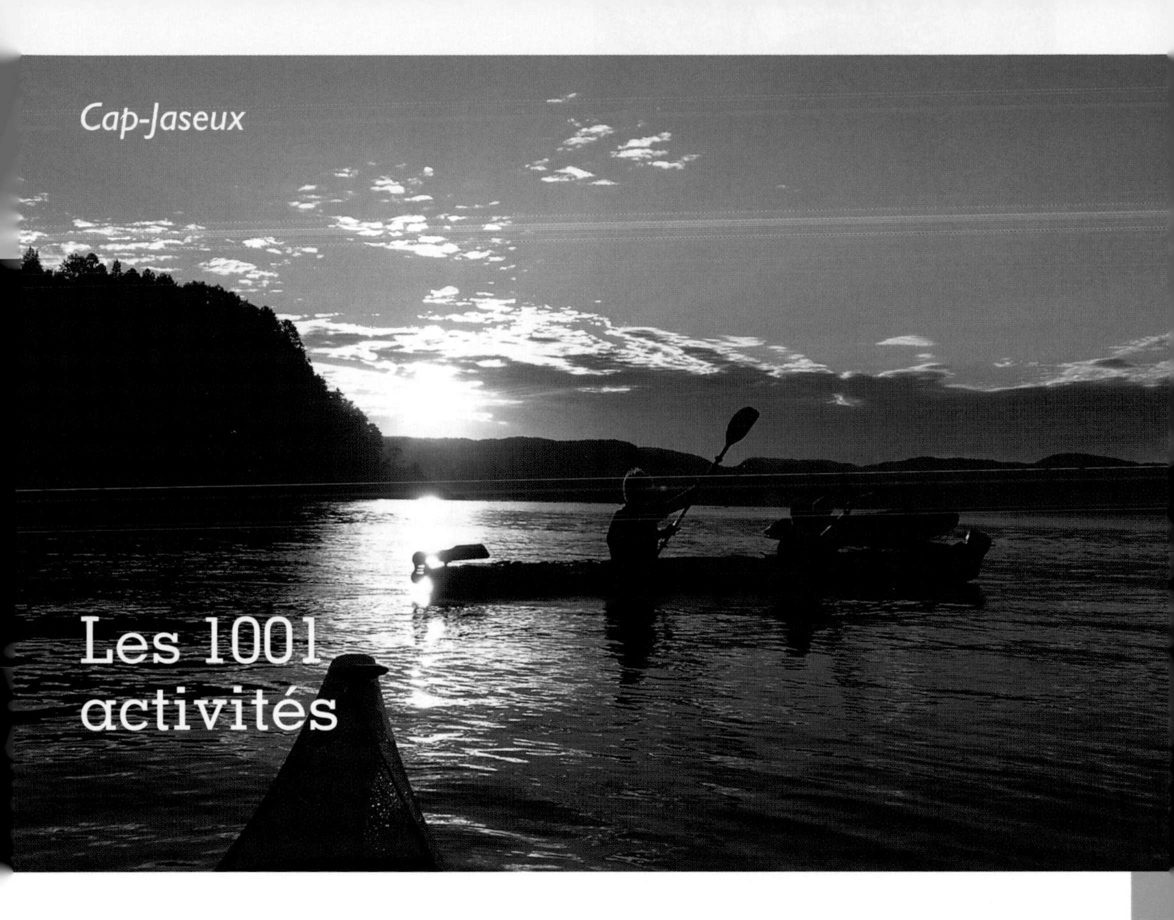

Au ras de l'eau sur le fjord ou très haut dans les monts Valin, la région du Saguenay ne manque pas de relief. Au **Parc Aventures Cap Jaseux**, basé à Saint-Fulgence, sur la rive est du fjord près de Chicoutimi, toutes les activités sont à portée de la main et à portée de tous... un emplacement idéal pour passer des **vacances en famille** ou entre amis.

La star du Parc Aventures c'est la **cabane dans les arbres**. Suspendus à 10 mètres du sol, deux chalets sont accrochés dans la forêt avec **vue imprenable sur le Saguenay**. Pas d'électricité ni d'eau dans les branches, mais tellement exotique pour une nuit! Le camping (toilettes avec eau et électricité) reste une solution à la portée de toutes les bourses. Les cabines en bois rond sont un peu plus chères, mais très conviviales avec la petite terrasse, le foyer et la table de pique-nique.

Comme un super héros

Parcourir les airs à toute vitesse comme les supers héros, attraper la liane et marcher sur le pont suspendu, grimper sur le filet et s'accrocher à la tyrolienne... le parcours d'arbre en arbre mobilise la tête, les bras et les jambes! Le Parcours Fjord en Arbres extrême est composé de plus de 34 jeux aériens repoussant les limites du possible en expérimentant une totale liberté de voltige grâce aux filets qui assurent notre sécurité en cas de chute... ce qui ne manquera pas d'arriver! Sueur, adrénaline et fous rires garantis! On profite volontiers des plates-formes pour admirer la vue imprenable sur le Saguenay en faisant une petite pause au milieu de cette balade aérienne de deux heures environ. Plus d'action? Essayez les nouvelles tyroliennes géantes.

Le Parc Aventures Cap Jaseux propose également le Parcours Fjord en Arbres Régulier, plus accessible aux moins téméraires, ainsi qu'un parcours Jeunes Explorateurs adapté aux plus petits.

Au fil du roc

La via ferrata est une activité très ancienne originaire des Alpes italiennes. Au Cap Jaseux, on évolue au-dessus du Saguenay, en grimpant sur le métal et sur la pierre. Grâce à deux longes et un harnais, le grimpeur en herbe s'assure lui-même au câble de sécurité (la «ligne de vie») le long duquel il se déplace. Les ancrages permettent de grimper dans des dièdres de rochers ou des parois très verticales. Une belle façon pour les grands et les petits de s'initier à la roche!

Kayak à la brunante

Le soleil baisse à l'horizon. Les vacanciers plient bagages à contrecœur et désertent les plages, mais pas vous. Pagaie en main, c'est le moment idéal pour sortir en kayak et admirer les lumières du soir. La surface du

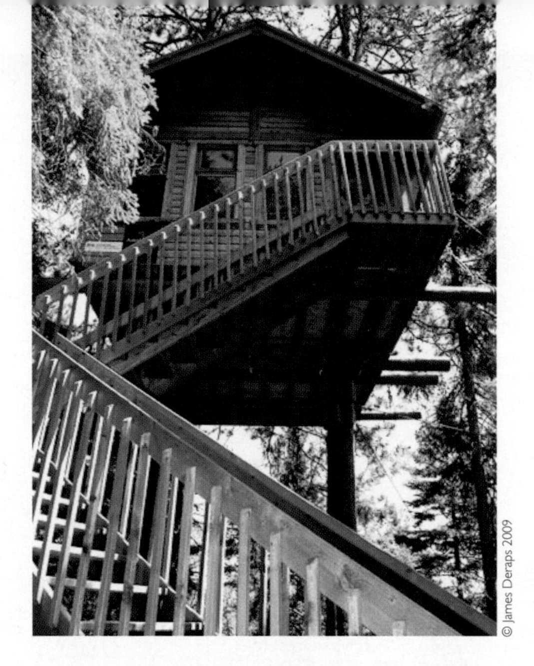
© James Deraps 2009

fjord devient complètement lisse et revêt une couleur argentée. Pendant que vous attendez le coucher du soleil, le guide vous initie aux techniques de radeau et de sauvetage. Le disque rouge se cache enfin. Il est temps de rentrer doucement avant la nuit. Pour les lève-tôt, il existe la même formule à l'aube.

Sensations fortes

Une embarcation de rafting se laisse emporter dans les rapides de la rivière Shipshaw. Les participants s'accrochent bien au pneumatique, et les remous sont déjà loin. Le kayakiste de sécurité multiplie les acrobaties et les figures pendant les portions calmes pour épater les apprentis rafteurs. Et quand le guide demande : «on y retourne?» personne ne refuse ce petit frisson supplémentaire.

Repères

Sentiers pédestres: *10 km*

Autres activités: *vélo de montagne, voile, canot, baignade, planche à voile, kayak de mer, parcours aérien d'aventure, pêche, ski de fond, raquette.*

Services: *restauration, aires de pique-nique*

Hébergement: *2 maisons dans les arbres, 12 cabines en bois rond, 27 sites de camping sauvage, 26 sites camping avec services.*

Saison: *toute l'année.*

Accès: *selon l'activité choisie.*

www.capjaseux.com
(418) 674-9114 • 1 877 698-6673

Repères

Aux alentours

Cow-boy du Saguenay

Rares sont les ranchs au Québec qui élèvent plus d'une dizaine de chevaux. À Saint-Honoré, à 40 minutes de Saint-Fulgence, Monsieur Robitaille en possède 29, en plus de la trentaine qui lui sont confiés en pension dans son **ranch La Martingale**. *Les sentiers de randonnées s'étirent sur des kilomètres autour du domaine, dans la forêt ou dans les champs. Promenades de quelques heures à plusieurs jours.*
(418) 673-4410

La rivière qui serpente

Au cœur du parc national des Monts-Valin s'écoule la rivière du même nom. Ce petit cours d'eau et ses affluents serpentent dans une végétation assez rase, et permettent une navigation tout à fait originale en canot. Armé de sa rame et d'une solide huile à mouches, le canoteur pourra apprécier la vue sur les sommets alentour. Compter trois heures pour un aller-retour jusqu'au lac Bélanger en commençant par remonter le courant (très calme) de la rivière Bélanger.
www.sepaq.com • (418) 674-1200

Outarde ou bernache?

Le Centre d'Interprétation des Battures et de Réhabilitation des Oiseaux *(CIBRO) de Saint-Fulgence accueille chaque année des milliers d'oiseaux sauvages. Situé sur la flèche littorale du Saguenay c'est le repaire des oiseaux blessés ou orphelins et le plus important site migratoire du Saguenay. Trois kilomètres de sentiers permettent d'observer le grand-duc d'Amérique, la corneille et le pygargue à tête blanche. Avec son aire de pique-nique et son accès par la Route Verte, le CIBRO est tout destiné pour une petite promenade à la découverte du merveilleux monde des oiseaux.*
www.cibro.ca • (418) 674-2425

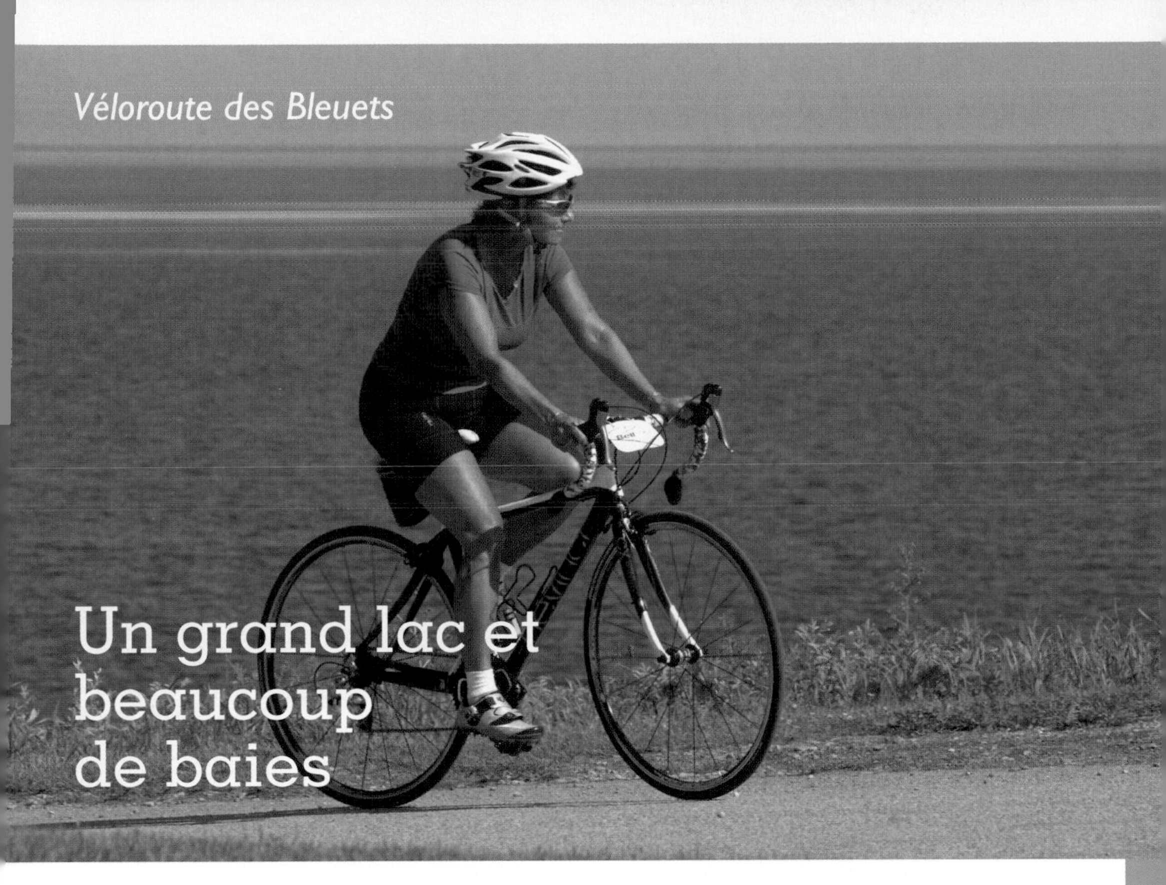

Un grand lac et beaucoup de baies

Les bleuets du Lac-Saint-Jean sont impressionnants, mais la **Véloroute des Bleuets** l'est tout autant! Ceinturant cet énorme lac qui a donné son nom à la région, l'étonnant **circuit cyclable de plus de 256 kilomètres** traverse 15 municipalités et la communauté montagnaise de Mashteuiatsh. Son parcours composé de pistes cyclables, d'accotements asphaltés et de chaussées désignées, permet aux marcheurs, aux adeptes du patin à roues alignées et aux cyclistes de toutes catégories, d'admirer de magnifiques paysages. Officiellement ouverte en juin 2000, elle concrétise un rêve de cyclotourisme.

Malgré son important tour de taille, cette boucle n'est lourde ni sur le moral ni sur les mollets. Docile, le tracé est accessible à tous, et il y a tant de choses à voir et à faire qu'il est difficile de s'y ennuyer. Allant de ville en village, la piste s'ouvre sur des paysages tantôt riverains, tantôt ruraux. À plusieurs reprises, la vue qui donne sur le lac est phénoménale. Souvent, celui-ci prend des airs de mer et, le soir venu, le soleil vient l'enflammer en s'y noyant. On atteint l'un de ces points de vue exceptionnels après avoir traversé les champs de Métabetchouan-Lac-à-la-Croix.

À mentionner également: le marais de Saint-Gédéon; Val-Jalbert, sa superbe chute et son village fantôme; Roberval, où l'eau vient presque taquiner les pédales; la superbe rivière Péribonka; les vallons bucoliques de Delisle; et la fameuse « friche » du nord du lac. Sans oublier les plaines agricoles de Saint-Prime, le parfum des champs de bleuets de Dolbeau-Mistassini et le charme notoire des «Bleuets» du Lac.

Parmi les attraits touristiques qui s'immiscent entre les paysages et agrémentent le voyage: le Zoo sauvage de Saint-Félicien, le Musée Amérindien de Mashteuiatsh, les nombreuses plages sablonneuses, les bleuetières, le parc national de la Pointe-Taillon et les Grands Jardins de Normandin. Une escapade d'environ une semaine sur ce circuit permet de goûter à un peu tout.

Repères

www.veloroute-bleuets.qc.ca
1 866 550-4541

Autres infos touristiques:
www.bleuvacances.ca • 1 877 253-8387

Autres activités nautiques

C'est l'aviron qui nous mène !

Rivière aux Écorces

Le défi des débutants

À l'intérieur de la **Réserve faunique des Laurentides**, à mi-chemin entre Québec et Chicoutimi, on trouve un **superbe parcours de 34 kilomètres** menant du Lac aux Écorces à la route 169. Ce parcours présente des atouts de taille pour les débutants sportifs: rivière sauvage, mais facile d'accès, sites de camping rustiques (toilettes sèches, tables, trous à feu et poubelles) et une douzaine de rapides de niveau II, en moyenne. Un parcours suffisamment sportif, pour vous faire apprécier la balade, mais pas trop technique pour ne pas décourager les néophytes. La randonnée sur cette rivière au courant moyen et à la largeur moyenne se déroule dans un paysage résineux enchanteur. Vous pourrez tracer la route jusqu'à l'accueil en une seule journée. Mais pour bien s'imprégner du coin, il faut dormir au **site de camping des Bouleaux**, à 19 kilomètres du départ. On peut ainsi explorer les environs et taquiner la truite aux endroits réservés à cette fin. Le profil discontinu de la rivière ne cache rien de bien dangereux; cela dit, ceux qui passeront sous le pont de la route 169 devront faire gaffe à d'éventuels débris résultant de la réfection du pont.

Repères

Réserve faunique des Laurentides (Rivière aux Écorces)

www.sepaq.com ou (418) 846-2161 (en saison) ou (418) 528-6868 (hors saison)

- *Randonnée en eau calme accessible à la plupart des gens. Pour plus de sensations, continuer au-delà de la route 169. Cette portion n'est pas entretenue par la Sépaq. Les treize premiers kilomètres offrent une difficulté moyenne, qui augmentera par la suite jusqu'à l'embouchure du Pikauba.*
- *Éviter la période d'étiage (plus bas) et les crues dans les sections difficiles (après la route 169).*
- *Plusieurs portages sont disponibles tout le long de ce segment.*
- *L'eau y est potable et la pêche permise le long du parcours avec un droit d'accès.*

Pour s'y rendre: *de Québec, prendre la route 73, devenant la route 175. À trente kilomètres de l'Étape, tourner à gauche à la route 169 et se rendre jusqu'au poste d'enregistrement Gîte du Berger (kilomètre 38). Un chemin forestier mène au départ du circuit.*

Rivière Ashuapmushuan

Le silence des orignaux

La rivière Ashuapmushuan est **l'un des principaux affluents du lac Saint-Jean** et aussi l'une des dernières frayères de la Ouananiche, cousine d'eau douce du saumon de l'Atlantique. En montagnais, son nom signifie « là où on guette l'orignal ». Parlant, non? Mais certains eurent l'idée de lui donner un autre surnom, à la suite de l'actualité des dernières années: « L'échappée belle ». En effet, au mois de février 2003, Hydro-Québec annonçait qu'il renonçait définitivement au développement hydroélectrique de la rivière. Jusqu'à cette date, le devenir de la rivière était resté en sursis.

Traversant **la réserve faunique Ashuapmushuan**, la rivière du même nom se définit comme une classique parmi les rivières sportives du Québec. **Canotable du début juin à la fin septembre, même par eau basse**, elle propose à certains le calme et la solitude, à d'autres le défi d'une descente à la mesure de leurs aspirations. À tous, elle offre un contact intime et authentique avec une nature sauvage et grandiose.

Prenant sa source au nord-ouest du Lac, l'Ashuapmushuan est une destination idéale pour qui veut faire une expédition de **canot-camping de difficulté moyenne**. La randonnée peut s'échelonner d'une fin de semaine à 14 jours, au choix des envies et de la vitesse à laquelle les canoteurs désirent avancer. Certains tronçons sont accessibles à tous, tandis que d'autres (surtout les derniers 80 kilomètres avant l'arrivée au lac) présentent un niveau de difficulté plus élevé en raison des rapides de classe RI à RIV qui l'émaillent. Traversant une région à la nature luxuriante, l'Ashuapmushuan est tout à la fois un défi sportif et un havre de paix. Bien avant de les voir, on entend l'un des attraits les plus spectaculaires de ce cours d'eau, **les chutes Chaudière**. Les roches incrustées de granit rose ont subi, sous l'assaut de l'eau, une érosion qui a formé des marmites. À voir et à contempler !

Repères

Réserve faunique Ashuapmushuan

www.sepaq.com • (418) 256-3806

Ce trajet comporte neuf points d'accès entre le km 251 et l'embouchure de la rivière, pour un total de 204 kilomètres navigables. La réserve offre le service de navette et de location d'équipement.

H2O expédition et aventure – Métabetchouane et Ashupamushuan

www.aventure-expedition.com • 1 800 789-4765

Québec Raft - Mistassibi

www.quebecraft.com • (418) 618-RAFT (7238)

Rivière Mistassini

Longue de 298 kilomètres, la rivière Mistassini est une des grandes rivières du Québec facilement accessible grâce à un chemin forestier. En canot ou même en kayak de mer, les 92 derniers kilomètres, classés faciles, menant à Girardville, se font en eau calme avec un léger courant en plein cœur de la forêt boréale. Avec cinq sites de camping rustique, dix mises à l'eau et une signalisation à tous les cinq kilomètres, cette rivière est **un excellent tremplin pour les débutants et les petites familles**. Apportez votre canne à pêche, car cette rivière foisonne de brochet et de dorés.

- L'eau y est potable et la pêche permise le long du parcours avec un droit d'accès.
- Pour s'y rendre: à partir de Québec, prendre la route 73, devenant la route 175. À une trentaine de kilomètres de l'Étape, tourner à gauche à la route 169 et se rendre jusqu'à Albanel dans le nord du Lac-Saint-Jean. Emprunter le Cinquième rang menant à Girardville, tournez à gauche sur la route principale qui deviendra le chemin forestier longeant la rivière Mistassini. Des bornes kilométriques indiquent la distance parcourue.
- Pour le **service de navette**, la location de canot, le service de guide ou l'hébergement: *www.domainedelarivieremistassini.com*

Rivières Métabetchouane et Mistassibi

En **canot rabaska**, en **luge d'eau** ou en **rafting**, tous les moyens sont bons pour découvrir les rivières de cette région. La rivière Metabetchouane (à partir de Desbiens) et la rivière Ashuapmushuan, à Saint-Félicien, vous garantiront fraîcheur et sueurs chaudes tout en vous permettant d'expérimenter des embarcations qui sortent de l'ordinaire. Les ados adorent! Les plus aguerris opteront pour une expérience à couper le souffle sur une rivière de calibre international, la rivière Mistassibi (Saint-Stanislas).

Sur la route des Jésuites

L'autre parcours de la réserve faunique des Laurentides demeure un grand classique. Il fut utilisé par les autochtones et est devenu, par la suite, un segment du «Sentier des Jésuites». Son exploration permet de s'imaginer dans la peau d'un découvreur du temps de la colonisation.

Le tracé est très bien entretenu, les portages (16) bien situés et les aires de repos (17) judicieusement disposées. Pas besoin d'être un expert pour effectuer cette randonnée, mais la longueur de l'expédition (**68 km en 4 jours**) incite à partir à deux embarcations pour plus de sécurité. La première journée vous permettra de traverser le grand lac Métascouac et le lac Berthiaume, beaucoup plus étroit. Si vous partez tôt, vous pourrez luncher au **Chalet Hirondelle**. Ce n'est que par la suite qu'on rencontre les premiers rapides (de R-I à R-IV). Peu après le lac Thétis, on atteint le lac Goizel, où on peut passer la nuit. Le trajet du lendemain vous fait traverser une section où l'on peut jeter une ligne et espérer pêcher son dîner, que l'on prendra au **refuge Métascouac**. Le dodo se fera près d'une chute de sept mètres qui exige plusieurs centaines de mètres de portage à ceux qui sont moins habiles. Une autre chute, encore plus haute (10 mètres), pourra être contemplée lors du jour 3; une autre zone de pêche nous y attendra. En ce qui concerne le paysage, cette section s'impose sans doute comme la plus variée. Le coup d'envoi de la dernière journée se donne du lac Long. Ouvrez grand les yeux, car ce coin abrite une faune assez dense. Vous aurez une dernière chance de pêcher avant votre arrivée au refuge du rapide Croche.

Repères

Réserve faunique des Laurentides (Route des Jésuites)

www.sepaq.com ou (418) 846-2161 (en saison) ou (418) 528-6868 (hors saison)

- *Cette randonnée offre deux possibilités d'hébergement: camping rustique (tel que décrit au parcours de la rivière aux Écorces) ou refuge (premier arrivé, premier servi).*
- *Lors de grands vents, le lac Métascouac (départ) devient difficile à naviguer. Choisir une journée calme pour entamer le voyage.*
- *Préférer les moyennes et hautes eaux.*

Stationnement: *gratuit. Vous pouvez stationner une voiture près du refuge du rapide Croche et aller chercher celle restée au refuge Taillefer.*

Pour s'y rendre: *suivre les indications pour le Gîte du Berger (poste d'enregistrement). Une fois arrivé, vous n'aurez qu'à rouler 58 km sur la route forestière 36 pour atteindre le refuge Taillefer (carte disponible).*

Ouverture: *de mi-mai à mi-septembre (appeler pour connaître la date précise).*

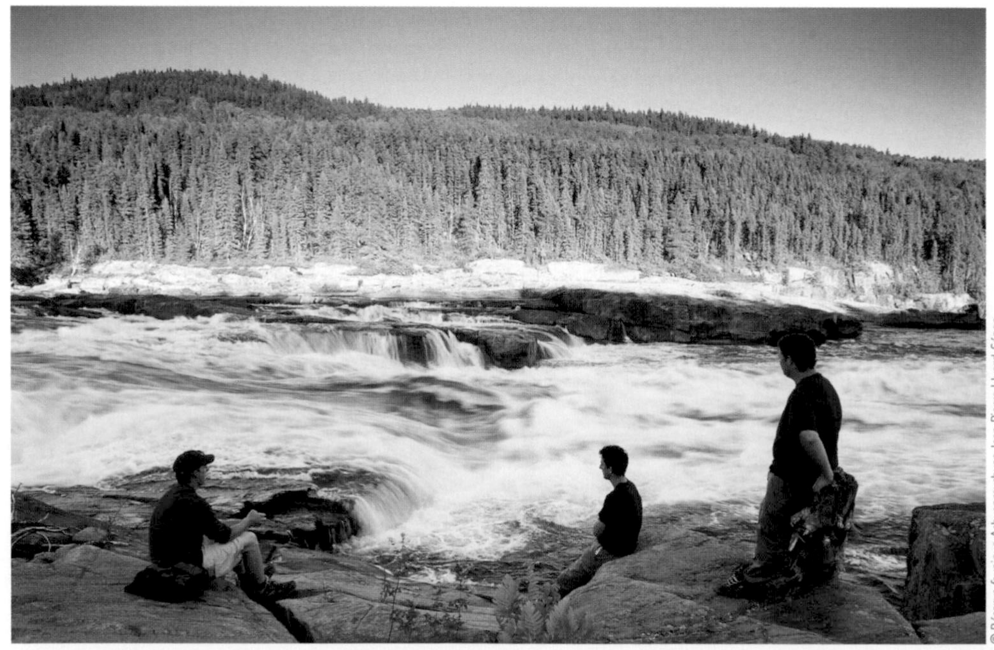

© Réserve faunique Ashuapmushuan, Jean-Pierre Huard, Sépaq

Autres pistes

Parc national de la Pointe-Taillon

Fatigué du trafic? Pour les vacances en famille, le parc national de la Pointe-Taillon est la destination parfaite. Installée sur la rive nord du lac Saint-Jean, cette oasis de 92 kilomètres carrés n'est pas troublée par les vrombissements de moteurs : on y circule seulement en vélo ou en kayak de mer. Fini le pare-chocs à pare-chocs! Essayez plutôt la petite remorque (location sur place). Les cinq terrains de camping, totalisant 80 emplacements, sont respectivement situés à 2, 3, 4, 20 kilomètres du stationnement ainsi que sur l'île Bouliane. En plus des sites de camping rustique, la formule « prêt-à-camper » en tente Huttopia est également disponible. Désertée dans les années 1920, cette presqu'île a su préserver son caractère sauvage et unique. Au sud, de vastes plages de sable fin bordent le lac Saint-Jean. Au nord, la magnifique rivière Péribonka laisse susurrer ses eaux calmes. Enfin, des activités d'interprétation de la nature s'ajoutent aux nombreuses autres qu'il est possible de pratiquer dans ce parc.

La piste cyclable, longue de 45 kilomètres, ceinture la presqu'île de Pointe-Taillon dans sa totalité, ce qui permet d'apprécier le parc sous toutes ses coutures! Et comme le terrain est plat, on a tout le loisir d'observer les paysages en toute tranquillité.

Bordé par un immense lac et deux rivières aux eaux calmes, le parc offre plusieurs environnements de choix pour canoter seul ou en famille (location sur place).

www.parcsquebec.com • 1 800 665-6527

Escalade à Ville Saguenay

Avec ses 250 voies de tous les styles, Ville Saguenay constitue une destination de choix pour l'escalade. Elle se distingue par la localisation d'une majorité de parois en zone urbaine. Les voies sont donc facilement accessibles et à proximité les unes des autres. Le voisinage et les services de la ville n'enlèvent rien au cachet nature de l'activité, qui se déroule néanmoins dans un cadre grandiose, à proximité du fjord du Saguenay et loin des foules. Pour connaître les conditions d'accès, informez-vous auprès du Club de Montagne du Saguenay.

Club de Montagne du Saguenay
cms.uqac.ca • Pierre Beaulieu (418) 693-3389

Centre de plein air Bec-Scie (La Baie)

Vingt kilomètres de sentiers pédestres, dont 4 km agrémentés de belvédères surplombant le gouffre et permettant d'admirer le canyon de la Rivière-à-Mars.
Sentiers pédestres : trois pistes totalisant 20 km.
Sentiers de ski de fond : 8 pistes totalisant 80 km.
Sentiers de raquette : Quatre pistes totalisant 22 km.
Autre activité : vélo de montagne.
Location : ski de fond, raquettes, lampe frontale.
Services : restauration, salle de fartage, relais chauffés.
Saison : toute l'année.
Accès : selon l'activité choisie.
(418) 697-5132.

Club Norvégien (Jonquière)

Soixante-cinq kilomètres de sentiers de ski de fond et 15 kilomètres de sentiers de raquette. En soirée, un sentier de quatre kilomètres est éclairé. Le site sera rouvert à l'hiver 2010-2011 à la suite d'un feu qui a détruit le bâtiment principal.
Sentiers de ski de fond : 11 pistes totalisant 67 km.
Sentiers de raquette : quatre pistes totalisant 15 km.
Location : skis de fond, raquettes.
Services : piste éclairée, salle de fartage, tente prospecteur.
Saison : hiver.
Accès : frais d'entrée.
www.skidefondlenorvegien.com • (418) 546-2344.

Club Perce-Neige (Bégin)

Au programme de ce centre quatre-saisons : randonnée pédestre en été, ski de fond et raquette en hiver.
Sentiers de ski de fond : trois pistes totalisant 25 km.
Sentier de raquette : cinq km.
Autre activité : randonnée pédestre
Location : skis de fond, raquettes.
Services : casse-croûte, chalet chauffé.
Saison : toute l'année.
Accès : gratuit.
(418) 672-4270.

Domaine du Lac Ha! Ha! (Ferland-Boileau)

Pour agrémenter les loisirs des petits et des grands : sentiers pédestres et de vélos, étang de pêche, aires de jeux, canotage et kayak
Sentiers pédestres : cinq pistes totalisant 30 km (facile, intermédiaire et expert).
Sentier de vélo : 12 km (difficile) et plus ou moins entrenues
Autres activités : baignade, canot, kayak, pêche en lac et en étang, pédalo, grille d'animation complète pour les 3 à 97 ans.
Location : vélos, canots, kayaks, chaloupes, pédalos.
Services : Service de traiteur, animation.
Hébergement : 71 sites de camping aménagés, 19 chalets.
Saison : été (de mai à octobre).
Accès : selon l'activité choisie.
www.vacancesviva.com
(418) 676-2373 • 1 877 976-2373.

Aventuraid (Girardville)

Destination de grande aventure, Girardville est la porte d'entrée de la grande forêt boréale. En traîneaux à chiens l'hiver ou à bord d'un canot l'été, c'est l'occasion de partir en expédition d'une durée de un à 21 jours pour découvrir la nature sauvage et les grandes rivières du Lac-Saint-Jean.
Sentiers de raquette : 10 km de sentiers autour des enclos de loups.
Autres services : Parc Mahikan – Centre d'observation du Loup. Observer deux meutes de loups (arctiques et gris) dans des enclos.
Hébergement : Chalet, camp, tentes prospecteur. Possibilité de dormir entre les deux meutes de loups dans le chalet « l'Atypique ».
www.aventuraid.qc.ca • (418) 258-3529

Centre de vacances Ferme 5 Étoiles (Sacré-Cœur)

Ferme familiale alliant de nombreux choix d'hébergement, des activités d'élevage d'animaux (orignaux, loups, bisons, cerfs...), ainsi que son milieu naturel exceptionnel donnant accès au fjord du Saguenay.
Étendue : 750 acres
Dénivelé : 300 m.
Sentiers pédestres : deux pistes totalisant 10 km.
Sentiers de vélo : deux pistes totalisant 12 km.
Sentiers de ski de fond : deux pistes totalisant 11 km.
Autres activités : Kayak de mer, canot, observation, baignade, tennis, pêche, motoneige, traîneau à chien, raquette, glissade, pêche blanche. ⇨

Location : Motoneiges, raquettes, skis de fond, kayaks de mer, canots, vélos de montagne
Services : restauration, salle de réunion, salle de réception,
Hébergement : 2 campings, camping sauvage, 18 chalets, camping d'hiver, igloo, yourte, tipi
Saison : toute l'année.
Accès : tarif selon l'activité choisie.
www.ferme5etoiles.com
(418) 236–4833 • 1 877 236–4551.

Mont Lac-Vert (Hébertville)

Station récréotouristique où l'on peut pratiquer, en hiver, le ski alpin et la planche à neige, mais également la glissade sur tube et la raquette avec remontée en télésiège. Hors saison, on peut y faire une promenade sur les 45 kilomètres de sentiers pédestres avec points de vue sur le lac Kénogami et la plaine du lac Saint-Jean, ou encore faire du vélo de montagne avec remontée.
Dénivelé : 240 m.
Sentier de raquette : 45 km.
Autres activités : vélo de montagne (avec remontée), randonnée pédestre, ski alpin, planche à neige, miniski, raquette, glissade.
Location : ski alpin, planche à neige, miniski.
Services : restauration, boutique, halte-garderie.
Hébergement : camping rustique, refuge, dortoir.
Saison : toute l'année.
Accès : selon l'activité choisie.
www.montlacvert.qc.ca • (418) 344-4000.

Vélo Saint-Félicien/Club Tobo-ski

À dix kilomètres de Saint-Félicien se trouve un vrai paradis pour les amateurs de vélo de montagne : un centre entièrement dédié à ce sport, où un dédale de 25 pistes court sur plus de 80 kilomètres. Près du centre d'accueil, un vélo-parc regroupe plusieurs exercices utiles pour développer ses habiletés techniques : petits ponts étroits, descentes abruptes sur rochers ainsi qu'ateliers de sauts et de virages courbés. Pour les Tarzan en herbe, un parcours d'hébertisme comprenant dix tyroliennes est offert. Pour ceux qui préfèrent rester au sol, plusieurs sentiers pédestres sont également accessibles. L'hiver, le centre offre des pistes de ski de fond tracé ou non ainsi que des sentiers de raquette.
Sentiers de vélo : 25 pistes totalisant 80 km.
Sentiers de ski de fond : huit sentiers totalisant près de 50 km. Tous tracés pour le ski classique et le ski de patin.
Sentiers de raquette : quatre sentiers balisés totalisant 18,4 km.
Niveau : facile à expert.
Autres services : location de vélo de montagne, salle de fartage.
Hébergement : camping rustique avec chalet d'accueil offrant les services essentiels.
www.velostfelicien.com • (418) 679-5243.

Réserve faunique Ashuapmushuan

Avec plus de 1200 lacs et rivières, toute la splendeur de la réserve faunique Ashuapmushuan se découvre à bord d'un canot. La grande forêt boréale est l'endroit de rêve pour profiter de la générosité de mère Nature, car les cours d'eau abondent de poissons et les forêts de bleuets, framboises et champignons comestibles !
Attrait : Chutes Chaudières (au km 68)
Sentiers pédestres : courts sentiers à la Chute Chaudière
Séjours canot-camping : Plusieurs lacs, rivière Ashuapmushuan – 2 à 14 jours
Pêche-camping : Lac Charron (km 178)
Location : Canot et équipement.
Services : Chalets, campings, camps rustiques, service de navette.

Information touristique générale
Tourisme Saguenay-Lac-Saint-Jean
412, boul. Saguenay Est, local 100
Chicoutimi (Québec) G7H 7Y8
www.saguenaylacsaintjean.ca
• (418) 543-9778 • 1 877 253-8387

Saison : fin mai à début novembre.
Accès : Inscription obligatoire à l'entrée.
www.sepaq.com • 1 800 665-6527

Zec Chauvin

La zec Chauvin possède un territoire couvrant une superficie de 615 kilomètres carrés. Que ce soit pour une randonnée pédestre ou pour l'observation de la nature et de la faune locale, c'est l'endroit idéal pour se ressourcer. On y pratique aussi le vélo de montagne et le canot sur l'un des 249 lacs. Parmi les attraits naturels à découvrir, les frayères, lieux de reproduction des poissons et amphibiens, la chute au lac Ulric, le monte-truites du lac Manounne, et la chute du ruisseau Épinette, valent le détour.
Services : 64 emplacements de camping munis de toilettes sèches, et un mini dépanneur. Saison : Mi-mai à la fin octobre
www.zecchauvin.zecquebec.com • (418) 236-9357

Zec des Passes

Les visiteurs viennent à la zec des Passes pour y cueillir le célèbre bleuet de la région, ou encore diverses variétés de champignons, ou bien pour faire du canot, du camping sauvage, de la randonnée en nature et se baigner. On y compte 900 lacs (dont 600 sont exploités pour la pêche), et cinq rivières sont accessibles pour les canoteurs (nombreuses rampes de mise à l'eau).
Services : Camping, dépanneur-restaurant, carte topographique de la zec disponible à l'accueil.
Saison : Le poste d'accueil ouvre au début de mai et ferme vers le milieu d'octobre.
Accès : La zec est située à 60 kilomètres d'Alma et à 120 kilomètres de Chicoutimi. Ses 90 kilomètres de chemin principal sont bien entretenus et carrossables même en voiture. Peu de lacs sont difficiles d'accès.
zecdespasses.zecquebec.com
(418) 668-3136 (en saison) • (418) 373-2368

Zec La Lièvre

Son vaste territoire de 950 kilomètres carrés est parsemé de 125 lacs. La randonnée y est l'activité de prédilection des amateurs de plein air. Plusieurs sentiers permettent aux marcheurs de se promener dans la forêt et de se régaler au passage de bleuets et framboises. On trouve entre autres un sentier menant à un site de camping et de pêche. Au lac Trottier, un sentier d'interprétation explique l'environnement typique de la région. Le vélo de montagne peut se pratiquer dans tous les sentiers de la zec. Enfin, un superbe camping sauvage offre quinze emplacements, gage de tranquillité absolue.
Services : sur place, un mini-dépanneur.
Saison : de la mi-mai à l'automne (24 novembre)
Accès : payant
www.zeclalievre.com
(418) 679-7258 • (418) 275-3552

Oser un autre plein air

Au-delà des activités classiques, le plein air québécois se déguste de bien d'autres manières. Pimentées à l'adrénaline ou mijotées dans la contemplation, ces quelques vingt activités récréosportives sauront vous faire apprécier autrement - et encore plus - les grands espaces du Québec.

Sports aérotractés

Toutes voiles dehors

Jeu d'enfant prisé depuis des millénaires, le cerf-volant est devenu l'activité de l'heure pour les plus grands. Une simple brise et le cerf-volant de traction (l'appellation anglophone *kite* est répandue dans le milieu) permet de surfer sur l'eau, de glisser sur les grandes étendues glacées ou enneigées - jusqu'à 100 km/h selon les vents! -, de s'envoler en figures spectaculaires et même de rouler en buggy sur les plages. Avec autant de lacs et de côtes maritimes bien dégagés et exposés au vent, le Québec est un véritable eldorado pour ces sports aérotractés!

Maître du vent

Cette structure gonflable et dirigeable, qui ressemble à un parapente, se dirige à l'aide de poignées ou d'une barre de navigation. On contrôle le « moteur » écologique en déplaçant la voile dans les différentes fenêtres de vent et en se servant de son corps (muni d'un harnais) pour contrer la traction éolienne, comme en planche à voile. Facile à manier, le cerf-volant de traction n'en demande pas moins une solide formation de départ. Trop d'imprudents se sont pris pour Icare sans respecter la puissance de la voile et celle des éléments. Le cours de base et quelques heures de pratique statique au sol sont nécessaires au débutant avant de tenter des pirouettes au milieu d'un lac. Si le souffle charmeur du vent fait son oeuvre, il faut ensuite débourser de 1000 $ à 1500 $ pour la voile et le harnais. Côté glisse hivernale, une vieille paire de skis alpins fera très bien l'affaire.

Jumelages multiples

Une foule de possibilités connexes existent pour ceux qui trouvent le surf ou le ski tractés un peu trop extrêmes. On peut utiliser le cerf-volant avec un kayak et narguer ainsi le courant du fleuve ou faire fi de l'inertie d'un lac. Les partisans de la terre ferme ne se trouvent pas en reste. Il y a d'abord le buggy, ce petit véhicule à trois roues, avec lequel le cerf-voliste se promène sur des surfaces gazonnées ou sablonneuses. Selon le même principe, on peut aussi combiner le cerf-volant avec le *mountain board* (planche à roulettes munie de cale-pieds et montée sur des roues tout terrain) et le *dirtsurfer* (une planche plus mince avec une petite roue de vélo aux extrémités).

Une version bien de chez nous

Parallèlement à la formule du cerf-volant de traction, un autre de type de voile compte ses adeptes dans la Belle Province. Une création locale, le Paraskiflex, semble se rapprocher un peu plus de l'idée de la planche à voile mais sans planche; en effet, la voilure est tenue à moins grande distance de l'usager et se contrôle via une barre en forme de T. Certains laissent croire que cette version québécoise est plus « douce » que le *kite* classique, mais il y a de quoi douter d'une telle affirmation lorsqu'on regarde les cabrioles des initiés!

Go!

De nombreux endroits sont propices à la pratique du cerf-volant au Québec. Le vrai paradis des sports de vent se trouve toutefois aux **Îles de la Madeleine**, *l'archipel jouissant de conditions climatiques idéales.*

- *Ceux qui s'intéressent particulièrement au paraskiflex ont aussi droit à un site spécialisé, qui répertorie les lieux d'initiation et de ventes.*
  www.paraskiflex.ca

Quelques écoles *(certaines sont certifiées par l'organisme associatif Aventure Écotourisme Québec et respectent un code de sécurité normatif).*

- *Aérosport (Îles-de-la-Madeleine et Parc national d'Oka)*
  www.aerosport.ca • 1 866 986-6677
- *Traction Sport + (Laprairie)*
  www.tractionsports.com • (514) 867-1965
- *École Mouvents (Magog, Sherbrooke, Îles-de-la-Madeleine)*
  www.mouvents.com (819) 571-7022
  (418) 986-7122
- *Big Air (Trois-Rivières et Québec)*
  www.ecolebigair.com • (819) 228-9887
  1 866 918-9887
- *Coop O'Soleil - Progression Kite (Lac Saint-Jean)*
  www.osoleil.ca • www.progressionkite.com
  (418) 345-8080 (été)
  (418) 590-5041 (hiver)
- *Kite Extreme (Venise-en-Québec et Philipsburgh)*
  www.kiteextreme.com • (514) 831-5483
- *KiteForce (Montréal)*
  www.kite-force.com • (514) 691-3314
- *Voiles 4 Saisons (St-Antoine-de-Richelieu)*
  www.voiles4saisons.com • (450) 587-8917
- *Air Adrénaline (Gaspé)*
  www.airadrenaline.ca • (418) 361-2046

Ski de haute route et télémark

Skier autrement

Envie d'explorer de nouveaux sommets? L'appel des contrées lointaines et des vastes horizons se fait de plus en plus pressant? Si le ski alpin et la planche à neige ne vous donnent plus pleine satisfaction et limitent vos ambitions, il est peut-être temps de troquer vos traditionnelles planches pour quelque chose de différent.

Ski de haute route

Il y a le champ de poudre fraîche, le silence et la nature. Paysages immaculés. Et il y a le sommet : cette cime enneigée que vous atteindrez bientôt en sueur et skis au pied pour mieux dévaler la pente conquise quelques instants plus tard. Bienvenue en ski de haute route!

L'exigence cardio du ski de haute route, aussi appelé ski de randonnée, attire un nombre croissant d'amateurs de montagne en quête de silence absolu et de poudreuse. À mi-chemin entre son cousin de fond hors-piste et le ski alpin « *backcountry* », celui de haute route se distingue avant tout, côté équipement, par sa fixation hybride : mobile à la montée, mais maintenant le talon en mode alpin à la descente. Muni de peaux de phoques ajustées sous les planches, le skieur est alors seul avec ses jambes et son cœur devant le dénivelé!

Sport de masochiste de l'avis d'observateurs lointains, il procure à tous les convertis des sensations intenses, des plaisirs bruts et rares. Partir au petit matin et voir les sommets s'éclairer alors que l'on monte encore dans l'ombre. Voler du regard la beauté des paysages dans ce silence incroyable, les battements du cœur retrouvant le rythme de ses pas. Et, après l'effort, éprouver la satisfaction ultime d'une glisse en pleine nature, serpentant entre les sapins et s'amusant des bosses.

La sécurité, toujours

Cette approche du ski, si séduisante soit-elle, implique d'abord une attitude de montagnard averti. Dans l'immensité blanche, chacun trace son petit bonhomme de chemin. Mais gare aux avalanches! En territoire hors-piste, les coulées de neige ne sont pas des faits isolés et la création du Centre d'avalanches de la Haute-Gaspésie, à l'automne 1999, n'est pas un hasard.

En ce sens, dans le nécessaire de départ, les indispensables peaux de phoques — aujourd'hui synthétiques — côtoient un trio devenu aussi incontournable : la pelle, la sonde et l'ARVA (appareil de recherche des victimes en avalanches) émetteur-récepteur porté sous les vêtements. Suivre les traces d'un guide agréé s'avère une bonne solution de départ pour goûter aux premières sensations…

La tâche de l'ouvreur est toujours plus ardue et les diverses qualités de neige pimentent plus ou moins son rôle. Voilà pourquoi les équipiers alternent en général cette position en tête.

Le télémark

Comme les amateurs de haute-route, les adeptes du télémark ne passent pas inaperçus sur les cimes enneigées. Avec un rythme plus lent, aux allures d'une valse sportive, ce cousin du ski alpin ouvre les portes des sentiers les plus sauvages.

Position gracieuse, virages élégants... On s'arrête spontanément pour regarder danser les télémarkeurs. Hypnotisés par leur adresse, nous sommes nombreux à penser qu'il faudrait bien un jour entrer dans la danse.

Bien que le télémark soit synonyme de liberté, il n'en est pas plus facile. Outre la connaissance de la montagne et du phénomène des avalanches en hors-piste, le candidat à la « génuflexion » doit s'attendre à une activité physique plus exigeante que le ski alpin.

Réapprendre à skier

Lors des premières descentes, les virages en télémark sont rarement parfaits. Pour accélérer l'apprentissage et prendre tout de suite le bon pli, un cours d'initiation est toujours une bonne idée. La fluidité du mouvement détrompe la facilité d'un geste qui se révèle somme toute assez complexe.

La technique du télémark consiste à enchaîner des virages en position de génuflexion avec le talon du ski « amont » relevé. Le pied « aval » (le ski directeur) est poussé vers l'avant alors que le pied « amont » (le ski suiveur), talon bien relevé, se tient sur la pointe. Le poids du corps est réparti presque également sur les deux skis. Les bras sont en avant et les hanches se balancent dans une valse fluide. Contrairement au ski alpin, les pieds sont rarement côte à côte; ils ne font que se rapprocher le temps d'un croisement entre les virages.

Cette technique gracieuse permet de descendre les pistes damées des centres de ski ou de rejoindre les pentes de poudreuse plus éloignées. La liberté du talon permet aussi des remontées plus faciles à l'aide de peaux de phoque et, ainsi, l'accès à des zones hors-pistes sauvages.

L'innovation du matériel est en grande partie responsable de l'accroissement de la popularité de ce sport. Les débutants trouvent ainsi confort et équilibre pour s'élancer sur des terrains variés. On voit aujourd'hui des télémarkeurs sur des pistes de tout acabit, dans les champs de bosses et comme sur les terrains vierges!

Go!

Télémark Québec et Ski Québec
www.telemarkquebec.qc.ca
(514) 252–3089

Dans les centres de ski : *Les monts Sutton, Orford, Comi et le Massif du Sud, tout comme Jay Peak, dans le Vermont, offrent de bons terrains hors-piste pour s'essayer à la montée en peaux de phoques en haute route. Ils sont aussi idéaux pour pratiquer le télémark.*

Une mecque au Québec : *Pour les amateurs de haute route et de télémark, le massif escarpé des Chic-Chocs, recouvert de plusieurs mètres de poudreuse cinq mois par an, demeure LA destination de ce côté-ci du pays.*

L'Auberge de montagne des Chic-Chocs inclut dans ses forfaits des sorties guidées en ski de haute route ainsi que des cours d'initiation aux avalanches, avec tout le matériel fourni. Séjour de trois nuits minimum.
www.chicchocs.com

Variations sur un thème

Le bloc : la grimpe à l'état pur

Imaginez-vous en train de consommer votre dernière molécule de glycogène, le corps tendu à vous en briser les tendons pour lutter contre la gravité, l'esprit vide de tout, sauf de ce mouvement précis qui vous permettra de relever le défi ultime. Voilà en quelques mots l'escalade de bloc! Cette discipline ne nécessite ni corde, ni harnais, puisqu'elle se pratique à des hauteurs limitées (moins de dix mètres). Cependant, les parois utilisées sont en général très techniques. En langage de grimpeur, cela veut dire « se défoncer sur un bout de roche pour obtenir satisfaction, quitte à y laisser quelques couches de peau au passage ».

Le minimum de matériel requis offre aux adeptes de l'escalade de bloc une grande liberté et leur procure un sentiment de communion totale avec la roche. En fait, le grimpeur ne pourra compter que sur ses chaussons sélectionnés pour leur sensibilité, son tapis de réception (avec des bretelles confortables pour le transport), son sac de magnésie et sa petite brosse (une brosse à dents fera l'affaire pour le débutant). Mais, surtout, pour atteindre cette quasi inaccessible prise, il ne devra se fier qu'à lui-même.

Car, en bloc, chaque seconde est précieuse. Si après avoir adopté une position vous réfléchissez trop longtemps au prochain mouvement, c'est l'échec assuré! La difficulté est si élevée et la demande énergétique si grande que le grimpeur n'a d'autre choix que de réaliser ses mouvements dans un délai très court. Misant peu sur les déplacements où le corps est constamment en contact avec la roche, il opte plutôt pour les mouvements dynamiques où l'impulsion est mise à profit.

Grimper, oui, mais où? Difficile de faire plus simple: trouvez un bloc et grimpez. Dans les forêts, au bord des plages, bref, partout où il y a des rochers de bonne taille, des cailloux géants, des blocs de roches merveilleux quoi! Plus spécifiquement, **Val-David** dans les Laurentides, **le mont Orford** dans les

Go!

Fédération québécoise de la montagne et de l'escalade (FQME)
www.fqme.qc.ca
(514) 252-3004 ou 1 866 204-3763

Passe-montagne
www.ecole-escalade.com
(819) 323-6987

Centre d'escalade Délire
www.delirescalade.com • (418) 658 8016

Cantons-de-l'Est et **le mont Wright** près de Québec offrent des sites exceptionnels.

Pour débuter, l'idéal est de contacter un centre d'escalade intérieure et de participer à une initiation pendant la saison hivernale. Vous y apprendrez la gestuelle, la manipulation de votre tapis de réception, le parage (protection en cas de chute), la préparation physique et psychologique et, bien sûr, le jargon! Pourquoi l'hiver? Parce que quelques mois d'entraînement musculaire ne sont pas de trop pour affronter vos premiers blocs naturels, qui sont le plus souvent de niveau intermédiaire ou avancé. Ainsi, vous serez fin prêt lors de l'arrivée des beaux jours!

La glace : à vos piolets!

En attendant de pouvoir vous attaquer à votre premier bloc, pourquoi ne pas défier la gravité sur une cascade de glace? L'hiver, sous l'action du froid, même les plus minces filets d'eau qui coulent le long des falaises peuvent se transformer en magnifiques piliers étincelants sous le soleil hivernal.

Au Québec, pas besoin de chercher bien loin pour débusquer l'un de ces glaçons. Bien sûr, il faut déjà être autonome et maîtriser les techniques de premier de cordée pour se hasarder seul sur ces parois glissantes. Pour les novices, il est préférable de faire appel à un moniteur expérimenté pour découvrir les plaisirs de cette activité vertigineuse.

Après une courte marche d'approche, on est prêt pour l'aventure. Harnais, corde, crampons aux pieds, piolets aux poings : nous voilà parés. Crac! Un premier coup de piolet. Cric! Les crampons s'ancrent dans la glace. Un dernier regard vers le bas et on entame le trajet vers le but ultime, tout là-haut. Progressivement, la glace gagne notre confiance. Non, elle ne va pas s'émietter sous notre poids comme un glaçon dans un mélangeur : c'est du solide! D'ailleurs, il faut souvent s'y prendre à plusieurs reprises pour y coincer son piolet. Et, pour le novice, c'est justement la force qu'il faut déployer qui constitue la principale difficulté. Rien d'insurmontable toutefois et, de fait, l'escalade de glace est une activité très accessible. Que ce soit pour une initiation ou un cours complet, sur paroi naturelle ou tour artificielle, c'est un sport à découvrir.

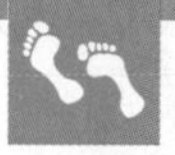

Go!

Quelques pistes pour s'initier :

Les chutes Montmorency
La Mecque de l'escalade de glace dans la province. Les formations sont données par Aventurex ; la compagnie organise également le Festival Québec en Glace The North Face.
www.rocgyms.com
(418) 647-4422 • 1 800 762-4967

Maïkan aventure
www.maikan.ca
(819) 694-7010 • 1 877 694-7010

Chinook Aventure
www.chinookaventure.com
(514) 456-8379 • (450) 252-7244
1 888 599-0999

Autres contacts :

Fédération québécoise de la montagne et de l'escalade (FQME).
www.fqme.qc.ca • (514) 252-3004
1 866 204-3763

École nationale d'escalade du Québec
www.eneq.org • info@eneq.org

Coopérative des guides d'escalade du Québec
www.cogeq.com

EscaladeQuebec.com (répertorie plusieurs sites au Québec et dans le monde)
www.escaladequebec.com

À lire :

Le guide de référence par excellence : ***Guide des cascades de glace et voies mixtes du Québec,*** *par Stéphane Lapierre et Bernard Gagnon.*

© Slackline Montreal

En plus du matériel également utilisé pour l'escalade de rocher (harnais, système d'assurage, corde et mousquetons), vous aurez besoin de deux piolets, quelques vis à glace, un casque, une paire de bottes et des crampons. Cela dit, comme un équipement neuf est assez coûteux, il est conseillé de profiter des services de location offerts dans certaines boutiques de plein air, ainsi que sur les lieux d'initiation à l'escalade.

Slackline : pour une vie équilibrée

Le « *slacklining* », c'est comme marcher sur un trampoline large de 2,5 centimètres. À un pied du sol ou à plus de 1000 mètres de hauteur, ce funambulisme nouveau genre s'impose peu à peu.

Les adeptes du *slacklining* marchent sur une sangle élastique plutôt qu'un câble rigide et n'utilisent pas de balancier. L'expérience est dynamique : la sangle s'étire et rebondit selon les mouvements du corps. Chaque muscle s'engage et pas question d'avoir l'esprit ailleurs pour cette méditation en mouvement!

Techniquement apparenté à l'art du cirque, le *slacklining* moderne a pourtant vu le jour dans le monde de l'escalade à Yosemite, en Californie, vers la fin des années 1970. Complément naturel aux aptitudes de grimpe, l'exercice d'équilibre s'est vite répandu. Skieurs, *snowbarders* et bien d'autres l'ont depuis adopté. La *slackline* a l'avantage de développer la proprioception : le corps devient plus efficace dans le mouvement. Grandement sollicités, les muscles stabilisateurs se renforcent et contrôlent mieux les articulations.

Mais pour pratiquer, il faut d'abord mettre l'ego aux oubliettes! L'activité s'aborde avec un esprit d'enfant, prêt à jouer et à lâcher prise. Activité sociale, plusieurs adeptes font d'ailleurs leurs premiers faux pas sur une sangle tendue entre deux arbres dans un parc. Êtes-vous prêt à... réapprendre à marcher?

Go!

Disciplines : trickline *(courte sangle tendue au ras du sol);* ***longline*** *(très longue sangle et jusqu'à quelques mètres de hauteur);* ***highline*** *(sangle tendue à une hauteur vertigineuse);* ***rodeoline*** *(sangle relâchée entre deux ancrages).*

Équipement : *82$ pour un ensemble de base de Gibbon (gibbon-slacklines.com); 160$ pour un kit complet de Mammut (mammut.ch); Slackline Montréal vend de kits complets à prix concurrentiel.*

Pour essayer : *Depuis 2009, Slackline Montréal fait essayer le* ***slacklining*** *les beaux dimanches d'été près des tam-tams au parc du Mont-Royal. Le regroupement a aussi ouvert un centre intérieur en 2010 à Montréal où l'on peut s'entraîner ou prendre des cours pour débutants.*

Slackline Montréal
slacklinemontreal.com
slackline.com
balancecommunity.com

Parcours aériens d'aventure

Moi, Tarzan, toi Jane

Les parcours proposés dans les populaires parcs aériens d'aventure - qui se sont multipliés au fil des années - nous rappellent tantôt les aventures d'Indiana Jones et tantôt celles de Tarzan. Aménagés à la cime des arbres, ces sentiers d'hébertisme nous font voir la forêt d'une toute autre façon. Cordes, échelles, pont de singe et autres installations permettent de se promener d'arbre en arbre et de défi en défi.

« Ahhhhhhh! » Il n'en faut pas plus pour que certains se glissent dans la peau de l'homme à la liane. De drôle de cris, longs et forts, sortent des fins fonds du parc et mettent dans l'ambiance.

Une petite séance d'initiation donne l'occasion de se sentir plus à l'aise avec l'attirail de l'aventurier (poulie, harnais, mousquetons). Cet équipement permet de s'attacher à une ligne de vie (un solide câble) qui, en cas de chute, nous maintiendra en l'air et, donc, en vie. ⟹

© Aventure Lafleche

Go!

D'Arbre en Arbre *opère un* **réseau d'hébertisme** *pour les petits et les grands dans toute la province - à Cap-Chat, Mirabel, Saint-Félicien, Saint-Pacôme, Shawinigan, Drummondville, et Mont-Laurier -, en plus de « succursales » dans certains centres de villégiature (à la Station touristique de Duchesnay, dans Portneuf, et à Baie-des-Sables au Lac-Mégantic, dans les Cantons-de-L'Est).*
www.arbreenarbre.com

Arbraska *opère trois sites, à Rawdon (Lanaudière), Mont-Saint-Grégoire et Rigaud (Montérégie).*
www.arbraska.com • 1 877 886-5500

Aventure Laflèche *(Val-des-Monts, Outaouais)*
www.aventurelafleche.ca
(819) 457-4033 • 1 877 457-4033

Acronature *(Morin Heights, Laurentides)*
www.acronature.com • (450) 227-2020

Centre d'aventures Le Relais
(Lac Beauport, Québec)
www.skirelais.com • (418) 849-1851
1 866 3RE-LAIS

La Forêt de Maître Corbeau
(Saint-Gabriel-de-Rimouski, Bas-Saint-Laurent)
www.domainevalga.com
(418) 739-4000

Arbre aventure *(Eastman, Cantons-de-l'Est)*
www.arbreaventure.com
• (450) 297-2659 • 1 866 297-2659

Arbre Sutton *(Sutton, Cantons-de-l'Est)*
www.arbresutton.com • (450) 538-6464
1 866 538-6464

Via Batiscan *(Saint-Narcisse, Mauricie)*
www.viabatiscan.com • (418) 328-3599

Parc Aventures Cap Jaseux
(Saint-Fulgence, Saguenay)
www.capjaseux.com • (418) 674-9114
1 888 674-9114

Sentier Suspendu de la Forêt de l'Aigle
(Maniwaki, Outaouais)
www.foretdelaigle.com • 819-449-7111
1 866 449-7111

Le Jardin des glaciers *(Baie-Comeau, Manicouagan)*
www.jardindesglaciers.ca
• (418) 296-0182 • 1 877 296-0182

Le test réussi, il ne reste plus qu'à voler de station en station, en solitaire ou avec un guide (chaque centre a sa formule). Dans tous les cas, on n'est jamais vraiment seul puisque des guides sillonnent en permanence le site, au cas où des acrobates se trouveraient en difficulté. Chacun respecte son rythme, mais il faut être quelque peu en forme. Jouer à Tarzan et à Jane, c'est faire travailler intensément tous ses muscles, durant plus de deux heures et demie.

Les grands sportifs, comme les triathlètes, s'entraînent parfois sur ces circuits aériens; c'est une activité de plein air très complète pour la mise en forme. Mais pas besoin d'être un champion pour se faire « tourner la tête » : ces parcs proposent plusieurs parcours dont les niveaux de difficulté et la hauteur augmentent progressivement. Certains sont même adaptés aux enfants.

Pour se « mettre en jambe », des itinéraires de découverte offrent une balade à une hauteur de quatre mètres environ avant de passer aux choses sérieuses, à six mètres ou plus au-dessus du plancher des vaches! S'attacher et se détacher de sa « ligne de vie » devient rapidement un réflexe. Et il ne reste plus qu'à profiter des attractions : grand pont suspendu (sorte d'échelle horizontale dont les barreaux sont irréguliers), des ponts népalais ou tibétains, des cordes de singe et bien sûr les fameuses tyroliennes (un câble, tendu entre deux arbres, au bout duquel on se laisse glisser).

Et ceux qui considèrent **l'hiver** comme un ami n'ont qu'à enfiler quelques couches de vêtements supplémentaires pour se **lancer à l'aventure au milieu des arbres enneigés.** Au préalable, n'oubliez toutefois pas de vérifier si les centres sont ouverts et profitez-en pour réserver votre place.

© James Deraps

Viva la via ferrata!

Hybride entre l'escalade et les parcours aériens d'aventure, les *via ferrata*, ou « chemins ferrés », sont des parcours aménagés à flanc de parois, originaire des montagnes autrichiennes. À vous d'utiliser les câbles, les échelles, les barreaux et les passerelles pour vous déplacer en toute verticalité.

Parmi les nouveaux venus dans le domaine, Via Batiscan (en Mauricie) offre un parcours d'une longueur 200 mètres au-dessus des rapides et des chutes de la rivière. De son côté, le parc national du Mont-Tremblant propose des parcours permettant d'admirer les montagnes environnantes et d'en apprendre plus sur le milieu naturel. La *via ferrata* du Jardin des glaciers de Baie-Comeau permet quant à elle de découvrir d'impressionnant points de vue, et d'examiner les traces laissées dans le roc par les derniers glaciers.

Plus près de Québec, sur le site de l'imposante chute Sainte-Anne (74 mètres), différents circuits sont proposés par les guides de Canopy Canyon. Dans Charlevoix, les Palissades sont réputées pour les panoramas grandioses qu'on peut y admirer (entre deux efforts). Et pour ceux à qui le froid et la glace ne font pas peur, un **circuit hivernal** a été emménagé au parc de la Chute-Montmorency.

Go!

Via Batiscan *(Saint-Narcisse, Mauricie)*
www.viabatiscan.com • (418) 328-3599

Parc national du Mont-Tremblant
www.sepaq.com
(819) 688-2281 • 1 800 665-6527

Le Jardin des glaciers *(Baie-Comeau, Manicouagan)*
www.jardindesglaciers.ca
(418) 296-0182 • 1 877 296-0182

Arbraska Rawdon
www.arbraska.com
(450) 834-5500 • 1 877 886-5500

Arbre aventure *(Eastman, Cantons-de-l'Est)*
www.arbreaventure.com
(450) 297-2659 • 1 866 297-2659

Parc Aventures Cap Jaseux
(Saint-Fulgence, Saguenay)
www.capjaseux.com
(418) 674-9114 • 1 888 674-9114

Via ferrata *encadrée par l'école d'escalade Roc Gyms sur les sites Canyon Sainte-Anne, Palissades de Charlevoix et Parc de la Chute-Montmorency (version hivernale).*
www.rocgyms.com
1 800 ROC-GYMS • (418) 647-4422

Vélo de montagne

Verts, les sentiers!

© Sébastien Larose

Le vélo de montagne se porte bien au Québec. Le nombre de membres augmente à chaque année. Les adeptes du cross-country représentent environ 80% de la clientèle. C'est un sport olympique, un loisir familial et contemplatif aussi. Mais la discipline qui procure des sueurs froides et suscite des *oh!* et les *ah!*, c'est la descente. Importée de la Côte-Ouest canadienne, la descente se pratique sur sentiers accidentés, de préférence en *single track* (une seule trace) et droit dans la pente!

Sur la pente descendante

Les adeptes sont jeunes et leur performance n'a pas de limite : le plaisir se confond avec le dépassement de soi, le style fluide et bondissant s'inspire du terrain, et la vitesse transcende l'action.

Pour débuter, rien n'oblige à la témérité inconsidérée! Suivre une initiation et s'équiper correctement suffira pour assurer sécurité, confort et... plaisir dans la pente!

Et c'est tout un attirail qu'il faut être prêt à enfiler sans rechigner : un ensemble de pare-chocs pour les tibias, les genoux, les coudes, le torse, les avant-bras et la tête (le casque est obligatoire), ainsi que des gants pour les mains.

Léger baume sur les plaies qui surviendront pas la suite, l'ascension est gagnée d'avance. Vive la télécabine! Il est ensuite temps d'enfourcher le vélo, un véritable bijou de technologie doté notamment de freins hydrauliques et d'une double suspension, dont le prix varie peut facilement dépasser les 4000 $. Un petit conseil de pro avant le grand départ : se servir du frein droit, pour éviter les *loopings* pardessus le guidon!

Une fois parti, le chemin, parsemé d'obstacles, de trous et de bosses, défile entre l'ombre des arbres verts, jaunes ou rouges selon la saison, et la lumière dorée qui filtre entre leurs branches. Le regard avale chaque mètre à la recherche du meilleur passage, rythmé par les battements de notre cœur. L'instinct (de survie?) fait parfois craindre de prendre de la vitesse. Vite, appliquer les freins! Les bras encaissent alors les vibrations dans le guidon, plus qu'ils ne les contrôlent... Et hop! on se retrouve dans le décor! Une fois, puis une deuxième, puis... Malgré les bleus et les égratignures qui s'accumulent, les appréhensions s'envolent vite! On comprend que tout le haut du corps travaille lors de la descente, en plus des jambes qui absorbent les mouvements du vélo.

Mais il suffit de se décontracter un peu, et surtout de laisser le vélo « travailler » pour que les prises de courbes, les ondulations du terrain et les roches sous les roues attisent le plaisir! On apprendra tôt ou tard qu'il vaut mieux ne jamais bloquer la roue avant et se tenir le plus loin possible sur sa selle, particulièrement quand la pente est abrupte. ⟹

Cross-country : des sentiers qui se multiplient

Le cross-country est la plus structurée des disciplines de vélo de montagne et ne cesse de gagner en popularité, notamment grâce à l'Association pour le développement des sentiers de vélo de montagne qui a vu le jour en 2004. Avec l'expertise de l'ADSVMQ, la durabilité des sentiers, les techniques de drainage et de conception ont été améliorées. La visibilité obtenue par le cross-country aux Jeux olympiques n'est pas étrangère non plus à sa popularité.

Les centres les plus réputés sont Bromont et Mont Sainte-Anne, mais Saint-Félicien, Terrebonne, East Hereford, Coaticook, Massif du Sud et Vallée Bras-du-Nord possèdent également des installations dignes de mention. Pour les férus, misez sur le sentier de longue randonnée de la Traversée de Charlevoix pour des paysages spectaculaires qui s'étalent sur une centaine de kilomètres.

Mont Sainte-Anne s'avère le seul site à l'échelle planétaire à accueillir un événement sanctionné par l'Union Cycliste Internationale (UCI) depuis les débuts de la discipline, soit en 1991. Pour profiter des soirées d'été, peut-être souhaiterez-vous prendre la direction de Terrebonne où le Groupe plein air propose une compétition en onze étapes présentée chaque mercredi soir de mai à août. Ne manquez pas d'encourager les *Coccinelles* et *Bibittes* de 5 ans et plus.

North Shore : vélo à l'épreuve

Le *North Shore* n'était pas très connu au tournant des années 2000 mais il l'est un peu plus aujourd'hui. Sur un « deux roues » ultra perfectionné, les *riders* descendent des parcours ponctués de nombreux modules, ponts et passerelles de bois (plus ou moins étroites et suspendues dans les airs); ils franchissent les obstacles ingénieux, fesses à l'arrière de la selle, tout en vitesse, précision et légèreté. Les parcours sont souvent construits et entretenus par eux.

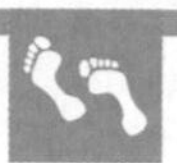

Go!

Fédération des sports cyclistes du Québec
www.fqsc.net • (514) 252-3071

Association pour le développement des sentiers de vélo de montagne au Québec
www.adsvmq.org

Comme un poisson dans l'eau

FESTIVALS D'EAU VIVE

Pour assister à la maestria des hommes et femmes des rivières, les différents évènements québécois d'eau vive sont des rendez-vous de choix. Plusieurs organisent des initiations, parfait excuse pour goûter en toute sécurité au fruit de la passion... des rivières!

- *Festival d'eau vive de la Gatineau (Maniwaki - fin août)*

  Concours de canot, kayak et rafting sur une superbe section de 8 km avec des rapides à gros volume de classes III et IV.

www.gatineau.org

- *Festival annuel de la rivière Kipawa (Laniel - juin)*

  Deuxième plus vieux festival d'eau vive en Amérique du Nord, le festival est ouvert à tous les pagayeurs.

www.kipawariver.ca/fre/rally.html

- *Festival d'eau vive de la Gaspésie (Murdochville - avril)*

  Nouveau festival depuis 2008. Allez découvrir la beauté majestueuse des rivières au cœur des Chic-Chocs.

www.chic-chac.ca

- *Festival Vagues en ville (Québec, fin avril)*

  Lancement du début de la saison de kayak, canot et rafting. Profitez de la crue du printemps pour descendre la Saint-Charles, car elle n'est pas praticable tout l'été. À quelques minutes du centre-ville de Québec.

www.societerivierestcharles.qc.ca/VEV.html

- *Rendez-vous d'eau vive de la rivière Assomption (Saint-Côme - avril)*

  Descente de 16 km dans un milieu sauvage en canot ou en kayak et en bonne compagnie.

www.canotvolant.ca

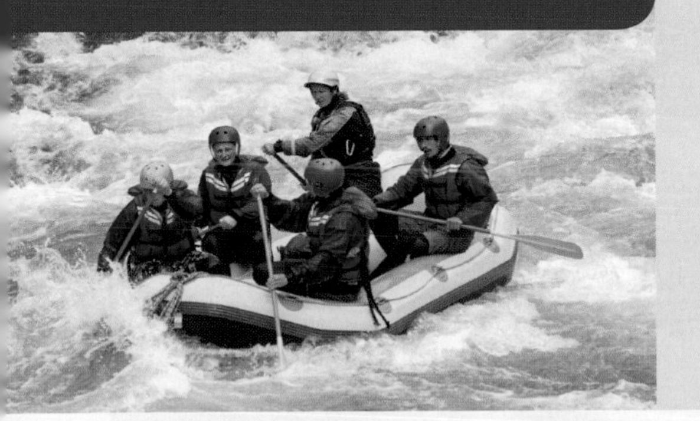

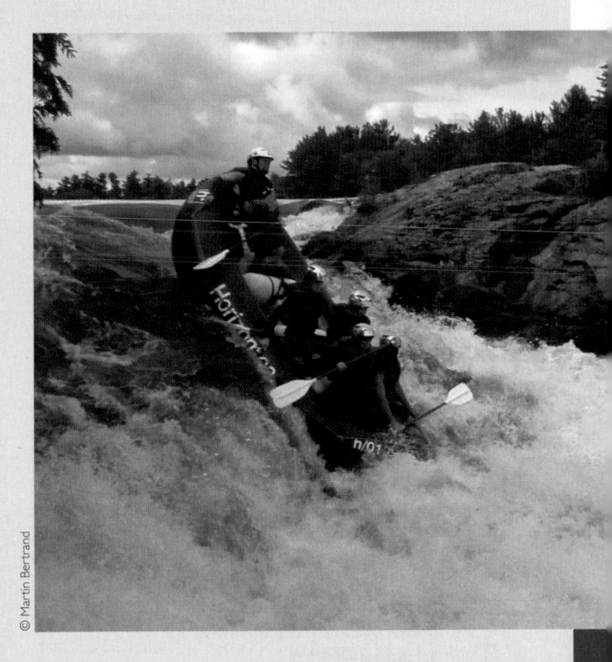

© Martin Bertrand

Le Québec est une mecque des sports d'eau vive, avec plus de 4500 rivières et près de 500000 lacs à découvrir. Pour une balade en famille ou une descente de casse-cou, ces routes naturelles permettent de découvrir toute la beauté sauvage et naturelle du territoire. En raft, en canot ou en kayak, plus d'excuses pour ne pas se lancer à l'eau!

Rafting : le tank de rivière

Après une semaine de pluie, la rivière Jacques-Cartier est gonflée à bloc. À bord du raft, un groupe de jeunes ados sont quelque peu effrayés par la puissance de la rivière. Arrive le rapide du « hache-viande », un R5 de haute voltige à fort débit. Malgré la peur, l'adrénaline prend le dessus et tout le monde se cramponne au bateau pendant que le raft évite les « *pac-mans* », les roches et la chute. Tout le monde se remet en place et avironne pour profiter à fond du train de vague qui suit.

La meilleure façon de se faire brasser la cage en toute sécurité est de partir en équipe (entre 6 et 10 personnes) à bord d'un « tank » de rivière : le raft. Si le bateau chavire, c'est probablement le guide qui en aura décidé ainsi après avoir analysé le degré de témérité de son équipe. Alors, si un court séjour à l'eau ne vous intéresse pas, faites-le lui savoir dès le début!

Une journée de rafting débute par une formation de base portant sur l'équipement et la façon de nager en eau vive. Ensuite, le guide explique comment se positionner dans le bateau, pagayer et répondre aux ordres. En raft, c'est un peu comme à l'armée; le guide crie ses commandes et les petits soldats exécutent! Il faut du « jus de bras », car les obstacles arrivent rapidement. Avant de s'engager dans les rapides, il ne reste qu'à faire un petit tour à l'eau pour s'imprégner pleinement de la rivière... et apprendre à remonter dans le bateau, au cas où!

Plusieurs rivières du Québec se prêtent bien à la pratique du rafting. Certaines sont de calibre international et demeurent réservées à l'élite, alors que d'autres sont ouvertes au grand public tout au cours de l'été.

Go!

Les cours en rivière s'échelonnent de mai à octobre; le reste de l'année, c'est la piscine qui prend le relais.

- *Fédération québécoise de canot et du kayak*
  www.canot-kayak.qc.ca
  (514) 252-3001
- *Aventure Écotourisme Québec*
  www.aventure-ecotourisme.qc.ca
  1 866 278-5923
- *Fédération québécoise de canoë-kayak d'eau vive*
  www.kayak.qc.ca • (514) 252-3099
- *Club de canoë-kayak d'eau vive de Montréal*
  www.cckevm.org • (514) 722-2551

Un système de classification international répertorie les rapides de RI à RVI. RI correspond à de légers remous avec un passage large et évident. À RIII, de l'eau peut entrer à l'intérieur d'un canot et des manœuvres précises doivent être effectuées pour franchir le rapide. À RV, ça brasse fort et faire une erreur n'est pas une option. Finalement, RVI est considéré comme infranchissable et peut entraîner des blessures graves - ou pire.

Canot : un héritage qui coule dans nos veines

Vingt jours et 300 kilomètres plus tard, une longue cascade se profile à l'horizon avant d'arriver aux Chutes Chaudières. On ressent toute l'énergie de la rivière Ashuapmushuan. Empruntant la légendaire route des fourrures comme l'ont fait nos aïeux du passé, nous atteignons une merveilleuse plage de sable qui nous servira de camping « cinq millions d'étoiles » pour la nuit. C'est là toute la magie d'un périple en canot sur une rivière du Québec.

Plus qu'un sport, le canot est un mode de vie, car il permet de découvrir des coins de pays complètement sauvages à des kilomètres de toute forme de civilisation. Pour la paix, la tranquillité, mais aussi pour l'authenticité et l'autonomie retrouvée lors d'expéditions longue durée.

Contrairement au rafting ou au kayak, la technique du canot doit être abordée tout en finesse, car l'embarcation est plus fragile et la manœuvrabilité devient presque nulle avec de l'eau à bord. Les néophytes apprendront d'abord à bien embarquer dans le canot et à communiquer de manière efficace avec leur partenaire, afin de maximiser la propulsion et la gîte (l'angle du bateau). Étrangement, une des techniques les plus importantes à connaître en canot est la « rétro ». Dans un rapide, pour contrôler la vitesse du canot et éviter les obstacles, mieux vaut pagayer à

PRINCIPALES RIVIÈRES ET COMPAGNIES DE RAFTING :

Laurentides, Rivière Rouge
Nouveau Monde • www.newworld.ca
Propulsion • www.propulsion.ca
Azur rafting • www.azurrafting.com
Eau vive rafting • www.eauviverafting.ca

Québec, Rivière Jacques-Cartier
Expédition Nouvelles Vagues
www.expeditionsnouvellevague.com
Village Vacances Valcartier • www.valcartier.com
Parc national de la Jacques-Cartier (mini-raft dans les petits rapides) • www.sepaq.com

Gatineau, Rivière des Outaouais
HorizonX • www.horizonx.ca
Bonnet Rouge Rafting • www.bonnetrougerafting.com
Esprit Rafting • www.espritrafting.com

Mauricie, rivière Mattawin
Centre d'aventure Mattawin
www.centredaventuremattawin.com
(rafting-camping)

Mauricie, Rivière Batiscan
H2O expédition • www.aventure-expedition.com
Nouveau Monde • www.newworld.ca

Côte-Nord, rivière Magpie (expédition longue durée)
Centre d'aventure Mattawin
www.centredaventuremattawin.com
(rafting-camping)
ABV kayak • www.abvkayak.com
Boreal river • www.borealriver.com

Gaspésie, Rivière York
www.griffonaventure.com

Saguenay-Lac-Saint-Jean, Métabetchouane, Mistassibi, Shipshaw
Québec Raft • www.quebecraft.com
H2O expédition • www.aventure-expedition.com

Montréal, rapides de Lachine
Excursions Rapides de Lachine, Rafting Montréal
www.raftingmontreal.com

reculons plutôt que de foncer vers les roches. L'endurance est également une qualité recherchée en canot, spécialement lors des longs portages pour contourner les passages trop dangereux.

En solo ou en duo, les débutants opteront pour des rivières faciles avec quelques rapides de classe RI et RII, pour bien apprendre à lire la rivière et pratiquer les techniques de navigation.

Kayak : apprendre à danser

Une rivière est comme un grand livre ouvert qui raconte une belle histoire à ceux qui prennent le temps de la lire. Chaque petit détail qui apparaît à la surface révèle ce qui se passe sous l'eau. L'amateur d'eau vive apprend rapidement à reconnaître ces signes afin de choisir le meilleur chemin à travers le rapide. Dans une petite embarcation comme le kayak, cette compétence devient éventuellement indispensable.

Mais avant de se lancer dans les rapides fulgurants, il y a plusieurs étapes à franchir. Il faut d'abord réussir à se glisser à l'intérieur de cette coque de plastique rigide. Après quelques contorsions dignes du Cirque de Moscou, on fait littéralement corps avec le kayak, mais c'est le principe : pour pouvoir faire des pirouettes sous l'eau, il faut justement ne faire qu'un avec son bateau.

Première leçon dans l'eau calme : savoir s'évader du kayak en cas de besoin. Il faut apprivoiser tranquillement la bête L'instructeur, qui orchestre le baptême, énumère les étapes du dessalage: « Tu te penches en avant, puis tu verses sur le côté. La tête en bas, tu tapes trois fois sur la coque. Tu tires sur la jupette et puis tu t'extrais tranquillement du kayak en poussant avec les bras. » Puis voilà que, sans crier gare, la loi de la gravité fait son effet. Évidemment, plus on est à l'aise dans l'eau par nature, mieux ça se passe. Un petit conseil: l'eau est froide au printemps et répéter l'exercice peut devenir une épreuve de force. Attendez le chaud soleil d'été!

Si la technique du dessalage est une manoeuvre de dernier recours, celle qui permet d'aller plus loin est l'esquimautage, l'action de redresser son kayak chaviré sans le quitter. Pour apprendre la technique, on prend d'abord appui sur l'eau à l'aide de la pagaie, afin de bien comprendre l'utilité de cette appui. Ensuite, on plonge dans l'eau, on place sa pagaie à la surface de l'eau et on appuie en synchronisant le tout avec un bon coup de hanche. Après plusieurs tentatives, on finit par apprivoiser le mouvement et réussir le tour... de force. Ne reste plus qu'à pratiquer pour aller finalement jouer dans les vraies vagues - et là, le plaisir ne fait que croître!

Raids d'aventure

LES RAIDS DE LA BELLE PROVINCE

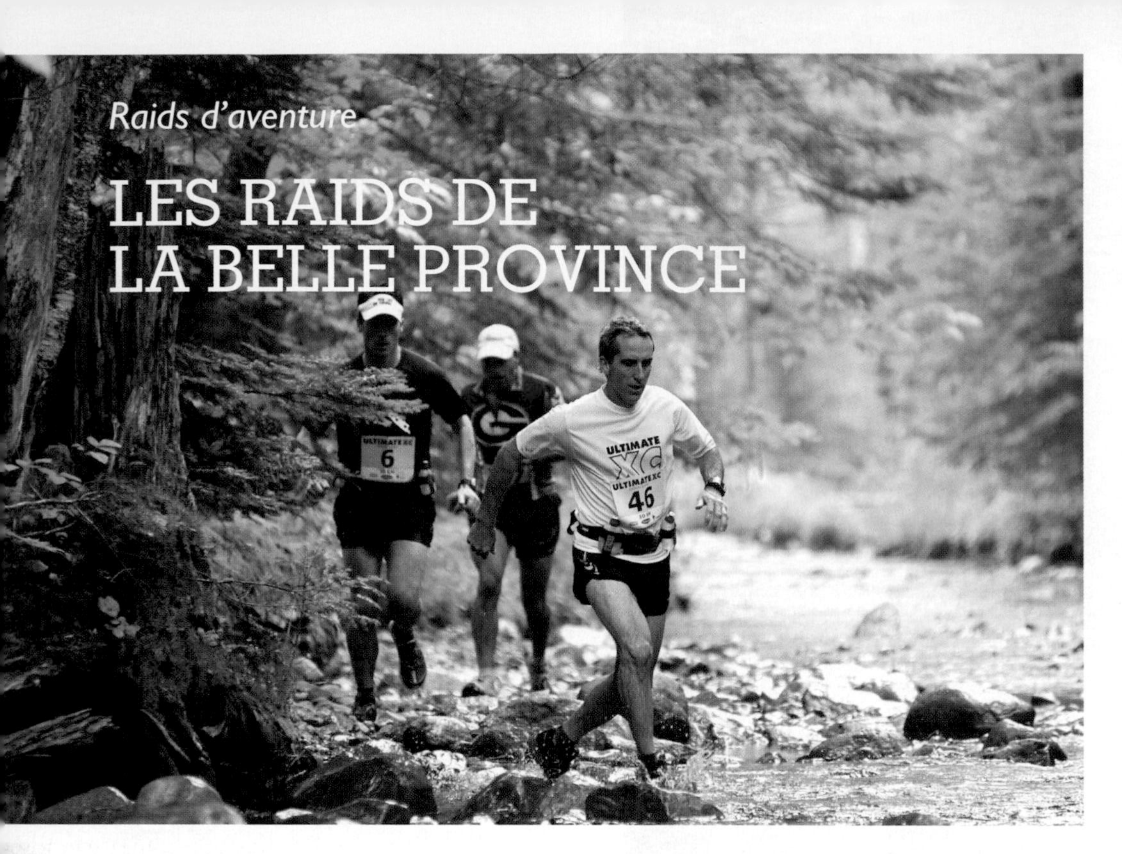

Un raid est une épreuve sportive, de vitesse et d'endurance, accomplie sur une longue distance dans un cadre naturel. Le raid est souvent multisports et combine ainsi plusieurs disciplines (vélo, course en sentier, escalade, canot, etc.). Les divers sports pratiqués sont souvent reliés par un parcours d'orientation. Quoique moins développés au Québec qu'aux États-Unis ou en Europe, les raids sont de plus en plus populaires dans la belle province. En voici quelques-uns à insérer à votre calendrier sportif :

RAIDS MULTISPORTS

Raid Manicouagan

Le raid Manicouagan existe en versions estivale ou hivernale, s'adressant aux débutants (entre 3 et 5 heures, autour de 30 km) comme aux pros (entre 6 et 8 heures, autour de 50 km). Les participants se mesurent les uns aux autres en course à pied, en vélo et en sports nautiques durant la saison chaude, alors que le vélo de montagne, le ski de fond et la raquette sont à l'honneur durant la saison froide.

www.raidmanicouagan.com

Raid Endurance Aventure

Endurance Aventure organise deux raids – un au printemps, l'autre à l'automne – pour initiés et débutants. Le parcours avancé (entre 5 et 10 heures) se fait en équipe de deux et combine vélo de montagne, épreuve de cordes, trekking, course en sentier, nage aventure, navigation aventure et kayak. La version plus « douce », Le Fou Raid, est ramenée à un maximum de 3 heures.

www.enduranceaventure.com • (819) 847-2197

Raid Pulse

Depuis neuf ans, l'équipe de Raid Pulse organise des défis d'aventure. La série 2010 comprend deux parcours sportifs qui combinent activités sportives (trekking, canotage et vélo de montagne) et orientation à la boussole. Il y a le Raid Aventure (45 km, entre 5 et 8 heures) et le Raid Sprint, le second étant la version allégée du premier (25 km, entre 2 et 4 heures).

www.raidpulse.com • (819) 210-7243

Vert le Raid

L'organisation Vert le Raid chapeaute plusieurs épreuves aux formules variées. Côté raid, l'équipe a mis sur pied le Rallye Fou Raid qui s'adresse aux sportifs de tous les niveaux. Les débutants peuvent s'initier en faisant un parcours de 3 à 5 heures, alors que les plus aguerris choisiront le trajet de 5 à 10 heures. Dans les deux cas, orientation, trekking, épreuve nautique, épreuve de cordes et vélo de montagne sont au menu.

www.vertleraid.ca • (418) 704-5036

Ultimate XC du Mont-Tremblant

Tremblant est l'hôte d'une aventure sportive de trois jours conjuguant une course en kayak le premier jour, une course en sentier le second et une épreuve de vélo de montagne le troisième. Il est possible de faire plusieurs parcours et différentes distances, de faire le parcours entier ou le demi, de le faire en solo ou en équipe à relais.

www.tremblant.ca/activities/events/ultimate_xc
1 877 605-4747

Championnat québecois de Raid Aventure

En 2010, les organisateurs de trois raids se sont rassemblés pour mettre sur pied un championnat québécois de raid aventure. Les organisateurs du Raid Pulse, du Raid Manicouagan et de Vert le Raid ont uni leurs forces pour créer un système de pointage commun. Quatre courses sont admissibles pour ce premier championnat. Les raids Manicouagan (d'hiver et d'été), Pulse et Fou Raid Enduro permettront à une première équipe de se démarquer sur la scène provinciale.

RAIDS COURSE À PIED

Les courses en forêt

Les Courses en Forêt sont une série de courses organisées tout au long de l'année. Ce sont des 5 ou des 10 kilomètres à parcourir en course à pied ou en raquettes. Les parcours sont diversifiés et ont lieux dans plusieurs régions du Québec. Pour cibler la course qui vous allume, il faut consulter le calendrier des événements.

www.coursesenforet.com

Xtrail Asics

La série XTRAIL ASICS comprend deux courses en sentier, une à Sutton et l'autre au mont Orford. Les deux offrent la possibilité de courir de 1 à 21 kilomètres. La première, celle du mont Sutton, est plus technique que la seconde. Elle s'adresse néanmoins aux débutants comme aux pros, selon le kilométrage. L'événement d'Orford s'adresse aussi à tous les sportifs. Peu importe le kilométrage choisi, la course vous mène au sommet et permet d'avoir une vue imprenable sur la région.

www.xtrailasics.com

RAIDS DE VÉLO DE MONTAGNE

Raid Extrême Bras du Nord

Cette course d'endurance est toujours attendue. Chaque année, des centaines de cyclistes relèvent le défi de l'arrière-pays de Portneuf. Le samedi, les participants peuvent s'inscrire à l'un des trois parcours : le petit bras (20 km) pour les jeunes et les débutants, le bras (60 km) pour les habitués, ou le grand bras (90 km) pour les mordus. Le dimanche, les cyclistes peuvent faire l'essai de vélos au mont Laura et prendre part à une compétition amicale.

www.raidbrasdunord.com • (418) 704-5036

Raid Vélo Mag

Le Raid Vélo Mag offre aux cyclistes la chance de réaliser un parcours (75 km) entre Québec et Mont-Sainte-Anne. Ce traditionnel rendez-vous offre en 2010 une formule améliorée permettant aux participants de se prêter à un défi par étapes. Une première course – Monte-le-Mont – a lieu le vendredi. Suivi du parcours classique le samedi ainsi que d'un 60 kilomètres au mont Sainte-Anne le dimanche. Les cyclistes ont aussi le loisir de faire diverses courses à la carte en version allégée.

www.montsainteanne2010.com • (418) 827-1122

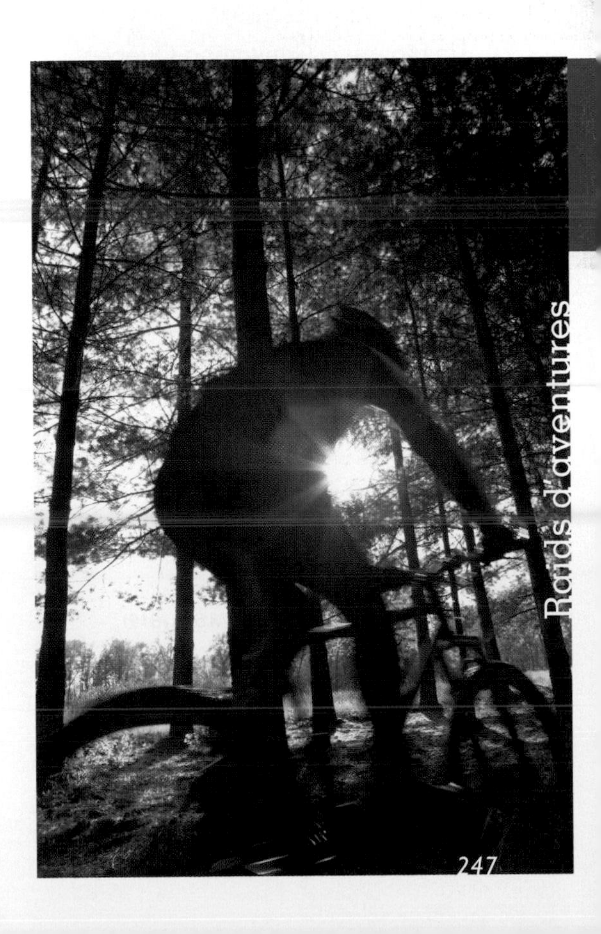

Extra !

Six autres activités hors-normes

CANYONING

Émotions en cascade

Combinant la marche en rivière, la nage et la descente sur corde (ou « rappel ») le long des chutes, le canyoning consiste à parcourir des cours d'eau encaissés, souvent inaccessibles autrement. Si la marche et la nage procurent des moments zen et contemplatifs, la descente sur corde apporte la touche d'adrénaline. Une fois parti, il suffit de progresser à son rythme, en profitant des paysages. Et quels paysages! Si ce n'était la température de l'eau, on se croirait sous les tropiques!

Il va de soi qu'on ne se lance pas seul dans une telle activité. Lors d'une sortie, des guides accompagnent toujours les participants, et ces derniers reçoivent une initiation à la descente. De fait, ce sport ne nécessite aucune expérience préalable et il est relativement accessible. L'équipement est fourni, hormis les chaussures et le maillot de bain. Et comme le canyoning nécessite une bonne dose de logistique, les réservations sont en général obligatoires.

Un pionnier : Canyoning-Québec

La compagnie fondée par Marc Tremblay en 1998 offre un grand nombre de parcours - dans Portneuf **(vallée Bras-du-Nord)**, la région de Québec **(chute Jean Larose)** et Charlevoix **(zec des Martres, rivière du Moulin, la Vieille Rivière et la Chute à Cimon)**, histoire de répondre à l'engouement croissant pour ce sport.. Vous êtes un tantinet frileux? Canyoning-Québec organise aussi des voyages à Cuba et en Guadeloupe!

En Mauricie, le Centre d'aventure Mattawin offre la descente du canyon de la rivière Dunbar, dans la réserve faunique du Saint-Maurice. L'activité est de niveau familial (10 ans et plus). À Sainte-Anne-des-Monts, en Gaspésie, Eskamer Aventure propose des sorties allant d'une demi-journée à deux jours, de niveau débutant ou avancé. L'une de ces excursions se termine les pieds dans l'eau... du golfe du Saint-Laurent!

© Canyoning Québec

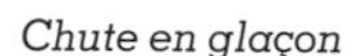

Extra!

Chute en glaçon

*À la chute **Jean-Larose**, on peut aussi pratiquer le canyoning de glace! Plus accessible que sa version estivale, il nécessite seulement des crampons et des bottes de montagne assez rigides.*

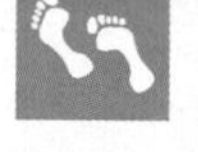

Go!

Canyoning-Québec
www.canyoning-quebec.com
(418) 998-3859 • (418) 827-8110

Centre d'aventure Mattawin
(Trois-Rives, Mauricie)
***www.centredaventuremattawin.com** (819) 646-9006 • 1 800 815-7238*

Eskamer Aventure
(Sainte-Anne-des-Monts, Gaspésie)
***www.eskamer.ca** • (418) 763-2299*
1 866 963-2999

SPÉLÉOLOGIE

Introspection

L'être humain s'est toujours tourné vers les étoiles pour tenter de comprendre les secrets de la vie. On peut pourtant assouvir sa curiosité en explorant les entrailles de sa propre planète. S'initier à la spéléologie, c'est plus que ramper sous terre dans la boue; c'est ouvrir une fenêtre sur un monde mystérieux ponctué de découvertes.

Au programme : étude de la climatologie, des terrains calcaires, de la faune, d'artéfacts ou encore d'ossements et de fossiles. Pour pénétrer dans les cavités obscures, la présence d'un guide breveté permet d'apprécier à sa juste valeur et en toute sécurité cet environnement en apparence hostile. Même les jeunes enfants peuvent s'y initier. Détail intéressant, la température moyenne des grottes au Québec reste relativement stable au fil des saisons, soit entre 3 et 7 °C. Par contre, le dégel du printemps submerge bien des grottes et en contraint l'accès.

L'hiver, on y observe de scintillantes concrétions de glace, alors qu'en été, les stalactites et stalagmites millénaires poursuivent inlassablement leur croissance minérale. On peut aussi faire quelques rencontres surprenantes avec une faune hétéroclite. Au gré des cavernes, on croise certains animaux dits trogloxènes qui s'y retrouvent par hasard (porcs-épics, rats, etc.). D'autres, les troglophiles, y ont élu domicile (chauves-souris, batraciens et certains insectes). Immersion totale dans une lumineuse obscurité. Claustrophobes s'abstenir!

Go!

Société québécoise de spéléologie
www.speleo.qc.ca • (514) 252-3006
1 800 338-6636

Activités proposées : *visites des grottes de Saint-Léonard, de Boischatel et de Saint-Casimir de Portneuf.*

Pour une ***initiation avec des enfants****, plusieurs cavernes réparties dans le Québec proposent des visites d'une durée de une à deux heures, qui donnent un avant-goût de la spéléologie, notamment la Caverne Laflèche à Val-des-Monts (Outaouais).*
www.aventurelafleche.ca
(819) 457-4033 • 1 877 457-4033

Activité peu onéreuse, la spéléologie ne requiert qu'un casque et une bonne lampe frontale, sans oublier les bottes, gants et autres vêtements chauds... que l'on aura pas peur de salir!.

PLONGÉE SOUS-MARINE

Explorer en profondeur

En quête de nouveaux horizons? Abandonnez la surface de la terre et plongez! Déplacez-vous lentement à l'horizontale en état d'apesanteur... Admirez l'étrange rythme de la vie aquatique et les créatures fantastiques du monde sous-marin... Contemplatifs avertis, soyez les bienvenus!

On croit souvent que la plongée sous-marine ne vaut la peine d'être pratiquée qu'au milieu des récifs de coraux du Sud. Pourtant, les lieux de plongée du Québec, si différents soient-ils, n'ont rien à leur envier. Des anémones de mer colorées aux Escoumins

© Aventure Laflèche

aux bandes de phoques qui mordillent les palmes des plongeurs au parc Forillon, les fonds marins d'ici recèlent de nombreux trésors d'émerveillement.

Ceux qui n'ont pas froid aux yeux pourront même profiter du privilège québécois de la **plongée sous glace**. Celle-ci requiert une formation plus poussée, mais permet d'entrer dans un univers des plus magiques.

Les eaux turquoise... de la piscine

Pour un avant-goût de la plongée, rien de mieux qu'un cours d'initiation d'une trentaine d'heures, offert sur six ou sept semaines ou sur deux fins de semaine intensives. Dans les deux cas, il faut débourser entre 400 et 500 $.

Les cours sont suivis d'une certification en milieu naturel. À noter que pour plonger partout dans le monde, la carte de compétence et le carnet de plongée

Go!

Pour tout connaître de la plongée :

Fédération québécoise des activités subaquatiques (FQAS)
www.fqas.qc.ca • (514) 252-3009
1 866 391-8835

Ce site regroupe les écoles qui répondent à ses normes. Il contient aussi une série de questions pertinentes à poser aux écoles que vous contacterez.

Et les coûts? *La plongée est une activité relativement coûteuse. Outre le prix du cours, il faut compter 150 $ pour l'achat des* ***palmes, du masque et du tuba*** *de qualité. Certaines écoles prêtent cet équipement de base pour la durée du cours. Pour partir en excursion,* ***la location*** *d'un équipement est de 75 $ pour une journée. Quant à l'achat d'un* ***équipement complet neuf****, les prix oscillent entre 1500 $ et 3000 $.*

sont obligatoires. La première indique le niveau d'expertise du plongeur et le second donne la date de sa dernière plongée.

VOL LIBRE

L'ivresse en volant

Face à la pente, prêt à s'élancer pour le décollage, le taux d'adrénaline et le niveau de concentration grimpent à leur maximum. Après une course de quelques secondes, le ciel s'ouvre et l'on se retrouve suspendu sous une aile, les pieds ballants, le cœur palpitant et les yeux grands ouverts pour ne rien manquer du spectacle.

Braver ses appréhensions est plus facile quand on sait que le baptême de l'air s'effectue en tandem, c'est-à-dire que l'on est harnaché avec un pilote instructeur qui contrôlera le vol. C'est la meilleure façon de s'initier, pour environ 150 $, au plaisir du vol libre, sans avoir à se préoccuper de la technique.

« Vol libre » désigne à la fois le parapente et le deltaplane; un nom tout trouvé tellement ces sports procurent une liberté exceptionnelle. Au plan technique, il s'agit de deux façons de voler bien distinctes. Le **parapente** est constitué d'une aile elliptique à caissons en tissu souple, reliée par de nombreuses petites cordelettes très solides (les suspentes) à un harnais (ou sellette), dans lequel le pilote prend place en position assise. En tandem, un vol d'initiation dure environ 20 minutes. Le **deltaplane**, quant à lui, est une aile triangulaire (en forme de « delta ») tendue à partir d'une structure rigide, sous laquelle le pilote se trouve suspendu à plat ventre dans son harnais.

Enfin, avant de s'envoyer en l'air, il vaut mieux s'assurer que celui qui tient notre vie au bout de quelques fils est un instructeur professionnel, dont la formation est assujettie à une réglementation stricte de Transport Canada.

Go! 

Association québécoise de vol libre
www.aqvl.qc.ca

Association canadienne de vol libre
www.acvl.ca

Écoles offrant des cours et des vols en tandem :

Distance Vol Libre
(Montérégie – Cantons de l'Est)
www.dvl.ca • (450) 379-5102

Aerostyle Airsport (région de Québec)
www.aerostyle.ca • (418) 955-3117

Voiles4Saisons (Montérégie)
www.voiles4saisons.com •
(450) 587-8917 (514) 949-8653

Libre comme l'air (Charlevoix)
www.librecommelair.ca • (418) 435-3214

Pour découvrir Mont-Saint-Pierre (la Mecque du vol libre) du haut des airs :

Vue du ciel (Gaspésie)
(418) 797-2025

SURF DE RIVIÈRE

Suivre la vague

Le soleil darde de tous ses rayons en cette journée de juillet. Ça sent l'eau, la crème solaire, mais surtout le plaisir du surf. Détrompez-vous, nous ne sommes pas en Californie, mais bien à Montréal où les adeptes du surf de rivière sont réunis, le temps de chevaucher quelques vagues.

À partir du moment où le surfeur est dans la vague, le surf de rivière ressemble sensiblement à sa grande sœur, le surf en mer. C'est avant de prendre la vague que les deux concepts diffèrent. Sur la mer, le surfeur est stationnaire et attend la bonne vague en nageant pour se faire soulever sur une certaine distance. Le surfeur de rivière, lui, se laisse emporter par le courant descendant jusqu'à une vague stationnaire sur laquelle il devra s'accrocher au bon endroit en nageant avec force pour se faire aspirer dans le bas de la vague. Une vague éternelle.

Pour communier avec le divin et tenter d'accéder à l'éternel, la personne doit pratiquer. D'abord, elle doit **maîtriser la position sur la planche et les mouvements de nage**. L'équilibre sur la planche est non seulement essentiel lorsque vient le temps de prendre la vague, mais il permet aussi d'économiser de l'énergie.

Ensuite, il faut **comprendre le courant et la vague**. Le courant descendant qui mène à la vague doit être atteint à une quarantaine de mètres en amont de celle-ci. À 10 mètres de la vague, le surfeur se place dos à elle et s'enligne devant la partie blanche (le bouillon). C'est à cet endroit que la vague oppose le plus de résistance et permet au surfeur de s'y incruster.

Repères 

SurfinPQ

Un site internet dédié au surf au Québec. Vous y trouverai des informations sur les meilleurs endroits où surfer à Montréal et dans les environs de même que des vidéo et de l'équipement à vendre.
www.surfinpq.com • (450) 447-8933

***Corran Addison**, promoteur et gourou de la discipline, donne conseils et formations à ceux qui n'ont pas peur de prendre la vague. Plus de détails sur son site Internet.*
www.2imagine.net • (514) 583-3386

***Kayak Sans Frontières** offre des cours d'initiation et de perfectionnement.*
www.ksf.ca • (514) 595-Surf (7873)

À la troisième étape, on sort de la théorie. Et qui dit pratique dit répétitions... avec un «s». Après un nombre certain de tentatives, l'ancrage dans la vague a lieu. À ce moment, l'objectif est de sentir la dynamique de la vague. Comme elle est continuelle, il n'y a pas d'urgence à se lever d'un trait sur la planche. Une fois debout, en équilibre, le surfeur (c'est à ce moment qu'il mérite l'appellation) surfe la vague. À ce stade, c'est une question de *feeling*.

Les adeptes du surf de rivière sont majoritairement des surfeurs de mer pour qui la vague de rivière représente une façon d'aller à l'eau sans avoir à prendre un avion pour le Costa Rica. Et il y a aussi des kayakistes qui alternent entre les deux disciplines, et enfin, des curieux pour qui le surf de rivière constitue une première expérience.

Tout ce beau monde est équipé d'une planche — il en existe spécifiquement pour le surf de rivière — et d'une combinaison isothermique. Le port du casque est chaudement recommandé pour amortir les chocs.

Grâce à des sites comme les rapides de Chambly, celles de Lachine et surtout Habitat 67, la région de **Montréal est un joyau pour la pratique du surf de rivière**. Les rivières **Jacques-Cartier** (Pont-Rouge/Donnacona) et Gatineau sont d'autres endroits à découvrir.

TRAÎNEAU À CHIENS

Quelle (belle) vie de chien!

Le traîneau à chiens a l'avantage de satisfaire tous les publics : les contemplatifs et les enfants s'assoient dans le traîneau mené par un guide, alors que les sportifs prennent les commandes de l'attelage! Dans les deux cas, on ne peut que se laisser contaminer par l'enthousiasme de ces fidèles compagnons qui nous amèneraient au bout de la terre si on les laissait faire!

Le départ est un véritable moment d'euphorie, car ces chiens adorent tout simplement courir. Un bon conseil : avant de crier « en avant! », cramponnez-vous fermement, car vous risqueriez de vous retrouver sur les fesses, le traîneau filant au loin!

La tuque à peine calée sur les oreilles, il faut déjà négocier le premier virage. Vite, appuyez sur le frein pour ralentir cette meute fougueuse et éviter de vous retrouver dans le « décor ». Puis, la tension retombe rapidement, ce qui permet d'apprécier la nature environnante. Les chiens connaissent bien leur chemin : ce sont eux qui vous guident. De votre côté, vous devez surveiller les obstacles qui pourraient survenir, et courir avec l'attelage dans les montées.

Une telle aventure implique le choix judicieux des guides. Choisissez les éleveurs et les dresseurs : ils ont une bonne connaissance de leurs chiens. Que ce soit dans la réserve faunique du Saint-Maurice, dans l'arrière-pays de Charlevoix ou plus près des grands centres, le traîneau à chiens est un véritable retour aux sources, peu importe la durée de l'expédition!

Extra

Go! 

Le Village de Musher (portail de l'activité au Québec)

www.levillagedemusher.com

Site touristique officiel du gouvernement du Québec (la section sur le traîneau à chiens est très complète)

www.bonjourquebec.com/qc-fr/traineauchiens.html

Tonus

On dit que le plaisir croît avec l'usage - et c'est doublement vrai avec le plein air! Pour développer ses aptitudes, augmenter son endurance ou simplement garder la pèche entre deux sorties, vous trouverez dans cette section une multitude de conseils éclairés à mettre en pratique lors de l'entraînement au quotidien

13 conseils pour garder la forme!

1 Optez pour le plaisir

Il ne sert à rien de se lancer dans de nouvelles aventures si elles ne correspondent pas à notre caractère. Cela semble évident... pourtant, si toutes les personnes qui sont abonnées à un centre de conditionnement physique y allaient régulièrement, il faudrait sûrement en construire d'autres! Faites la réflexion par vous-même. Par exemple, faites la liste des activités que vous avez commencées au cours des trois dernières années et que vous avez cessées par manque d'intérêt...

2 Déterminez un horaire précis

Se fixer un programme d'activités physiques ne rime pas inévitablement avec routine mais le fait d'avoir un horaire précis fera en sorte que vous donnerez une importance à votre choix qui s'élèvera au rang de priorité. Il est important de prendre en considération tous les éléments afin de faire le bon choix : votre horaire de travail, et celui de votre conjoint ou conjointe et des enfants (s'il y a lieu), l'accessibilité de l'activité (horaire, coût, distance).

3 Fixez des objectifs

Il est plus facile d'atteindre un but si nous y allons par étapes. Il est important que vous vous fixiez un objectif réaliste. Ni trop facile, car vous risquez de ne pas mettre l'effort nécessaire pour y parvenir; ni trop difficile, sinon la motivation fera rapidement défaut... Gagner le Tour de France n'est pas accessible à tous!

4 Trouvez (ou constituez) un groupe

Le groupe vous motivera pendant les séances lorsque l'envie de faire de l'exercice physique est moins grand et, à l'inverse, vous serez à l'occasion un catalyseur pour vos compagnons. Constituez un groupe d'amis, joignez un club, inscrivez-vous à des cours de conditionnement en plein air dans les parcs urbains, même en hiver (voir encadré Extra!).

Selon Kino-Québec, la pratique régulière d'activités physiques :

- améliore et entretient la condition physique (aptitude aérobie, endurance et puissance musculaires, flexibilité, etc.);
- diminue le risque de mort prématurée, de maladie cardiovasculaire, d'accident vasculaire cérébral, de diabète de type 2, d'hypertension artérielle, de dyslipidémie, de syndrome métabolique, de cancer du sein, du côlon, du poumon et de l'endomètre;
- facilite le maintien du poids; permet de perdre du poids lorsqu'elle est combinée avec un régime alimentaire approprié;
- diminue le risque de chute; réduit les symptômes de la dépression;
- préserve les fonctions cognitives;
- améliore la qualité du sommeil;
- améliore la résistance au stress.

5 Oubliez la météo

Le printemps et l'été sont des saisons favorisant la pratique de diverses activités physiques. L'automne et l'hiver peuvent l'être également. Il suffit de ne pas se laisser décourager par le froid (et le sempiternel facteur vent). Les stations de radio et de télévision excellent dans l'art de nous décourager. Ne cédez pas à ces « alertes » quotidiennes!

6 Enregistrez vos émissions préférées

Ne soyez pas plus vertueux que la vertu et enregistrez vos émissions préférées. Vous pourrez les écouter à votre retour en relaxant et en sautant les publicités.

7 Privilégiez la famille

Vous manquez de temps en famille? Choisissez une activité que vous pourrez faire avec votre conjoint ou conjointe et vos enfants. L'exemple des parents est souvent transmis aux enfants. Les possibilités sont nombreuses : randonnées, balade en sentier la fin de semaine, patinage etc. Trouvez une activité qui vous ressemble.

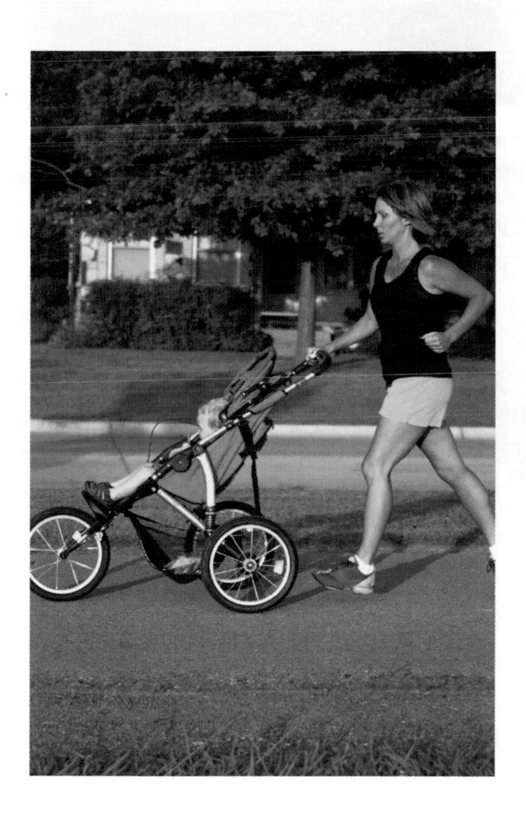

Extra !

Quelques pistes pour trouver votre voie

- ***Tout sur tout** : tous les sports et les loisirs s'y trouvent : www.loisirquebec.qc.ca est la référence pour joindre les fédérations et organismes sportifs de tout genre.*

Entraînement extérieur en groupe (à la ville) :

- ***Cardio Plein air** (www.cardiopleinair.ca) propose des séances d'entraînement cardio (plusieurs niveaux) dans de nombreux parcs de Montréal et de la région métropolitaine, toute l'année (semaine et week-end).*
- ***Chinook aventure** (www.chinookaventure.com) offre des programmes d'entraînement pré-saison (musculation, développement de la capacité cardio-respiratoire, etc.) à Montréal et dans les environs.*

Ne négligez pas les sports et loisirs de quartier;

- *vous serez souvent agréablement surpris. Pensez aux **arénas** (il y a plusieurs heures de patinage libre), aux **piscines** pour la natation évidemment, mais aussi pour l'aquajogging, la plongée en apnée et plus encore. Sans oublier les **centres récréatifs** et les **gymnases** (badminton, hockey cosom, etc.).*

8 Diversifiez les activités

Il est beaucoup plus facile de vous entraîner si vous choisissez plus d'une activité. En outre, physiologiquement, vous allez solliciter (et peut-être même découvrir!) de nouveaux muscles.

9 Choisissez un entraîneur personnel

Motivateur par excellence, le kinésiologue vous guidera à travers tous les pièges que comporte l'art de l'entraînement. Sa formation universitaire vous donnera un atout de plus dans votre réussite. Définissez des objectifs précis avec votre entraîneur, afin qu'il n'y ait pas d'ambiguïté relative à vos attentes, aux efforts que vous comptez déployer, etc.

10 Inscrivez vos résultats

Le cahier d'entraînement est l'outil par excellence pour faire facilement un suivi, évaluer votre amélioration et atteindre vos objectifs. Vous y mettrez toute l'information que vous jugez importante : de l'entraînement aux heures de sommeil, en passant par l'alimentation et les petits bobos.

11 Créez de la variété

Il est toujours possible de modifier quelque chose dans votre entraînement pour éviter la monotonie. Vous courez? Changez vos parcours! Vous skiez? Visitez différents centres de ski! Vous jouez au badminton? Trouvez différents partenaires! Ne soyez pas réfractaire aux changements.

12 Calculez

Vous dormez huit heures, vous travaillez huit heures, vous voyagez deux heures pour le travail (aller-retour), vous prenez une heure et demie pour manger (trois repas). Vous faites deux heures de choses diverses (aide au devoir, préparation des repas, ménage, jeux avec les enfants). Vous avez encore une heure et demie de temps libre dans laquelle insérer trente minutes d'activité. Et voilà, le tour est joué!

13 Bougez à la maison

Vous êtes plus occupé que le président des États-Unis? Entraînez-vous à la maison : ballon suisse, tapis de sol, corde à sauter, élastique pour les petits budgets, vélo stationnaire (branchés sur l'ordinateur pour les mieux nantis).

Exercices de stabilisation

La force est dans le tronc!

Pour une meilleure posture et pour avoir plus d'énergie, rien de tel que le renforcement des muscles stabilisateurs du tronc. En prime : plus d'équilibre et plus de précision dans vos activités. Bref, de la vitalité en toutes circonstances!

4 principes à respecter

1 Pensez autrement!

Pour exécuter adéquatement des exercices de renforcement des muscles stabilisateurs du tronc, il faut concevoir l'entraînement de façon non traditionnelle. Ici, la difficulté réside non pas dans la charge à soulever ou dans le nombre de répétitions à effectuer, mais bien dans le maintien d'une posture « parfaite ».

2 Ne trichez pas!

Bien que les exercices de stabilisation soient relativement simples, il est difficile de bien les exécuter, car il faut constamment être concentré(e) pour maintenir la bonne posture. On peut facilement tricher quand les abdominaux ne suivent plus, par exemple en se permettant de désaligner le bassin, ce qui n'engendre aucun bénéfice.

3 Soyez majestueux!

Avant d'amorcer chaque exercice, prenez le temps d'adopter une bonne posture, que vous soyez debout, assis ou couché :

- colonne vertébrale très droite
- omoplates vers le bas
- ventre rentré

Il est essentiel de contracter les abdominaux durant tous les exercices.

4 Respirez...

On conseille de respirer lentement et profondément durant les exercices, en inspirant par le nez et en expirant par la bouche.

9 exercices de stabilisation

Convenant aux exigences de la vie quotidienne, les exercices proposés ci-dessous sont conçus pour créer des contextes de déséquilibre afin de vous faire travailler pour conserver la stabilité du tronc.

Fréquence des exercices : Afin d'obtenir des résultats appréciables, effectuez la série complète trois fois par semaine. Pour votre première séance, débutez par la variante la plus facile, même si vous avez une excellente condition physique. Une fois l'exercice apprivoisé, augmentez progressivement le temps d'effort et de repos.

Matériel nécessaire :

- Un tapis d'exercice comme ceux qu'on utilise en yoga, car ils sont antidérapants et stables.
- Un ballon de 65 ou 75 cm de diamètre. Pour déterminer la grandeur, vos cuisses doivent être parallèles au sol lorsque vous êtes assis sur le ballon.

***Note :** Les photos illustrent les positions dont la description est suivie de ce symbole [*]*

1 Respiration thoracique

À pratiquer plusieurs fois par jour (dans la voiture, le métro, au travail), et à utiliser absolument durant tous les exercices.

Posture de base : Gonflez votre cage thoracique comme un ballon tout en maintenant le ventre rentré. [*]

Durée : 1 à 2 min, 10 à 15 fois par jour

Variante plus difficile : Élever les bras vers le haut, puis vers l'arrière en gardant le ventre rentré.

2 Le pont

Posture de base : Jambes à 90 degrés, serrer fessiers et ischio-jambiers (muscles à l'arrière de la cuisse).

Durée : 3 x 20 s à 1 min, 30 s. repos

Variante plus facile : Pieds à la largeur des épaules

Variantes plus difficiles :

- Pieds collés
- Un pied au sol, l'autre jambe en extension [*]

3 Bateau qui roule

Posture de base : Assis, tronc légèrement en arrière, faire balancer les jambes d'un côté à l'autre.

Durée : 2 x 10 à 30 allers-retours, 1 min. repos

Variante plus facile : Déposer les talons au sol.

Variantes plus difficiles :

- Pieds à 15 cm du sol [*]
- Abaisser le tronc plus près du sol.

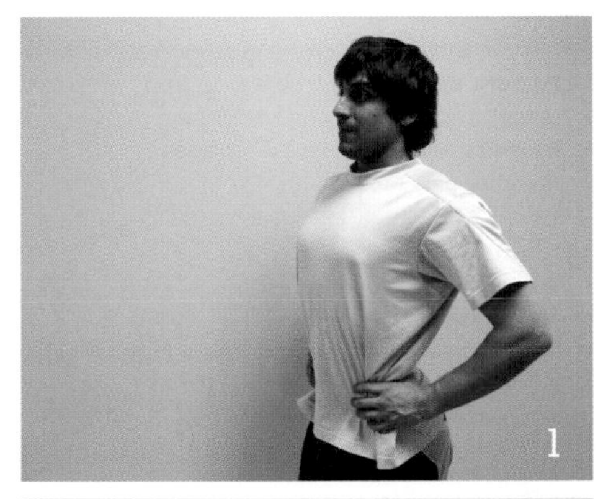

1

2

3a

3b

4 Le moulin

Posture de base : Conserver le tronc immobile, jambes à 90 degrés.
Durée : 2 x 20 s. à 1 min., 30 s. repos.
Variante plus facile :
- Pieds à la largeur des épaules
- Bras sur les côtés

Variantes plus difficiles :
- Pieds collés
- Un pied au sol, l'autre jambe extension
- Faire des cercles avec les bras [*]
- Intensifier le mouvement des bras.
- Faire des gestes de bras aléatoires.

4

5 Ciseaux de jambe

Posture de base : Faire des battements de jambes de haut en bas :
- Jambes tendues
- Pieds 8 à 15 cm du sol
- Épaules décollées du sol (regarder vers les jambes).

Durée : 3 x 10 à 45 s., 30 s. repos
Variante plus facile : Mettre un coussin sous la tête. [*]
Variante plus difficile : Accélérer les battements de jambes.

5

6 *X-man*

Posture de base : Lever bras et jambes opposés, bassin aligné entre pieds et épaules. [*]
Durée : 4 x 10 à 45 s., 30 s. repos (2 fois de chaque côté)
Variante plus facile : Genou au sol
Variante plus difficile : Tenir une gourde dans la main du bras en extension.

6

7 Stabilisation de côté

Posture de base : Bassin aligné verticalement et horizontalement entre pieds et épaules
Durée : 4 x 10 à 45 s., 30 s. repos (2 fois de chaque côté).
Variante plus facile : Appui sur le coude
Variantes plus difficiles :
- Appui sur la main [*]
- Lever l'autre bras. [*]
- Lever la jambe. [*]

8. Stabilisation de dos avec peds sur ballon

Posture de base : Bras en appui sur le sol, pieds sur le ballon à la largeur des épaules
Durée : 3 x 20 s. à 1 min, 30 s. repos
Variantes plus difficiles :
- Mains aux hanches [*]
- Pieds collés
- Un pied sur ballon, une jambe en extension

9 Stabilisation de face avec pieds sur ballon

Posture de base : Mains écartées à la largeur des épaules, pieds sur le ballon à la largeur des épaules [*]
Durée : 3 x 20 s. à 1 min., 30 s. repos
Variante plus facile : Tibias sur le ballon
Variantes plus difficiles :
- Pieds collés
- Un pied sur ballon, une jambe en extension

Extra !

*Il existe une panoplie d'exercices de stabilisation qui sauront mieux cibler les exigences de vos activités préférées. Les autodidactes pourront se procurer **livres** ou **DVD**, mais pour un suivi individualisé, il est possible de consulter un spécialiste en kinésiologie.*

8

7

9

Escalade intérieure

Grimper pour la forme

Les avantages de l'escalade

Faire régulièrement de l'escalade permet d'améliorer l'endurance, la force et la puissance musculaire. Et comme plusieurs groupes de muscles travaillent en synergie afin de réaliser des actions simultanées, vous pourrez transférer plus facilement vos acquis à d'autres disciplines sportives. Et comme l'escalade sollicite peu le système cardiorespiratoire, vous voudrez sans doute « faire du cardio » en complément à un entraînement en escalade.

Échauffement

Prenez le temps de vous échauffer pour plus d'aisance.

1 Activation – 5 à 10 minutes

L'important c'est d'avoir chaud! S'étirer à froid peut causer de petites déchirures musculaires. Choisissez idéalement une activité qui sollicite le plus grand nombre de masses musculaires (corde à danser, course à pied, vélo stationnaire, etc.).

2 Étirement – 10 à 20 minutes

Étirez les muscles et les articulations qui seront sollicités en escalade. Vous serez ainsi plus souple, vous aurez une meilleure coordination et vos mouvements seront plus précis. Attardez-vous surtout aux membres supérieurs, spécifiquement aux avant-bras et aux mains.

3 Réactivation – 5 à 10 minutes

Il s'agit de débuter progressivement la grimpe en augmentant graduellement la difficulté des mouvements. Effectuez des déplacements avec des prises que vous trouverez faciles et donnez-vous le temps d'apprivoiser les exigences du parcours. Concentrez-vous sur la fluidité, puis sur la précision de vos mouvements.

Extra !

***Si vous n'avez jamais pratiqué l'escalade**, il vous suffit de suivre un cours (trois heures environ) que l'on offre dans toutes les salles d'escalade intérieure. La plupart des établissements vous donnent aussi la possibilité de louer le matériel nécessaire sur place.*

Suggestions de routines d'entraînement

Commencez par essayer les trois routines proposées ci-dessous pour apprivoiser l'effort. Pour adapter le niveau de difficulté, augmentez progressivement l'intensité et la durée, mais uniquement si vous êtes en mesure de compléter facilement la séance précédente.

Un cahier d'entraînement vous permettra de noter votre progression et, par ricochet, d'en tirer une plus grande satisfaction personnelle. Si vous souhaitez bénéficier d'un suivi personnalisé, certains centres d'escalade intérieure offrent des cours de mise en forme pour ce sport.

Choisissez votre structure!

Pour les exercices de grimpe, vous aurez le choix entre les parois ou les structures de bloc. L'un des avantages des voies sur parois est la possibilité de connaître le niveau de difficulté du défi qu'on s'impose. De plus, lors des exercices nécessitant une période prolongée de grimpe continue, redescendre les voies en « dégrimpant » vous permettra d'expérimenter de nouvelles sensations qui amélioreront votre technique.

D'autre part, les structures de bloc sont idéales si vous n'avez pas de partenaire. Grimper en solo peut vous permettre d'améliorer votre technique, soit en répétant un passage dans plusieurs angles, soit en explorant votre répertoire gestuel. Avec cet objectif en tête, vous pourrez grimper pendant de longues périodes, même si vous ne disposez que d'une petite structure de bloc. Peu importe le choix de la structure, évitez les dévers si vous avez l'intention de grimper pour une durée prolongée.

Le choix des exercices cardiovasculaires

Plusieurs centres d'escalade intérieure mettent des vélos stationnaires à la disposition des grimpeurs. Si vous êtes chanceux, votre structure d'escalade est à proximité d'une piste de course à pied, ce qui vous donne un plus grand éventail de possibilités. La corde à danser demeure également une option intéressante.

1 - Grimpe continue

Longues périodes de grimpe entrecoupées de périodes de repos actif.

Répétez de 3 à 5 fois :

- *Dix minutes de grimpe continue sur une structure de bloc ou « grimpe - dégrimpe » en paroi. Vous devriez ressentir tout au plus une légère fatigue.*
- *Cinq minutes de repos actif : corde à danser ou vélo stationnaire. Fréquence cardiaque cible = 50 % de votre fréquence cardiaque maximale (voir encadré Fréquence cardiaque ci-dessous).*

Fréquence cardiaque (FC)

Voici une petite formule qui vous permettra de déterminer vos fréquences cardiaques cibles.

FC max = 220 - votre âge

FC repos = fréquence cardiaque le matin, au réveil (la prendre durant plusieurs jours afin de trouver la plus basse fréquence)

FC cible (Karvonen) = ((FC max - FC repos) X % d'intensité) + Fc repos

Exemple : un sujet de 30 ans avec une FC repos à 50 bpm et qui cherche à atteindre 60 % de sa FC max doit viser une fréquence cardiaque de 134 comme indiqué par cette formule :

$((220-30) - 50) \times 0{,}60) + 50 = 134$ bpm

Pour augmenter la difficulté :

1- Augmentez légèrement le niveau de difficulté de la grimpe.

2- Augmentez le temps de grimpe jusqu'à 20 minutes, à raison de 2 minutes par séance.

3- Augmentez le temps de récupération active, qui représente toujours la moitié du temps de grimpe, et toujours à 50 % de la FC max.

2 - Circuit

Enchaînements consécutifs de périodes de grimpe puis d'exercices au sol (aucun repos).

Répétez de trois à cinq fois :

- *Cinq minutes de grimpe continue sur structure de bloc*
- *Cinq exercices au sol, 30 secondes chacun. Sauf pour les redressements assis, l'exercice consiste seulement à maintenir la position illustrée :*

1. redressements assis

2. stabilisation de face

3. stabilisation de côté (droit)

4. bateau

5. stabilisation de côté (gauche)

Pour augmenter la difficulté:

1- Augmentez le temps de grimpe jusqu'à 10 minutes, à raison de 1 minute par séance.

2- Augmentez la durée des exercices jusqu'à 1 minute, à raison de 10 secondes par séance.

3- Augmentez jusqu'à 8 le nombre de séries.

3 - Cardio tonus

Périodes de travail cardiovasculaire entrecoupées de musculation verticale.

Répétez de 2 à 4 fois :

- *10 minutes cardio : corde à danser ou vélo stationnaire*
- *Fréquence cardiaque cible = 60 % à 70 % de la FC max.*
- *5 à 8 minutes de grimpe continue sur structure de bloc ou « grimpe - dégrimpe » en paroi. Poussez à votre limite - chacun des intervalles devrait être difficile à compléter.*

Pour augmenter la difficulté :

1- Augmentez le travail cardiovasculaire jusqu'à 20 minutes, à raison de 5 minutes par séance.

2- Augmentez le nombre de séries.

9 conseils pour de la raquette sportive

Pépère la raquette? Ce n'est sûrement pas l'avis des athlètes qui l'ont adoptée comme activité hivernale d'entraînement!

1 Échauffez-vous progressivement

Lorsqu'il fait froid, s'élancer trop rapidement à un rythme élevé peut irriter les voies respiratoires. Marchez 15 minutes et augmentez le rythme graduellement par la suite. Non seulement cette approche ménage les poumons, mais vos systèmes cardiovasculaire et musculaire vous en seront reconnaissants.

2 Adoptez les bâtons de marche

Le simple fait d'exercer une poussée vigoureuse sur vos bâtons de marche accélère la cadence et fait augmenter votre effort physique, et ce, même sur terrain plat. Inspirez-vous de la marche nordique, très rythmée et tonique. En mobilisant les bras, les bâtons ont l'avantage de faire travailler tout le haut du corps, rendant ainsi l'exercice plus complet. Sur les parcours accidentés, les bâtons assurent un meilleur équilibre. Pour une meilleure portée, n'oubliez pas de remplacer vos paniers d'été par des modèles conçus pour la neige.

3 Plongez dans la poudreuse!

Variez le parcours et faites quelques incursions régulières dans la poudreuse tout en gardant un rythme soutenu. En répétant ces escapades en neige profonde, vous effectuez un exercice par intervalles bénéfique au système cardiorespiratoire. Nul besoin d'un terrain accidenté, un terrain plat avec des sections de neige vierge suffit.

4 Retrouvez votre cœur d'enfant!

Si les enfants le mettent en pratique sans le savoir, pratiquement tous les athlètes connaissent les vertus de l'entraînement par intervalles. En bref, il s'agit de courts efforts intenses ou très intenses, entrecoupés de courtes périodes de récupération, un exercice dont les avantages pour le muscle cardiaque et tous les autres muscles actifs sont indéniables. Joignez l'utile à l'agréable et apportez un petit traîneau pendant vos séances intermittentes. Courez au sommet d'une piste tapée et redescendez tout bonnement sur votre traîneau. Répétez pour faire durer le plaisir.

5 Optimisez vos capacités

Monter des sentiers pentus est nécessairement bénéfique, mais à plus grande allure, c'est encore mieux! Pour faciliter l'ascension, écourtez vos foulées, sans pour autant réduire la cadence. Dans le mouvement de récupération, levez les genoux bien haut et propulsez le pied vers le sol, sans attendre l'effet de la gravité. Initiez un contact agressif avec le sol et minimisez le temps de contact de votre raquette au sol.

6 Partez en expédition

Pour rejoindre un refuge en montagne, un camp de prospecteur en forêt ou encore des parois d'escalade de glace éloignées, chaussez vos raquettes! Peu importe la destination sauvage visée, l'atteindre en hors-piste, avec un sac à dos et tout son équipement, est une excellente activité aérobique. Vous avez un endroit de camping estival fétiche? Visitez-le en hiver et passez une nuit sous la tente!

7 Tirez et portez les enfants

En ville, comme à la campagne, choisissez une butte sécuritaire pour la glissade. Installez les enfants dans une luge ou un simple traîneau. Chaussé de vos raquettes, faites le cheval de trait pour remonter la pente. Les jeunes se bidonneront, tout comme vous dans les descentes. S'il s'agit d'un poupon, portez-le à l'aide d'un sac à dos prévu à cet effet.

8 Plaisir de groupe

Joignez un groupe de raquette sportive ou créez le vôtre. La planification de sorties périodiques devient en même temps l'occasion de renouer des liens et de varier le plaisir. Profitez-en pour organiser quelques petites compétitions amicales, question d'apprécier les progrès. Les enfants ne sont pas en reste : préparez pour les plus jeunes une chasse aux trésors par équipe!

9 Courez!

Pour une expérience « cardio » ultime, choisissez votre sentier préféré et... courez! Pour un plus grand confort, sachez que certains modèles de raquettes, légers et très maniables, sont dessinés expressément pour ce genre de randonnées plus musclées. Portées avec des souliers de courses ou des bottes légères, elles transforment littéralement l'expérience. Pour essayer avant d'acheter, quelques magasins de course à pied et de plein air offrent ces produits en location. Commencez par des sentiers tapés, puis, pour un plus grand défi, enfoncez-vous dans la poudreuse...

Natation

10 bonnes raisons de sauter à l'eau !

Praticable l'été comme l'hiver, la natation est l'un de ces sports qui nous assure une forme du tonnerre! Seul ou accompagné, voici dix bonnes raisons pour y plonger!

1 À la portée de tous

Nul doute, la natation est un sport idéal pour se maintenir en forme. On peut le pratiquer en toute saison, à tout âge et quelle que soit sa condition physique.

2 Sollicite tous les muscles

La natation peut faire travailler pratiquement tous les groupes musculaires. Combinez brasse et crawl et vous mobiliserez tant le bas du corps (mollets, cuisses, fessiers) que le haut (abdos, dorsaux, pectoraux, épaules, bras), le tout en douceur puisque les muscles ne travaillent que contre la résistance de l'eau.

3 Sans risque

Contrairement aux activités physiques qui ont un taux d'impact important (course à pied, squash, volley-ball, etc.), la natation est un sport non traumatisant. Les risques de blessure sont donc extrêmement limités. C'est la raison pour laquelle on la pratique souvent en réadaptation. Deux précautions à prendre toutefois : échauffez-vous pendant quelques minutes avant de nager et n'oubliez pas de boire (déposez votre bidon d'eau ou de boisson sportive sur le bord de la piscine). Comme la natation n'impose aucun stress sur les os, cette activité n'est toutefois pas salutaire pour la santé osseuse telle que peut l'être la course, par exemple.

4 Un bon entraînement

Une séance complète comprenant un échauffement, une période de nage continue ou intermittente d'environ 30 minutes, quelques sprints courts, une phase « musculation » avec des mouvements séparés des bras et des jambes constitue un excellent entraînement. Ceux et celles qui surveillent leur ligne seront ravis : la natation — pratiquée à un rythme suffisamment soutenu — occasionne une grande dépense énergétique.

5 Soulage les articulations

Dès qu'on s'immerge, c'est l'eau qui supporte notre poids, comme dans un état de quasi-apesanteur. En épargnant le squelette et les articulations de cette pression, le milieu aquatique est donc le meilleur allié des chevilles, genoux et poignets.

6 Fortifie le cœur

Pratiquée de façon prolongée, à un rythme régulier et à intensité moyenne, la natation tonifie le système cardiovasculaire. En plus d'augmenter la tolérance à

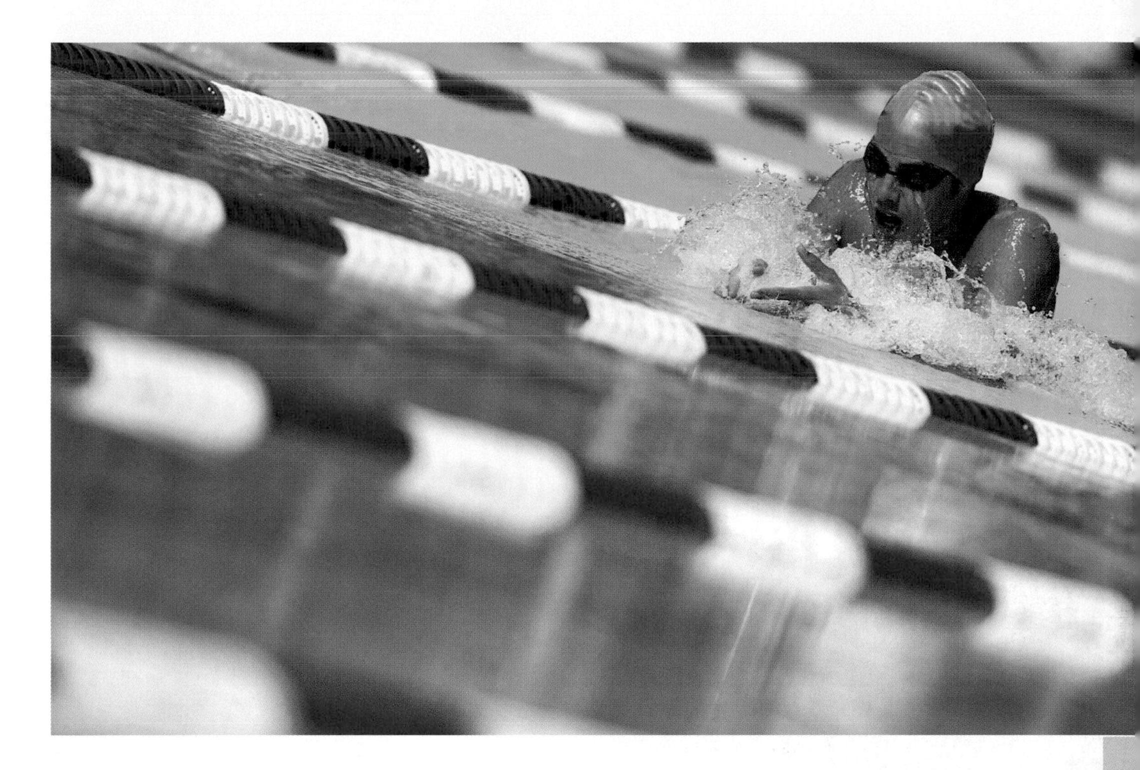

l'effort, elle diminue la pression artérielle des personnes hypertendues et baisse la fréquence cardiaque, au repos comme à l'effort.

7 Soulage le dos!

L'eau allège le travail du dos, et nager fortifie les muscles qui soutiennent la colonne vertébrale. Si la brasse, qui accentue les problèmes de cambrure, vous fait souffrir, optez pour le crawl ou le dos crawlé!

8 Bon pour le souffle

Les longueurs développent la cage thoracique et la résistance à l'essoufflement. Sur terre, l'expiration est passive. Dans l'eau, il faut non seulement inspirer volontairement, mais aussi expirer volontairement, et ce, à un rythme coordonné avec l'effort.

9 Améliore la circulation du sang

Le fait d'évoluer dans le milieu aquatique modifie la pression veineuse et facilite le retour du sang vers le cœur. La position allongée, qui supprime la lutte du sang veineux contre la pesanteur, renforce encore cet effet. Les jambes « lourdes » sont soulagées. Aussi, la natation convient bien aux gens qui souffrent de problèmes d'asthme puisque cette activité ne provoque que très rarement des crises.

10 Relaxe le corps et l'esprit

L'élément liquide est doté d'un merveilleux pouvoir relaxant, qui agit tant au niveau physique que psychologique. La quasi-apesanteur, le massage continu de l'eau sur la peau, l'isolement et le calme qu'on trouve en plongeant la tête sous la surface se combinent pour procurer une profonde détente. En soirée, vous ressentirez une bonne fatigue physique qui favorisera votre sommeil.

Conseils pratiques

- Évitez de vous baigner immédiatement après un repas, surtout s'il est copieux.
- Évitez de plonger directement dans une eau froide. Entrez plutôt progressivement ou mouillez d'abord votre nuque, votre abdomen et votre thorax.
- Suivez un cours pour améliorer votre technique.
- Avant de plonger, assurez-vous de la profondeur du bassin où vous nagez.

Loin du brouhaha et de la pollution urbaine, la course en sentiers fait du bien au corps autant qu'à l'esprit. Répondez à l'appel de la nature, ça vaut le déplacement!

1 Adoptez le « 2 en 1 »

Profitez des moments où vous sortez de la ville pour aller courir en sentiers. Fin de semaine en camping, journée chez les beaux-parents, sortie en famille à la plage etc. Pour « rentabiliser » le déplacement, imaginez des sorties « 2 en 1 », qui associent la course à une autre activité ludique : nage, canot, spa, cueillette de fruits, visite d'un vignoble, etc.

2 Échauffez-vous

Débutez votre sortie par un échauffement de 5 à 15 minutes en courant lentement, puis augmentez l'allure progressivement pour atteindre votre vitesse de croisière. Terminez par un retour au calme et ne négligez jamais vos étirements.

3 Ajustez votre foulée au relief

Pour être plus efficace, réduisez l'amplitude de votre foulée dans les montées et allongez-la prudemment dans la descente. Dévaler une pente à toute allure augmente les risques d'entorse.

4 Ne vous surentraînez pas

À vitesse égale, l'intensité est plus élevée en sentier à cause du relief. Choisissez des parcours adaptés à votre condition physique, ralentissez après une série de montées et prenez le temps de récupérer entre les entraînements. Si vous n'avez pas l'habitude de courir, commencez en alternant, au besoin, course et marche.

5 Faites attention aux obstacles

À l'automne, la prudence est de mise. Roches et racines peuvent se dissimuler sous un tapis de feuilles.

6 Hydratez-vous

Bien vous hydrater est très important et vous mettra à l'abri de la surchauffe. Comptez entre 600 ml et 800 mL de liquide par heure, selon votre gabarit. Il existe différents types de ceintures et de contenants qui vous permettront d'apporter de l'eau avec vous, et ce, sans trop d'inconfort.

7 Utilisez des bâtons de randonnée

L'utilisation de bâtons mobilise avantageusement le haut du corps et apporte un complément intéressant au travail aérobique, en augmentant l'intensité de la sortie.

8 Utilisez le profil du terrain pour développer différentes qualités

Attaquez quelques côtes pour développer la puissance. Utilisez les descentes pour travailler l'agilité. Profitez d'un faux plat pour augmenter l'intensité et pour favoriser l'amélioration de votre potentiel aérobique.

9 Portez des chaussures adaptées au terrain

Une chaussure dessinée pour la course en sentiers est mieux adaptée à une surface instable et cahoteuse. Elle sera plus stable, mieux cramponnée et plus résistante à l'eau. Cependant, sur les sentiers aménagés, des chaussures de course « urbaines » feront très bien l'affaire.

10 Optez pour des vêtements appropriés

Les fibres synthétiques vous donneront une sensation de légèreté et augmenteront votre confort, spécialement quand il fera chaud. Ils ont notamment la propriété d'évacuer l'humidité de la sueur.

Extra !

Où courir en forêt?

Ce guide propose des centaines de sentiers de randonnée qui se prêtent aussi à la course à pied; pour des idées de destinations près de Montréal ou de Québec, consultez les sections Express-O2.

Vélo de route

Dix conseils pour rouler comme les pros!

Pour pédaler sans se dégonfler, rien de tel qu'un menu printanier concocté par un pro du vélo! Voici quelques prodigieux conseils pour mieux rouler :

1 Étirez votre plaisir

Effectuez un échauffement qui comporte des étirements stratégiques. L'échauffement permet d'élever la température des muscles et limite ainsi le risque d'être indisposé par des crampes.

2 Révolutionnez tranquillement

En début de saison, commencez en douceur. Pédalez à une cadence qui oscille entre 80 et 95 révolutions par minute (RPM : tour complet du pédalier) en choisissant le développement (plateau et pignon) approprié. Effectuez des sorties de 30 à 40 minutes. Chaque semaine, allongez vos sorties d'une dizaine de minutes.

3 Visez le top chrono

Une fois votre forme retrouvée, c'est le temps de travailler en qualité! Développez vos aptitudes à la vélocité et à mouliner à cadence élevée. Dans les côtes, pédalez assis, puis en danseuse. Effectuez des sprints, lancez vous des défis, chronométrez-vous sur des distances de 200, 400 et 1000 mètres. Et répétez!

4 Essayez l'entraînement par intervalles

Découvrez les bienfaits des entraînements par intervalles. Faites alterner des périodes où vous pédalerez à intensité élevée, avec des périodes de récupération active (mouliner sans effort). Cela améliorera votre aptitude à utiliser l'oxygène comme vecteur d'énergie.

5 Profitez des temps morts

Pour améliorer votre coup de pédale, portez attention aux points morts inférieur (tirez la pédale vers l'arrière) et supérieur (poussez la pédale vers l'avant) et à la phase montante (levez le genou pour tirer la pédale vers le haut). Vous maximiserez ainsi son efficacité.

6 Soyez bien en selle

La position qu'on adopte sur le vélo a une incidence directe sur notre confort et nos performances. Demandez l'aide d'un spécialiste en boutique pour l'ajustement de votre guidon et de votre selle en fonction de votre morphologie.

7 Adoptez une posture aérodynamique

Pour atteindre des vitesses grisantes et afin de ne pas perdre d'énergie à lutter contre le vent, inclinez d'abord votre tronc vers l'avant. Maintenez votre buste à un angle d'environ 45 degrés. Fléchissez légèrement les bras et ramenez les coudes vers l'intérieur. Pour plus de puissance, rapprochez aussi les genoux. Munissez votre monture de pneus étroits et portez des vêtements ajustés. Enfin, maintenez une bonne ligne droite : c'est la marque des grands rouleurs!

8 Variez vos postures

Pour éviter l'engourdissement, changez régulièrement de position. Pédalez assis, puis debout. Prenez le guidon par-dessous, puis par-dessus. La position aérodynamique est efficace, mais maintenue trop longtemps, elle devient inconfortable.

9 Montez en danseuse

Afin de développer de la puissance dans les montées abruptes, entraînez-vous sur des côtes à degré d'inclinaison variable. Monter en danseuse soulage certains groupes musculaires en répartissant le travail sur plus de groupes musculaires, mais on ne peut conserver ce style pendant longtemps.

10 Notez vos performances

Pour bien voir vos progrès et pour varier vos séances, notez vos entraînements dans un carnet. Comptabilisez votre kilométrage, vos chronos, vos fréquences cardiaques, etc. Vous éviterez ainsi de répéter les mêmes exercices et vous constaterez encore plus votre amélioration.

6 conseils pour se préparer à l'effort en altitude

Vous prévoyez un trek en Amérique latine, un sommet dans les Alpes ou encore une longue randonnée dans l'Himalaya? Voici six suggestions pour entraîner votre corps à l'effort et minimiser les inconforts de l'altitude.

1 Prévoyez et débutez tôt!

La clef du succès se trouve dans la durée de la préparation. Plus vous commencerez tôt votre entraînement, plus votre corps aura le temps de s'adapter aux demandes croissantes d'effort. Selon votre niveau de sédentarité, des programmes de mise en forme d'une durée variant de vingt semaines à un an vous prépareront à de telles conditions.

2 Go les jambes!

Avant de vous lancer dans des exercices cardiovasculaires, il est important de renforcer votre système musculo-squelettique. L'emphase doit porter sur les membres inférieurs. Un bon exercice consiste à gravir à un bon rythme de longs escaliers. Complétez la séance avec quelques séries de demi-squat, vos cuisses pourront ainsi mieux supporter le poids de votre éventuel barda.

3 Courir pour moins souffrir

Consacrez au moins deux jours par semaine à l'entraînement cardiovasculaire. La course à pied, idéalement en sentiers, est particulièrement bien adaptée aux efforts en montagne. Préconisez des parcours vallonnées pour faire varier l'intensité de l'effort. Le Parc du Mont-Royal, avec ses infinis escaliers et ses sentiers escarpés, ou encore les vallons des Plaines d'Abraham vous feront amplement suer!

4 Une journée, c'est bien, mais deux, c'est mieux

Consacrez vos week-ends aux longues randonnées. Le sac à dos chargé de vivres et de matériel de

Combattre le MAM

Il n'existe pas de recette miracle pour combattre le mal aigu des montagnes (MAM). Même la meilleure des préparations physiques ne peut garantir que vous n'en souffrirez pas. Certains médicaments contre l'hypertension (dont le Diamox) peuvent aider à minimiser les symptômes du MAM. Mais, sous les 3000 mètres, une acclimatation bien dosée suffit généralement.

Plus d'nfos sur le MAM :

***Le Mal des montagnes**, de Pascal Daleau (Pascal Daleau éditeur, 2008)*

camping augmentera la difficulté. Les journées devraient compter un minimum de sept heures de marche afin de simuler efficacement, au plan physique, quelques jours de trekking en haute montagne.

5 Le repos du guerrier

Accordez-vous au moins une journée de repos total par semaine. Votre corps en profitera pour récupérer. La journée suivant une longue et éreintante randonnée, allez faire un petit pas de course d'une vingtaine de minutes, question de stimuler votre organisme et de délier les muscles - ou mieux encore, une séance de natation moins difficile qu'un léger jogging au lendemain d'une randonnée ardue.

6 Monter haut - dormir bas

Une fois sur place, pour s'acclimater adéquatement, appliquez la règle d'or en montagne qui consiste à grimper haut et dormir bas. Effectuez quelques randonnées d'une journée qui vous mèneront 500 mètres plus haut que votre point de repos nocturne. Graduellement, votre organisme s'adaptera à votre nouvelle situation géographique.

Extra !

De l'aide?

Après avoir évalué votre condition de départ, un kinésiologue pourra élaborer un programme d'entraînement sur mesure.

Kayak de mer

8 conseils pour faire corps avec la mer

1 Musculation

En kayak, tout le haut du corps est sollicité. En semaine, faites quelques exercices de musculation en insistant sur les grands dorsaux, les deltoïdes, les abdominaux et les trapèzes. Enchaînez plusieurs brèves séries d'effort sur un appareil de rameur ou avec des haltères. Et terminez la séance par des étirements de tout le corps.

2 Fréquence

Pour améliorer vos performances, fixez-vous une fréquence d'entraînement d'au moins deux fois par semaine. Par exemple, planifiez une petite sortie d'une heure en semaine le soir. Profitez de la fin de semaine pour faire une balade... après tout, le kayak doit rester un loisir! Comptez une dizaine de kilomètres pour la semaine et 25 kilomètres pour une journée de fin de semaine.

3 Activités complémentaires

Il est bon de contrebalancer votre tonus de haut de corps avec un sport qui permet de travailler le bas du corps. De plus, le kayak est une activité musculaire qui n'active le système cardiovasculaire que si l'on maîtrise parfaitement la technique, ce qui requiert des semaines d'entraînement. Il est donc judicieux de le compléter par une activité aérobique qui développe les aptitude cardiorespiratoires (ex. : course à pied, vélo, patin à roues alignées).

4 Échauffement

En plus de quelques étirements de base avant d'embarquer, voici quelques petits trucs pour vous échauffer, une fois assis dans votre kayak : penchez d'abord le buste vers l'avant du pont et étirez-vous le plus loin possible. Relevez-vous et faites la même chose vers l'arrière. Ensuite, effectuez une rotation du buste vers l'arrière, en allant chercher l'arête du côté opposé avec la main. À répéter des deux côtés.

5 Début de séance

Commencez par quelques exercices techniques. Pagayez tranquillement pendant une vingtaine de minutes. Travaillez ensuite la propulsion et la direction : avant, arrière, slalom... tout ça le plus vite possible. À plusieurs, les jeux de balle sont amusants et exercent l'agilité des kayakistes. Quand vous vous sentez à l'aise et réchauffé, terminer avec des exercices d'appui, de gîte et d'esquimautage.

6 Le petit plus

Lorsque vous pagayez, assurez-vous que vos doigts ne sont pas trop crispés sur votre pagaie. Vous éviterez ainsi que vos poignets tanguent à chaque mouvement et qu'ils réduisent du même coup votre performance. Petit conseil : ne fermez que les trois premiers doigts sur la rame, afin que le poignet reste bien droit.

7 Analyse théorique

Pour améliorer vos performances, concentrez vous sur vos mouvements. Un truc : décomposez vos gestes. De même, regarder une vidéo de kayak à la maison et analysez les mouvements des pros peut vous aider.

8 Toujours plus loin

Enfin, n'hésitez pas à repousser vos limites! Il existe des cours de kayak pour tous les niveaux et certains sont axés sur des points techniques précis - parfait pour corriger vos défauts et passer à l'étape suivante.

Extra !

Fédération de canot et kayak du Québec

www.canot-kayak.qc.ca • (514) 252-3001

Le site regroupe de l'information utile pour choisir un cours ou un stage adapté à votre niveau, de même que les coordonnées de guides et d'instructeurs.

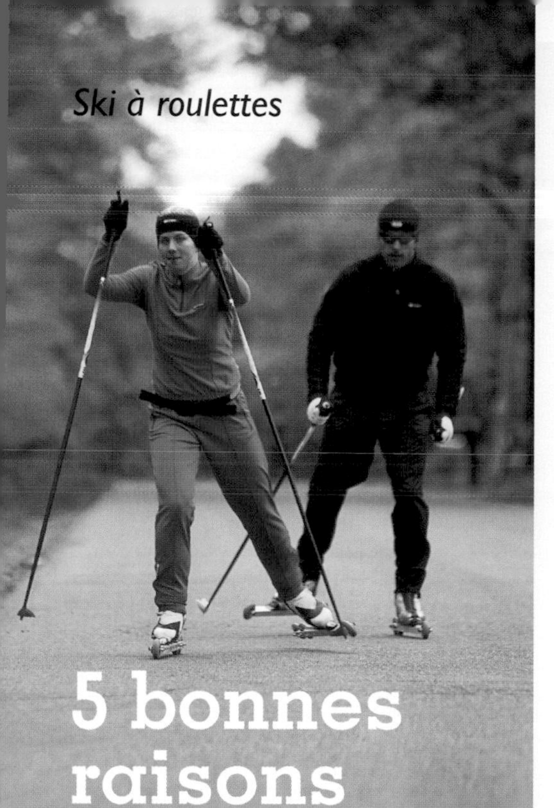

5 bonnes raisons de rouler

Vous mourez d'impatience en attendant les premières neiges? Le ski à roulettes est un entraînement estival complémentaire au ski de fond.

1 Variez vos activités « cardio »

Pour varier vos activités cardiovasculaires, le ski à roulettes est la solution de rechange idéale. Dans les parcs, sur les chemins ou sur une piste circulaire, vous pourrez travailler les mouvements, l'enjambé et le transfert du poids tout en améliorant votre endurance cardiovasculaire.

2 Activez votre corps en entier

Le ski à roulettes fait travailler le haut et le bas du corps. Sur le plat comme dans les montées, plusieurs groupes musculaires du tronc, des membres inférieurs et supérieurs sont sollicités.

3 Roulez en ville ou à la campagne

Le ski à roulettes se pratique sur un terrain stable et pas trop mou. Le pavé constitue en principe un terrain de jeu idéal. Cela dit, la circulation routière intense et les pistes cyclables trop étroites et achalandées rendent l'activité des plus périlleuses. Optez plutôt pour les rangs de campagne pavés et peu fréquentés! Et sachez qu'il existe des roulettes plus grandes permettant même de rouler sur des chemins de graviers.

4 Choisissez votre pas!

Tout comme pour le ski de fond, on peut pratiquer le ski à roulettes en pas classique ou en pas de patin. En patin, la sensation est assez semblable à celle du **patin à roues alignées**. Idéal sur circuit, et sur chemin plat, le pas de patin permet d'atteindre de bonnes vitesses, mais gare à vous, en patin comme en classique, le freinage est un art difficile à maîtriser !

Le **pas classique** est un peu moins accessible pour les débutants. Sans trace au sol, il est plus difficile de garder les skis parallèles. Des roulettes plus larges confèrent une certaine stabilité et permettent la pratique sur des terrains mixtes et moyennement stables (chemins de terre tassée, sentiers de gravier fin).

5 Recyclez votre matériel de ski de fond

Si vous craignez d'user prématurément vos belles bottes de ski, avez-vous conservez votre vieille paire? Elle conviendra parfaitement. Quant aux bâtons, ils sont un peu trop courts et la pointe manque de solidité pour piquer le bitume ou le gravier. Mieux vaut se procurer des bâtons conçus spécialement pour le ski à roulettes.

Extra !

Pour votre premier essai, il est conseillé de louer une paire de ski à roulettes dans un magasin de plein air. Vous pourrez ainsi déterminer le style de ski qui vous convient le mieux et faire un achat plus éclairé.

Où pratiquer ?

Montréal : *parc du Mont-Royal • circuit Gilles-Villeneuve • voie maritime*

Alentours de Montréal : *canal Soulanges • les larges et vallonnées bandes cyclables qui traversent le* ***parc national d'Oka*** *• P'tit Train du Nord (en pas classique) • nouvelle route Tremblant-Saint-Donat.*

Outaouais : *les routes larges et peu fréquentées du* ***parc de la Gatineau*** *(parfois même fermées aux voitures les dimanches matin).*

Québec : *anneau Gaétan-Boucher • promenade de la rivière Saint-Charles.*

Ski de fond

Entrez dans la course!

La loppet est au ski de fond ce que le marathon est à la course à pied : une compétition à la fois prestigieuse et ouverte à un large public. On peut participer sans avoir à se qualifier - gage de son accessibilité et de sa popularité. Mais comment passer son initiation avec succès?

1 Choisissez la bonne formule

Le terme loppet est généralement donné aux courses longues (20 kilomètres et plus), mais on offre souvent la possibilité de participer à des courses plus courtes. Dans certains cas, le style classique est imposé; dans d'autres, il n'y a pas de restriction quant au style (libre ou classique). Parfois, elles comprennent deux courses en deux jours. Si vous skiez en moyenne une quinzaine de kilomètres par sortie, envisagez de faire une loppet de distance intermédiaire. Si toutefois vous avez l'habitude de skier 40 kilomètres et plus, la course principale est à votre portée.

2 Entraînez-vous

S'entraîner sur de longues distances permet d'acquérir résistance physique, force mentale et confiance en soi, des éléments essentiels à toute course d'endurance. Profitez-en pour améliorer votre technique et pour intensifier votre entraînement cardiovasculaire.

3 Soyez prêt

1) Dormez bien dans les jours qui précèdent et chargez le plus possible votre organisme en glucides.
2) Prenez un solide déjeuner 3 à 4 heures avant le départ (ex. gruau, beurre d'arachide). Ne prenez rien que vous n'avez déjà essayé. Assurez-vous que le tout soit digeste.
3) Libérez vos intestins.
4) Arrivez en avance sur les lieux et restez détendu.

4 Partez!

Dans la majorité des cas, les départs se font en une seule masse compacte de skieurs. La hantise des possesseurs de bâtons en composite, c'est de se les faire écraser dans la cohue. Skiez en position regroupée et gardez un œil jaloux sur vos précieuses tiges.

5 Dépassez et cédez

En peloton, même sur le plat, les dépassements sont hasardeux. Cédez rapidement le passage et gardez votre droite, surtout dans les montées. Attendez votre tour dans les descentes acrobatiques, car les chutes en rafale ne sont pas rares et peuvent avoir des conséquences fâcheuses.

6 Ravitaillez-vous

Localisés habituellement à tous les cinq kilomètres, les points de ravitaillement servent autant de point de contrôle que de relais pour faire le plein. Pour économiser du temps, certains skieurs préfèrent transporter eux-mêmes leurs victuailles. D'autres choisissent de s'arrêter, alors que la sagesse exige de boire et de manger régulièrement. Privilégiez des liquides chauds et énergétiques. Du côté des aliments solides, ingérez en petite quantité ceux qui sont facilement assimilables et riches en glucides (fruits déshydratés, gel, barre tendre, etc.).

7 Trouvez la bonne cadence

Le contexte d'une compétition amène les coureurs à se surpasser mais il n'est pas nécessaire de s'épuiser. Les premiers kilomètres passés, trouvez la cadence qui vous convient et que vous pourrez maintenir jusqu'à la fin, de manière à ne pas perdre dans les dernières sections ce que vous avez gagné au départ. Profitez des descentes pour récupérer.

8 Soyez prévoyant

Méfiez-vous de l'effet combiné du froid, du vent et de l'humidité. Prévoyez des vêtements légers qui vous protégeront efficacement. D'autre part, il est essentiel de rester le plus sec possible. Privilégiez le système multicouche et les fibres de polyester et de laine mérinos.

9 Et surtout, amusez-vous!

La loppet est avant tout un évènement récréatif qui vient couronner l'entraînement soutenu et discipliné de plusieurs semaines; alors prenez la peine de savourer...

Mini-guides

Un adepte averti en vaut deux! Nos mini-guides vous conseillent sur les bonnes pratiques, les bons trucs, les bons tuyaux, en plus de vous dévoiler quelques plaisirs coupables - car en plein air, il n'y a assurément pas de mal à se faire du bien!

Observation de la faune

À la découverte des autres habitants de la planète

Il est énorme, magnifique : à quelques mètres, sur le bord du ruisseau, un orignal s'abreuve. Comme s'il ignorait qu'on l'observe, il prend son temps avant de s'enfoncer calmement dans la forêt.

Les adeptes de plein air ont tous *leur* belle histoire faunique à raconter, l'histoire d'une rencontre faite au hasard d'un sentier. Si croiser un animal est toujours intéressant, prendre le temps d'observer la faune peut donner par surcroît une dimension nouvelle à tous les sports de plein air.

Avec 325 espèces d'oiseaux et près d'une centaine de mammifères, le Québec est une terre de prédilection pour les naturalistes amateurs. Pas besoin d'aller bien loin : un boisé urbain peut être le théâtre d'excursions intéressantes. Et même si une rencontre avec un lynx du Canada peut sembler l'expérience suprême, une foule d'autres espèces s'avèrent passionnantes à observer. Le goéland à bec cerclé, dont le comportement social peut s'étudier dans tous les bons stationnements, ainsi que les écureuils et les oiseaux qui fréquentent les mangeoires offrent autant d'occasions de s'initier – et d'initier les enfants – à l'art d'observer la nature. De plus, la perspective de voir des animaux peut motiver les plus jeunes à vous accompagner lors de vos sorties de plein air!

Repères

- *Le Regroupement QuébecOiseaux (auparavant l'Association québécoise des groupes d'ornithologues) est un organisme sans but lucratif qui regroupe personnes et organismes intéressés par les oiseaux.*

www.quebecoiseaux.org

- *Voici également un site clé pour partir à la découverte des oiseaux du Québec.*

www.oiseauxqc.org

- *Il est possible de consulter des photographies d'oiseaux du Québec et de l'est américain ainsi que d'obtenir des conseils sur les techniques et l'équipement.*

www.oiseaux.ca

Où voir les oiseaux au Québec?

- *Le réseau des parcs-nature de Montréal, dont le parc de la Pointe-aux-Prairies et celui de l'Île-de-la-Visitation.*
  www.ville.montreal.qc.ca
- *Le Centre d'interprétation de la nature du lac Boivin, à Granby, notamment pour l'observation des canards.*
  info@cinlb.org • (450) 375-3861
- *La Réserve nationale de faune du cap Tourmente, lieu de prédilection pour les oies blanches, ainsi que les autres réserves fauniques.*
  www.captourmente.com• (418) 827-4591
  www.qc.ec.gc.ca/faune/faune/html/rnf.html
- *La région de Coaticook recèle 11 sites permettant de contempler une grande diversité d'espèces.*
  www.tourismecoaticook.qc.ca/ornithologie
  1 866 665-6669
- *Le Centre d'interprétation de Baie-du-Febvre, idéal pour observer les oies blanches, les bernaches du Canada et plusieurs espèces de canards.*
  www.oies.com • (450) 783-6996
- *Le refuge faunique Marguerite-D'Youville, en Montérégie, abrite pas moins de 193 espèces d'oiseaux.*
  www.heritagestbernard.qc.ca/rfmy.htm
  (450) 698-3133
- *Le site ornithologique du marais de Gros-Cacouna, près de Rivière-du-Loup, se veut un excellent site pour admirer les oiseaux aquatiques.*
  www.cacouna.net/siteOrnithologique.htm
  (418) 898-2757
- *Le réseau de Parcs Canada, notamment l'Archipel-de-Mingan et Forillon.*
  www.pc.gc.ca
- *De nombreux parcs nationaux, dont ceux de Frontenac, de Plaisance, du Mont-Mégantic, du Bic et de l'Île-Bonaventure-et-du-Rocher-Percé.*
  www.parcsquebec.com • 1 800 665-6527
- *Le village saguenéen de Saint-Fulgence célèbre au printemps la Journée de la bernache : une belle occasion de découvrir le Centre d'interprétation des battures et de réhabilitation des oiseaux.*
  www.cibro.ca • (418) 674-2425
- *L'observatoire d'oiseaux de Tadoussac constitue un endroit tout désigné pour apercevoir les oiseaux de proie en migration d'automne.*
  www.explos-nature.qc.ca/oot/
  1 877 637-1877

Repères

Ressources utiles

Le Québec est bien représenté par plusieurs guides qui indiquent les meilleurs sites pour y observer les oiseaux, notamment Les sites d'observation d'oiseaux au Québec, *écrit par Jean-Pierre Pratte, paru en 2004 aux Éditions Broquet. Par ailleurs, de nombreux ouvrages recensent les lieux d'observation et les espèces du Québec. Citons entre autres* Les meilleurs sites d'observation des oiseaux au Québec, *livre publié par les Presses de l'Université du Québec.*

Quelques conseils pratiques

- *Feuilleter régulièrement son guide d'identification à la maison afin de se familiariser avec les oiseaux et de connaître l'organisation du guide.*
- *Lire sur les oiseaux, connaître leur comportement, leur répartition et leurs déplacements saisonniers.*
- *Adhérer à un club d'ornithologie : une façon agréable d'apprendre en assistant à des conférences et en participant à des excursions.*
- *Prendre le temps d'observer attentivement le plumage des oiseaux communs.*
- *Marcher calmement et demeurer dans les sentiers.*
- *Garder l'oreille alerte : les cris et les chants trahissent souvent la présence des oiseaux.*
- *Au moment de pointer les jumelles, ne pas regarder à travers tout de suite, mais continuer à fixer des yeux la branche où est l'oiseau pour ne pas risquer de le perdre de vue.*
- *Enfin, multiplier les heures passées sur le terrain.*

Il existe une foule d'animaux intéressants à découvrir. Les passionnés d'observation peuvent commencer par se procurer un bon guide d'identification : en savoir plus long sur un animal accroît les chances de l'apercevoir... ou de comprendre pourquoi on ne l'a jamais aperçu! Pour le reste, il s'agit de garder en mémoire certains principes (voir encadré), mais surtout, d'être discret et patient. Évidemment, un peu de chance ne nuit jamais...

L'observation des oiseaux

Longtemps considérée comme un loisir scientifique, l'observation des oiseaux est devenue une activité aux multiples facettes. En effet, c'est un loisir qu'on pratique seul ou en groupe, près de la maison ou en forêt, au printemps comme en hiver, bref, une activité à laquelle chacun peut se livrer à sa façon. C'est d'ailleurs cette polyvalence qui a contribué à la popularité de ce passe-temps.

Pour s'en convaincre, on n'a qu'à penser aux nombreux clubs regroupant maintenant les amateurs dans les diverses régions du Québec, à tous les sites aménagés afin de protéger les oiseaux et de faciliter leur observation et, aussi, à toute la documentation portant sur l'ornithologie. Ainsi, cette science qui étudie les oiseaux est devenue une façon privilégiée de prendre contact avec la nature et d'y passer de très beaux moments.

Ce loisir peut même devenir une façon d'organiser ses vacances! Se promener en forêt au petit matin et observer les parulines, arpenter les rives de l'estuaire du Saint-Laurent à la recherche d'oiseaux marins ou contempler les oiseaux de rivage sur un grand banc de sable à l'embouchure d'une rivière dans la baie des Chaleurs, voilà de belles occasions de parcourir les régions du Québec!

Des oiseaux partout

Que ce soit en ville ou en plein cœur de la forêt boréale, il est possible d'observer les oiseaux dans les endroits les plus variés. Chaque coin de pays possède de bons endroits pour observer les oiseaux et ses espèces spécifiques. Il suffit de se renseigner auprès d'un des nombreux clubs régionaux d'ornithologie pour connaître les spécialités locales.

En migration, certaines espèces recherchent des endroits où elles pourront s'alimenter avant de poursuivre leur route. Il suffit de penser à **Baie-du-Febvre,** sur les rives du **lac Saint-Pierre**, et aux milliers d'oies et de canards qui s'y arrêtent au printemps. Et que dire de ces oasis de verdure situés au cœur du béton que sont les parcs dans les grandes villes, notamment le **mont Royal** ou certains parcs-nature à Montréal?

Bref, un peu partout et en toutes saisons, il y a toujours des oiseaux à portée de jumelles. Il est donc facile d'en profiter, que ce soit en épiant le va-et-vient des parents qui nourrissent leurs oisillons ou en observant des milliers d'oies s'alimentant dans un champ. En écoutant leur gai babillage ou, tout simplement, en les admirant dans leurs livrées colorées, chacun a sa façon de les apprécier!

Mammifères marins : les géants du pays bleu

L'été, le fleuve Saint-Laurent accueille une dizaine d'espèces de **baleines** qui viennent ici pour se nourrir.

Extra!

Les principes de base

- *La nature n'est pas un zoo. Ayez des attentes réalistes.*
- *Faites preuve de la plus grande discrétion possible. Évitez les couleurs vives et les tissus bruyants.*
- *Le matériel nécessaire se limite à une paire de jumelles, un carnet et un crayon. Les guides d'identification sont utiles.*
- *Le matin et le soir représentent les meilleurs moments pour surprendre les animaux. Les points d'eau sont de bons endroits où se poster.*
- *Beaucoup de mammifères étant nocturnes, il est plus facile d'observer plutôt les indices de leur passage, comme les pistes ou les crottins.*
- *Vous entendrez la majorité des animaux avant de les voir. Il est bon de savoir reconnaître certains chants et cris. Des cassettes sont offertes dans des boutiques spécialisées.*

Celles que l'on voit le plus souvent sont le petit rorqual et le rorqual commun, mais on peut aussi observer le plus gros animal de la planète, le rorqual bleu. Le **phoque** commun, le phoque gris et le phoque du Groenland sont également présents dans nos eaux. À la fin de l'automne, les cétacés repartent vers les mers du sud. Les **bélugas** sont généralement les seuls à rester ici tout l'hiver.

Célèbres malgré elles, les baleines attirent chaque été un nombre grandissant de touristes. Pour éviter que cela leur nuise, on a réglementé récemment l'industrie à l'intérieur du parc marin du Saguenay–Saint-Laurent. Les bateaux à moteur mais aussi les kayaks devront désormais garder leurs distances. À l'extérieur du parc, la réglementation relève de Pêches et Océans Canada.

Où aller?

- À **Tadoussac**, à deux pas du Centre d'interprétation des mammifères marins (CIMM), le sentier de la pointe de l'Islet (700 m) donne accès à l'embouchure du Saguenay, où l'on peut observer des petits rorquals et des bélugas.

www.gremm.org et www.baleinesendirect.net
(418) 235-4701

- Au Centre d'interprétation et d'observation de **Cap-de-Bon-Désir,** un sentier d'un demi-kilomètre mène au cap, d'où il est possible de voir les baleines de très près. Des naturalistes présentent quotidiennement des activités d'interprétation. À noter qu'un sentier polyvalent relie le cap au village de Bergeronnes.

www.parcmarin.qc.ca
(418) 232-6751 (été) (418) 235-4703

- Au parc national du Saguenay, la **baie Sainte-Marguerite** représente un endroit idéal pour observer les bélugas. En plus du centre d'interprétation qui leur est consacré, un belvédère surplombe le fjord. On y accède par un sentier de 3 kilomètres adapté aux vélos et aux personnes à mobilité réduite.

  Il est également possible de faire de belles observations tout au long du sentier qui longe le fjord sur 42 kilomètres.

www.parcsquebec.com
1 800 665-6527 • (418) 272-1556

- S'étirant sur 95 kilomètres, **l'archipel des îles Mingan**, habitat estival de nombreuses baleines, se révèle un trésor à explorer en kayak. La réserve du parc national de l'Archipel-de-Mingan compte deux centres d'interprétation.

www.pc.gc.ca • (418) 538-3285

- À explorer toujours en kayak, le **parc national Forillon** est riche en découvertes : rorquals, dauphins et phoques s'y donnent rendez-vous.

www.pc.gc.ca • (418) 368-5505

Mammifères terrestres : les quatre pieds sur terre

Très discrets, les mammifères terrestres sont généralement difficiles à observer dans leur élément naturel.

Le cerf de Virginie (régionalement appelé « chevreuil ») est présent partout dans le sud du Québec. Il fréquente les champs en friche, les vergers et les parties éclaircies des forêts. Plutôt solitaire en été, il vit en groupe l'hiver et forme ainsi des « ravages » à l'abri des conifères. S'il est surpris, il détale rapidement en exposant le dessous blanc de sa queue.

- **L'île d'Anticosti** est considérée comme le paradis du cerf de Virginie en raison d'un cheptel évalué à plus de 130 000 individus. Sur l'île, le cerf est roi et peut être aperçu partout.

www.parcsquebec.com • 1 800 665-6527

- Le **parc national des Îles-de-Boucherville**, à quelques minutes de Montréal, peut s'avérer un endroit intéressant à visiter en famille, que ce soit à pied ou en vélo. Il arrive souvent d'y croiser des cerfs de Virginie ou même des familles de renards.

www.parcsquebec.com
1 800 665-6527 • (450) 928-5088

- À Montréal, le **Groupe uni des éducateurs pour l'environnement** (GUEPE) offre des randonnées guidées d'observation et d'interprétation de la faune dans des parcs-nature.

www.guepe.qc.ca• (514) 280-6829

Extra!

Quelques règles à suivre

- *Respectez la faune*
- *Ne nourrissez jamais un animal sauvage*
- *Si vous rencontrez un animal potentiellement dangereux, faites connaître votre présence en parlant calmement et laissez-lui le champ libre pour s'enfuir.*
- *Évitez d'emmener un chien avec vous. Il peut effrayer ou provoquer certains animaux.*

L'**orignal** habite la forêt mixte où il fréquente les parties éclaircies et les marécages. Bien qu'il soit largement réparti au Québec, il existe certains endroits où les populations sont particulièrement denses. Cependant, les chances d'apercevoir un orignal sont réduites par l'acuité de ses sens : il peut percevoir une présence humaine à un kilomètre. Une bonne période pour l'observer est la saison du rut, à l'automne. Il faut cependant garder en tête que — y compris dans les réserves fauniques du gouvernement du Québec — la chasse bat alors son plein en dehors des parcs.

- La **réserve faunique de Matane** est située dans la zone qui compte la plus forte densité d'orignaux du Québec. Pour en faire profiter ses visiteurs, elle a mis sur pied plusieurs activités d'observation telles que des randonnées guidées dans un « ravage » ou une vasière, de l'observation en kayak, etc. On peut également visiter le centre d'interprétation consacré à cet animal.

www.sepaq.com
(418) 562-3700 ou (418) 224-3345

- Dans les Laurentides, la **réserve faunique Rouge-Matawin** est également réputée pour la densité de sa population d'orignaux. On y retrouve des sentiers pédestres et équestres ainsi que des rivières canotables.

www.sepaq.com • (450) 833-5530

- Au **parc national de la Gaspésie**, le lac Paul est bien connu pour les mêmes raisons. Une tour d'observation permet d'attendre « son » orignal en toute discrétion. Le mont Ernest Laforce vaut lui aussi le détour.

www.parcsquebec.com
1 800 665-6527 • (418) 763-7494

- Plus près de Québec, un voyage de canot-camping dans le **parc national de la Jacques-Cartier** sera peut-être l'occasion de rencontrer un orignal. Ceux-ci sont particulièrement peu farouches, sans doute parce que la chasse est interdite sur le territoire.

www.parcsquebec.com • 1 800 665-6527
(418) 848-3169 (été), (418) 528-8787 (hiver)

Le **caribou des bois** vit dans la forêt boréale, la taïga et la toundra. Il se nourrit essentiellement de plantes et de lichens. On le retrouve exceptionnellement dans le sud du Québec, au sommet des montagnes où l'altitude reproduit son habitat naturel.

- Le **parc national de la Gaspésie** abrite l'unique population de caribous se retrouvant au sud du Saint-Laurent. Des naturalistes gravissent quotidiennement le mont Jacques-Cartier avec les visiteurs. Le parc a adopté des mesures pour protéger le troupeau, et l'accès au site est limité.

www.parcsquebec.com • 1 800 665-6527
(418) 763-7494

- Il est également possible de croiser des caribous dans le **parc national des Grands-Jardins**. L'hiver, la longue randonnée à skis peut réserver de belles surprises.

www.parcsquebec.com • 1 800 665-6527
(418) 439-1227

Le **loup** est un animal que l'on risque peu de rencontrer. Il est surtout nocturne et possède un immense territoire (jusqu'à 13 000 km2!). Bien qu'il ait été décimé par le passé, il n'est pas considéré comme une espèce menacée et on peut encore l'observer dans le sud du Québec. Au parc national de la Jacques-Cartier, le loup est présent, mais on a mis un terme à la populaire activité d'appel, afin d'éviter de perturber une population qui semble diminuer de plus en plus.

À Litchfield, dans l'Outaouais, Christian Voillemont offre des sorties d'écoute des loups aux hôtes de sa résidence de tourisme. Pour des raisons éthiques, l'appel n'y est pas pratiqué mais les loups sont tout de même très souvent au rendez-vous. Plusieurs autres activités d'observation de la nature sont offertes autour du site, qui est également une âsinerie (refuge pour les ânes!).

www.valalane.com • (819) 648-2697

Enfin, **l'ours noir** demeure sans contredit l'animal suprême à rencontrer. Cela dit, les entreprises privées qui proposent des safaris d'observation n'ont pas toutes le même sens de l'éthique. Pour s'assurer la collaboration des **ours noirs**, certaines les nourrissent sur une base régulière. À l'opposé, les parcs nationaux font tout pour éviter à leurs visiteurs des rencontres fâcheuses. Au parc national de la Jacques-Cartier, par exemple, on enseigne aux usagers comment partager harmonieusement le territoire avec ce plantigrade.

Extra! !

Fonds marins en dolby stéréo

Au Centre de découverte du milieu marin des Escoumins, c'est assis dans un siège qu'on découvre la faune des environs! Grâce à un groupe de plongeurs-biologistes, le spectateur participe à une plongée sous-marine interactive. Les spécialistes équipés de casques de transmission peuvent répondre en direct aux questions du public et tourner le regard de leur caméra vers les éléments qui intéresseraient plus particulièrement les gens assis dans la salle. La projection du « Saint-Laurent en direct » n'est offerte que l'été, mais le centre reste ouvert jusqu'à la mi-octobre.

www.parcmarin.qc.ca
(418) 233-4414 (été)

Conseils pour des sorties qui ont du chien!

Vous avez de la difficulté à trouver le partenaire de randonnée idéal? Allons, un peu de flair! En forme, toujours partant, et prêt à s'adapter à vos horaires impossibles, il pourrait bien se trouver dans le jardin : votre fidèle compère à quatre pattes. Voici dix conseils pratiques pour marcher avec votre chien, été comme hiver!

1 Votre chien doit être en bonne condition physique. Un chien ayant des faiblesses musculaires, osseuses ou immunitaires risque d'aggraver son état en pratiquant une activité exigeante.

2 Habituez-le graduellement à la randonnée. Multipliez et allongez progressivement les sorties de quartier avant de partir sur les sentiers pour la journée.

3 Parce qu'il y a des races de chiens sportifs, de travail ou décoratifs, choisissez votre activité en fonction de leur capacité... ou votre chien en fonction de vos activités !

Votre chien aime le plein air? Recherchez l'icône ci-contre. Au fil des pages, découvrez ainsi une multitude de lieux où le meilleur ami de l'homme est le bienvenu (restrictions à vérifier).

4 Afin de lui éviter des maux d'estomac, attendez que votre chien soit reposé avant de le nourrir et qu'il ait digéré (au moins 3 heures) avant de reprendre l'activité.

5 La chaleur et l'humidité incommodent rapidement les toutous, surtout ceux dont le poil est épais et foncé. Si la randonnée se déroule à découvert, choisissez le matin ou le soir pour la course.

6 Les blessures les plus communes touchent les pattes : brûlures des coussinets sur le bitume chaud ou coupures sur les roches et les branches. C'est aussi courant que les ampoules pour nous, ⟹

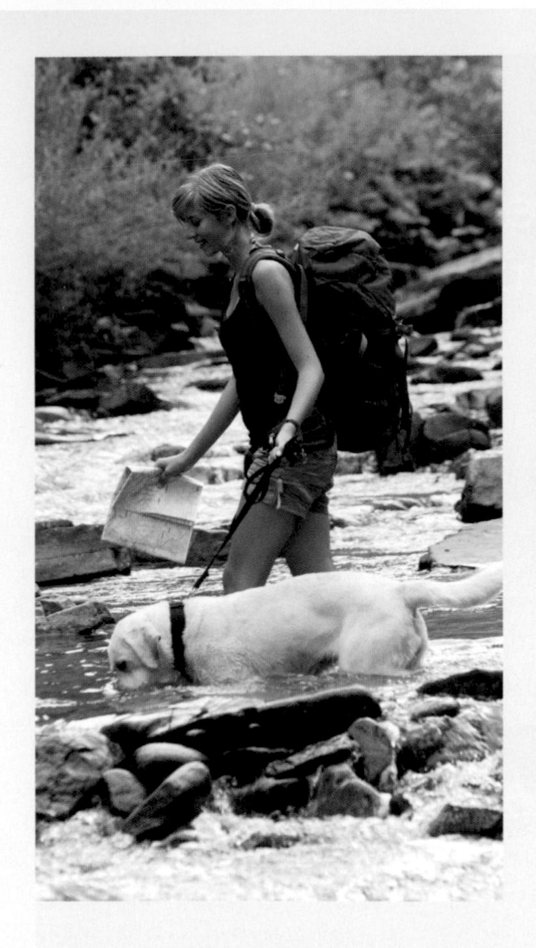

Entre chien et loup

On le coiffe presque, on lui brosse les dents, on le parfume, mais on oublie souvent que Milou descend du loup. Dans la nature, son instinct de chasseur refait surface et des rencontres inopinées surviennent parfois.

S'il se fait arroser par une **mouffette**, *la concoction suivante est fort efficace :*

Mélangez un litre de peroxyde avec une tasse de bicarbonate de soude et une cuillère à thé de savon liquide. Frottez en profondeur et laissez pénétrer dans la toison entre cinq et dix minutes. Évitez soigneusement les yeux, que vous rincerez abondamment avec de l'eau froide si jamais le produit venait en contact avec eux.

Si « Mi-loup » a batifolé avec un **porc-épic**, *qu'il est couvert d'aiguilles, ne les coupez pas. Il serait alors difficile de retrouver la partie demeurée dans la peau de l'animal. Elle pourrait même atteindre les organes vitaux et les articulations, et ainsi causer de graves dommages. Une paire de pinces ou une visite chez le vétérinaire s'impose.*

Évidemment, tenir votre chien en laisse est la meilleure façon de prévenir ces rencontres désagréables. C'est également une bonne façon d'éviter qu'il poursuive chevreuils, gélinottes et autres animaux, et une preuve de civisme envers les autres utilisateurs du lieu. Pensez aussi au fameux sac de plastique!

mais, à moins de munir Gontran de petites bottes, on peut difficilement les éviter.

7 En expédition hivernale, apportez plus de boustifaille pour satisfaire Ursule. Cela signifie aussi davantage de poids. Donner de la nourriture pour chiots ou de la nourriture haute performance est une bonne solution pour alléger votre sac à dos. Elles contiennent davantage de protéines, de matières grasses et de calories pour le même poids de nourriture ordinaire.

8 Comme chez l'humain, l'hydratation de votre chien est très importante lors d'une activité physique. S'il ne veut pas boire, ajoutez de l'eau à sa nourriture. Dans le bois, la neige fondue fait très bien l'affaire.

9 Vous comptez effectuer des randonnées aux États-Unis? Pensez à utiliser un répulsif contre les tiques et à faire vacciner votre animal contre la maladie de Lyme. Cette maladie qui touche aussi les humains, attaque les articulations, le cœur, le système nerveux et la peau. Elle est transmise par une bactérie transportée par les tiques. La maladie est présente surtout, pour l'instant, chez nos voisins du Sud, mais elle est également considérée endémique dans le sud du Québec (Montérégie). Consultez votre vétérinaire pour plus de renseignements.

10 Trop souvent confiné à la laisse, votre fidèle cabot vous dévoile son caractère de chien? En attendant le prochain sentier, emmenez-le gambader dans une aire d'exercice en ville. Montréal en compte une vingtaine (voir www.ville.montreal.qc.ca).

Extra! !

Où marcher avec Pitou?

Visiter le site ***www.sortiedechien.com*** *pour d'autres suggestions d'activités.*

L'ABC de la nutrition en plein air

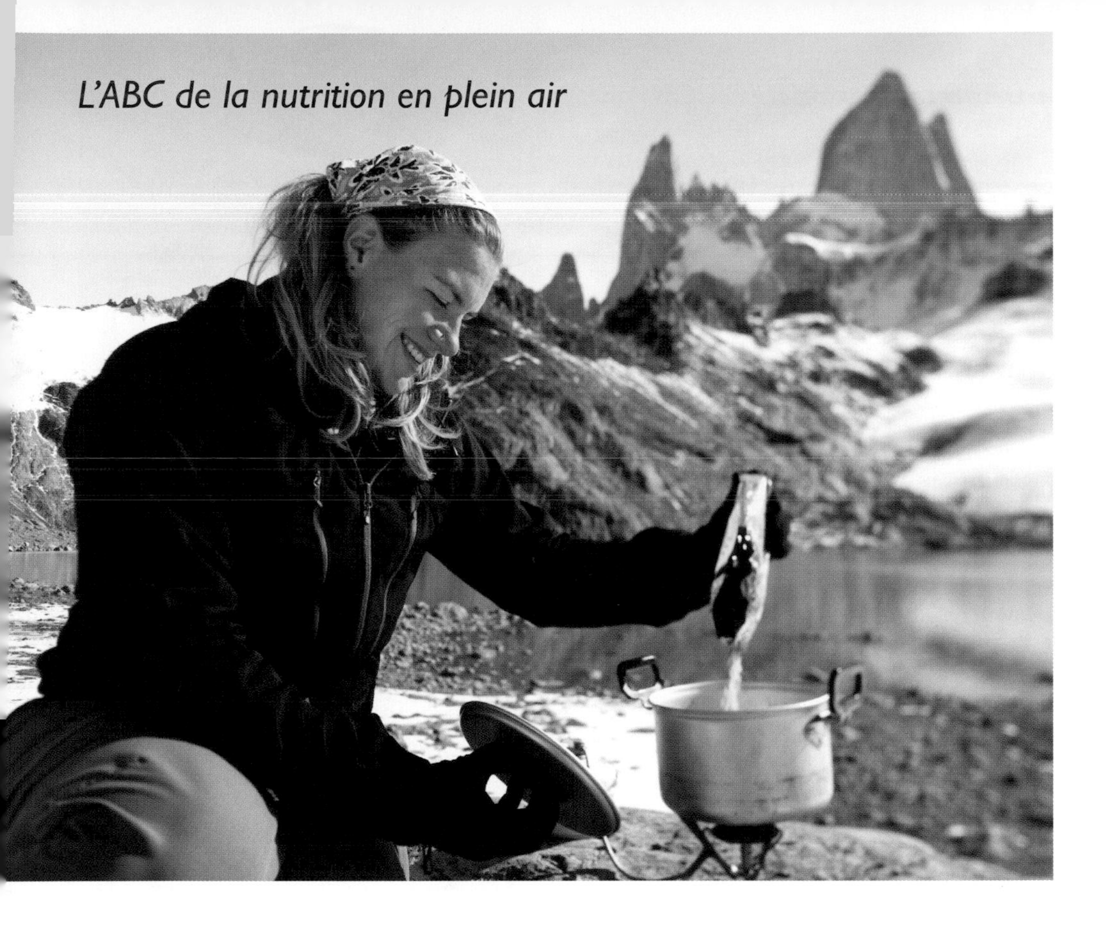

Qu'on soit amateur ou athlète, la préparation d'une journée de plein air doit absolument passer par le garde-manger. Peu importe l'activité en question (kayak, randonnée pédestre, vélo, ski, raquette, etc.), vous devez vous assurer de bien manger avant, pendant et après l'effort. Vous trouverez dans cette section du guide des conseils pour maximiser votre énergie, connaître les secrets pour construire vos réserves d'énergie et les reconstituer.

1 LES RÈGLES D'OR

Glycogène et glucides

Ce sont les réserves d'énergie que vous pouvez stocker à l'intérieur de vos muscles et de votre foie. Afin de les maximiser, assurez-vous de manger suffisamment de glucides, quotidiennement et avant l'effort. Il y a les glucides complexes (pains, pâtes, riz, pommes de terre, légumineuses, céréales, gruau, farines, etc.), qui fournissent de l'énergie à long terme, car leur absorption est plus lente. Puis il y a les glucides simples (fruits, jus, lait et yogourts, sirops, confitures, miel, boissons énergétiques et aliments plus sucrés) qui, lorsque consommés seuls, seront plus rapidement métabolisés.

Il est plus intéressant de privilégier les glucides complexes, car ils vous soutiendront plus longtemps. Prenons un exemple des choix recommandés au déjeuner, si vous pratiquez votre effort en avant-midi.

Les bons choix : céréales, gruau, crème de blé, rôties, pain aux raisins, bagels, muffins anglais, fruits et jus de fruits, confitures, miel ainsi que le lait, le lait au chocolat et le yogourt faible en gras.

Les pièges : beurre d'arachide, fromage, œufs cuits dans le gras, bacon, cretons, beurre et autres aliments riches en matières grasses qui demandent une plus longue digestion.

2 DANS LE FEU DE L'ACTION
Maintenir ses réserves d'énergie

Même si les réserves de glycogène (d'énergie) sont bien remplies, elles sont limitées. Dès le début d'un effort physique, elles commencent à diminuer, car le muscle les utilise pour travailler. Et plus l'effort est intense, plus elles seront sollicitées. Il faut donc prévoir des collations pour tenir le coup.

Mangez souvent et en petites quantités plutôt qu'une fois en grandes quantités. Il est recommandé de consommer entre 30 et 60 g de glucides par heure pour permettre un apport énergétique plus constant. Digestion et exercice ne font pas bon ménage : une grande quantité d'aliments restera plus longtemps dans l'estomac et vos performances en seront affectées.
Les bons choix (pour 30 g de glucides) :

- 1 banane
- 1 barre de céréales
- 3 biscuits aux figues
- 2 petites barres de fruits séchés
- 1/3 tasse (80 ml) de canneberges séchées, sucrées
- 1 gel énergétique

Buvez!

De grâce, n'oubliez pas de bien vous hydrater. Il faut boire à intervalles réguliers. On recommande au moins 200 ml d'eau (4-5 bonnes gorgées) toutes les 20 minutes. Pour ne pas oublier, certaines personnes font même sonner leur montre! Pour une sortie de plus d'une heure à forte intensité, ajoutez des glucides dans votre eau (jus dilué, poudre de boisson énergétique). Les maux de tête à l'effort et les crampes musculaires peuvent être des signes de déshydratation.

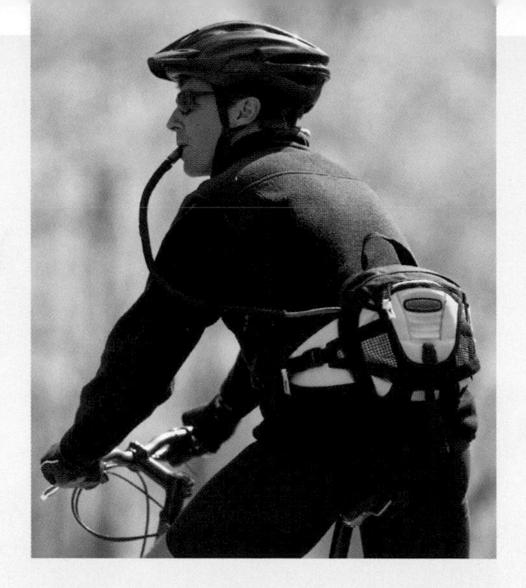

3 LES *MUST* DU PLEIN AIR
Pensez poids

Lorsque vous traînez des aliments avec vous, pensez au poids qu'ils pèsent. Préférez les aliments secs et déshydratés, surtout si votre activité s'échelonne sur plusieurs jours. De plus, ces aliments se conservent mieux. Comme la déshydratation retire l'humidité de la nourriture, les bactéries, les levures et les moisissures ne peuvent contaminer les aliments.

Pensez protéines

Pour les longues durées (4 heures et plus d'effort), les glucides ne seront pas suffisants pour fournir de l'énergie. Il faut ajouter quelques protéines à vos collations et ainsi, bénéficier de la satiété qu'elles vous apporteront. Idéal pour les gens qui ont tendance à faire des hypoglycémies (ex. : noix, *beef jerky,* noix de soya rôties, petits pains avec beurre d'arachide, fromage en grains).

Pensez électrolytes

Par temps chaud et humide, votre sueur est plus *salée*. Il est important de consommer une boisson qui contient du sodium et du potassium, ou encore d'en manger en même temps que vous buvez. Ajoutez des noix salées, des bretzels ou des craquelins salés à vos choix.

Pensez récupération

Prévoyez toujours une collation 30 minutes après l'exercice, surtout si vous prévoyez une autre sortie le lendemain – sinon, gare aux fringales plus tard et aux courbatures du lendemain! Le meilleur choix? Le lait au chocolat! Ou encore une combinaison d'aliments riches en glucides et en protéines (banane et noix, yogourt et fruits, craquelins et fromage, etc.).

Conseils de Catherine Naulleau, nutritionniste du sport

Guide de survie pour parents avertis

Est-ce qu'on est bientôt arrivé? J'ai chaud ! J'ai soif ! J'ai faim, quand est-ce qu'on mange ? Le plein air en famille, ce n'est pas toujours facile. Il faut une bonne dose de patience, d'entrain et d'imagination pour affronter les écarts d'humeur des enfants. Mais quel plaisir de vivre des moments en pleine nature avec ses rejetons. Conseils et trucs pratiques pour transformer ces aventures en succès garantis.

Les règles de base

1 Mettre de côté la performance et le nombre de kilomètres parcourus, et faire place à la spontanéité du moment.

2 Impliquer les enfants dans la préparation de la sortie : choix de la destination et de l'activité. Il faut faire des propositions ensemble et tenir compte des opinions de chacun.

3 Être réaliste dans le choix du circuit. Ne pas surestimer ses capacités. Il est primordial de choisir un circuit adapté à chaque membre de la famille. L'endurance des plus jeunes est surprenante. Tout est dans la motivation et l'enthousiasme que les parents y mettent.

4 Varier les activités durant la journée. Avant l'âge de huit ans, un enfant a besoin de moments où il peut jouer librement.

5 Se préparer à temps : mettre dans un coin ce que l'on apporte. La veille, on peut faire le lunch et préparer les accessoires, et sortir les vêtements des enfants.

6 Commencer la journée de préférence tôt le matin pendant que les enfants sont en pleine forme. Pour les sorties d'une journée, il est conseillé d'opter pour des trajets de courte durée. Mal préparés, les longs trajets en automobile rendent les enfants maussades et agités. Ne pas oublier jouets, livres et autres compagnons pour la route. ⟹

PÉDALER, RAMER, MARCHER, SKIER ! MAIS NE PAS OUBLIER DE...

- *Relaxer, sourire, respirer par le nez et profiter de la présence des enfants pour se ressourcer.*
- *S'amuser avec eux !*
- *Les encourager ! Leur dire combien on est fier d'eux.*
- *Être patient ! Les enfants aiment inventer des jeux. Se mettre à leur niveau et ne pas passer son temps à leur dire : « Non, fais pas ça ! » ou bien « Dépêche-toi ! ». Laisser-les être des enfants, tout simplement.*

Note : Quoique certaines informations soient plus générales, ces recommandations s'appliquent aux enfants de 4 à 11 ans. Pour les plus petits ou les ados, voir les notes à la fin du texte.

RANDONNÉE PÉDESTRE

Deux milles à pied, ça use!

Soyons francs : marcher pour marcher n'intéresse pas les enfants. Mais, lorsque la nature se transforme en un immense terrain de jeu, la randonnée pédestre prend un tout autre sens. Un bout de bois, un ruisseau qui jaillit près du sentier, un immense rocher pour y grimper. Tour à tour, les enfants se transforment en explorateurs, chevaliers, hommes des cavernes, et sont heureux d'explorer la nature en compagnie des parents. Été comme hiver, la nature offre mille surprises à quiconque ose s'y aventurer.

Trucs et astuces

- Laisser les enfants transporter leur sac à dos. Ils peuvent y mettre leur gourde, leur collation et les trouvailles qu'ils font dans la nature.
- Leur montrer comment lire la carte des sentiers et ainsi repérer où ils sont sur la carte.
- Faire une excursion en forêt est une expérience extraordinaire, avec ou sans raquettes, selon les conditions de neige. Plusieurs centres de plein air offre des sentiers pour la marche hivernale. On peut jouer à cache-cache derrière les sapins ensevelis ou repérer les traces des petits animaux, les enfants en redemandent. Aussi, quoi de mieux que d'admirer les étoiles toute la famille allongée sur la neige folle ou sur un lac gelé et écouter la terre nous parler...
- Fixer des objectifs pour les « pauses ravitaillement ». Par exemple : après la montée, au bord de la rivière, etc. Si les règles sont établies au départ, les chances de confrontation sont diminuées.
- Prévoir des gâteries style chocolat ou sucettes non sucrées pour le sprint final ou les moments de baisse d'énergie.
- Apprendre aux enfants à regarder la nature et à identifier les arbres, à rechercher des indices de la présence de petits animaux, à observer les plantes qui bordent le sentier. Apporter des jumelles et suggérer aux plus grands d'inscrire leurs observations dans un petit carnet.
- Laisser les enfants s'amuser quelque temps s'ils trouvent un endroit agréable pour jouer (un petit ruisseau, un trou dans un arbre, un tronc qui traverse le sentier). Mieux encore, jouer avec eux... ou en profiter pour faire une pause.
- Laisser les enfants se salir ! Prévoir des vêtements de rechange dans la voiture et une deuxième paire de mitaines dans le sac à dos.

- Inventer des histoires où gnomes, trolls et autres habitants de la forêt sont là qui espionnent. Simuler leur présence, fabriquer des pièges. Les enfants adorent ce genre de jeu.
- Prendre le temps de parler avec eux de sujets qui les intéressent. Loin du stress et des obligations de la vie de tous les jours, la randonnée pédestre est un moment idéal pour discuter en famille.
- Transmettre aux enfants le respect de la nature et de ses habitants. Leur apprendre à rapporter leurs déchets et à ne laisser derrière eux que les empreintes de leurs pas sur le sol.

CANOT
Papa, j'ai échappé la rame...

Les enfants apprécient les sorties en canot. Ils peuvent choisir entre ramer ou se laisser porter à leur guise. Rares sont les activités qui proposent une telle alternative ! Règle générale, les enfants aiment aider de quelques coups de rame. On peut acheter des rames de petite taille facilement maniables par les plus petits. Il ne faut pas oublier d'apporter un chandail à manches longues pour les retours en fin d'après-midi ; on est plus frileux après avoir passé la journée sur l'eau.

Trucs et astuces

- Choisir un parcours varié : coup d'œil sur des barrages de castors, circuit parsemé de rochers et d'autres menus obstacles à franchir. Laisser les enfants trouver le passage met du piquant !
- Choisir un lac qui offre des plages pour faire un plouf ! ou des rochers pour se poser. Aussi, les enfants aiment se retrouver seul pour jouer dans le canot pendant que les parents relaxent sur la plage. Toujours veiller à leur sécurité.
- Faire la course avec d'autres canots. C'est toujours excitant pour les enfants.
- Former des équipes et jouer au ballon rame en kayak ou en canot, en s'inspirant du ballon-balai.
- Chanter des chansons à répondre. S'il y a plusieurs canots, tout le monde peut chanter en cœur en canon.
- Jouer aux devinettes et au premier qui voit... un héron... un castor...

COLLATIONS
Végépâté ou beurre d'arachide ?

En plein air, les enfants ont toujours faim. Normal, ils sont constamment en action : grimper, courir, sauter... Un enfant qui a faim devient vite irritable. Il ne faut donc pas oublier de remplir le sac de nourriture saine à leur mettre sous la dent !

- *Laisser les enfants aider à la préparation du pique-nique. Ils ne feront pas de grimaces lorsque viendra le temps de manger leur sandwich, puisqu'ils auront eux-mêmes choisi la garniture.*
- *Amener de la nourriture plus que d'habitude ; les sorties en plein air creusent l'appétit.*
- *Opter pour des noix mélangées et des fruits séchés à haute teneur en énergie pour les collations. Sucreries et produits contenant des agents de conservation sont à bannir, car leur consommation excite les enfants et les rend hyperactifs.*
- *Prévoir une bouteille d'eau par personne. Les enfants aiment avoir leur propre bouteille pour boire à leur guise.*

SKI DE FOND
Des écailles de poissons sous mes skis!

Les enfants sont toujours excités à l'idée de chausser des skis de fond pour la première fois. Ils croient qu'ils vont s'élancer dans la forêt à toute vitesse. Mais malheur ! La réalité est loin de combler leurs attentes. La technique n'est pas facile à maîtriser. Les sentiers de courte distance (prévoir trois ou quatre kilomètres pour un enfant de six ans) sont plutôt plats, donc sans grand défi pour l'enfant. Résultat : ce dernier se décourage, et papa et maman doivent se relayer pour le traîner... Il faut patienter et de belles années de ski de fond attendent la famille. Vers l'âge de huit ans, l'enfant a une plus grande stabilité et une plus grande force physique. Au menu : descente en contrôle, montée en toute facilité, pratique du pas de patin.

Trucs et astuces

- Optez pour des skis de fond avec des écailles de poissons. Elles aident grandement dans les montées. Ensuite, vers l'âge de 10 ans, si l'enfant possède une bonne technique, il pourra changer pour une semelle lisse. Ce qui bien sûr donne plus de rapidité dans les descentes.
- Laisser l'enfant farfouiller autour du centre avant d'attaquer un sentier. S'assurer qu'il maîtrise le mouvement.
- Transporter dans un traîneau les plus petits qui ne peuvent chausser de skis. La plupart des centres de ski de fond en font la location. Ou utiliser un ⟹

BLESSURES
Maman, bobo !

Pour ne rapporter que de bons souvenirs d'une journée de plein air, voici quelques précautions à prendre :

- *Apporter une trousse de premiers soins en cas de blessures mineures : pansements de tailles diverses, moleskine pour ampoules au pied, peroxyde, pince à écharde, petits ciseaux. Y glisser une pommade d'api ; c'est l'idéal pour les allergies aux piqûres de moustiques. Et de l'aloès pour appliquer sur une coupure, une façon naturelle de se protéger contre l'infection. Un antiseptique tel que le Polysporin est aussi recommandé.*
- *Rappeler aux enfants de ne pas boire ni manger ce qu'ils trouvent dans la nature (champignons, petits fruits, plantes, etc.) sans le consentement du parent. L'eau de certains lacs et rivières peut être contaminée par des parasites découlant des excréments de castor, de chien ou du bétail. Si l'on est obligé de boire l'eau d'un lac, il faut la purifier avec des pastilles d'iode ou au moyen d'un filtre que l'on trouve dans les boutiques spécialisées de plein air.*
- *Apporter une crème anti-moustique et vérifier le pourcentage de « DEET ». La dose ne devrait pas dépasser 9,5 % pour une application sur la peau des enfants.*
- *Faire porter un chapeau et badigeonner les parties exposées du corps des enfants, qui sont plus sujets aux coups de soleil que les adultes, avec une lotion antisolaire FPS 30, au minimum. Bien protéger leurs lèvres avec de l'écran total en tube.*
- *Protéger le bout du nez et les joues des enfants contre les engelures pendant les sports d'hiver. Un faux col en polaire pour le visage et une bonne couche de vaseline sur les joues et le bout du nez sont de mise par grand froid. Si des signes d'engelures apparaissent (taches blanches), rentrer et réchauffer les petits sans tarder. Ne pas frotter les zones d'engelures, vous pourriez endommager les tissus à jamais.*

porte-bébé avec armature en métal. Faire l'essai avant de se lancer dans une longue randonnée pour en vérifier le confort.

- Mettre des peaux de phoques sous les skis des enfants. Ils auront un meilleur contrôle dans les descentes et pourront grimper plus facilement.
- Mettre des peaux de phoques sous les skis des Rester dans des sentiers faciles au début. Rien ne sert de décourager l'enfant par des montées en canard.
- Opter pour des sentiers en boucle. Il sera plus facile de revenir à l'accueil si les enfants sont fatigués.
- Choisir un centre de ski de fond qui offre des refuges le long des sentiers. Rien de mieux que casser la croûte au chaud avant de repartir.
- Pour encourager l'enfant, lui faire un tableau sur lequel sera inscrit le nombre de kilomètres parcourus. Fixer un objectif de fin de saison et donner au jeune une petite récompense si le but est atteint.

CAMPING
Nuit sous la tente

Les enfants sont fait pour le camping et ne sont donc pas difficiles à motiver. La foule d'activités offertes a de quoi satisfaire les plus exigeants : baignade, exploration dans la nature, jeux dans la tente, etc. Sans compter les amis qui partagent les autres sites. Un séjour en camping fait toujours l'unanimité chez les enfants, mais exige plus d'organisation de la part des parents. Mais quoi de mieux que de se réveiller en pleine nature pour débuter la journée en beauté ?

Trucs et astuces

- Laisser les enfants aider à l'installation de la « nouvelle maison » : monter la tente, préparer les lits, gonfler les matelas, ranger les sacs à l'intérieur de la tente.
- Assigner des tâches aux enfants : trouver le bois pour le feu, aller chercher de l'eau. Les enfants aiment se sentir importants.
- Organiser, le soir venu, une chasse aux trésors où les enfants, munis d'une lampe de poche, parcourent les environs à la recherche d'indices, les plus grands aidant les plus petits.
- S'asseoir autour du feu de camp et raconter des histoires que chacun complète à tour de rôle.
- Jouer à l'espion. Transformés en espions, les enfants doivent fournir des renseignements précis. Par exemple, voir au site no 4 la couleur de la tente, au no 6 la couleur de la nappe, au no 2 ce qu'il y a sur la corde à linge, etc… Plaisirs garantis !
- Combiner canot et camping est une activité agréable quand on est plusieurs familles. Les enfants se retrouvent en groupe et demandent moins d'attention. Comme les sites sont souvent près d'un lac, la proximité de la plage est un véritable paradis pour les enfants. Il faut d'abord s'assurer que les bords du lac ne sont pas profonds et que les enfants peuvent y jouer en toute sécurité.

REFUGE

Au cœur de la forêt

En raquette ou en ski de fond, pourquoi ne pas dormir en refuge ou en bivouac avec ses rejetons? Équipé d'un poêle à bois et de bases de lit pour dormir, vous trouverez confort et chaleur en pleine nature. Quelques règles à respecter :

- choisir un site situé à quelques kilomètres de l'accueil ;
- faire une liste des choses à apporter et préparer les sacs à l'avance ;
- s'assurer que chacun porte un poids adapté à sa taille. La charge du sac à dos ne devrait pas excéder 20 % du poids du corps : par exemple, 10 kilos de matériel pour une personne de 50 kilos. Ne pas oublier que les conditions climatiques hivernales ainsi que la charge d'un sac à dos ralentissent le débit ;
- éviter de partir à la noirceur.

À CHAQUE ÂGE SON PLAISIR

Avec bébé et les petits de 2-3 ans

Règle générale : les enfants s'adaptent partout. Pourvu que les parents soient bien, le reste va de soi. Il faut respecter les capacités de chacun. Rien n'empêche un parent d'aller faire un plouf! tandis que l'autre reste dans la tente à bouquiner avec bébé qui roupille à ses côtés.

- Éviter, pour les randonnées, les poussettes qui s'avèrent restrictives dans les montées et les terrains accidentés. Il existe sur le marché de l'équipement de pointe pour transporter bébé (environ jusqu'à l'âge de trois ans) sans souffrir. Le porte-bébé ventral ou dorsal avec armature en métal est idéal pour traîner le petit dernier.
- Choisir un appareil adapté à son âge. Prévoir des arrêts fréquents pour lui permettre de se dégourdir les jambes. Généralement, les jeunes enfants se plaisent à être porté par papa ou maman.
- Ne pas oublier de traîner des sacs plastiques vides pour y déposer les couches souillées de votre bébé.

Avec les ados

Suivre papa et maman quand on est ado n'est pas très motivant. Le trajet en voiture se fait souvent avec un baladeur sur les oreilles. Mieux vaut laisser à la maison un ado non motivé que de le traîner avec vous. Il risque de gâcher votre journée de plein air. L'important ce n'est pas la quantité des moments passés avec eux, mais bien la qualité. Il faut leur faire confiance et parfois leur permettre de rester à la maison.

- L'idéal est de partir avec d'autres familles ayant des ados ou d'amener un de leurs copains avec vous.
- Grande vedette de l'heure, la planche à neige fait le bonheur de nos jeunes. Si l'idée de faire la queue pour prendre le remonte pente vous rebute, pourquoi ne pas choisir une station de ski qui offre des sentiers de ski de fond à proximité? Vos ados seront contents d'être seuls et vous pourrez pratiquer votre sport préféré en toute quiétude. À la fin de la journée, vous serez heureux de vous retrouver pour vous raconter vos aventures.
- Une autre solution est de prendre la direction d'une base de plein air qui offre une variété d'activités : patin, escalade de glace, traîneaux à chien, ski de fond. Chacun devrait trouver chaussure à son pied selon son humeur.
- En camping, les ados apprécient avoir leur propre tente. Ils peuvent ainsi monter leur campement et transformer leur QG comme bon leur semble.

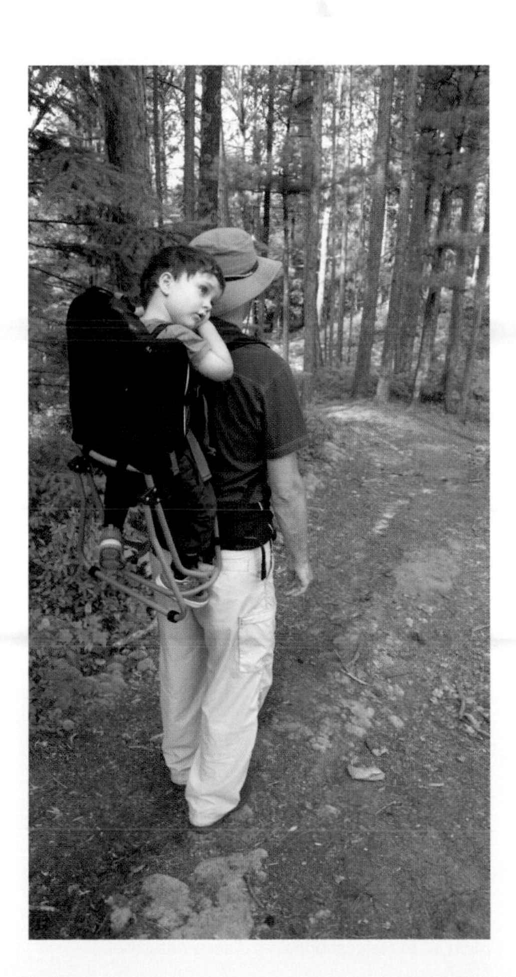

Sans trace... et sans remords

De plus en plus nombreux, les amants du plein air marquent inconsciemment leurs sanctuaires favoris : détritus, érosion, dommages multiples aux écosystèmes – tout cela a un impact problématique et quantifié. La mise en évidence d'une éthique à suivre et à promouvoir semble nécessaire pour assurer la pérennité de nos lieux d'évasion; c'est ce que tente d'accomplir le mouvement du « sans trace ».

Si le concept du *Leave no trace* a été formellement élaboré par le service forestier du United States Department of Agriculture (USDA) dans les années 1960, il faut attendre jusqu'en 1994 avant qu'il ne donne naissance à un organisme sans but lucratif, le Leave No Trace Center for Outdoor Ethics. Aujourd'hui, le programme, avec ses activités de recherche et de formation, s'est propagé dans une douzaine de pays. Au Canada, des partenaires de divers horizons s'y sont associés – parcs, organismes gouvernementaux, industrie du tourisme et producteurs d'équipements, institutions d'enseignement, etc.

Les activités de formation varient de l'atelier de sensibilisation de 30 minutes jusqu'au curriculum de maître instructeur de cinq jours, s'adressant aux éducateurs oeuvrant déjà dans le domaine du plein air ou de l'enseignement. Cette dernière formation est reconnue à l'échelle internationale par l'industrie du plein air et les gestionnaires d'aires naturelles.

Cela dit, de temps à autre, il n'en coûte rien de faire avec ceux et celles qui partagent nos activités, un petit rafraîchissement sur nos principes de bonne conduite en plein air. La philosophie du Sans trace est basée sur sept grands principes :

1 **Planifiez et préparez :** Si la chose va de soi du point de vue de la sécurité, elle importe aussi dans celui de la préservation. Le voyageur bien préparé n'aura pas besoin d'extirper des ressources de l'environnement, bois et plantes, pour combler ses oublis.

2 **Privilégiez les sentiers battus aux terrains vierges :** Concentrez-vous dans les sentiers lorsqu'ils existent, évitez de vous répandre sur la végétation et les habitats des animaux.

3 **Gérez vos déchets :** Dans le cas des matières fécales, enterrez-les à 25 centimètres de profondeur, à bonne distance des cours d'eau.

4 **Laissez à la nature ce qui appartient à la nature :** Si 10 000 voyageurs cueillent comme vous une fleur pour leur bien-aimée, il ne restera pas grand-chose pour les suivants.

5 **Minimisez l'impact des feux :** Privilégiez les réchauds ; si ce n'est pas possible, choisissez un endroit déjà utilisé pour un feu et éteignez-le avec de l'eau et non de la terre, qui garderait les cendres chaudes.

6 **Respectez la vie sauvage :** N'essayez pas de dénaturer des bêtes en les nourrissant, campez à plus de 70 mètres des cours d'eau pour les laisser s'y désaltérer paisiblement la nuit.

7 **Respectez votre prochain et votre voisin :** Ils auront bien d'autres occasions pour écouter le dernier Jean Leloup ou rire de vos gags sur les les blondes. Dans le concret, ça signifie modestie, discrétion et entraide.

Dans leurs grandes lignes, les principes du Sans trace s'avèrent d'une grande simplicité. L'idée de base est de faire comme si on n'était pas venu et de laisser le plein air le plus « plein » possible!

Infos: www.sanstrace.ca • 877 238-9343

Trouver des partenaires de plein air

Plein air grégaire

Vous aimeriez faire davantage d'activités de plein air, mais il faut bien se l'avouer, un des freins à celles-ci demeure souvent le manque de compagnie. Que ce soit pour diminuer les frais de déplacement, partager un esprit d'équipe, stimuler ses techniques de pratique ou simplement combattre la solitude, il existe plusieurs façons de se dénicher des partenaires aux aspirations communes.

Les premières personnes à qui l'on pense quand il s'agit d'aller en pleine nature, ce sont nos proches et amis. Ce réseau de contacts est dorénavant gonflé par l'apport d'outils de communication tel Facebook. Mais quand il s'agit de faire des activités qui sortent de l'ordinaire, comme le parapente, la spéléologie ou la descente du Grand Canyon, pourquoi ne pas ouvrir nos horizons de recherche? C'est ici que des entreprises et des communautés peuvent répondre à nos besoins de grands espaces.

1 BOUGEX

Véritable communauté active, le site Web fondé en 2002 compte 8500 membres, qui proviennent près de 50 % de la grande région de Montréal et 20 % de la capitale. S'ajoutent à ceux-ci, depuis janvier 2010, des sportifs de l'Ontario, de la Colombie-Britannique, ainsi que de la France.

Il n'y a aucune restriction à l'utilisation de Bougex. Les membres sont âgés de 25 à 55 ans et il est facile de connaître leurs préférences d'activités en consultant leur fiche signalétique. La plupart des services sont gratuits, et 60 % de ceux qui les apprécient sont des femmes. Le réseau organise régulièrement des 5-à-7 et des rallyes urbains.

www.bougex.com et qc.bougex.com

2 RENCONTRE SPORTIVE

Également lancé en 2002, Rencontresportive.com est un site sur lequel plus de 20 000 personnes sont inscrites. Si la plupart sont célibataires et y recherchent l'âme soeur, plusieurs désirent simplement trouver des partenaires de plein air. L'organisme soumet des activités, comme des rallyes, des randonnées à vélo, en kayak, des 6-à-9 et même des sorties « habillées » dans des lieux prestigieux comme les châteaux Ramezay et Dufresne.

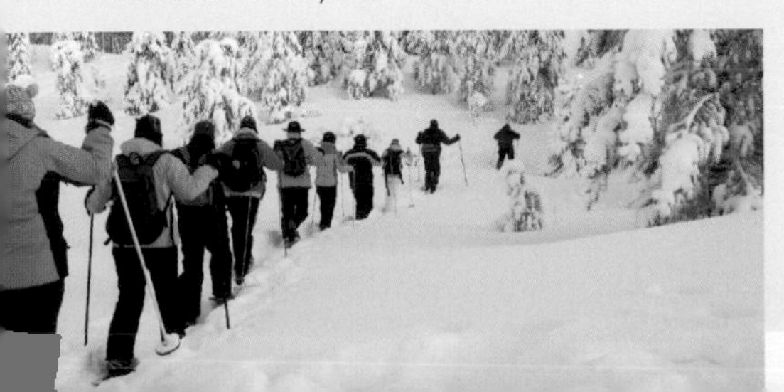

« Mais 80 à 90 % des personnes inscrites ne participent pas à nos rencontres. Elles préfèrent organiser elles-mêmes leurs sorties de toutes sortes; c'est un mélange de Réseau Contact et de Facebook », souligne sa fondatrice Anne-Marie Lefebvre.

www.rencontresportive.com

3 DÉTOUR NATURE

Un doyen du plein air organisé au Québec depuis 30 ans, Détour Nature a fusionné avec l'agence de voyages montréalaise les Karavaniers en 2008. Ensemble, ils offrent des forfaits de toutes sortes, allant de l'abordable sortie en vélo ou en kayak d'une journée jusqu'aux virées de plusieurs semaines vers des destinations d'aventure internationales.

En plus d'activités régulières, Détour Nature offre des formations, dont celles sur la sécurité aquatique et sur le kayak de mer.

www.detournature.com et www.karavaniers.com
(514) 271-6046

4 ÉCO AVENTURE MONDE

Scénario semblable au précédent, Aventure Monde et le club Activités Éco Plein Air ont récemment uni leurs forces et rassemblé leurs activités pour mieux servir leur clientèle de Québec.

Les sorties organisées les plus populaires demeurent celles en randonnée, en raquette, en kayak et les grands bateaux maoris, auxquels s'ajoutent des voyages au Costa Rica, au Népal et au Grand Canyon, par exemple.

www.ecoaventuremonde.com
(418) 704-5031 ou 1 888 704-5031

5 ESPACE BUS

Espace Bus est un nouveau service unique en son genre pour le tourisme de groupe. Le portail internet, une initiative de l'Association des propriétaires d'autobus du Québec appuyée par les ministères des Transports et du Tourisme du Québec, permet de dénicher plusieurs forfaits de plein air, classés en fonction des activités ou des lieux, en corrélation avec l'offre de transport.

Dans la section d'écotourisme, par exemple, on retrouve des activités comme l'observation des oies à la Réserve naturelle de cap Tourmente, des visites à l'Astrolab du parc national du Mont-Mégantic et au mont Albert. Les activités offertes varient d'une journée à une dizaine de jours et incluent le vélo, le kayak et le canot.

www.espacebus.ca • (418) 522-7131

L'ABC de la sécurité en plein air

Toujours prêt... pour l'imprévu?

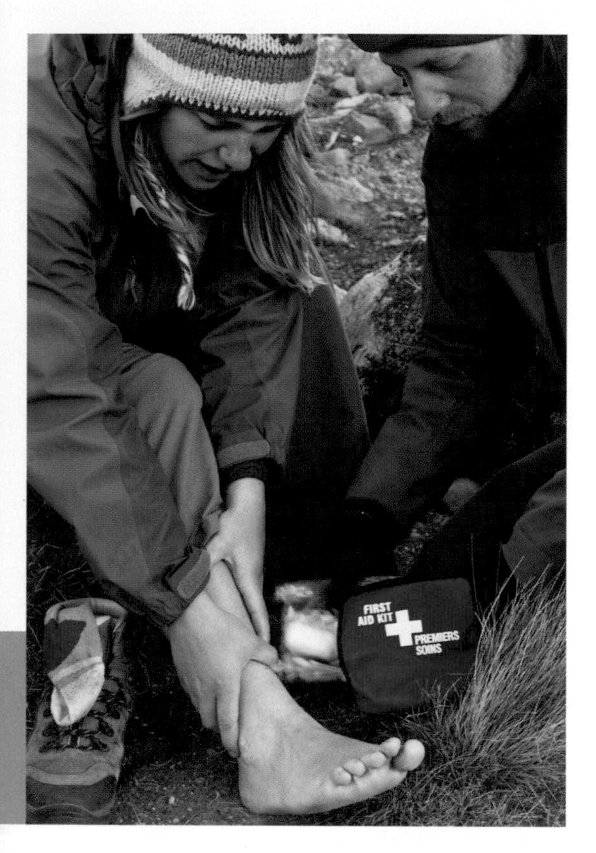

Capricieuse et imprévisible, voilà deux traits de caractère de Dame nature. Bien des gens s'attirent des ennuis en partant à l'aventure en étant insouciants ou en ignorant des procédures en cas d'accident. Pour faire face au merveilleux monde des imprévus, il n'y a rien de mieux qu'une préparation réfléchie. Quelle que soit l'activité choisie, une sortie de plein air se prépare. Connaissance du terrain et notions de base de sécurité, équipement adéquat, et bonne organisation avant de partir permettent d'affronter bien des situations et d'assurer sa sécurité.

SAVOIR PRÉVENIR

1 Prévoir avec soin son équipement

Interrogez-vous sur l'activité prévue, emportez ni trop ni trop peu de choses, et optez pour le critère de la polyvalence lors du choix de celui-ci. Informez-vous des conditions climatiques pour bien choisir ce que vous emportez. Si la pluie peut être au rendez-vous, évitez donc les mauvaises surprises en protégeant sac de couchage et vêtements dans un sac imperméable. Traînez aussi l'essentiel pour réparer réchaud, tente, skis, etc.

2 Avoir une trousse de survie

Une trousse de survie s'avère indispensable pour réagir aux imprévus. Quelques articles s'imposent : couteau multifonctionnel, bouteille d'eau, équipement pour traiter l'eau, de quoi allumer un feu (allumettes imperméables, briquet à silex, allume-feu...), boussole, téléphone cellulaire (selon la couverture réseau), lampe frontale, trousse de premiers soins minimale et sifflet. Ajoutez sans hésiter du « *duct tape* », une couverture de survie, un récipient de fortune (un préservatif non lubrifié, par exemple), des mètres de cordelette, une bâche, de la nourriture d'urgence et un miroir de détresse.

3 Toujours assainir l'eau

On n'est jamais trop prudent lorsqu'il s'agit de notre eau de consommation. Les protozoaires, bactéries et virus sont vos ennemis. Bouillir l'eau une minute au niveau de la mer est le moyen le plus efficace pour les tuer. Sinon, optez pour : 1) un filtre à 0,2 micron pour éliminer bactéries et protozoaires, suivi d'un traitement chimique pour inactiver les virus; 2) un traitement chimique à base de chlore pour inactiver la plupart des micro-organismes, mais informez-vous car certains n'inactivent pas tous les protozoaires; 3) un traitement UV efficace pour l'ensemble des micro-organismes.

ORIENTATION

Par ici la sortie

Plusieurs organisations offrent des ***cours d'orientation*** *pour aider à ne pas perdre le nord : il suffit de s'informer auprès de la Fédération québécoise de la marche. À Montréal, certaines organisations et boutiques de plein air proposent un cours d'une journée vous permettant de démystifier cartes topographiques et boussoles, si ce n'est le GPS.*

- ***Fédération québécoise de la marche***
  www.fqmarche.qc.ca •
  (514) 252-3157 • 1 866 252-2065
- ***Fédération québécoise d'orienteering***
  (FQO) www.orienteringquebec.ca

SÉCURITÉ EN AVALANCHE

La menace blanche

Le Québec n'est pas à l'abri des avalanches mortelles : faussement associées à un important dénivelé, il ne manque ni neige, ni blizzards, ni pentes suffisamment raides pour les provoquer. Parc de la Gaspésie, Tadoussac, Shawinigan... bien des régions sont à risque. Et parmi les victimes se retrouvent maints adeptes de sports d'hiver.

Pour comprendre les facteurs de déclenchement des avalanches et apprendre à sauver sa peau – que ce soit dans l'arrière-pays de la Belle Province ou en voyage –, une formation de sécurité en avalanche s'impose. Voici quelques organismes qui proposent de tels cours (liste plus exhaustive sur www.centreavalanche.qc.ca) :

Centre d'avalanche de la Haute-Gaspésie
www.centreavalanche.qc.ca

Karavaniers • *www.karavaniers.com*

Maikan Aventure • *www.maikan.ca*

Névé XP • *www.nevexp.com*

Ski Chic-Chocs • *www.skichicchocs.com*

Vertigo • *www.vertigo-aventures.com*

Le Centre d'avalanche de la Haute-Gaspésie organise aussi des activités de sensibilisation du public aux avalanches. Pour aller plus loin, il existe un programme de formation professionnelle administré par l'Association canadienne de l'avalanche (www.avalanche.ca).

4 Bien se nourrir

La priorité, c'est d'avoir assez d'énergie et de calories. Planifiez toujours pour les imprévus. Emportez des aliments rentables au plan énergétique (glucides avant les gras). En cours d'activité, compensez chaque heure d'effort en consommant une collation (30 à 60 grammes de glucides combinés à des protéines). N'oubliez pas de bien vous hydrater!

5 Savoir s'orienter

Apportez une carte topographique, une boussole ou un GPS et apprenez à les utiliser correctement avant d'être perdu! Trouvez les points cardinaux dans l'hémisphère Nord avec l'heure locale : tenez une montre à l'horizontale et dirigez l'aiguille des heures vers le soleil. Le sud correspond au point médian entre cette aiguille et le nombre 12.

6 Communiquer ses intentions

Mettez quelqu'un au parfum de votre destination, de votre itinéraire et de votre échéancier. Cette personne pourra aviser les secours si vous ne revenez pas comme prévu. Mais n'oubliez pas de lui donner signe de vie à votre retour!

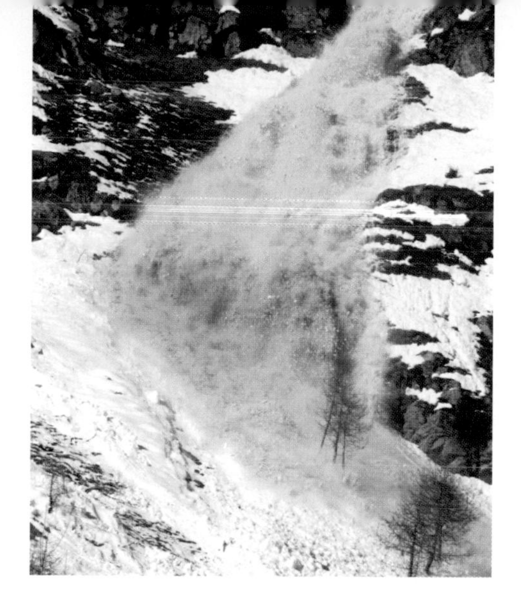

SAVOIR GUÉRIR

1 Savoir soigner des blessures

La plupart des accidents sont causés par l'inattention et, loin de chez soi, certains prennent des proportions démesurées – comme cette ampoule mal traitée qui infecte la jambe au complet. Transportez avec vous une trousse de premiers soins minimale et apprenez les manœuvres de base pour intervenir en cas de malaises ou d'accidents (hypothermie, fracture, hémorragie, RCR, etc.).

2 Réparer son matériel sur le terrain

Ce n'est pas lorsque son réchaud cesse de fonctionner qu'il faut apprendre à le démonter! Même chose pour le vélo ou les fixations de ski. Familiarisez-vous avec votre équipement avant votre départ et assurez-vous d'apporter le nécessaire de réparation.

3 Savoir allumer un feu

Ne faites pas l'erreur de partir sans allumettes et/ou un briquet : le feu est l'un des plus précieux atouts en situation de détresse! Économisez vos allumettes en utilisant une bougie et emportez de l'allume-feu maison. Imprégnez quelques boules de ouate de Vaseline et conservez-les dans un petit contenant. Construisez votre feu en tipi, par exemple, à l'abri des intempéries.

4 Savoir construire un abri de fortune

Glissez une bâche légère dans votre sac avec de la corde. Pour une nuit improvisée dans la nature, tendez la corde entre deux arbres et étendez-y la bâche en la fixant au sol. Sans bâche, trouvez une grosse branche (à dénuder) puis appuyez l'une de ses extrémités à la diagonale sur un arbre (l'autre au sol). Fabriquez des murs avec d'autres branches en les accotant sur la principale.

5 Appeler au secours

Le signal de détresse à retenir : trois signaux, courte pause, trois autres signaux – ou encore le classique SOS (3 signaux courts, 3 longs, 3 courts). Communiquez avec des coups de sifflet ou des éclairs lumineux (miroir de détresse, torche, flash d'appareil photo, etc.). Évitez de vous déplacer; si vous devez le faire, indiquez la direction empruntée avec des indices (flèches au sol, marques sur les arbres, etc.).

En complémentaire, vous pourriez ajouter quelques livres sur votre table de chevet traitant des questions de survie en milieu sauvage ou furetez sur Internet. Plusieurs guides généraux ou sur des activités spécifiques regorgent d'informations, de trucs et d'astuces. Outre la lecture, ajoutez à vos temps libres des cours : premiers soins, sécurité en avalanche, ateliers de réparation, cours de canot ou kayak, etc.

Et pourquoi ne pas se pratiquer? Tentez d'allumer un feu sous la pluie ou sans avoir recours à des allumettes ou à un briquet, montez un abri avec les moyens du bord ou fabriquez une corde avec l'écorce interne d'un arbre. La clé du succès repose souvent sur votre imagination et votre sens de la débrouillardise.

COURS DE PREMIERS SOINS

Toubib or not toubib

*Un **cours de premiers soins** est un atout pour tout adepte de plein air. Que vous préfériez les cours du soir ou les cours intensifs de fin de semaine, vous pourrez aisément trouver ce qui vous convient. Mais assurez-vous que cette formation est adaptée au contexte particulier de l'activité de plein air. Une situation peut prendre une tournure bien différente lorsque le village le plus proche est à dix heures de marche…*

- **Croix-Rouge, division Montréal**
  www.croixrouge.ca • 1 800 363-7305
- **Atout Plus**
  www.atoutplus.com • 1 877 767-8887
- **Sirius**
  www.siriusmed.com • 1 877 982-0066.
- **Ambulance Saint-Jean**
  www.sja.ca • 1 877 272-7607
- **Premiers Soins.Com**
  www.premierssoins.com • 1 877 767-1277
- **Aqua plein air**
  www.aquapleinair.com • 1 800 LA-VAGUE
- **Chinook Aventure**
  www.chinookaventure.com • 1 888 599-0999

Petit guide d'entretien pour grand nettoyage du printemps

HEUREUX EN MÉNAGE!

Ça y est, c'est fait! Vous avez finalement ouvert le placard à équipement. Là s'entassait depuis l'automne tout le matériel de votre dernière sortie. Sur les bottes, des taches de mousse blanchâtre révélaient une culture de champignons galopante. La tente, jetée comme un chiffon dans un recoin du placard, accusait un état de macération avancé. Quant au sac de couchage en duvet – était-ce bien lui? –, il faisait mentir le vieil adage selon lequel l'eau perle toujours sur le dos d'un canard! Voici quelques conceils pour remettre en condition tout son attirail.

TENTE

Ménage du printemps

- Lavez **la toile** avec une éponge – jamais dans la laveuse! – et un savon doux dépourvu de détersif. Il faut rincer vigoureusement la toile afin qu'aucun résidu nettoyant ne subsiste. On sèche à l'air libre, en évitant le soleil. Des enduits efficaces existent afin de minimiser les effets néfastes du soleil.
- Très important, lors de l'achat d'une tente, ou au début de chaque saison, **inspectez les coutures.** Pour vérifier s'il y a des fuites, montez-la et arrosez-la à l'aide d'un boyau. Si nécessaire, imperméabilisez les coutures en appliquant un **scellant** à base de polymère ou d'uréthane disponible dans les boutiques de plein air. Chacun a ses défauts et ses qualités : l'un est collant, l'autre pèle parfois.
- Pour le **double toit**, les produits les plus recommandés sont des vaporisateurs. Certains utilisent une solution imperméabilisante à l'élastomère qui n'est pas contenue sous pression et est donc plus écologique.
- Si vous disposez d'une **armature en aluminium**, anodisé ou non – l'aluminium est alors oxydé pour en améliorer les propriétés en surface –, l'entretenir avec un lubrifiant à base de silicone permet d'éviter la corrosion.

Les bonnes manières à respecter en tout temps

- Vous **pliez** toujours votre tente coutures sur coutures? Erreur! Vous contribuez en fait à l'user aux mêmes endroits! Mieux vaut la bourrer sans ménagement dans son sac de rangement. Assurez-vous cependant qu'il ne reste rien à l'intérieur de la tente – caillou, branche, verre – pouvant déchirer votre toile.
- Toujours bien sécher la tente avant de la ranger. Attention aux **rayons du soleil** qui, s'ils sont trop forts, contribuent à miner l'imperméabilité de la toile. Entre chaque sortie, laissez la tente dépliée dans un endroit frais et sec.
- Prévoyez un **nécessaire de réparation.** Idéalement, il doit être constitué de rubans auto-adhésifs, de scellant et de manchons (tiges cylindriques en aluminium qui permettent de réparer une armature à peu de frais).

SAC DE COUCHAGE

Oui, **le lavage** est rédempteur **pour le duvet!** Il réactive même ses propriétés initiales : isolation, résistance à l'humidité, compressibilité. Il doit cependant être lavé dans une machine à chargement frontal, avec un savon doux conçu expressément pour duvet. Une fois mouillé, il doit être séché rapidement, sans quoi, il moisira. La technique? Culbutage à air froid, balles ⇨

de tennis à l'intérieur : les plumules conserveront leur pouvoir isolant, leur légèreté, et ne s'agglutineront pas les unes sur les autres.

On traite le **sac synthétique** avec les mêmes égards que le duvet. Dans ce cas, par contre, le lavage ne régénère pas les propriétés initiales. Il faut laver et sécher à froid (ou mieux, à l'air libre) pour ne pas endommager les résines unissant les fibres.

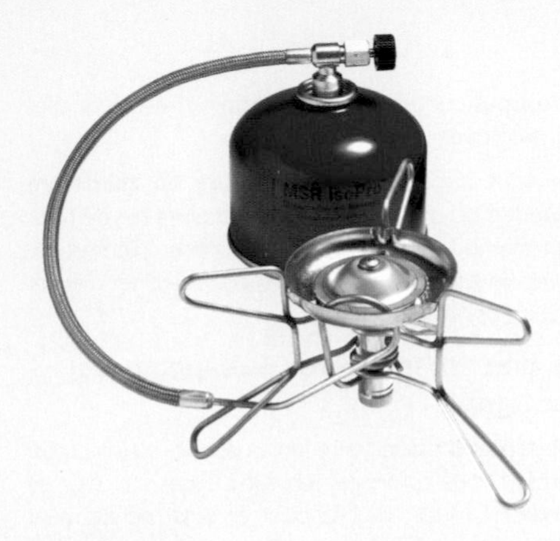

LE RÉCHAUD

L'ennemi numéro un du réchaud : l'encrassement. Parmi la pléthore de réchauds disponibles sur le marché, certains consomment des combustibles plus salissants que d'autres. Contrairement à ceux qui carburent au gaz (butane, propane, isobutane, isopropane, etc.) et qui ne requièrent aucun entretien, les réchauds alimentés par des carburants à essence (naphte, kérosène, diesel) seront souillés très rapidement. Si les conduits et les orifices sont très encrassés, utilisez le nécessaire à entretien fourni par le fabricant. En cas de perte, il est possible d'en racheter dans une boutique de plein air. On y trouve aussi des pièces de remplacement (buse, valve de contrôle, valve de réchaud, ressorts, etc.) et des outils qui permettent un nettoyage efficace. Mise en garde : certains problèmes récurrents peuvent survenir en cas de négligence. Votre réchaud est alors potentiellement dangereux! Des exemples?

- La chaleur générée par votre réchaud est insuffisante : il faut alors démonter et nettoyer toutes les pièces. Vous les plongez dans le naphte, hormis celles en caoutchouc, et les laissez tremper quelques heures. Si un nettoyage n'améliore pas la situation, certaines pièces devront être changées. Renseignez-vous auprès de votre détaillant. Le démontage est une mesure préventive recommandée au moins une fois par année.
- Une flamme jaunâtre émane avec persistance : l'orifice de la buse de votre réchaud est peut-être responsable de ce dysfonctionnement. Vérifiez qu'il est conforme, et changez-le, par exemple, s'il s'est agrandi anormalement par rapport à son état initial.
- Votre réchaud s'allume et s'éteint : portez une attention particulière au contenant du combustible. Changez-le si une fuite est apparente.
- La pression est faible : touchez l'anneau d'étanchéité entre la pompe et le contenant. S'il est sec, lubrifiez-le.

Enfin, testez toujours votre réchaud avant de partir en randonnée. Votre estomac et votre bonne humeur en dépendent!

LE FILTRE À EAU

Pour s'assurer de maximiser son efficacité et son rendement, certaines précautions d'usage doivent être privilégiées.

- Après le pompage, il importe de **bien vider** le contenu du filtre. Il faut s'assurer qu'il ne reste pas d'eau dans celui-ci, afin d'éviter la prolifération des bactéries.
- Dès le retour à la maison, autant que possible, désassemblez-le, nettoyez-le et **asséchez-le** dans les plus brefs délais. S'il vous était impossible de le faire, réfrigérez alors votre filtre. Encore une fois, cette initiative empêche les bactéries de pulluler. Mise en garde : ne placez jamais votre filtre au congélateur. En gelant, l'eau risque de faire éclater les micropores.
- Certains filtres munis d'un dispositif en céramique permettant de filtrer jusqu'à 50 000 litres d'eau doivent être **brossés** régulièrement (en moyenne une fois pour quatre utilisations). Cette étape est délicate, car une fois sorti du dispositif, le filtre est très fragile. Manipulez avec soin.

Quel que soit le type de filtre, s'il n'a pas été asséché avant d'être remisé pendant plusieurs mois, il est bon pour la poubelle, car les bactéries auront alors gagné la bataille. Il est possible de changer uniquement le filtre, mais en termes de coût, il représente la moitié de celui d'un dispositif complet. Ah! Dire qu'une mesure préventive toute simple permettrait d'éviter cet impair…

SYSTÈME D'HYDRATATION

Une substance jaunâtre non identifiée est collée dans le fond de votre réservoir? Pilule d'iode sédimentée? Insecte en gestation? Ne prenez pas de chance : lavez fréquemment votre poche à eau. On trouve sur le marché des ensembles de **brosses pour réservoir** et un **séchoir spécial** qui facilitent grandement la tâche. Une grosse brosse permet de déloger les impuretés dans les moindres recoins du réservoir et un goupillon – longue tige munie de poils abrasifs – s'insère au complet dans le tube pour le récurer. Un séchoir permet de garder le sac ouvert pour une aération maximale.

Utilisez de l'eau et un savon doux (par exemple du liquide à vaisselle) pour le nettoyage. Puis faites tremper

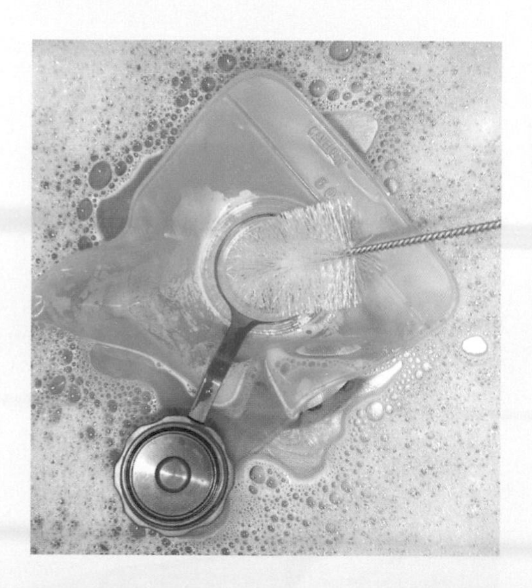

la poche une dizaine d'heures dans un **mélange d'eau et de bicarbonate de soude** (une cuillère à café par litre d'eau). Cette « saucette » élimine les arrière-goûts persistants. Si une désinfection s'impose au préalable, rien de mieux qu'un bon javellisant. Donnez à votre poche d'hydratation un bain additionné de deux à trois cuillères à café d'**eau de Javel**. Toutefois, ne laissez pas tremper trop longtemps sous peine de boire ensuite de l'eau de piscine! Secouez. Rincez. Plus blanc que blanc…

VÊTEMENTS IMPER-RESPIRANTS

Si les micropores des membranes imper-respirantes sont perméables à la vapeur d'eau (résultant de notre sudation), elles absorbent aussi les saletés. Des nettoyages fréquents sont donc à prévoir et plus souvent qu'on ne le penserait a priori. Ainsi, après une randonnée de plusieurs jours ou après des activités sportives régulières ou simplement lorsque les vêtements techniques sont sales, il est avisé de les laver jusqu'à une fois par mois.

On doit également, une fois par année, lui administrer un **traitement déperlant** pour renforcer son imperméabilité. Idéalement, il faut au préalable laver le vêtement avec un savon doux, sans détergent, conçu pour ce type de membranes. Ensuite, reste à choisir un type de déperlant parmi les deux qui existent : les *wash-in*, que l'on ajoute dans la laveuse après le premier lavage et les vaporisateurs, dont on asperge le vêtement encore mouillé, car l'eau favorise l'introduction des agents actifs dans les fibres du matériau.

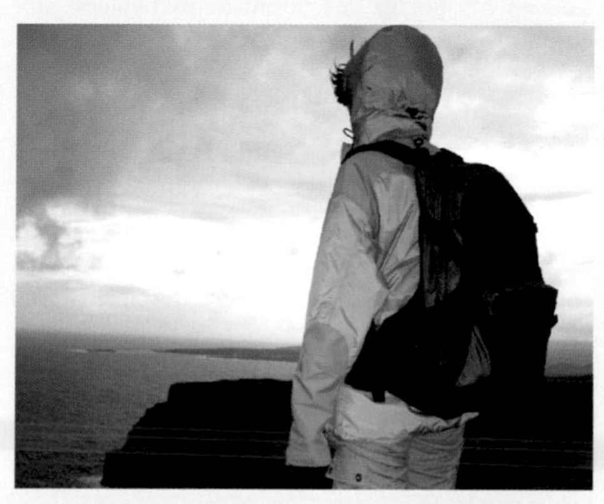

Le vaporisateur permet de traiter le vêtement en tout temps et de vaporiser des endroits stratégiques que l'on veut plus imperméables que d'autres. Les *wash-in* permettent, quant à eux, de traiter la membrane de façon plus homogène, le vêtement étant introduit entièrement dans le liquide. Toutefois, l'intérieur de votre coquille sera aussi traité, ce qui réduira sa perméabilité à la vapeur d'eau.

Dernière étape : **faire sécher le vêtement dans une sécheuse** à température moyenne, puis le repasser à la même température (de préférence sous un linge). Cette méthode contribue à aviver le pouvoir imperméabilisant de la membrane, car la charge des ions, inversée lorsque vous malmenez votre vêtement en activité, est alors régénérée par la chaleur. Métaphysique, mon cher Watson!

CHAUSSURES DE CUIR

Bien entretenu, le cuir d'une botte est extrêmement durable. Règle générale : **nettoyer la chaussure dès qu'elle est sale.** C'est que le cuir est capricieux. Constitué d'entrelacements de fibres qui forment une ⟹

couche dense et perméable à la vapeur d'eau, il ne peut évacuer la chaleur et l'humidité lorsque ses pores sont bloqués par la saleté. De plus, celle-ci contribue à canaliser l'eau plus en profondeur dans le cuir, réduisant du coup son imperméabilité. Le séchage de la chaussure est par conséquent plus long.

Lorsque l'eau cesse de perler sur la botte, il importe de la **réimperméabiliser**. N'utilisez jamais d'huiles animales : elles distendent le cuir, ramollissent la tige de la chaussure et pourrissent sous l'action jumelée du soleil et de la chaleur! Choisissez plutôt un produit à base de cire d'abeille ou à base d'eau. L'un et l'autre possèdent leurs avantages et leurs inconvénients. La cire d'abeille est plus efficace, mais elle altère la couleur de votre chaussure. Elle obstrue de surcroît les pores du cuir et augmente considérablement le facteur humidex dans le microclimat de votre botte. Les produits à base d'eau permettent de contourner ces écueils, mais leur efficacité est moins durable. Il faut donc traiter la chaussure plus fréquemment. Dans tous les cas, **portez une attention particulière aux coutures** : c'est la zone de prédilection de l'ennemi pour s'infiltrer!

LE VÉLO

Voilà une série de conseils qui vous permettront de bichonner votre monture sous tous les angles. Si vous la malmenez très souvent, il est recommandé de la confier une fois par an à un spécialiste. Des pièces plus sophistiquées, telles qu'une suspension ou des freins à disques, nécessitent un examen minutieux au début de chaque saison. Qui plus est, il peut être bon, lorsqu'on dispose d'un vélo haut de gamme, de le faire démonter et remonter complètement à des fins de vérification.

Centrer la roue

Suspendez votre vélo ou retournez-le pour le faire reposer sur la selle et le guidon. Faites rouler la roue avant, freinez et relâchez. Si les patins de frein restent en position de serrage et frottent sur la jante, il importe de recentrer la roue. Si le recentrage n'est pas concluant, la roue est peut-être voilée; consultez un spécialiste.

Inspecter les freins

- Les plaquettes de frein ne doivent en aucun cas se resserrer sur le pneu. La plaquette doit être positionnée dans un angle qui permet à la partie avant de se poser en premier sur la jante, laissant un espace d'un millimètre à l'arrière. Cela permet de corriger, par exemple, le crissement des pneus.
- Pour les freins à disques, à moins d'être un expert, consultez un spécialiste. Ce sont là des pièces sophistiquées, qui requièrent des ajustements précis.

Prendre la pression des pneus

La pression d'air recommandée par le fabricant est inscrite sur le côté du pneu. Assurez-vous qu'elle est adéquate à l'aide d'un manomètre. Une fois le pneu gonflé, il est d'usage de l'inspecter : coupures, égratignures, usure excessive. Si le pneu est abîmé, changez-le. Utilisez un nécessaire d'entretien ou confiez la tâche à un spécialiste si, au cours de l'exercice, votre tension a tendance à monter…

Vérifier le moyeu

Supportez le poids du vélo d'une main, et de l'autre, imposez à la roue un mouvement oscillatoire (de gauche à droite par rapport à l'axe du vélo). Si la roue ne bronche pas, le moyeu est bon; si elle bouge, il est défectueux. Consultez alors un spécialiste.

Resserrer la potence

Assis sur le vélo, appuyez fortement sur les freins. Tirez sur le guidon de l'avant vers l'arrière en maintenant le vélo le plus droit possible. Cet exercice vous permettra de vérifier que la potence est bien serrée. Si tel n'est pas le cas, et que vous disposez des outils nécessaires (ils varient selon les modèles), resserrez-la. Sinon, consultez un spécialiste.

Inspecter la chaîne

Faites tanguer votre chaîne. Assurez-vous qu'elle balance avec fluidité. Elle doit être huilée de façon homogène avec une huile spécialement conçue à cet effet. Ainsi, on évite qu'il se forme des dépôts entre les joints ou les maillons.

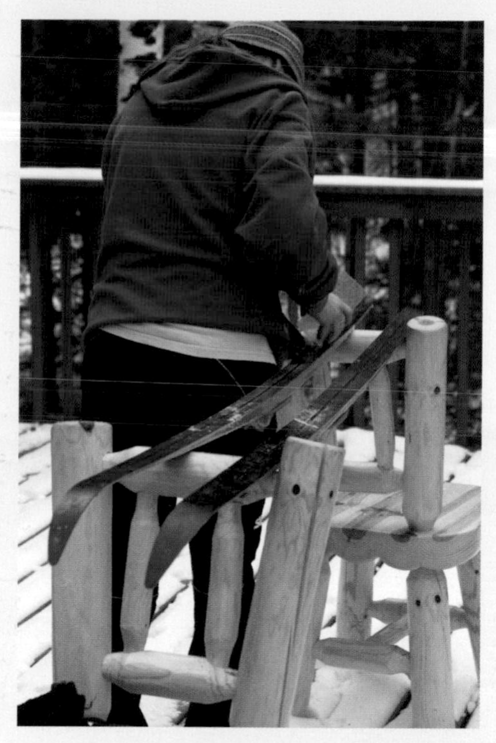

Mettre le dérailleur à l'épreuve

Pédalez. Prenez de l'élan et enclenchez un changement de vitesse. Si la chaîne accède à une autre vitesse presque aussitôt, le câble du dérailleur arrière est trop tendu. Si la chaîne répond avec hésitation à votre commande de vitesse, qu'elle ne permet pas de progression, le câble est trop lâche. Ajustez alors la vis de réglage qui se trouve sur le câble introduit dans le dérailleur arrière.

Ajuster la selle à la bonne hauteur

Si ce n'était pas déjà fait, assurez-vous que la selle est à la bonne hauteur. Elle doit être assez haute pour qu'il vous soit possible de pédaler à vive allure sans avoir à vous trémousser pour toucher les pédales. Un petit test : asseyez-vous sur la selle, placez votre métatarse (plat du pied) sur la pédale et positionnez-la en bas. L'ajustement est adéquat lorsque la jambe est légèrement fléchie. Elle ne doit pas être droite.

SKI DE FOND

Quand les premières neiges tombent, un cours de fartage ou d'aiguisage peut être le bienvenu. Peu coûteux, un tel cours — offert par bon nombre de clubs, de stations de ski de fond et de boutiques de plein air — changera à jamais votre perception du ski de fond. Au programme : apprendre à nettoyer les skis, à vérifier leur rectitude, à les poncer, à appliquer le fart de base adéquatement et aux bons endroits et enfin, à poser un fart d'adhérence. Pour les skis munis de carres, des experts démontreront la technique à laquelle il faut recourir non seulement pour les aiguiser, mais aussi pour les débarrasser de la rouille, les lisser, les biseauter, les ébarber et les arrondir comme il se doit.

Du haut de gamme en pleine nature

© Hôtel Sacacomie

Un sauna finlandais après une journée de ski de fond ou d'escalade. Un repas gastronomique après avoir touché la cime des montagnes. Un lit douillet en alternance avec la nuit sous les étoiles? Depuis quelques années, l'offre touristique québécoise sait marier avec classe aventure et art de vivre. En voici de beaux exemples…

L'auberge de tous les sens
Saint-Michel-des-Saints -Lanaudière

Nichée sur une presqu'île de sable fin entre les baies du Village et du Milieu, à la frontière de l'eau et de la forêt, l'**Auberge du lac Taureau** offre détente et fine gastronomie aux amoureux de grand air. En entrant, l'œil s'attarde à la pierre et aux billots de pin rouge qui donnent un aspect rustique à l'endroit. Les 100 chambres (également formule condo) tout équipées permettent d'entrevoir la baie du Village et la forêt qui jouxte le site. En **ski de fond** l'hiver, à **pied ou en vélo de montagne** l'été, il suffit de s'approvisionner en collations pour s'élancer dans les 23 kilomètres de sentiers qui mènent notamment au barrage de castor ou au site amérindien. L'auberge fournit aussi **canot** ou **kayak** à qui veut découvrir le lac Taureau et ses 695 kilomètres de pourtour, à moins de choisir une sortie en **voilier** ou même en montgolfière. En hiver, les **raquettes** prêtées par le centre permettent de parcourir une dizaine de sentiers dans la forêt enneigée. Plusieurs autres activités dont le **traîneau à chiens, le patinage** et la **pêche sur glace** sont aussi disponibles.
Services : sauna, spa, massages, restauration, fine cuisine.

www.lactaureau.com
(450) 833-1919 • 1 877 822-2623.

Enivrant Sacacomie
Saint-Alexis-des-Monts - Mauricie

Camouflée sur un versant richement boisé de pins et d'érables, la chaleureuse bâtisse en bois rond de **l'hôtel Sacacomie** surplombe son majestueux lac, éponyme aux longues rives de plus de 40 kilomètres. À l'entrée du pavillon, un doux parfum de bois titille les narines, mêlé aux odeurs crépitantes de l'âtre énorme qui invite les aventuriers à se lover dans cette douceur accueillante et feutrée. Une centaine de chambres et suites sont offertes pour un confort douillet et un sommeil salutaire. Durant la saison estivale, le lac Sacacomie se transforme en un véritable terrain de jeu à découvrir en **rando** (circuits guidés en montagne), en **canot**, en **kayak, à cheval ou encore sur la plage privée**. Ceux qui nourrissent une curiosité certaine pour la faune peuvent prendre part à une séance guidée d'**observation du castor, de l'ours noir et de l'orignal**. L'hiver venu, on choisit entre les **skis de fond**, les **raquettes, les patins ou la glissade** pour profiter des largesses de la blanche nature. **Pêche sur glace** et **traîneau à chiens** sont aussi du nombre d'activités proposées l'hiver. Un des attraits majeurs est sans contredit le somptueux **GEOS Spa**, un centre de bien-être de conception écologiquement responsable à l'offre on ne peut plus complète.
Services : restauration, soins de santé, spa, hammams, location de skis de fond et de raquettes.
www.sacacomie.com
1 888 265-4414 • (819) 265-4444

Une montagne à couper le souffle
Saint-Jean-de-Matha - Lanaudière

Régnant fièrement au sommet de sa montagne, l'**Auberge de la Montagne Coupée** présente une vue exceptionnelle sur la vallée du Saint-Laurent, et ce, à une heure de Montréal. Qu'il soit charmé par le calme du feu crépitant, le plaisir gourmand de la cuisine ou la sérénité d'un massage aux pierres chaudes, l'amant de la nature peut décrocher du quotidien à sa guise dans cette auberge qui offre 47 chambres et suites. Sous les gros flocons, le **ski de fond** a une place de choix à la Montagne Coupée qui propose de découvrir des points de vue à couper le souffle en parcourant les 40 kilomètres de sentiers classiques et les 30 kilomètres de pas de patin. Et si l'on troquait les skis pour les **raquettes** pour partir vers quatre sentiers cachés et autres lieux inexplorés? L'été, ce sont les bâtons de **randonnée** et le sac à dos qui prennent la relève.
Services : bains thérapeutiques, massages, enveloppements, gastronomie.
www.montagnecoupee.com
(450) 886-3891 • 1 800 363-8614

Chalets douillets
Montebello - Outaouais

Kenauk, comme dans *Mukekanauk* en algonquin, signifie tortue. Et quoi de mieux que cet animal qui vit à la fois dans l'eau et sur terre pour représenter l'éventail d'activités proposées au **Fairmont Kenauk**? Cet immense terrain de jeu de 260 kilomètres carrés est à l'entière disposition des locataires de treize chalets disséminés sur le territoire caractérisé par ces petites montagnes et ces 70 lacs. Ces nids douillets sont de type « rustique haut de gamme », tout en demeurant abordables. Une véritable chambre d'hôtel tout équipée en plein bois! Sur ce site sauvage et d'une blancheur immaculée en hiver, l'esprit est plutôt à l'exploration des lieux **en skis hors-piste ou en raquettes** dans la neige folle. Il est également possible de goûter aux plaisirs du **traîneau à chiens**. L'été, le choix déchirant se situe plutôt entre la **pagaie** ou les bottes de **randonnée.** Le Château Montebello auquel le Fairmont Kenauk est associé propose aussi d'enfourcher le **vélo de montagne** et de tâter le pouls des chemins forestiers abandonnés.
Services : location de raquettes et de skis en hiver, de canot et kayak en été.
www.fairmont.com/kenauk
(819) 423-5573 • 1 800 567-6845

Quatre saisons en beauté
Ferme-Neuve - Laurentides

Le grand luxe, c'est de louer un appartement pour les vacances, mais d'avoir l'impression d'être chez soi. Rien ne manque dans les superbes chalets du **village Windigo**, pas même le bain tourbillon. On se sent comme à la maison... mais en mieux! Dans le secteur, les activités ne manquent pas et les quatre saisons sont exploitées dans le plaisir et la beauté de la nature. Le réservoir du Baskatong est un lac artificiel de 320 kilomètres carrés. Pour explorer les 2800 kilomètres de berges et les nombreuses îles vierges et verdoyantes de ce plan d'eau, il suffit de mettre à l'eau son **kayak**. Sur terre, la montagne du Diable offre de multiples possibilités de **randonnées** à pied et à **vélo** au fil des saisons. L'hiver, on troque allègrement la bicyclette contre les **skis de fond**, les **raquettes ou encore les patins**. L'Association des amis de la montagne du Diable a balisé plus de 125 kilomètres de sentiers, en plus de la trentaine de km de sentiers à proximité du Windigo.
Services : gastronomie, soins de santé, spa
www.lewindigo.com
1 866 946-3446 • (819) 587-3000

L'agenda du plein air

Changez la nature de vos rendez-vous! Voici un tour d'horizon des événements de plein air du Québec, mois après mois. Pour les dates précises, consultez régulièrement le site Internet de la revue Espaces (www.espaces.ca).

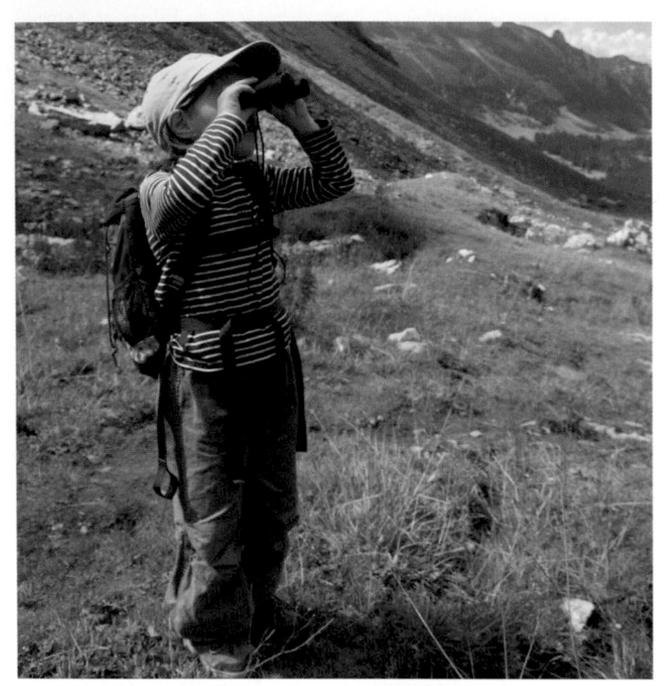

JANVIER

Festiglace de Joliette (Lanaudière)
Fête des patineurs sur les 4,5 km gelés de la Rivière L'Assomption.
www.festiglace.ca • (450) 755-1651

Grande Traversée Casino de Charlevoix - Isle-aux-Coudres
Compétition de canot à glace entre l'Isle aux Coudres et Saint Joseph de la Rive.
www.grandetraversee.com
(418) 438-2568

Rendez Vous Télémark - Le Massif (Charlevoix)
Fin de semaine dédiée au télémark : initiations, tests de matériel et animations.
www.lemassif.com • 1 877 536-2774

Tournée québécoise du Festival du film de montagne de Banff
Montréal, Québec, Sherbrooke, Trois Rivières, Drummondville, St Jérôme, Chicoutimi, Rimouski, Rivière-du-Loup
Le meilleur du festival des films de montagne de Banff en 2 h 30 de projection.
www.espaces.ca • (514) 277-3477

Internationaux de traîneau à chiens du Canada - Saint-Just-de-Bretenières (Chaudière-Appalaches)
Course annuelle de traîneau sur les sentiers du parc régional des Appalaches.
www.daaquam.org • (418) 244-3442

FÉVRIER

Classique de courses de chiens de l'Isle aux Coudres (Charlevoix)
Compétition d'attelages de chiens de traîneau de toute l'Amérique du Nord.
www.charlevoix.qc.ca/isle-aux-coudres
(418) 438 2930 • 1 866 438-2930

La Grande Traversée de la Gaspésie
Randonnée en ski hors-piste sur plus de 300 km, entre mer et Chic-Chocs.
www.brisebise.ca/tdlg • (418) 368-0635

Marathon canadien de ski (Outaouais et Laurentides)
Marathon de 12 à 160 km auquel participent plus de 2000 fondeurs âgés de 4 à 84 ans.
www.csm-mcs.com
(819) 770-6556 • 1 877 770-6556

Téléfestival - Mont-Comi (Bas Saint Laurent)
Festival de télémark de trois jours avec cliniques d'apprentissage et de perfectionnement.
www.telefestmontcomi.weebly.com
1 866 739-4859

Traversée des Laurentides
Randonnée spectaculaire de ski de fond de plusieurs jours pour skieurs de tous niveaux.
www.skitdl.com

Festival Québec en glace - Parc de la chute Montmorency (région de Québec)
Compétition d'escalade de glace, ateliers et conférences offerts aux amateurs d'activités hivernales.
www.rocgyms.com • (418) 647-4422

Course de ski de fond Gatineau Loppet (Outaouais)
Plus grande manifestation canadienne de ski de fond qui rassemble les fondeurs du monde entier dans la forêt de Gatineau.
www.gatineauloppet.com
(819) 243-2330

Festival de la raquette - Saint-Raymond-de-Portneuf (région de Québec)
Randonnées en raquettes pour tous les niveaux de 3,5 km à 12 km.
www.fqmarche.qc.ca • 1 866 252-2065

Pentathlon des neiges de Québec (région de Québec)
Événement multisports accessible à tous : patin, ski, raquette, course et vélo dans le parc historique des plaines d'Abraham,
www.pentathlondesneiges.com
(418) 907-5734

MARS

Loppet Camp Mercier-Forêt Montmorency (région de Québec)
Course de ski de fond proposant deux distances, chronométrées ou non, de 25 km et 44 km.
www.loppetcmfm.ca • (418) 656-2034

Tour du mont Valin (Saguenay)
Course de ski de fond offrant quatre distances (12, 20, 38 ou 50 km) en style libre ou classique.
www.tourmontvalin.com
(418) 674-1200